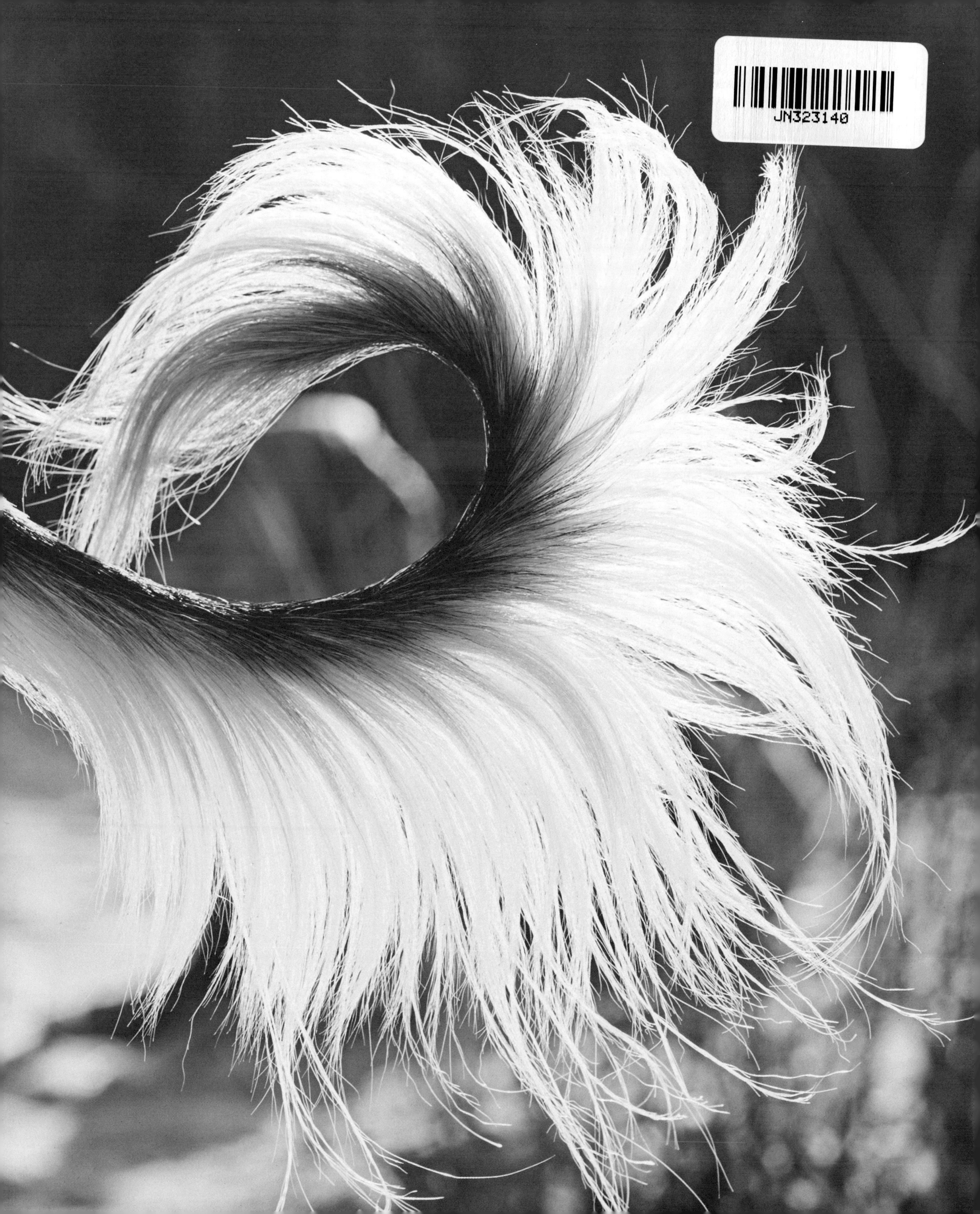

世界で一番美しい犬の図鑑

THE SPIRIT OF THE DOG

世界で一番
美しい
犬の図鑑

THE SPIRIT OF THE DOG

タムシン・ピッケラル

岩井木綿子［訳］｜アストリッド・ハリソン［写真］

X-Knowledge

THE SPIRIT OF THE DOG

by Tamsin Pickeral

Photography by Astrid Harrisson

Copyright © 2012 Quintessence Editions Ltd

Photographs copyright © 2012 Astrid Harrisson

Japanese translation rights arranged with

Quintessence Editions Ltd

through Japan UNI Agency, Inc., Tokyo

装丁・和文タイプセット：neucitora
本文組版：㈱有朋社
翻訳協力：喜多直子／㈱トランネット

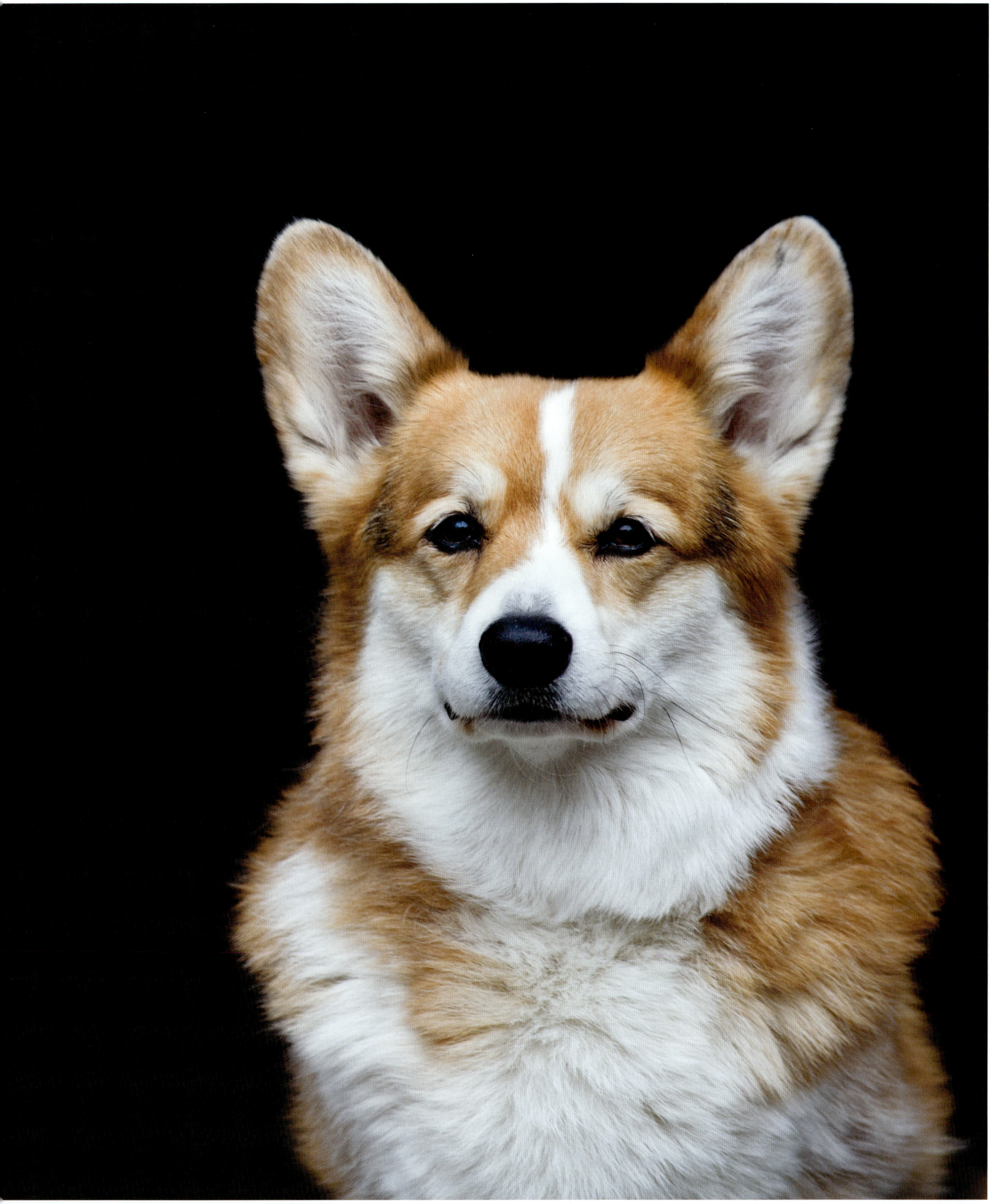

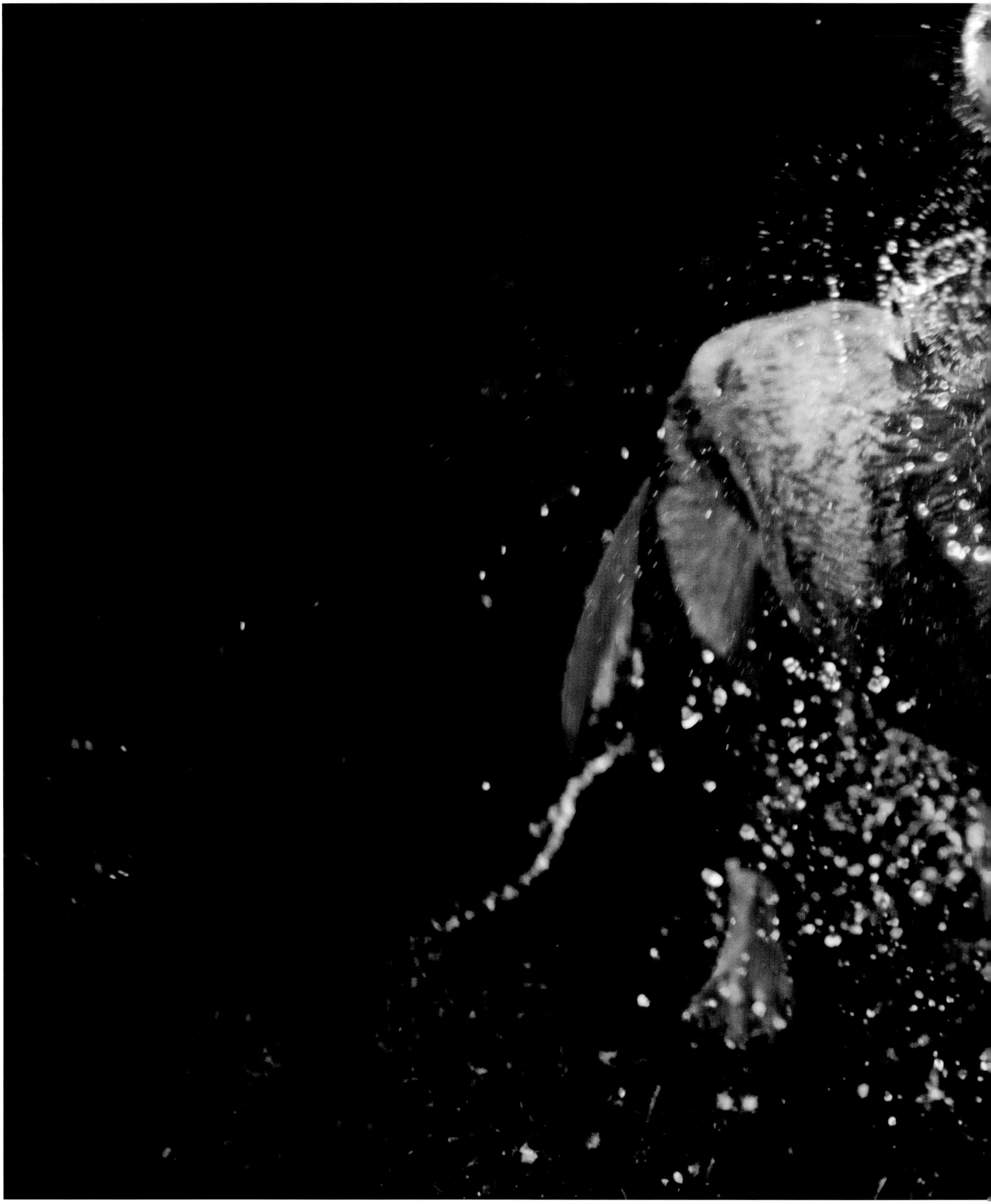

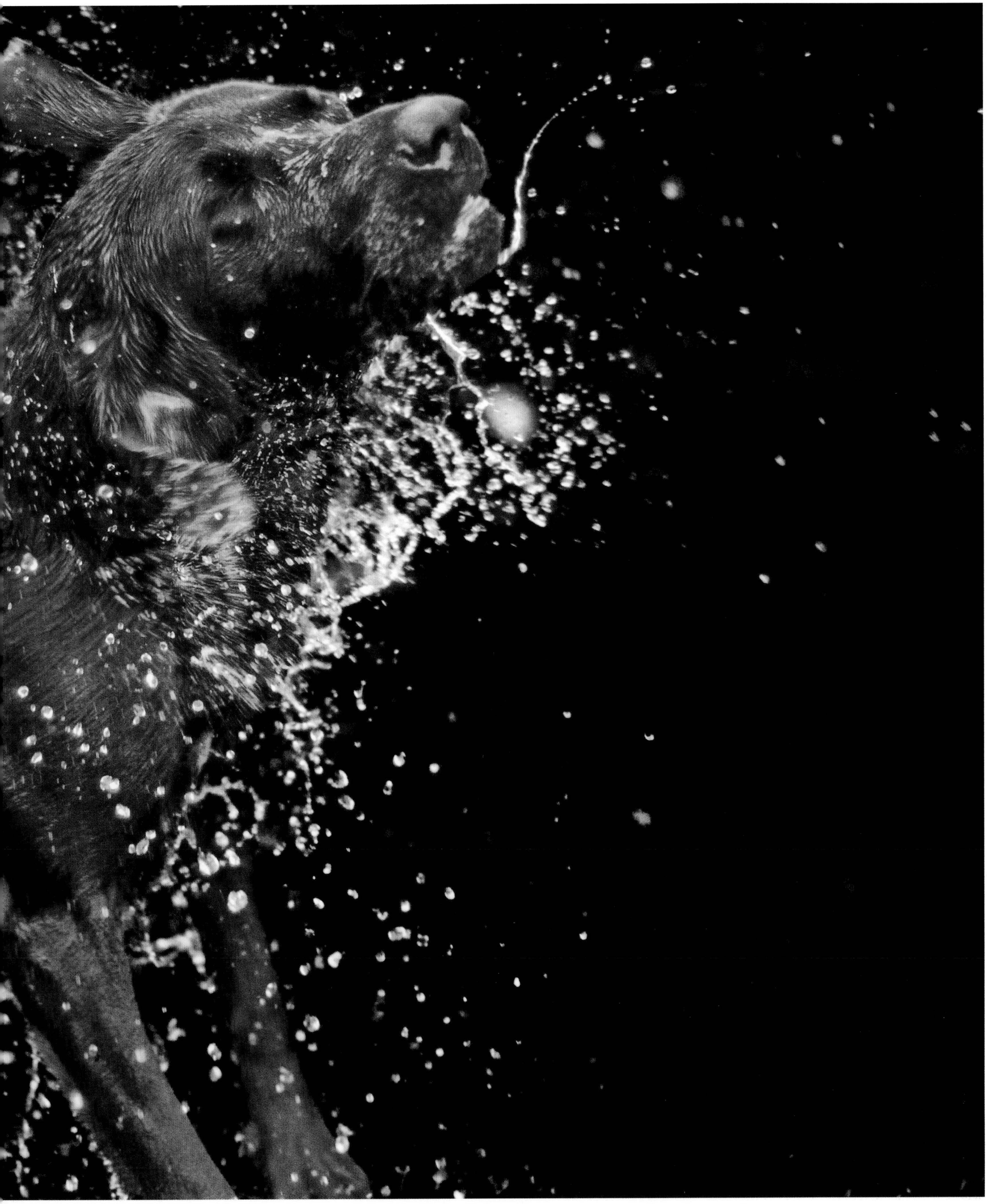

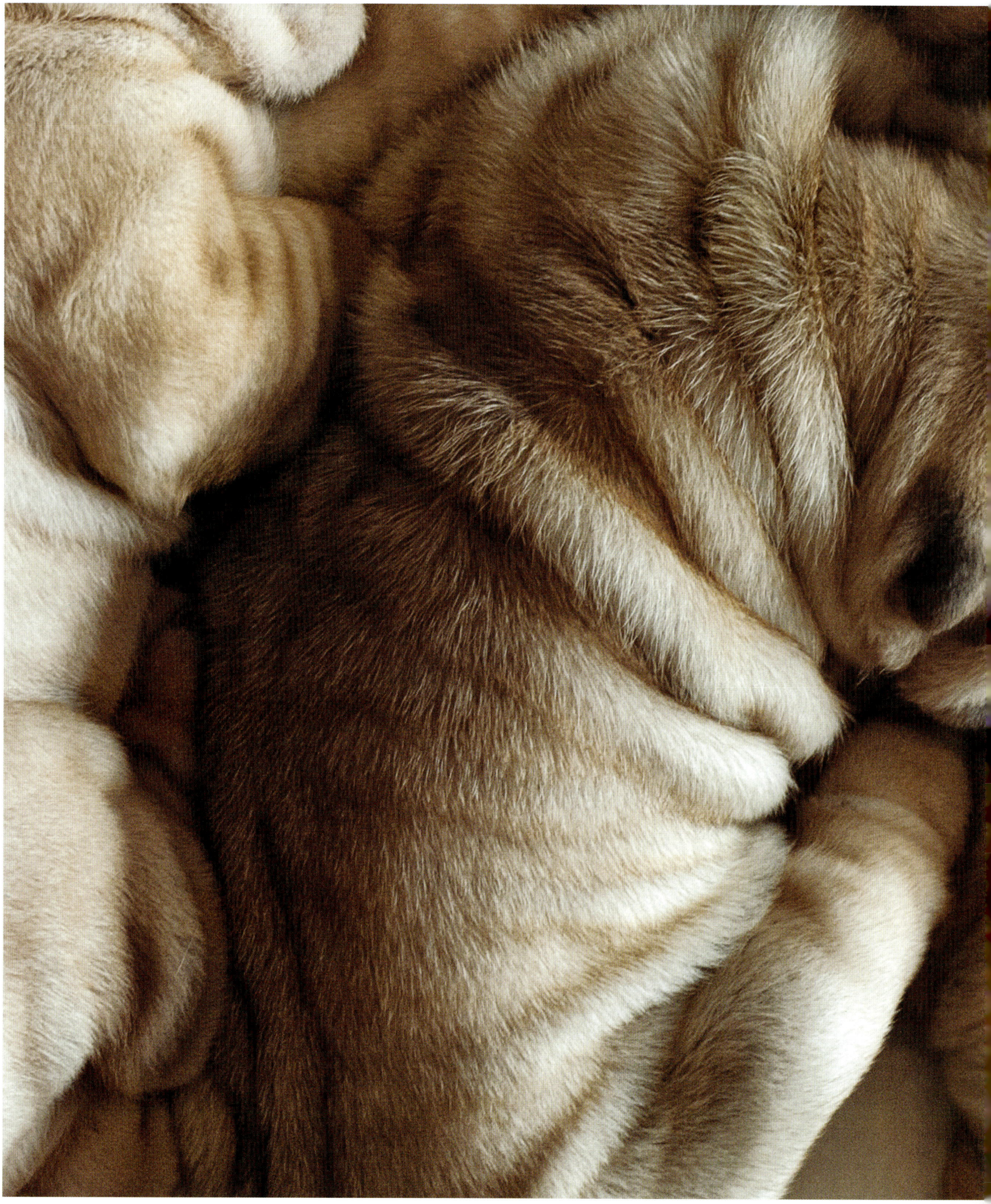

CONTENTS

11 巻頭言
12 序文

14 **第1章**
優美さとスピード
- 16 サルーキ
- 18 スルーギ
- 22 ボルゾイ
- 24 アフガン・ハウンド
- 28 グレーハウンド
- 32 イビザン・ハウンド
- 34 アイリッシュ・ウルフハウンド
- 38 ディアハウンド
- 40 ウィペット

44 **第2章**
美とスタミナ
- 46 アラスカン・マラミュート
- 48 シベリアン・ハスキー
- 52 サモエド
- 56 秋田
- 60 チャウ・チャウ
- 64 ノルウェジアン・ルンデフンド
- 66 ノルウェジアン・エルクハウンド
- 68 フィニッシュ・スピッツ
- 70 キースホンド
- 72 アメリカン・エスキモー・ドッグ
- 74 バセンジー

76 **第3章**
パワーと屈強さ
- 78 マスティフ
- 82 ブルドッグ
- 86 アメリカン・スタッフォードシャー・テリア
- 88 ボクサー
- 90 ボルドー・マスティフ
- 92 グレート・デーン
- 96 シャー・ペイ
- 100 ニューファンドランド
- 102 セント・バーナード

104 **第4章**
気品と信頼性
- 106 ビアデッド・コリー
- 108 ボーダー・コリー
- 110 ラフ・コリー
- 112 オールド・イングリッシュ・シープドッグ
- 114 グレート・ピレニーズ
- 116 オーストラリアン・キャトル・ドッグ
- 120 ブリアード
- 122 カナーン・ドッグ
- 124 コモンドール
- 128 シュナウザー
- 132 ウェルシュ・コーギー・ペンブローク
- 134 ロットワイラー
- 136 ドーベルマン
- 138 ジャーマン・シェパード・ドッグ

142 **第5章**
気骨と胆力
- 144 ブラッドハウンド
- 148 バセット・ハウンド
- 152 オッターハウンド
- 154 ビーグル
- 156 アメリカン・フォックスハウンド
- 160 カタフーラ・レパード・ドッグ
- 162 ブルーティック・クーンハウンド
- 164 プロット・ハウンド
- 166 ダックスフンド
- 168 ローデシアン・リッジバック

172 **第6章**
敏捷性と知性
- 174 イングリッシュ・スプリンガー・スパニエル
- 178 イングリッシュ・コッカー・スパニエル
- 180 アイリッシュ・ウォーター・スパニエル
- 182 イングリッシュ・セター
- 184 ゴードン・セター
- 186 ジャーマン・ショートヘアード・ポインター
- 188 ショートヘアード・ハンガリアン・ビズラ
- 190 ワイマラナー
- 192 スピノーネ・イタリアーノ
- 194 チェサピーク・ベイ・レトリーバー
- 196 ラブラドール・レトリーバー
- 200 ゴールデン・レトリーバー

202 **第7章**
粘り強さと気迫
- 204 マンチェスター・テリア
- 206 ダンディ・ディンモント・テリア
- 208 ベドリントン・テリア
- 210 ボーダー・テリア
- 214 エアデール・テリア
- 218 スコティッシュ・テリア
- 222 ウエスト・ハイランド・ホワイト・テリア
- 226 アイリッシュ・テリア
- 228 アイリッシュ・ソフト・コーテッド・ウィートン・テリア
- 230 ワイヤー・フォックス・テリア
- 234 パーソン・ラッセル・テリア／ジャック・ラッセル・テリア

238 **第8章**
献身と忠誠
- 240 シー・ズー
- 244 ラサ・アプソ
- 246 ペキニーズ
- 250 パグ
- 254 チャイニーズ・クレステッド・ドッグ
- 256 チワワ
- 260 パピヨン
- 262 ポメラニアン
- 266 プードル
- 270 フレンチ・ブルドッグ
- 272 ボストン・テリア
- 274 キャバリア・キング・チャールズ・スパニエル
- 278 ヨークシャー・テリア
- 280 ダルメシアン

284 索引
285 クレジット
287 謝辞

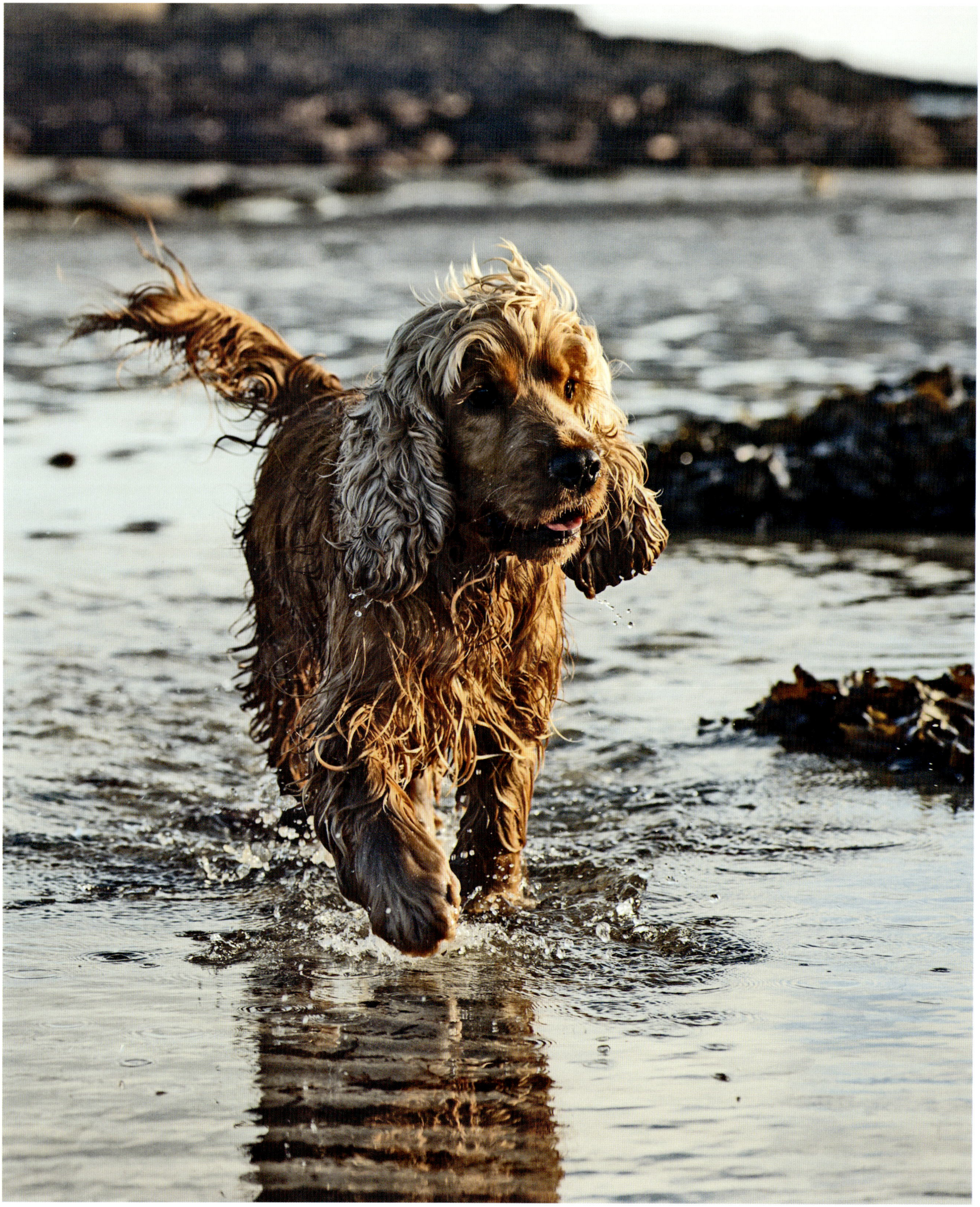

巻頭言 ヴィクトリア・スティルウェル（著名なドッグトレーナー、ライター、TVパーソナリティー）

　犬とその飼い主の暮らしをよりよいものにすることに人生を捧げてきた人間として、私は常にこの動物が持っている、ほとんど無限と言ってもよい能力に驚かされ続けてきました。犬たちは、人を驚かせ、人に問題を突きつけ、喜ばせ、豊かな人生を与えてくれます。ドッグトレーナー、動物行動学の専門家としての第一の役割は、飼い主が犬とのより健全な絆を築くお手伝いをすることです。それには、犬がどんなことを経験しているかについて、飼い主によく理解してもらう必要があります。

　動物の家畜化は何千年も昔から始まりました。動物によって家畜化の程度はさまざまですし、どんどん人間中心になっていく世界で居心地よく暮らしていけるかどうかについても、動物によって差があります。これは私の意見ですが、人間との付き合いにうまく適応し、その関係を発展させ、維持するだけでなく、その結びつきを楽しみ、相互依存することにかけて、犬ほど成功した動物はいないのではないかと思います。

　現代の犬が、これほど私たち人間の世界になじむことができたのはどうしてでしょう？　犬の祖先であるオオカミたちは、少しずつ、ゆっくりと家畜化されていきました。オオカミの持っていたどんな特性が、この家畜化を推進したのでしょうか？　また、いったいどうすれば、生物学的にはたった1つの種が、大きさも、体型も、性格もここまで多様に進化できたのでしょうか？　さらに、犬と私たち人間には感情の動きや生理学的特徴、行動の性向で共通する部分がたくさんありますが、こんなことが可能なのはどうしてでしょう？

　現代の行動科学によって、ようやくこれらの問いの答えが見つかり始めました。けれども、私たちと一緒に暮らす犬たちのことを本当の意味で理解するためには、過去にも目を向け、その進化・発展の過程を理解しなければなりません。そして時に見逃されがちな、人と犬とがともに築いてきた関係に内在する力についてよく知る必要もあります。

　この本は、とても美しいだけでなく、私たちの犬——ある系統の犬のグループや個々の犬種——がどのようにして生まれてきたのか、詳しく、かつわかりやすく教えてくれます。しかも、その過程で著者のタムシンは、犬と人間との関わり合いの歴史のなかで起こったさまざまなエピソードについて、魅力的に、そしてドラマチックに書いてくれています。その長い歴史には、心温まることだけでなく、時に悲惨なこと、残念なことも含まれています。この本は、それぞれのタイプの犬たちが、そこでどんな役割を果たしてきたのか私たちに教えてくれますが、それは単なる犬種の歴史や事実ではありません。私たちの最愛の友が今のような姿になり、今のような感じ方や行動の仕方をするようになった理由やその過程もわかるようになっているのです。

　そんなタムシンの文章を完璧なものにしているのは、アストリッドの息をのむほど美しい写真の数々です。私はこれまで数多くの、犬の撮影を得意とする動物写真家と一緒に仕事をしてきましたが、これほど芸術性の高い写真は見たことがありません。

　各犬種の歴史、私たちの生活との関わり合い方、そして現在どんなふうに私たちのために役立っているかといった情報を網羅する図鑑として、この本は金字塔を打ち立てたと言えるでしょう。さらに言えば、個々の犬の物語や、犬と人間とを結ぶ独特な絆について語る読み物としても、タムシンとアストリッドが作った本書は傑作だと思います。私たち人間は大昔から、住む土地ごとにまったく異なる文化を築いてきましたが、そのそれぞれに、犬たちは大きな影響力を及ぼしてきました。これは驚異的なことです。たとえ「大の犬好き」とは言えない人でも、このことは認めざるをえないでしょう。この本を読むことは、単に犬の身体の変遷について学ぶということにとどまりません。本書は、犬たちがなぜ今のような姿になったかについて考えるきっかけを与えてくれるのです。

　彼らを初めて家畜化したとき以来、私たちはある種の責任を負っています。しっかりと、人道的に、しかも相手を尊重するやり方でこの責任を遂行するためにはどうすればよいか、現在さまざまな意見が出されています。この本は、読者の目をそんな議論にも向けさせてくれるでしょう。これほど美しい写真とすばらしい文章に裏打ちされていては、そんな議論はばかばかしい、つまらない、と打ち捨てることはとうてい不可能です。

　私は犬が大好きです。人の犬の訓練もしますし、自分でも犬を飼っています。その私がこの本を読んで得たものを、皆さんにも楽しみながら手に入れていただけることを願ってやみません。

序文 INTRODUCTION

犬は、地球上のほかのどんな生き物よりも深く、私たちの生活のなかに入り込んでいる。彼らは、私たちが最も信頼する忠実な友だ——私たちの過ちを寛大に許し、熱意を持って私たちを喜ばせようとする。そして、常に私たちの言葉に耳を傾けてくれる。彼らのおかげで、私たちは楽しみや慰めを得ることができる。彼らは仲間思いで、感受性が鋭く、豊かな知性を持つ。人間の感情に共感する能力ばかりかユーモアを解する能力すらあるように思われる。そんな犬の能力が、彼らと人間とのあいだに独特の絆を形成してきた。この貴重で得難い絆を、私たちはつい過小評価しがちだ。

犬の魂のなかには、人間が感情移入したくなる、一種の同族意識のようなものがある。それが、人と犬とがともに築いてきた長い歴史を思い出させてくれる。犬は、私たちの祖先に寄り添って歩き、人間が起こした戦争で戦い、人間のために食糧を探し、人間の家や家畜を守り、夜寒にはぬくもりを提供してくれた。人の命を救い、生活には潤いを与えてきた。彼らの忠誠心は揺るぎない。不確かなものだらけのこの世界にありながら確固不変なものの1つだ。しかも、誰もがその忠誠を当てにできる。

実際、あらゆる人間にそれぞれ相性のよい犬というのがいる。犬の多様性はそれほどまでに豊かなのだ。非常に大きいものも小さいものもいるし、性格も優しいものから勇猛果敢なものまでさまざま。エネルギッシュなものもいれば、とにかくのらくらしているのが好きなものもいる。さらに、あらゆる種類の毛色、毛質、体つき、声、性格の犬がそろっている。

これほど多様な動物なので、利用のされ方も多岐にわたっている。おそらくすべての家畜のなかで最も用途が広いだろう。彼らは、古い言い伝えに登場し、神話のなかでは神々と肩を並べる。現実世界でも、北極や南極で探検隊を導いてきた。北極圏に住む人々にとって、犬はかけがえのない存在だ。また、非常にすぐれた犬は、外交上の重要な贈り物として国と国とのあいだでやりとりされてきた。ほかにも、山奥に分け入って遭難した人を捜し出したり、爆弾や違法薬物を探知したりする犬もいる。そして人々は、ドッグレース場で大金を賭け、ドッグショーのリングに夢を託した。

さらに、目の見えない人や耳の不自由な人、身体に障害がある人たちにとって生活を助ける補助犬は欠くことのできない存在だし、船や住居や工場に巣くう害獣を駆除してきた犬たちもいる。一方で、家畜の番をし、子どもたちを見守り、数百年前からは絵のモデルや物語の主人公も務めるようになった。最近では、テレビドラマやアニメ、ハリウッド映画にも活躍の場を広げている。と同時に、犬の魅力が持つ多大な影響力にあやかって売れ行きを伸ばそうと、ペンキや煙草、楽譜、洗剤など、ありとあらゆるものに犬の絵や写真が使われている。今では私たちの生活のなかで、犬との関わりがまったくない分野というのはほとんどないのではないだろうか。そうやって彼らは私たちと快く旅をともにし、生きる喜びを分かち合ってきたのだ。にもかかわらず、犬を重要な食材の1つとして扱う文化もいまだに存在する。

このような関係は考古学的な証拠から、少なくとも1万4000年前には始まっていたと考えられる。最も直接的な情報源は墳墓だ。ドイツのボン近郊オーバーカッセルにある1万4000年ほど前の墓など、人の遺体と一緒にイエイヌが埋葬されている墓が数多くあるのだ。犬が人と一緒に葬られているという事実は、私たちと彼らとのあいだにあった特別な関係の性質をよく物語っているが、同時に、一部の宗教では「犬が守護者、霊的世界の導き手という役割を与えられていた」ということもわかる。犬の墓は、南極を除くすべての大陸で発見されている。誕生以来、犬はほぼすべての文明と関わりを持ってきたのである。

考古学的証拠など、犬の歴史を明らかにする手がかりが数多く見つかっている一方で、遺伝学的な研究が進むにつれて、その歴史の謎は逆に深まり、どんどん込み入ってきた。イエイヌの起源に関する論争はいまだに決着を見ていないが、イエイヌがタイリクオオカミから進化してきたという点については、反論の余地がない。ただし、いつ頃その進化が起こったのか、正確な時期は特定されていないし、どれくらい時間がかかったのか、あるいはどこで起こったのかについても議論が続いている。ちなみに「犬のような動物」の化石は、ヨーロッパとユーラシア大陸で発見されている。最古のものは、ベルギーのゴイエ洞窟で見つかった、3万1700年前のものだ。これらの化石は、オオカミよりも初期の犬に近い特徴を多く持ち、両者のあいだの進化の途上にあったと考えられる。

家畜化が始まった時期については、さまざまな生物学者が、世界各地の犬のミトコンドリアDNAを分析して、それぞれ独自の分析結果を提唱している。最もよく挙げられる年代は、1万5000～1万4000年前だ。イエイヌ発祥の地ではないかと言われる主な場所は3カ所ある。いずれにも科学的根拠はあるが、ここだという決定打はまだない。1つ目は中東で、考古学的証拠が多数見つかっている。2つ目はヨーロッパまたは南

西アジア、3つ目は東アジア南部、揚子江以南の地域である。

この、きわめて重大な進化上の出来事を引き起こしたきっかけは何か——これもまた、推測の域を出ていない。はるか昔、若いタイリクオオカミがたき火の暖かさや人の食べ残しに引き寄せられ、人間社会のなかで暮らしたほうが得だと思ったのかもしれないし、オオカミの子どもが捕らえられ、人間に育てられたのかもしれない。いずれにせよ、人間と生活をともにするうちに顎の骨と歯に変化が起こり、全体的に身体が小型化すると同時に、行動の仕方も変わっていった。しかし、家畜化が1カ所で1度だけ起こったのか、それともいくつかの場所で何度も起こっていたのかについては、まだ結論が出ていない。

タイリクオオカミから異なるタイプの犬が分かれていく過程もはっきりしていないが、人間の文化、特に農業の発達に伴って、犬も求められる役割を果たすために進化していったと考えられている。中東やヨーロッパに残っている美術品や文献、考古学的遺物から、6000年ほど前にはすでに異なるタイプの犬がいたことがわかる。最も目を引くのは視覚ハウンド［訳注：すぐれた視覚で獲物を追跡するタイプの猟犬］だが、マスティフや小型犬、そのほかいろいろなタイプの猟犬もいたようだ。

中央アジアや東アジアで古代文化を担っていた人々は、移住する際に犬も一緒に連れていった。そうして犬たちは、新しい役割や新しい環境に合わせてさらに進化していく。東南アジアあるいは中央アジアは「イエイヌ誕生の地」と言われることがあるが、初期の犬たちの多くがそれぞれの特徴を獲得していく"舞台"となったのは、中東とヨーロッパである。ハイディ・パーカーらの研究（2004年）によれば、最古の犬は4つのグループに分けられるという。アジアのスピッツ系犬種（シャー・ペイ、柴、秋田、チャウ・チャウ）、アフリカの原始的な犬（バセンジー）、北極圏のスピッツ系（アラスカン・マラミュートやシベリアン・ハスキー）、そして視覚ハウンド系（アフガン・ハウンドやサルーキ）である。

ともあれ、現代の犬種の大多数が確立されたのは、この数百年のあいだのことだ。それ以前の時代は、ある種の特徴をはっきりと示す犬（本書ではこれを「犬種」と呼ぶ）同士が特別に交配されて、与えられた仕事をこなすのに最適な犬が作り出されても、血統証明書や記録などは存在していなかった。あったとしても現在まで伝えられていない。今日認知されている犬種は、特定の種類の犬を専門に繁殖するさまざまなケネルクラブと深く結びついている。繁殖家たちの団体が設立されて犬種標準が定められ、ドッグショーや野外競技会のような場で競い合うことによって、その標準をさらにすぐれたものにしようという努力が重ねられてきたのだ。

現在、全犬種の国際的な統括団体であるFCI（Fédération Cynologique Internationale＝国際畜犬連盟。1911年創設）や、AKC（American Kennel Club＝アメリカンケネルクラブ。1884年創設）や英国のKC（The Kennel Club＝ザ・ケネルクラブ。1873年創設）のような各国の愛犬家団体は、それぞれ独自に犬種をグループ分けしている。分類の基準は主に、その犬種の用途による。たとえば、AKCの「牧畜犬」というグループや、KCの「ガンドッグ（猟銃を使った猟のための犬）」、FCIの「視覚ハウンド」といったグループだ。ただし、ケネルクラブごとに分類の仕方は少しずつ異なっている。この本でも章ごとに犬種をグループ分けしているが、これはあくまで筆者個人によるまとめ方で、必ずしもどこかのケネルクラブの分類に対応しているわけではない。また、各犬種の「適性」欄では、その犬が過去及び現在に特にすぐれた特性を見せた分野を紹介しているが、すべての用途を網羅しているわけではない。

それとともに本書では、それぞれの犬たちを近現代に誕生した種か、古い歴史のある種かのどちらかに分類し、前者を「近現代犬種」、後者を「近世以前犬種」と呼ぶことにした。もちろん、後者のなかには非常に古い犬種も、それほどでもない犬種もあるし、キャバリア・キング・チャールズ・スパニエルのように、ルーツは古いが、犬種として認定されたのはごく最近、という犬もいる（この場合はルーツを重視し「近世以前犬種」とした）。さらに、現在の各犬種の数を「希少」「比較的多い」「一般的」の3つに分けた。ただしこれは、世界的にその犬種がどれくらい飼育されているかを示すおおよその目安にすぎない。一部の国でたくさん飼われている品種が別の国ではほとんど名前も知られていない、という場合もある。

犬全体の歴史も、ある特定の犬種の歴史も、草創期については、根拠のあやしい言い伝えしか情報源がない場合が多い。そのため、それを証明するための学説が次々と生まれては立証され、反駁され、再び立証されるということが繰り返されている。犬が最初に家畜化された動物である（あるいは、犬がパートナーとして私たちを選んだだけ、とも言える）ことはわかっている。犬が私たちとともに歩んできたことは確かだ。ほとんど共生していると言ってもいい。犬の魂を目で見ることはできないし、数値化して計ることもできないが、犬は人の心をとらえて放さないある特質を確かに持っている。そしてその崇高さに、私たちは感嘆せざるをえないのだ。

これほど変わらぬ忠誠心を持ち続け、私たちが望むままに許し、愛し、守り、慰めてくれる動物がほかにいるだろうか。王侯貴族も庶民も皆、犬を伴侶とすることができる。まさしく最良の友だ。だが、勘違いをしてはいけない。私たちは、自分たちのほうが高等な生物だと思っているかもしれないが、実は最後に笑うのは犬のほうなのだ。家で一番暖かくて気持ちのよい場所を占領し、どしゃぶりの雨のなか私たちを散歩に引っ張り出す。そして、上手にボールを投げられるようになるまで、私たちを根気よく訓練するのも犬たちだ。何度でも、何度でも、何度でも……

CHAPTER 1

第1章
優美さとスピード

　犬の世界のサラブレッド、視覚ハウンド。彼らは、犬のなかで最も足の速いグループだ。彼らはまた、最も古いタイプの犬でもある。視覚ハウンドの歴史は、ほかの犬種のそれとはまったく趣を異にする。特筆すべきは、君主や支配者との密接な関係だ。視覚ハウンドは間違いなく王侯貴族の犬であり、その優美な姿が芸術作品に登場する頻度も群を抜いている。

　その名の通り、視覚ハウンドは目で見て狩りをする猟犬である。このグループに属する犬種は、いずれも秀でたスピードとスタミナに恵まれ、その独特な体型は、いかにもすぐれた運動能力を持つ犬らしい。彼らは長頭型の頭蓋骨を持っている。つまり、頭の前後の長さが幅に比べて長い。これは、オオカミや野生イヌとも共通する特徴だ。おかげで広い視野を確保することが可能なのだが、ここが彼らとほかのイエイヌとの違いでもある。視覚ハウンド以外のイエイヌの大半は、頭蓋骨の前後の長さがより短く、幅がより広くなるように品種改良されてきたのだ。

　視覚ハウンドはまた、獲物を目で追うことができるような開けた土地で狩りをするのに最も適した身体をしている。彼らのほとんどは長い脚を持っているので、歩幅が大きく、短時間で距離をかせぐことが可能だ。

　視覚ハウンドは、独立心が強く賢い犬種であることもよく知られている。巧みに問題を解決し、人間からの指示がほとんどなくても狩りを行えることが、この特長の証左である。獲物を追跡し始めた視覚ハウンドは、基本的に自分で考えて行動する。そして主人がやってくる前に自分だけで獲物を追いつめ、捕らえ、逃げられないように押さえつけて、殺すか主人のもとに持ち帰る。しかし残念ながら、この犬の生来の知性は、人間と犬との関係という視点から見るとマイナスに働く。知性とは、必ずしも従順さにつながるわけではないからである。人が棒を投げてやっても、「人が自分で行って取ってくればよいではないか」と考えるのだ。

　とはいえ、視覚ハウンドの大多数は主人に対して非常に愛情深い。一方で、知らない人間にはそっけない。また、コヨーテやジャッカル、オオカミを捕らえて殺すこともできる獰猛さと、献身的な穏やかさという二面性を持っている。このように視覚ハウンドは、性格の両極性が著しい。この特性は、人間のいる環境のなかで、この犬が独特の立場を占めるようになった一因となっている。他の作業犬や猟犬は、犬舎で生活し、その用途のためだけに飼われていた。今日でも一部の猟犬や警備犬、狩猟に使われる嗅覚ハウンド［訳注：高度に発達した嗅覚を生かして狩りをする犬］、家畜の番犬はそういう飼われ方をしている。しかし視覚ハウンドはそれらとは異なり、狩りの相棒としてだけでなく、家のなかでともに暮らすペットとしてもかわいがられてきたのだ。

　視覚ハウンドの個々の起源については、ウィペット（19世紀のイングランドで生まれた）を除き、いずれも詳細はわかっていない。通説では、メソポタミアで発達してきたのではないかと言われている。肥沃な三日月地帯と呼ばれる、現在のイラク、シリア北東部、トルコ南東部、イラン南西部にまたがる地域だ。実際、チグリス川東岸、イランのスーサにある先史時代の遺跡からは、サルーキのような特徴が見受けられる視覚ハウンドを描いた紀元前4000年前後の土器片が発見されている。また、チュニジアのウエスラ山で発見された紀元前7000～5000年頃の原始的な岩絵にも、スルーギのような姿の視覚ハウンドが描かれている。さらに古代エジプトやギリシャ、ローマになると、視覚ハウンドの姿が頻繁に登場するようになる。古代エジプトの巨大墳墓からは、絵や彫像ばかりでなく、視覚ハウンドのミイラも発見されている。

　歴史上有名な権力者のそばには常に視覚ハウンドの姿があった。たとえばマケドニアのアレクサンドロス大王（紀元前356～同323年）は、この犬を使った狩りを好んだ。彼らは馬にも遅れずに走ってついてくることができたからである。そのため王は、ガリア（現在のフランス、ベルギー、スイス、オランダ、ドイツの一部などにわたる地域）のライン川源流の南西に住んでいたセグシウムの氏族からたくさんの視覚ハウンドを買い入れている。また、イングランド王クヌート1世（995頃～1035年）は、「王の狩りを害するがゆえに平民はグレーハウンドを所有してはならぬ」という禁令を出したと言い伝えられている。

　さらに時代は下って1619年、米国のヴァージニア州議会も、先住民にグレーハウンドを譲渡することを禁止した。これも、狩猟の"権利"を守る

ELEGANCE AND SPEED｜優美さとスピード

ためである。米国にはたくさんの視覚ハウンドが輸入され、それらを使った狩猟は人々に人気の娯楽となったが、同時に害獣の数を抑制するのにも大いに貢献した。また、戦に伴われて不幸な最期を遂げた犬もいる。アメリカ先住民に対する初めての軍事作戦に出たジョージ・アームストロング・カスター将軍（1839〜76年）は、熱烈な愛犬家だった。彼は、行軍の際にも飼い犬のグレーハウンドとディアハウンドを連れていった。タックという名のお気に入りのディアハウンドは1876年6月、リトルビッグホーンの戦いで先住民による攻撃を受け、将軍とともに戦場の露と消えている。

視覚ハウンドはヨーロッパの宮廷でも人気だった。特にフランス、スペイン、イタリアの王侯貴族にもてはやされた。たとえばフランスのルイ11世（1423〜83年）は、飼っているグレーハウンドたちに溺愛と言えるほど目をかけた。1頭のグレーハウンドのために、20個もの真珠を散りばめた深紅のベルベットの首輪をあつらえさせ、別の1頭には、専用のベッドと寝間着を与えたほどだ。また、スコットランド王ロバート1世（1274〜1329年）の妻エリザベスは、イングランド王エドワード1世（1239〜1307年）によって幽閉されるとき、「3頭のグレーハウンドと、ベッドメイキングをやらせる……気のきいた召使い」を牢獄に連れていきたいと言い張ったという。このように王侯貴族と飼い犬のグレーハウンドたちとの絆はとても強かった。

英国のヴィクトリア女王（1819〜1901年）と夫君アルバート公も熱烈な愛犬家で、グレーハウンドやボルゾイをはじめとしてさまざまな犬を所有していた。女王がある犬種を好むことが知れわたると、その犬種を飼うことが一般の人々のあいだでも流行した。ちなみにボルゾイは、ロシア皇帝アレクサンドル2世と3世からの贈り物だった。この犬は20世紀初頭まで、外交上あるいは政治的に重要な贈り物として盛んにやりとりされてもいたのだ。

現在では、視覚ハウンドを狩猟犬という本来の用途で利用する国はほとんどなくなってしまった。その代わりに彼らは、ドッグレースやルアー・コーシングのようなスポーツで活躍している。ルアー・コーシングとは、機械仕掛けのおとりを追ってカーブや曲がり角（時には障害物）の含まれるコースを走る競技である。生きた獲物を追いかけるという活動を模したものだ。採点の基準は国によって異なるが、スピード、機敏さ、持久力、知性、意欲などが審査される。この1000年で視覚ハウンドの役割は変化したが、彼らの性質の根幹にあるものは変わっていない。運動能力抜群のスーパーな戦士から、一瞬のうちに愛情深いペットに豹変することができる犬なのである。

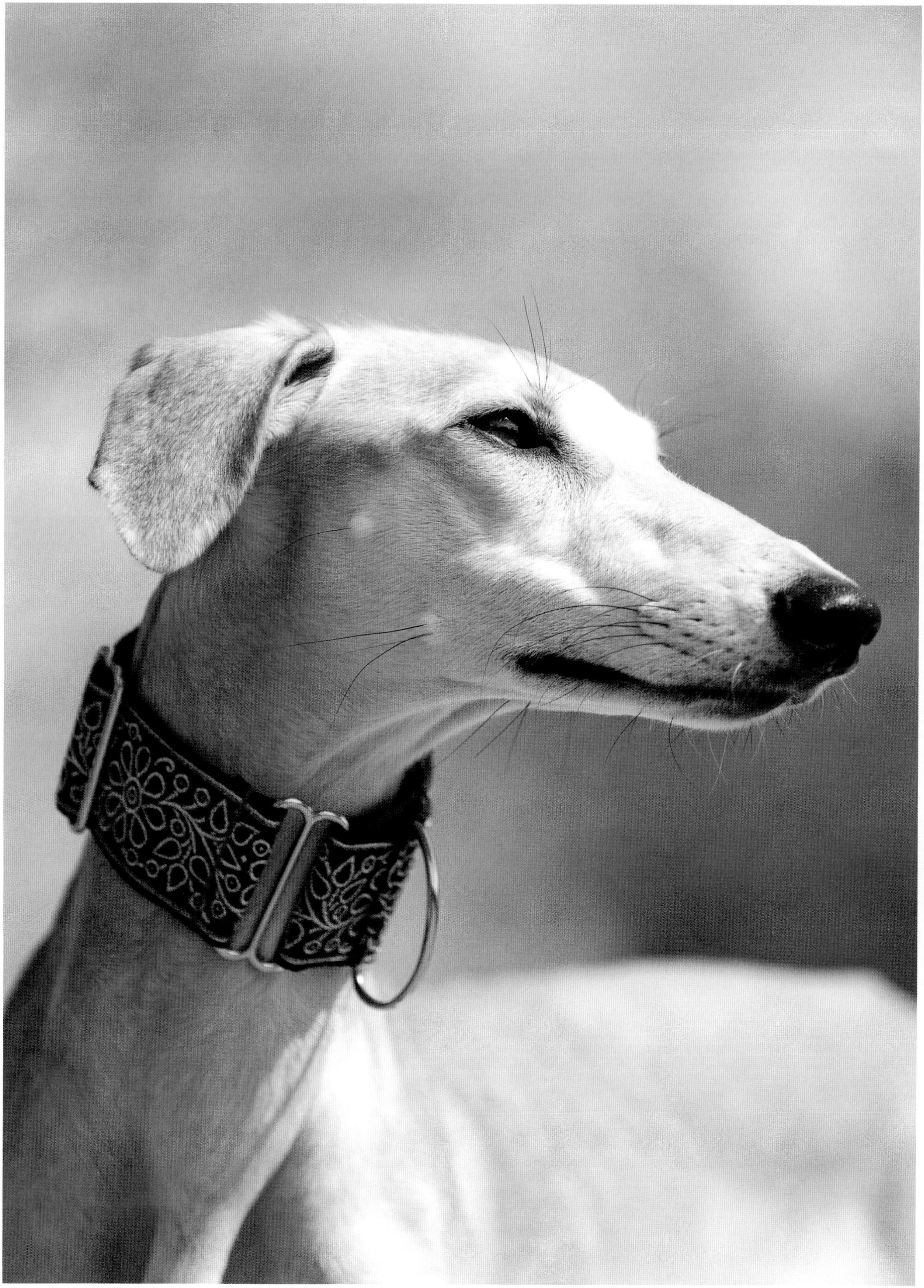

SALUKI
サルーキ
近世以前 – 中東 – 希少

SIZE | 大きさ
雄　58〜71cm／雌　比較的小型

APPEARANCE | 外見
優美で精悍、そして知的。頭部は前後に長く幅が狭い。両耳のあいだは適度に離れている。楕円形で「彼方を見つめるような」優しい目。長い耳には絹のような毛が生えている。首は長くしなやか。胸は深い［訳注：縦方向に厚みがある］が、幅はそれほど広くない。背部はかなり広い。腰の上あたりの筋肉がわずかに弓なりに発達し、腹はよく巻き上がっている［訳注：胴の深さが腰のあたりで急激に浅くなる］。寛骨（骨板の壁を形成する左右1対の骨）は頑丈で、寛骨頭が広く離れて付いている。尾の付き位置は低く、自然なカーブを描き、下側にフェザリング（羽根のような飾り毛）がある。

COLOR | 毛色
ブリンドル（ブラウン系または黄褐色にほかの色の差し毛が入ったもの）以外のすべての毛色が認められている。被毛はなめらかでやわらかく、絹のような手触り。耳、尾、足にはフェザリングがあってもよい。

APTITUDE | 適性
もともとはガゼルやノウサギ、キツネを追う猟犬。現在ではルアー・コーシング、ドッグレースに。家庭犬、ショードッグとしても。

サルーキという名前の由来は、アラビアの古代都市サルーク、またはシリアのセレウキアという町の名だと言われている。犬種として確立した犬のなかでは最も古い部類に入り、その誕生は古代メソポタミアと深い関連がある。現在のイラク、シリア北東部、トルコ南東部及びイラン南西部にまたがるこの一帯では、古代遺跡が数多く発掘されているが、そこからはサルーキのような特徴を持つ犬が飼われていたことを示す証拠も見つかっている。シュメール統一王朝はもちろん、紀元前4500〜同4000年のあいだにシュメール人によって拓かれた地方から出土した遺物もある。特にイランのスーサにある先史時代の遺跡からは、サルーキが存在していたことを立証する数多くの陶片が見つかっている。

古い時代から、サルーキは「エジプト王家の犬」として知られていた。実際に古代エジプトの墳墓からは、飼い主のかたわらに埋葬されているサルーキのような外見の犬のミイラが複数発見されている。しかし、サルーキの特性を作り出した真の立役者は、中東の広大な内陸部をさすらっていた遊牧民だ。その中心はベドウィンと呼ばれるアラブ系の人々で、サルーキは「高貴なるもの（エル・ホール）」、あるいは「アッラーからの贈り物」と呼ばれていた。ベドウィンの人々は、至高の美とたぐいまれなスピード、持久性を持つ動物を作り出すことにひたすら力を注いだ。

もともとサルーキは、ガゼルやノウサギ、アナウサギ、キツネなど小型の獲物を狩るために飼われていた。貴重な食糧源となる動物たちである。狩りは、複数の犬とタカを連携させて行われた。まず、タカを飛ばして獲物を探させる。タカは獲物を見つけると、その上空にとどまって居場所を知らせる。そこでサルーキが放たれ、猛烈なスピードで獲物を追い始める。狩人は馬に乗ってその後をついていく。イスラムの慣習では、狩人が獲物を殺す手順が厳密に定められているため、犬たちは、獲物を捕まえたら殺さずに押さえつけておくよう訓練を受けていた。サルーキが驚異的なスタミナとパワーを身につけていったのは、このような追跡をする際に、やわらかい砂地や、ごつごつした岩場を走らなければならなかったからだ。一見すると華奢で優美な姿のサルーキだが、持久力にすぐれ、並外れた強さを持つ犬なのだ。

ベドウィンの部族ごと、あるいは中東の地域ごとに、飼育されるサルーキの特徴は少しずつ変化していった。このため、現在ではさまざまなタイプのサルーキが存在しており、重量や体高にはいろいろとバリエーションがある。被毛も、スムース［訳注：ぴったりと寝たなめらかな短毛］とフェザリングのあるタイプの2つに分けられる。

遊牧民であるベドウィンの人々の移動に伴い、サルーキの分布は中東全域に広がった。そして唐王朝（618〜907年）の時代には、すでに中国に持ち込まれていたと考えられている。西安近郊にある章懐太子（654〜684年）［訳注：唐の高宗と則天武后の第2子］の墓には、この犬と見られる壁画が描かれている。また、中国の美術品や工芸品のモチーフとしてもたびたび利用されてきた。その頂点を極めるのは、明の宣徳帝（1398〜1435年）の手になる『萱花双犬図（けんかそうけんず）』（1427年）だろう。

英国におけるサルーキの歴史のなかで主導的な役割を果たしたのは、レディ・フロレンス・アマーストだ。彼女は1895年にエジプトから1つがいのサルーキを買い入れ、ノーフォークにアマースティア・ケネルを設立した。もう1人、フレデリック・ランス准将も重要な人物だ。彼は、現在のイスラエル、テルアビブで手に入れた2頭のサルーキをイングランドに持ち帰った。このうちの1頭サローナ・ケルブはドッグショーでチャンピオンになった有名な犬で、種牡犬として、英国におけるこの犬種の発達に大きな影響を及ぼした。そして1923年、「サルーキまたはガゼル・ハウンド・クラブ」がイングランドで設立され、犬種標準が作成されると、KCに犬種として正式に認定された。今日、一般に広く普及するまでには至っていないものの、熱心なブリーダーや愛好者が存在している。

SLOUGHI
スルーギ

近世以前 − 中東／北アフリカ − 希少

SIZE｜大きさ

雄　66〜72cm／雌　61〜68cm

APPEARANCE｜外見

優雅で高貴、そして威厳に満ちている。頭部は長いくさび形。マズル（口吻部）とスカル（頭蓋）が同じ長さで均整がとれている。耳は先端が丸みを帯びた三角形で、頭部に沿うように垂れている。目は大きい楕円形で黒っぽく、優しい表情をしている。毛色が薄いものは目の色も薄い傾向がある。首は適度に長く、優美にアーチを描く。胸骨（胸郭の前面中央の骨）がはっきりと見てとれ、胸の幅は広くない。トップライン（耳から尾端までの、身体の上側の輪郭）はほとんど水平。腹と脇腹はよく巻き上がっている。筋肉質の腰は短く、幅広で、わずかに弧を描いている。尾はトップラインに続いてなめらかなカーブを描き、動いているときは決して背より高く上げない。尾端は飛節（後肢のかかとに相当する部分）に届く長さ。足は兎足（中央2本の指が長く、全体に細い形の足）で、よく盛り上がっている。

COLOR｜毛色

薄いサンド（赤みがかった黄色）から赤の強いサンド（フォーン）。マスク（前顔部）が黒いものや黒いマントル（肩、背、体側の色が濃い部分）も可。黒のブリンドルやオーバーレイ（明るい色に濃い色が重なっている毛色）も認められる。被毛は短くて細い直毛。

APTITUDE｜適性

原産地では、ガゼルやノウサギ、キツネ、イノシシなど、あらゆる小型の獲物を捕える狩猟犬として使われる。そのほかルアー・コーシング、ドッグレースに。さらにはショードッグ、家庭犬としても。

スルーギは、別名ベドウィン・グレーハウンドあるいはアラビアン・グレーハウンドと呼ばれる、北アフリカの砂漠地帯原産の犬だ。アルジェリア、チュニジア、リビア、モロッコに住む遊牧民のベドウィン族と深い関わりを持つ犬だが、その祖先はおそらく中東からやってきたものと思われる。その起源はほとんどわかっていないが、チュニジアのウエスラ山で発見された原始時代の岩絵にスルーギによく似た外観の視覚ハウンドが描かれていることから、紀元前7000〜同5000年のあいだに誕生したのではないかと推測されている。

一般の人々は、このスルーギと、同じく中東産の視覚ハウンド、サルーキをしばしば混同するが、最近行われたミトコンドリアDNAの検査では、この2種類の犬が明らかに別の犬種であることを示す結果が出ている。とはいえ、身体的な類似点も多いことから、この2種類の犬は、遊牧民の文化のなかで同時並行的に育種されてきたと考えられる。

ベドウィンの人々はアラブ系で、犬を不浄なものとするイスラム教を信じているが、スルーギについては「普通の」「穢れた」犬とは違うと考えている。逆に彼らは、スルーギを崇拝し、サルーキと同じように扱う。どちらの犬種もアッラーからの授かり物で、「ケルブ」と呼ばれるほかの犬たちとは異なる「清浄な」ものだと考えられてきたのだ。ベドウィンの人々は天幕のなかでスルーギと一緒に生活し、交配方針を厳格に守っていた。つまり、純血種のスルーギ同士での交配しか認めず、祖先から伝わる形質が損なわれないようにしていたのである。

この犬に関する最も古い文献は、ドーマ将軍（1803〜71年）によるものだ。彼は1835年にアルジェリアに配属されたフランスの軍人で、著述家でもある。当地の文化についてたくさんの書物を残しているが、なかでもスルーギについてはかなりのページ数を割いて、その特徴を詳述している。ドーマによれば、この犬は家族の一員として非常に大切にされ、寒さをしのぐための専用の毛布や、最上級の肉を与えられていた。小さいうちは、必要があれば人間の乳で育てられることもあった。人々は、この犬を舶来の宝石や首輪で飾り、死ねば家族が亡くなったときのように悼んだという。ドーマはそのほか、犬の足に烙印を押したり、断耳をしたり、ヘンナ［訳注：ミソハギ科の植物で作った染料］で犬の身体に模様を染める習慣についても言及している。

断耳は、獰猛なジャッカルやイノシシを狩る際にスルーギの身を守るために行われた。これらの狩りはスルーギの得意とするところだが、ひらひらした長い耳は、相手が咬みついて引き裂くのにおあつらえ向きだ。そこで飼い主たちは、この犬の耳を短く切っていたのだ。現在でも、チュニジアなど各地でこの習慣は残っている。ただしこれは、防衛のためというより、断耳によって犬の聴覚が鋭くなり、虫にも刺されにくくなると信じられているからだ。

ヘンナで犬の身体に模様を染めたり、犬の足に烙印を押したりといった、伝統に深く根ざしたしきたりも残っている。たとえばモロッコでは、ヘンナは犬の骨によいと考えられているし、チュニジアでは、犬の足をヘンナの染液に浸せば呪いをかけようとする「邪眼」を寄せつけなくなると信じられている。足への烙印についても同様で、これによって足が丈夫になると考えられている。その方法はさまざまで、前肢の内側に水平の線を何本か烙印することもある。

ベドウィンの人々はアルジェリアでも暮らしていたが、この地は1830年から1962年にかけてフランス領だった。この時期の初期にフランスに持ち込まれたスルーギが、歴史上初めてふるさとの地を離れたスルーギだと考えられている。そして1800年代後半には、フランスだけでなくオラン

ELEGANCE AND SPEED｜優美さとスピード

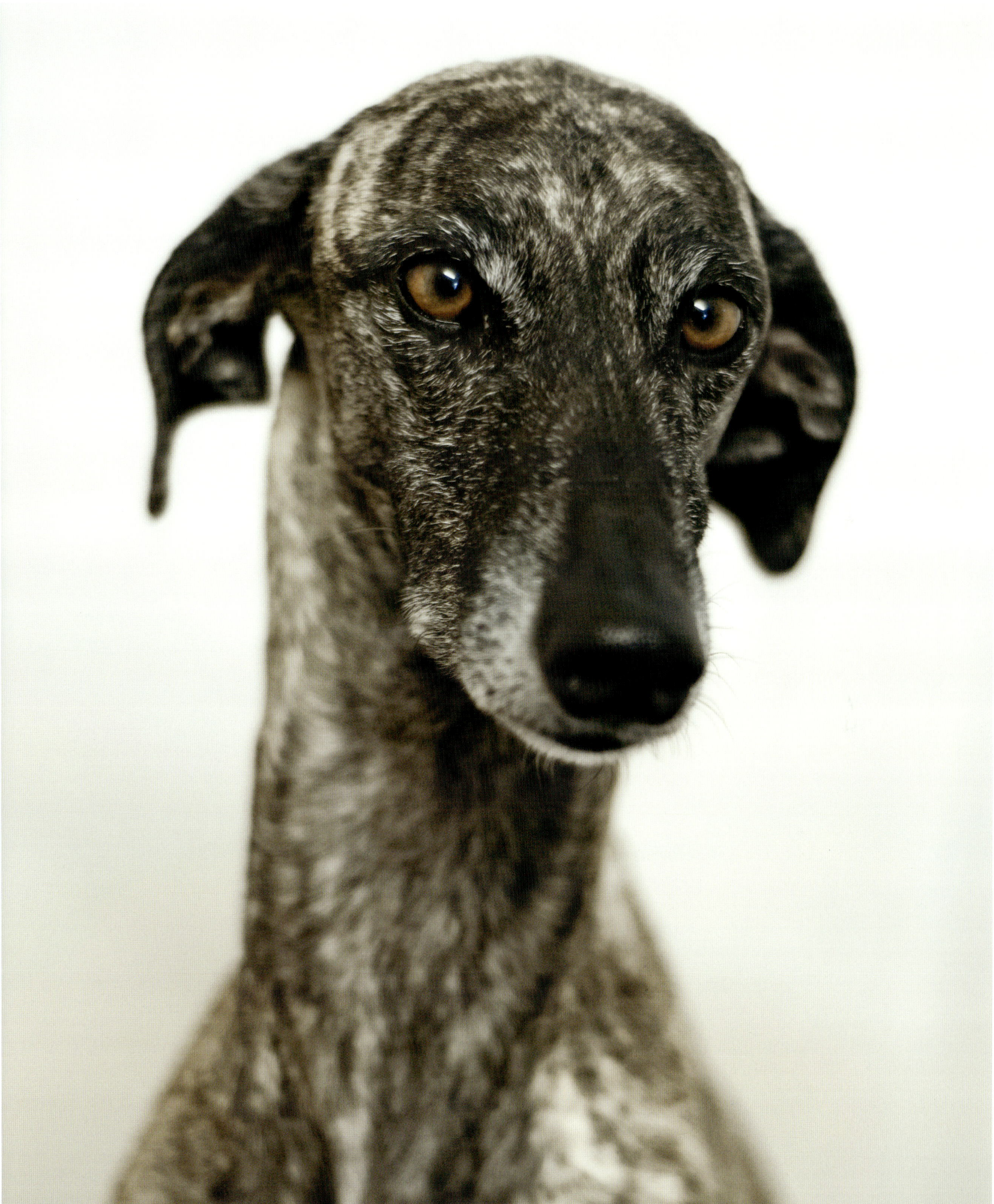

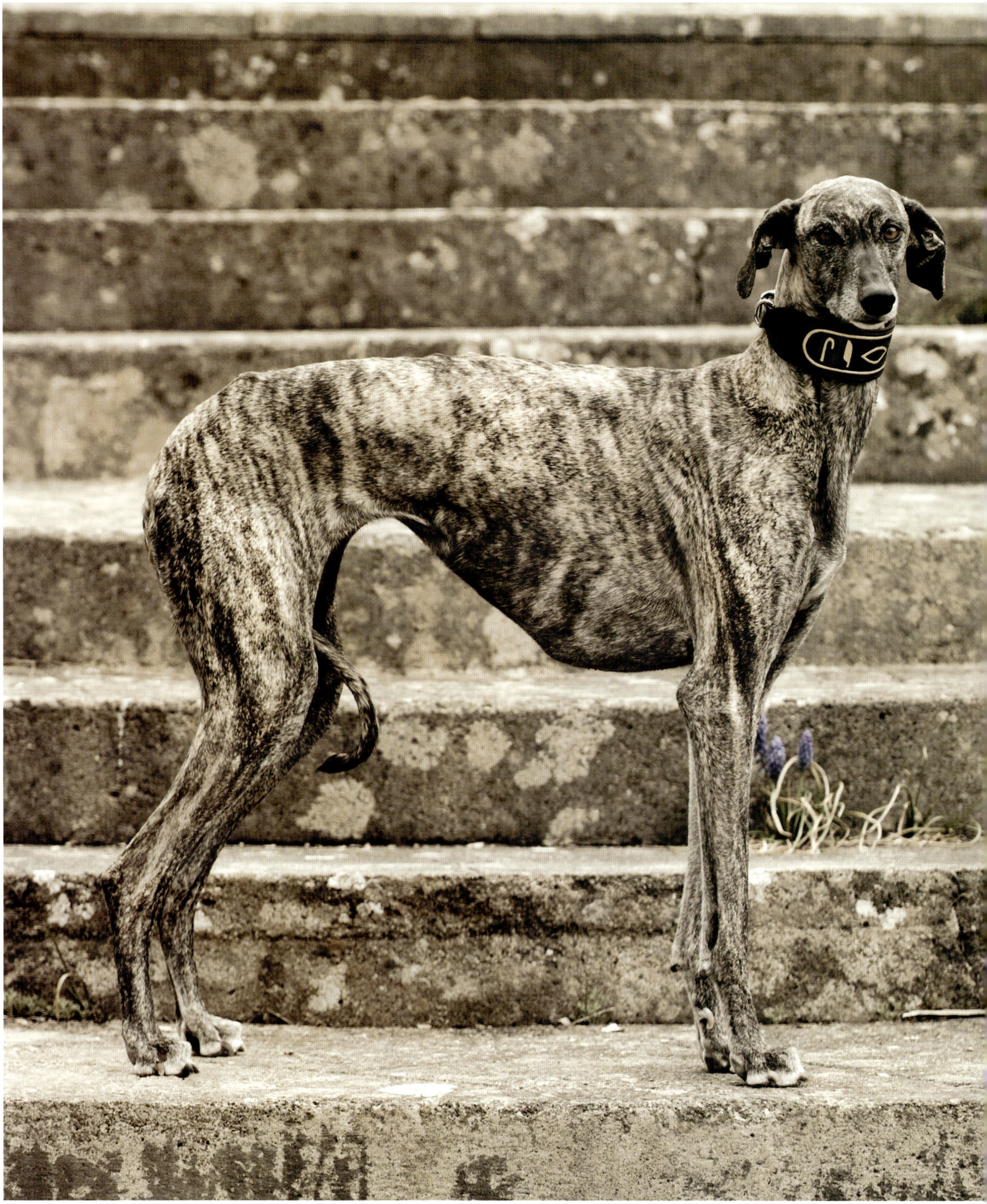

ダでも、この犬は一世を風靡するようになる。公式の犬種標準を初めて定めたのはフランス視覚ハウンド協会で、1925年のことだった。そのため、アルジェリアが1962年に独立を勝ち取るまで、スルーギはフランスの犬種とされていた。しかし現在、FCIでは、この犬をモロッコの犬種と定めている。

ふるさとの一部がフランスに占領されていた時期は、スルーギにとって受難の時代だった。この間、視覚ハウンドを使った狩りは禁止され、さらに犬は手当たりしだい撃ち殺してもよいことになっていた。そのため、スルーギの頭数は激減する。時を同じくして政治的騒乱がたびたび起こり、この犬種の繁殖を行っていた地元の裕福な人々も大きな影響を受けた。しかし20世紀中頃以降、この歴史ある犬種を守っていこうという努力が新たに始まり、現在に至っている。

英国及び米国におけるスルーギの歴史はきわめて短く、どちらの国でも飼育頭数はごく少数だが、この犬種の繁殖に努力を傾けている人は相当数存在している。米国初のスルーギは、1973年にやってきたタジウリ・エル・シアンという名の犬だ。1979年にはさらに2頭がドイツから、4頭がフランスから輸入された。米国におけるスルーギの歴史のなかで重要な役割を果たしたのはフランス人ブリーダー、ジャックとエルミーヌ・モロー＝サピエール夫妻である。2人は1979年にカリフォルニアに移り住むと、モロー＝サピエール国際スルーギ・ケネルを創設。そして1981年、夫妻のもとで初の米国生まれの子犬たちが誕生する。さらに夫妻は、1989年に米国スルーギ協会を立ち上げた。この団体は、2010年にAKCからスルーギの米国内ペアレント・クラブ［訳注：各犬種の愛犬家団体のうち、国を代表する全国的なクラブ。具体的な犬種標準の作成もペアレント・クラブが行う］に認定されている。

米国のスルーギ愛好者のなかで、もう1人重要な人物がいる。ドミニク・ド・カプローナ博士だ。彼はこの犬種に関する数々の書物を著しているだけでなく、自らもシ・ラヤン・ケネルを設立している。この犬舎では、1993年に最初の子犬が生まれている。なお、米国では1988年に米国スルーギ愛好家協会という団体も創設され、こちらは現在、大型ゲイズハウンド・レース協会から米国内ペアレント・クラブとして認められている。

スルーギは伝統的に、飼い主の家族のごく身近で生まれ、育てられるのが常だった。そのため家を守る番犬の役割も果たしていた。歴史の古いこの犬のそうした特性は今も変わっていない。見知らぬ者に対してはそっけないが、よく知る人間に対しては愛情深く忠実──それゆえ、長いあいだひとりきりで放置されることが苦手な犬種である。

BORZOI
ボルゾイ

近世以前 − ロシア − 希少〜比較的多い

SIZE｜大きさ
雄 74cm以上／雌 68cm以上

APPEARANCE｜外見
力強く、優美で貴族的かつ精悍。頭部は細くて長く、幅が狭い。スカルはややドーム型。マズルはローマンノーズ気味——つまり、横から見ると鼻梁がいくぶん盛り上がっている。小さく繊細な作りの耳は比較的高い位置に付いており、リラックスしているときは後ろに倒され、警戒時は立つ。目は黒っぽいアーモンド型で、知的な表情を見せる。首は長く、かすかに弓なり。胸は深く、幅が狭い。背部はわずかに弧を描き、骨ばっている。腹はしっかり巻き上がり、腰は幅が広く力強い。長くカーブした尾は付け根の位置が低く、フェザリングがある。

COLOR｜毛色
すべての色が認められる。被毛は絹のような手触りで、直毛も、ウェーブがかったものも、縮れ毛も見られる。頭部と耳の毛は短いが、胴体の毛は長め。前肢後方、後肢、尾、胸には密なフェザリング、首の周りには縮れた襟毛がある。

APTITUDE｜適性
本来はオオカミ狩り用。現在はルアー・コーシング、ドッグレースに。ショードッグ、家庭犬としても。

オオカミを捕らえられるほど勇敢で力強く、スピードのある犬種はそう多くない。優美な外見からは想像がつきにくいが、ロシアのボルゾイはそんな犬種の1つだ。背が高く、すらりとして、長く絹のような被毛をまとったエレガントなこの犬の内には、冷徹無比な性格と抜群の運動能力が秘められている。昔から王侯貴族との関わりが深く、コーシングというスポーツにも用いられてきた。また感受性が鋭く、主人に対して愛情深い犬でもある。そのため現代のボルゾイは基本的に家庭犬として飼われているが、一方でルアー・コーシングやドッグレースでも活躍している。米国では、コヨーテ狩りに使われている地域もある。

「ボルゾイ」はロシア語で「俊敏」を意味し、足の速い視覚ハウンド一般も指す。ロシアには昔、そのようなタイプの犬が数多くいた。これらの俊敏なロシアの猟犬たちの祖先は、中東や中央アジアで発達した、サルーキのような古いタイプの視覚ハウンドである。これらとロシアにもともといた作業犬とを異系交配し、ロシアの厳しい気候にも耐えうる、運動能力のすぐれた敏捷な犬が作り出されたのだ。古くは、1260年にノヴゴロド大公の宮廷に「ノウサギ狩り用の犬」がいたという記録がある。また1613年には、サンクトペテルブルク近郊のガッチナに、視覚ハウンドの繁殖を行うためのロシア皇帝直属の犬舎が設けられている。

コーシングというスポーツは、このような視覚ハウンドに獲物を追跡させるレースで、一般的にはノウサギやアナウサギ、キツネといった小さな獲物を用いるが、ボルゾイの場合はオオカミのように大きな獲物も使われた。かつてはロシアン・ウルフハウンドとして広く知られていたこの犬がボルゾイと呼ばれるようになったのは、1936年以降のことだ。オオカミは攻撃的な猛獣であるため、それを狩るのは特に英雄的な行為と考えられ、犬の勇敢さや狩りの巧みさは、そのまま飼い主の名誉となった。オオカミ狩りには通常、2頭のボルゾイが用いられる（このペアは「ブレース」と呼ばれている）。ブレースはオオカミを発見すると追跡を開始し、追い詰めたら両側から同時に首を狙って襲いかかり、オオカミを倒す。そして、飼い主が到着するまで押さえ込んでおく。

しかし1861年にロシアで農奴制が廃止されると、繁殖犬舎も閉鎖され、オオカミ狩りは廃れていく。その結果、猟犬の数はどんどん減っていき、存続が危ぶまれる状況に陥った。そこで1873年、猟犬の保護のために帝国猟犬普及協会が設立され、翌年にはロシアで初めてのドッグショーが開催された。「近代的ボルゾイ」の形態が定まっていったのはこのとき以降のことで、特定のタイプの犬について単系繁殖が行われ、厳密な血統表が作成されていった。

1890年代になると、英国でこの犬種のファンが相当数に上るようになっていた。これは、ニューカッスル公爵夫人キャスリーンの努力によるところが大きい。彼女は、1892年のクラフツ展［訳注：毎年バーミンガムで開催される非常に権威あるドッグショー］にロシア皇帝ニコライ2世が出陳した16頭のボルゾイのうちの1頭を買い入れ、繁殖に力を注いだ。ちなみに、その価格は、現在の貨幣価値にして2万ポンド（約370万円）近い額であった。その後、キャスリーンの犬舎からは8頭のボルゾイ・チャンピオンが生まれている。米国に初めてボルゾイが持ち込まれたのは1888年。ポール・ハックがパリの万国博覧会で購入したつがいである。ハックは、ガッチナの皇帝直属の犬舎からも数頭を買い入れている。そして1892年、ボルゾイはAKCから犬種として認定された。

1800年代の終わりに米国や英国、さらにはヨーロッパの多くの国々で人気を集めたボルゾイだが、ロシア革命（1917〜18年）で壊滅的な打撃を受けた。同じ時期、第一次世界大戦の影響で、英国での繁殖プログラムも縮小してしまう。しかしボルゾイへの興味はその後回復し、現在では米国、オーストラリア、ヨーロッパ（特にドイツ）、そしてカナダで熱烈な支持を受けている。

ELEGANCE AND SPEED｜**優美さとスピード**

BORZOI | ボルゾイ

24

AFGHAN HOUND
アフガン・ハウンド

近世以前 − アフガニスタン − 比較的多い

SIZE｜大きさ
雄 69〜74cm／雌 63〜69cm

APPEARANCE｜外見
優美で誇り高く、力強い。頭部は長く、高く掲げられている。頭頂には特徴的な長いふさ状の毛がある。目は三角で、黒っぽい東洋的な表情のあるものが好まれる。長く絹のような毛に覆われた耳は、低い位置から頭に沿うように垂れている。首は長く力強い。適度に長い背部に、深い胸と短く幅広い腰部。寛骨端が目立つ。後肢は力強い。尾付きは低く、尾の先端がくるりと巻いて輪になっている。フェザリングは多すぎない。前足は大きく、長い毛に厚く覆われている。後足も大きいが、前足ほどの幅はない。

COLOR｜毛色
すべての色が認められる。被毛は背の上部だけ短く、それ以外の部分は絹のような手触りの長い毛に覆われている。

APTITUDE｜適性
原産地ではウサギ狩り、ガゼル狩りに用いられる。そのほかルアー・コーシングに。さらにはショードッグ、家庭犬としても。

しばしば「犬の王」とも評されるこの犬が古い犬種であることに異論の余地はない。しかし、その起源については議論の分かれるところである。この犬は伝説にも登場する。ノアが方舟に乗せたのはアフガン・ハウンドだったという話もあるし、この優美な犬が、エジプトの母性と豊饒の女神イシスを助けて夫神オシリスの遺体を探し出したという物語もある。

ともあれ、アフガン・ハウンドが最も古いタイプの犬のグループの1つである視覚ハウンドの仲間であることは間違いない。その遺伝子を調べた結果、一部の遺伝子標識はオオカミからほとんど変異していないことがわかっている。一般には、アフガン・ハウンドの祖先は数千年前に中東で生まれ、それがやがてペルシャ（現在のイラン）を経て東のアフガニスタンに到達したと考えられている。そのため、この犬種の原産地はアフガニスタンということになっている。

中東の広大な内陸部一帯には、さまざまなタイプの視覚ハウンドがいた。現代のアフガン・ハウンドの先祖であるタイガン［訳注：キルギス原産の犬種］なども、そのような土着のハウンドの仲間だった。これらの犬は人々の生活になくてはならない要素として、身分の高い人々とも庶民とも昔から深い関わりを持っていた。特に、高山と灼熱の砂漠のはざまにあり、地形も気候も荒々しい土地で農業を営む貧しい村々では、アフガン・ハウンドは日々の暮らしに必須の存在だった。彼らは羊やヤギ、家の番をしていたが、特に重要な仕事は猟だった。現在でも、同じような生活をしている犬がいる。

このような農村に住んでいたアフガン・ハウンドは、現在西洋の国々で飼われている、手入れの行き届いた絹のような毛を持つ犬とはまったく異なる、無骨な使役犬だった。すらりとした体型からは想像もできない強靭なパワーとスタミナ、スピード、機敏さを持っていた。当然ながら、国を治める富裕なシャー［訳注：ペルシャ語で「王」を意味する］たちも、この犬を大切にした。ただし彼らが行っていたのは、娯楽のための狩りである。

1800年代後半になると、インドやパキスタン、アフガニスタン、ペルシャといった任地から英国に帰還する陸軍将校が、さまざまなタイプの視覚ハウンドを連れて帰った。当時はまだ、アフガン・ハウンドという名称はなく、これらの犬は、ペルシャ・グレーハウンドあるいはバルクジ・ハウンドと呼ばれることが多かった。このエキゾチックな犬に対する一般の人々の興味はたいそうなものだったが、1900年代に入り、あちこちのドッグショーの「外国犬」部門に出陳されるようになると、その人気はさらに高まった。現代的なアフガン・ハウンドの歴史のなかで最も重要な犬は、ザーディンだ。1907年にジョン・バーフ大佐によってインドからイングランドに輸入されたこの犬は、同年、KC主催のクリスタル・パレス・ショーで「外国犬」部門のチャンピオンとなり、王妃アレクサンドラからバッキンガム宮殿に召し出されるほどの一大センセーションを巻き起こした。そしてこの年、英国で正式に犬種として認定された。

だが、最初の熱狂が落ち着くと、人々の興味はしだいに冷めていった。さらに第一次世界大戦が始まると、エキゾチックなハウンド系犬種は西洋からほとんど姿を消してしまう。彼らの運命が上向きになるのは大戦が終わってからだ。そうして1925年、英国で最初のアフガン・ハウンドの犬種標準が発表される。これは、1906年に『インディアン・ケネル・ガゼット』紙に掲載されたザーディンの特徴をもとにして作られたものだ。

1920年代には、2つの新たなタイプのアフガン・ハウンドが英国に持ち込まれた。ここから現代のアフガン・ハウンドが誕生する。まず、1921年にベル・マレー少佐がかなりの数のアフガン・ハウンドを輸入し、スコットランドで犬舎を始める。ベル・マレー系と呼ばれるこの系統のアフガン・ハウンドたちは、アフガニスタンの南部及び南西部を占める広大な砂漠地帯バルキスタンからやってきた。彼らは、それまでのタイプとは明らかに外見が異なっていた。背がもっと高く、胴も長いうえ、被毛の薄いバラエティであった。もう1つは、1925年にメージャーとメアリー・アンプ

ス夫妻が輸入した、ガズニー系と呼ばれるタイプである。アフガニスタン、カブール付近の山岳地方の犬で、被毛がより密生し、体格がガっしりしていた。この2つのタイプは、その後20年のあいだに英国で混じり合い、今日見られるアフガン・ハウンドができあがった。ただし、イングランドから輸入した犬を基礎として、いまだに純粋なガズニー系だけを繁殖しているオランダのファン・デ・オラニエ・マネヘ・ケネルと、やはりガズニー系の繁殖を続けているドイツのカットヴィーガ・アフガン・ハウンド・ケネルだけは例外である。

アフガン・ハウンドは1920年代以降、英国からヨーロッパ大陸、北米、アジア、さらにはオーストラリアと広く輸出されるようになった。米国に最初のアフガン・ハウンドがやってきたのは1922年。そして東海岸のダンウォーク・ケネルなど、いくつかの犬舎が設立され、1926年にAKCに犬種として認められる。犬籍原簿が作られ始めたのもこのときからだ。

ただし、本当の意味でアフガン・ハウンドという犬種が米国で定着したのは、1931年だと言える。この年、ゼッポ・マルクス——米国の喜劇グループ、マルクス兄弟の末の弟——が、ウェストミル・オマールとアスラ・オブ・ガズニーという名の2頭のアフガン・ハウンドを輸入した。だが、ゼッポは映画の撮影で犬たちの面倒を見ることができなくなり、2頭をマッキーンという人物（ワイアー・フォックス・テリアのブリーダーで、コネティカット州にプライズ・ヒル・ケネルを所有していた）に譲り渡す。この2頭に、マッキーンが3年後に自ら輸入したバッドシャー・オブ・アインスダートという名の犬を加えた3頭が、米国におけるアフガン・ハウンドの中核となったのだ。その後、バッドシャーの兄弟犬トゥーファンも米国に連れてこられ、1930年代には、サキ・オブ・パグマンとタジ・オブ・ベッグテュートという2頭がアフガニスタンから直接輸入された。

そうして1940年に米国アフガン・ハウンド・クラブが創設され、48年には米国で最初の犬種標準が作成される。1950年には、ウェストミンスター展［訳注：ニューヨークで開催されるウェストミンスター・ケネル・クラブ主催のドッグショー］で、テュルクマン・ミッシムス・ローレルがハウンド・グループの最優秀犬となった。さらに1957年には、やはりウェストミンスター展で、アフガン・シャーカーン・オブ・グランデュールがハウンド系の犬としては初めてベスト・イン・ショー（BIS＝ドッグショーに出陳されたすべての犬のなかの最優秀犬）に輝いている。このように西洋では人気の増してきたアフガン・ハウンドだが、そのふるさとではほとんど姿を消しかけているようだ。戦争が起こり、繁殖記録もなく、優良な血統を残すような繁殖が行われていないことが原因である。

アフガン・ハウンドの魅力の1つは、王者のような美しさと優雅さの裏に強靱さとスタミナが隠されているところだ。彼らは例外なく忠実で愛情深い犬なので、絹のような長い被毛の手入れに非常に手間はかかるものの、すばらしい家庭犬になるだろう。

ELEGANCE AND SPEED ｜ 優美さとスピード

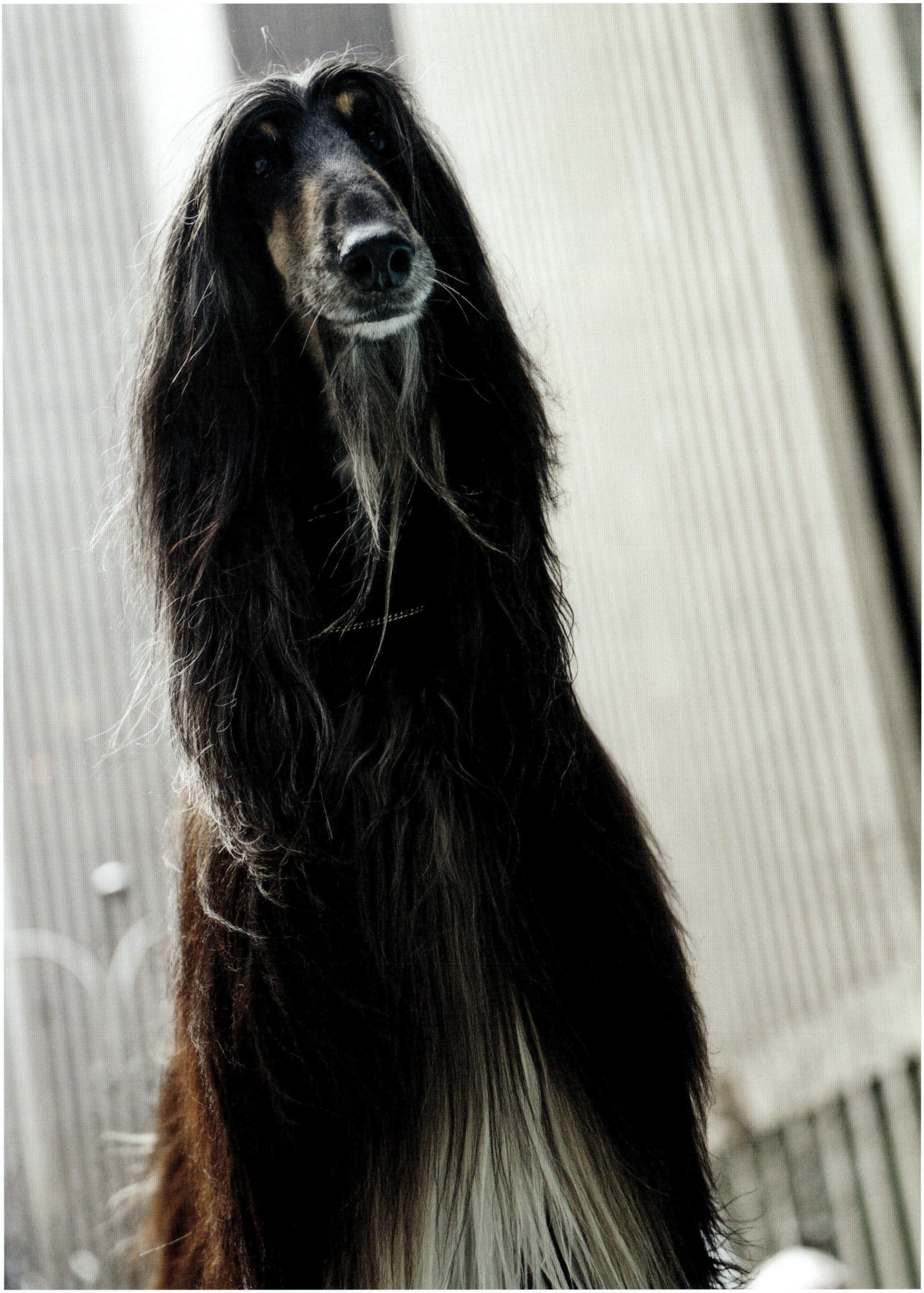

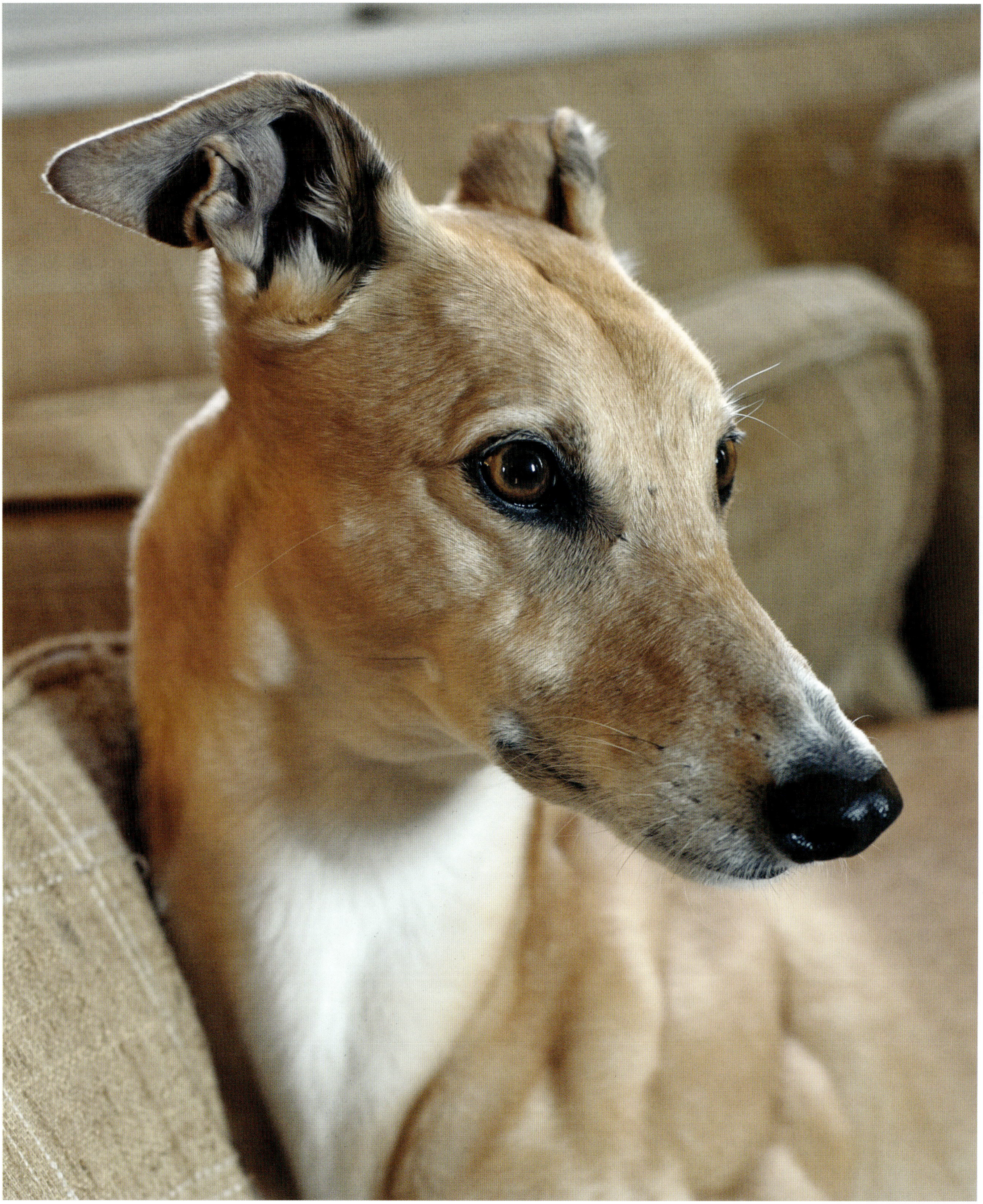

GREYHOUND
グレーハウンド
近世以前―ブリテン島―一般的

SIZE｜大きさ
雄 71〜76cm／雌 69〜71cm

APPEARANCE｜外見
優美ながらパワフルで、速く走るために生まれてきたような体つき。頭部は長く、両耳の間隔がかなり広い。マズルも長く、力強いあごを持つ。楕円形の黒っぽい目は、知的な印象を与える。手触りのなめらかな耳は小さめのローズ・イヤー［訳注：後ろに折りたたまれて内側が見える垂れ耳］だが、警戒すると付け根が立つ。首は長く、優雅なアーチを描く。背も長めで幅が広く、筋肉がよく発達している。腰は力強く、わずかに弧を描く。胸は深く、肋骨がよく張り、ひばら（横腹）はしっかり巻き上がっている。前肢はまっすぐで骨量が多く、後肢は筋肉質。飛節の位置は低い。尾付きも低く、尾は長くゆるやかなカーブを描く。

COLOR｜毛色
ブラック、ホワイト、レッド、ブルー、フォーン、ファロー（赤みがかった、あるいは黄色がかった明るい茶）、ブリンドル。あるいは、これらの色に白が混じったもの。被毛は細く、皮膚に密着している。

APTITUDE｜適性
コーシング、ルアー・コーシング、ドッグレースに。ショードッグ、家庭犬としても。

　グレーハウンドの歴史は長く、波乱に満ちている。だが、この数千年間、外観はほとんど変化しておらず、最も見分けやすい犬種の1つに数えられる。誕生以来、この犬はずっと王侯貴族や国家元首、大物政治家と深い関わりを持ち、世界中で取り引きされてきた。特にルネサンス期のヨーロッパでは、外交上重要な贈り物として盛んにやりとりされた。そういったこともあり、グレーハウンドは昔から絵画のモチーフとして描かれることが最も多い犬でもあった。と同時に、犬のなかで最も足の速い犬種でもある。

　グレーハウンドの起源に関する正確な記録は残っていないが、中東あるいは東ヨーロッパの古代文化に目を向ける説が多い。なかでもエジプトでは、紀元前2900〜同2751年頃に描かれたグレーハウンドのような犬の絵が複数発見されている。ツタンカーメン［訳注：古代エジプト第18王朝の少年王（在位紀元前1361頃〜同1352頃）］の墓からも、グレーハウンドに似た姿の犬が描かれた遺物が発見されている。このような犬の絵や像が墓から見つかる例は少なくない。このことは、犬が常世での永遠の伴侶として重要視されていたことを示唆している。また、何世紀も後の中世ヨーロッパでも、墓の端にグレーハウンドによく似た犬の石像が置かれていた。

　2004年、ハイディ・パーカー、エレーヌ・オストランダー博士らが、純血種の犬の遺伝子構造を解析した研究結果を発表した。ここからは、アフガン・ハウンドとサルーキが視覚ハウンドのなかで最も古い犬種であることなど、さまざまな事実が明らかになっている。研究は以後も規模を拡大して行われ、犬種がどのように分かれてきたかについて調べられた。その結果は驚くべきものであった。グレーハウンドはボルゾイやアイリッシュ・ウルフハウンドとともに、ベルジャン・タービュレンやラフ・コリー、シェルティといったヨーロッパ系の牧畜犬の一部と同じ遺伝子グループに分類されたのだ。グレーハウンドとボルゾイがこの遺伝子グループに加えられたことは、これらの犬種から牧畜犬が誕生したか、あるいはこれらの犬種が牧畜犬の子孫であるかのどちらかを意味する、と研究者たちは口をそろえる。また、この研究結果と歴史的な証拠を併せて考えると、グレーハウンドは2500〜2000年前頃にイングランド南東部で誕生したのではないか、と述べる専門家も現れている。

　実際、グレーハウンドが現在のような姿になったことと英国には密接な関連があったことがわかっている。古くは新石器時代の終わり頃か青銅器時代初期、つまり紀元前3000年頃に、グレーハウンド系の犬が中央ヨーロッパからやってきたビーカー族によって持ち込まれた。ビーカー文化は西ヨーロッパ全域に広まった文化で、釣り鐘をひっくり返したような独特の様式の焼き物を特徴とする。紀元前5世紀になると、今度は古代ケルト人がヨーロッパ大陸からブリテン島にやってくる。彼らも、視覚ハウンドを連れてきたことがわかっている。西暦43年にローマ帝国がブリテン島を侵略するが、その何世紀も前から、ブリテン島とヨーロッパ大陸のあいだでは盛んに交易が行われていたのだ。ギリシャの歴史家ストラボン（紀元前63年頃〜西暦24年）も、紀元前1世紀当時、交易品のなかに犬が含まれていたことをうかがわせる記録を残している。

　グレーハウンドは、誕生当初から支配階級と強く結びついていた。アングロ・サクソン人がブリテン島にやってきて間もない時代にカンタベリーで作られた「ユリウス歳事暦」にも、グレーハウンドのようなタイプの犬が描かれている。季節ごとの活動を絵にして添えたこの暦では、9月のイノシシ狩りの絵のなかにグレーハウンドに似た犬が登場する。そして、ウィリアム征服王（1028頃〜87年）が法制化したとされる英国森林法によって、グレーハウンドを狩りに使用する習慣が決定的なものとなる。広大な土地を貴族の猟場として確保するために庶民の利用を禁じた法律だが、このなかには平民がグレーハウンドを所有することを禁じる条項もあった。

しかし、平民にとってもこの犬は重要だった。狩りで食糧になる獲物を仕留める能力が高かったからである。それゆえ、グレーハウンドを使って森で狩りをしたために逮捕された人々について記録した文書は数多く残っている。

グレーハウンドは英国だけでなく、ヨーロッパ大陸にも普及した。特に人気が高かったのはイタリア、スペイン、フランスである。貴族たちは多数のグレーハウンドを飼育・繁殖し、たいそうな金額で売り買いしていた。また、ヨーロッパのどこの王室でも、王家の寵愛を受けたグレーハウンドたちがぜいたくな暮らしをしていた。そして16世紀になると、英国やヨーロッパ大陸では、グレーハウンドを使ってノウサギを追わせるコーシングが流行する。初の公式コーシング・クラブが発足したのは1776年、イングランドのノーフォーク州スワッファムにおいてである。1858年には競技として統一ルールを定めるために、全国規模のナショナル・コーシング・クラブ（NCC）も設立された。そうして英国のコーシング人気は19世紀後半に最高潮に達し、身分制度の枠を超え、ありとあらゆる人々が興じるようになった。

さらに、コーシングから発展したトラックレースも誕生する。1876年に囲いのついたコーシング用トラックが初めて使用されたのが、その始まりだ。機械仕掛けのルアーが英国で初めて使われたのも、その年である。そんななかの1882年、NCCはグレーハウンドの犬籍原簿を初めて作成する。ここには、現在までのすべての英国のグレーハウンドが登録されている。

19世紀になっても、グレーハウンドは変わらず英国王室で重要な地位を占めていた。特に、ヴィクトリア女王（1819〜1901年）とその夫君アルバート公（1819〜61年）はグレーハウンドの熱烈な愛好者だった。アルバート公のお気に入りの1頭イーオスはドイツから連れてこられた犬で、10年と半年のあいだ公のそばを離れることはほとんどなかった。そんなイーオスが死んだとき、アルバート公は悲しみに打ちひしがれていた、とヴィクトリア女王は書き残している。

北米大陸に初めて渡ったグレーハウンドは、16世紀にスペインのコンキスタドール［訳注：中南米の征服・探検・植民地経営を目的とした人々］が連れてきたものだ。残念ながら、この犬たちの仕事は禍々（まがまが）しいものだった。征服者たちは、マスティフとともにグレーハウンドを、なんと「先住民狩り」に利用したのだ。なかでも、1539年に9隻の船団を率いて上陸したエルナンド・デ・ソトのお気に入りのグレーハウンド、ブルートーは、アメリカ先住民に対する攻撃性で一躍名を馳せ、ブルートーがいると思うだけで先住民の人々は震え上がった。デ・ソトはその影響力を維持するために、ブルートーが死んだときにはそれを秘密にしたという。

グレーハウンドは人間よりはるかに足が速い。強靱なあごで咬みつき、人を倒す力もある。クリストファー・コロンブスも、1493年の2度目の航海にグレーハウンドやマスティフなど20頭の犬を伴ったが、船荷の目録では、彼らは「武器」に分類されていた。しかし1585年、ウォルター・ローリー卿がシカなどの獣を狩るために、ヴァージニアにグレーハウンドを持ち込んで以来、この犬種はもっぱら狩りのために使用されるようになった。視覚ハウンドのなかでも、グレーハウンドは猟犬として最高の犬種だ——鮮やかな手際で、すばやく、効率よく獲物を殺す。そのため、北米大陸に入植した開拓者の多くが、この犬種を狩りに利用した。ただし、主に娯楽、スポーツとしての狩猟である。

その後1619年になると、イングランド産の犬、特にグレーハウンドを先住民に売却することを禁じる法律がヴァージニア州議会によって定められる。自分たちの狩りの権益を守るためだ。そうして1800年代の中頃までには、アイルランドやイングランドから数多くのグレーハウンドが米国に向けて輸出されるようになっていた。彼らは主に中西部で狩りや害獣駆除に使われた。だが一方で、その頃になってもグレーハウンドは依然として「先住民狩り」にも用いられていた。たとえばアメリカ先住民に対する初めての軍事作戦に出たジョージ・アームストロング・カスター将軍（1839〜76年）は、グレーハウンドを22頭所有していたと言われ、先住民を追跡するために実際にそのうちの2頭を用いている。

1870年代に入るとドッグショーも始まり、人々の関心を大いに集めたが、出陳される犬のなかでも一番の人気犬種はグレーハウンドだった。AKCが1884年に創設されるとショーへの関心はさらに熱を増し、グレーハウンドの所有者たちが集まって、1907年には米国グレーハウンド・クラブが結成された。また、米国でもグレーハウンドを用いたコーシングが1890年代に流行し、数々のクラブが設立された。そして1906年になるとナショナル・グレーハウンド協会（NGA）が創設され、ドッグレースに使われるグレーハウンドをすべて登録制にする。ちなみに、AKCはレース用ではないグレーハウンドを登録する以外にも、NGAに登録されている犬も受け入れているが、NGAはAKCにすでに登録されている犬の登録は認めていない。

NGAが創設された翌1907年には、トラックレースも行われるようになった。オーウェン・パトリック・スミスという人物が発明した、機械仕掛けのルアーのついたグレーハウンド用の楕円形トラックレース場は、国中に次々と建設されていき、1947年には米国グレーハウンド・トラック経営者協会が設立された。この団体は1960年代に全国的な組織となり、今に至っている。グレーハウンドのトラックレースは現在も英国や米国、アイルランド、ヨーロッパ各国、オーストラリアで人気を保っている。

ELEGANCE AND SPEED ｜ 優美さとスピード

GREYHOUND ｜ グレーハウンド

IBIZAN HOUND
イビザン・ハウンド

近世以前－中東／イビサ－比較的多い

SIZE│大きさ

雄 56〜74cm／雌 55〜59cm

APPEARANCE│外見

細身で背が高く、精悍。長めでしっかりした頭に、わずかに中央が盛り上がったマズル。鼻は肉色。アーモンド型の目は琥珀色で、知的な表情を浮かべる。耳は大きく、直立している。首は長いが筋肉質で、かすかにアーチを描く。肩甲骨は短く、かなりなで肩。前肢は長くまっすぐ。背は水平で力強い。腰から尾にかけては、なだらかな傾斜がある。前胸は顕著に突き出し、腹は明確に巻き上がっている。尾付きは低いが、興奮すると長い尾を高く掲げる。

COLOR│毛色

ホワイト、チェスナット(淡い赤茶)、ライオン(黄色がかった赤褐色)の単色か、それらを組み合わせた色。被毛は、スムース(ぴったりと寝たなめらかな短毛)とラフ(粗毛)の2タイプ。いずれのタイプも硬い毛が皮膚にぴったりと密生している。尾の下側と四肢の後ろの毛は長め。

APTITUDE│適性

アナウサギ狩り、ルアー・コーシング、ドッグレースに。家庭犬としても。

イビザン・ハウンドという名前は、この犬と最も縁の深いスペイン、バレアレス諸島のイビサ島に由来する。だが、この犬種が発達してきたのは有史以前の中東だ。実際、中東では、イビザン・ハウンドのような特徴を持つ動物が描かれた遺物がたくさん発見されている。それらは近くても紀元前3000年頃のものだ。この犬の姿を表現したものが最もよく見られるのは、ツタンカーメン(紀元前1342〜同1324年頃)の墓のような墳墓である。そこではエジプトの死の神が、しばしばイビザン・ハウンドの姿で描かれている。

ただし、イビザン・ハウンドの分布を広めたのは、一般にフェニキア人だとされている。フェニキア人は古代に海洋貿易で栄えた人々で、紀元前8世紀にはすでにエイヴィッサの島(現在のイビサ島)に植民地を拓いている。このとき、彼らの猟犬も持ち込まれた。この犬はやがて中東では廃れてしまったが、スペインの島々で繁栄したために、イビザン・ハウンドとして知られるようになったのである。

イビザン・ハウンドは視覚、聴覚、嗅覚の3つの感覚が高度に発達した犬種だ。特にアナウサギ狩りが得意で、彼らはそのために飼育されていた。ただし、あくまで食糧確保のためであり、娯楽としての狩りではない。彼らは使役用の家畜と考えられ、特に甘やかされることもなければ、家族扱いもされなかった。スペインの農夫たちは、この犬のうち最もすぐれたものだけを飼い、繁殖させた。ポイントは、足が速いこと、運動能力が高いこと、狩りが上手なこと。そして彼らは、ウサギを捕まえて殺すのではなく、生け捕りにして回収してくるように訓練された。1頭か2頭を連れて狩りをするのがスペインの農夫の伝統的な狩りの仕方だが、この犬は単独でもペアを組んでも上手に狩りをすることができた。今では15頭1組で行う狩りもあるが、集団になっても彼らはお互いによく協力し合って仕事をすることができる。ちなみに、猟犬のなかでイビザン・ハウンドを見分けるのに最も顕著な特徴は、大きく、よく動く直立した耳である。

現在でも、イビザン・ハウンドのほとんどはスペインで飼われている。フランスやイタリア、スイス、英国、米国でも見られるが、数はあまり多くない。米国に最初にイビザン・ハウンドがやってきたのは1956年。ロードアイランドのソーン大佐夫妻が輸入した犬たちだ。以来、ルアー・コーシングやドッグレースに好んで利用されている。AKCによって犬種として認められたのは1976年で、初代のベスト・オブ・ブリード(BOB＝犬種チャンピオン犬)は、ディーン・ライト所有のサンキング・エターナ・オブ・トレイボーである。

なお、イビザン・ハウンドにはワイアー・コートというタイプもあるが、このバラエティは、米国はもちろん世界的に見ても数が少ない。米国のワイアー・コート・イビザンで最も有名な犬は、2000年生まれのグリボンス・ステラー・エミネンスだろう。ウェストミンスター展で5回BISに輝いたほか、誰もが憧れるBOBにも選ばれている。

英国においてイビザン・ハウンドの歴史が始まった当初の犬でよく知られているのは、ジョン・ウエストによって輸入されたレオ・ザ・ブレイヴ、ホルト夫人が繁殖したソル、ダイアナ・ベリーが繁殖したイヴィセン・クレオパトラだ。そしてこの国で最初にチャンピオンになったのは、スー・ジェンキンスが繁殖したイヴィセン・ジュリアスである。英国には現在、イビザン・ハウンドの普及と保存を目的に活発な活動を続けるクラブもあり、この犬種の中核をなす生来の形質を保全する努力がなされている。

イビザン・ハウンドは頭がよく活動的な犬で、人と一緒にゲームに興じるなど遊びが大好きだ。したがって子どものいる家庭にも適している。ただし、驚くほどのジャンプ力があるので、飼うにはきちんとフェンスで囲った庭が必要だ。また、すぐれた狩りの能力も失っていないため、いったんリードから放されると、都合のよい音しか聞こえない「選択的聴力」のおかげで呼び戻す人の声が耳に入らなくなることもある。

ELEGANCE AND SPEED│優美さとスピード

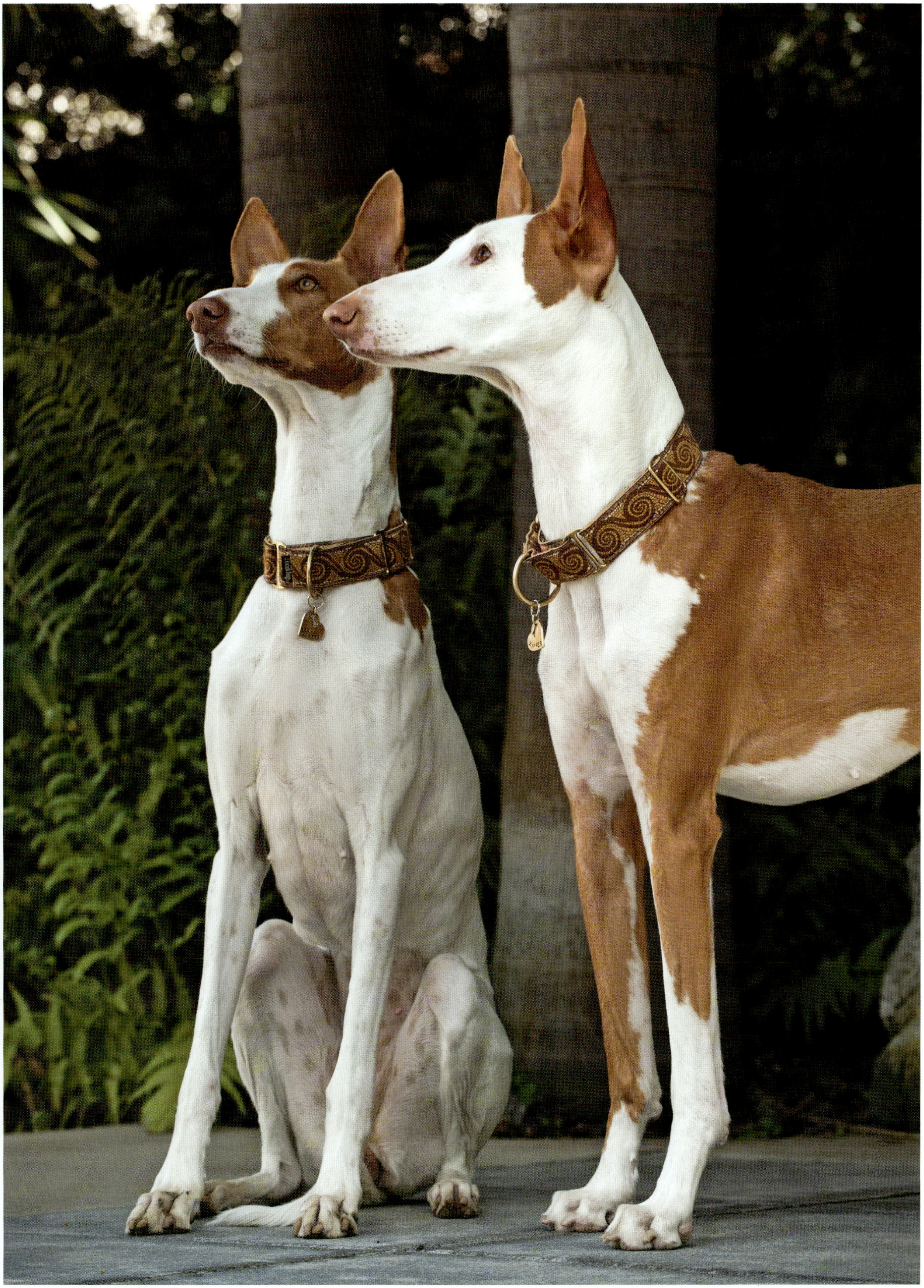

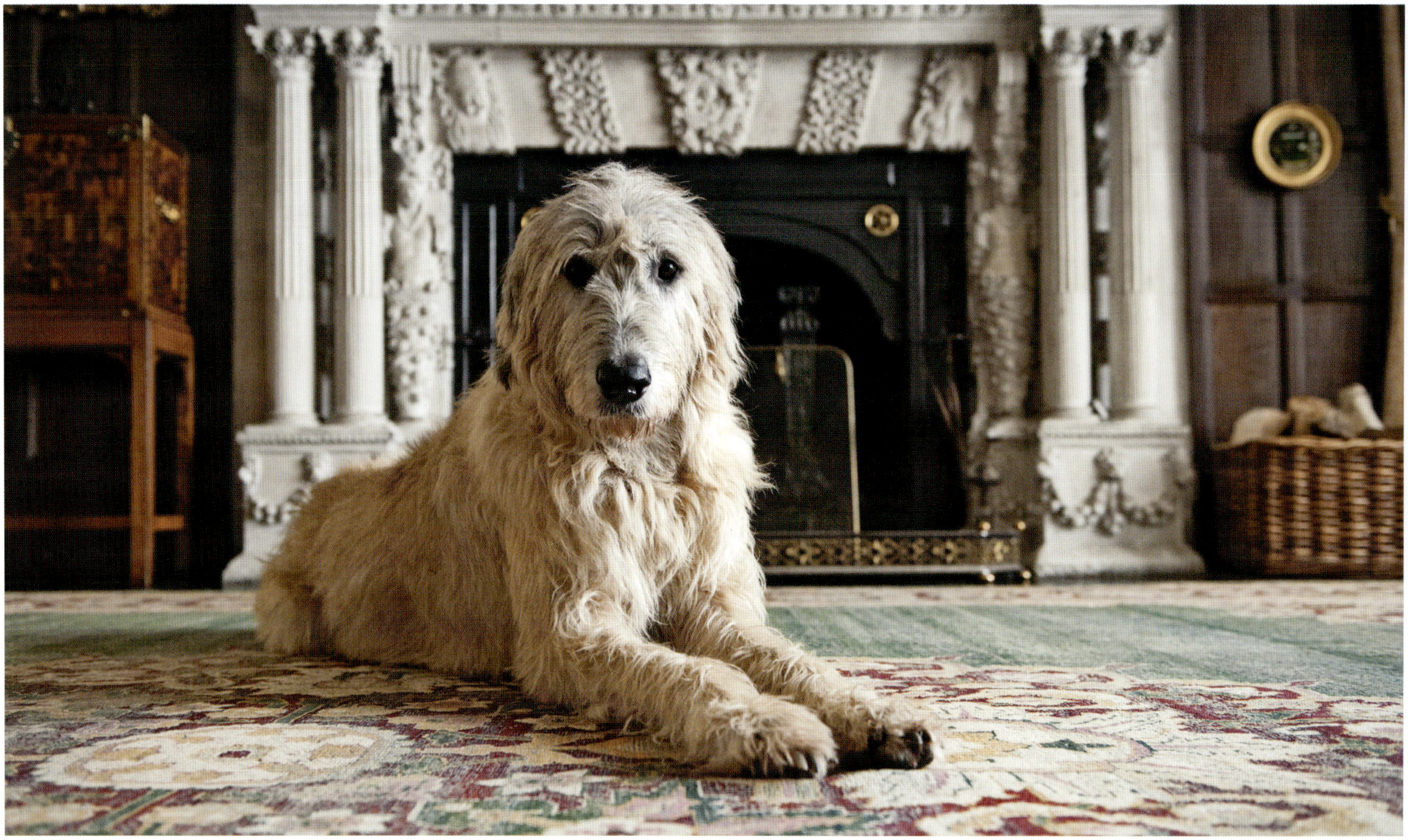

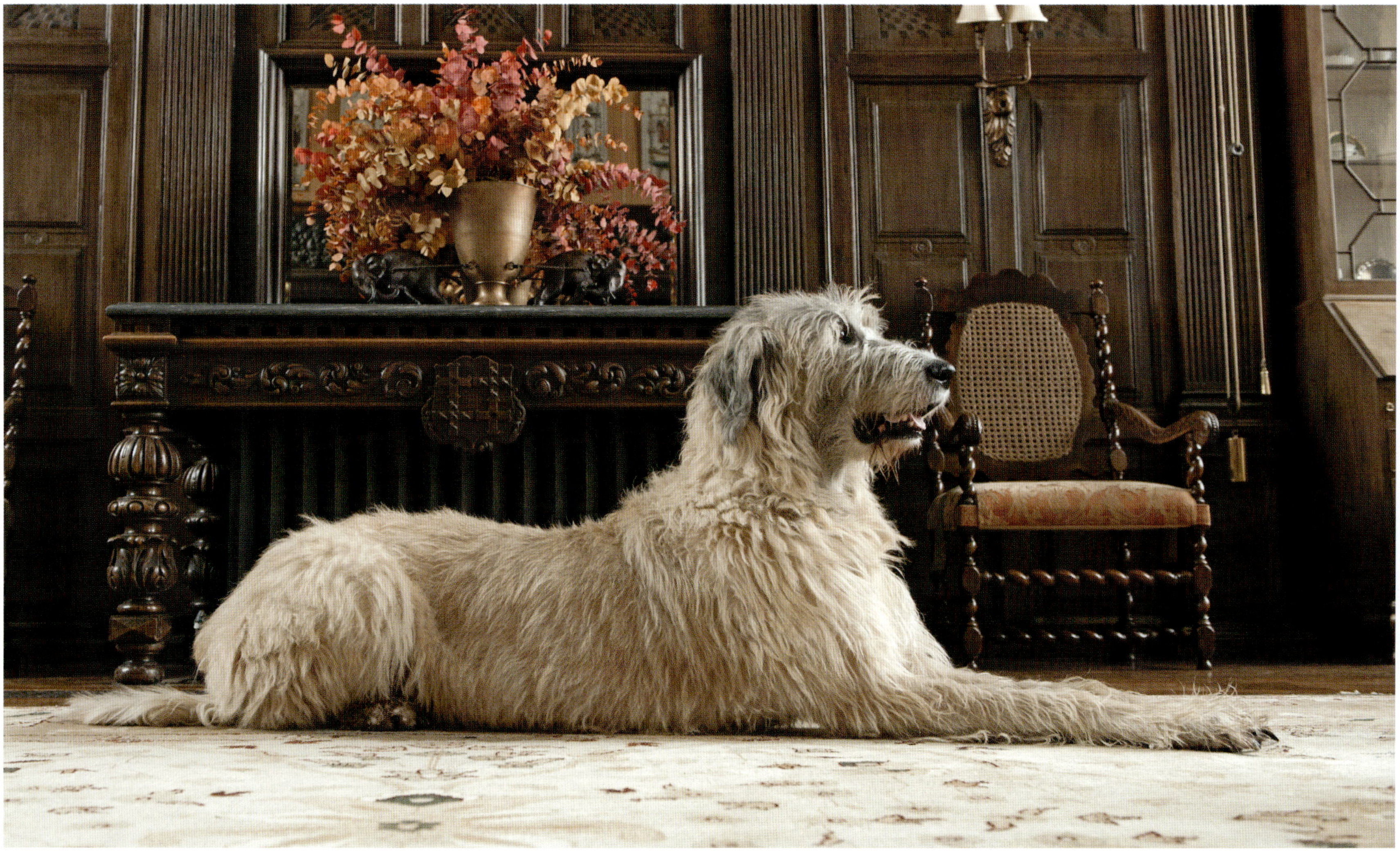

IRISH WOLFHOUND
アイリッシュ・ウルフハウンド

近世以前 – アイルランド – 比較的多い

SIZE｜大きさ
雄 79cm以上／雌 71cm以上

APPEARANCE｜外見
非常に大きく、筋肉質で、堂々たる体躯。そして均整がとれ、力強く精悍。気品のある長い頭部は、高く掲げられている。適度に尖り気味のマズルも長く、あごは強力。目は楕円形で黒っぽく、優しげで穏やかな表情を浮かべている。ベルベットのような手触りの小さなローズ・イヤーは、黒っぽいものが望ましい。首は長く、筋肉がよく発達している。胸は非常に深く、背も長い。腹はよく巻き上がっている。ゆるやかにカーブした長い尾は、低く垂れている。

COLOR｜毛色
ブリンドル、グレー、レッド、ブラック、ピュアホワイト、フォーン、ウィートン（実った小麦色）。被毛はラフで、あごの下と目の上の毛が特にごわごわしている。

APTITUDE｜適性
本来はオオカミ狩り用。現在はルアー・コーシングに。またショードッグ、家庭犬としても。

　アイリッシュ・ウルフハウンドは最大級の大きさを誇る犬種だ。その歴史は古く、アイルランドの民話や伝説でも重要な役割を果たしている。この犬は勇敢さと忠誠心の象徴で、古くから戦士や狩人、王者のかたわらに控えてきた。人間の求めるまま、番犬や情愛あふれる伴侶、あるいは獰猛なハンターとしての務めを果たす貴重な犬だった。だが、もはやアイリッシュ・ウルフハウンドがオオカミ狩りに駆り出されることはない。現在はチャーミングな家庭犬となっている――ただし、十分な広さの屋敷と庭がそろっている場合に限るが。

　アイリッシュ・ウルフハウンドはアイルランドと関係の深い犬種とされているが、その起源ははっきりしない。通説では、グレーハウンドを先祖に持つか、少なくとも密接な血縁があるとされているが、中東か東ヨーロッパで発達したと考えられているグレーハウンドが、いつ、どのようにしてアイルランドにやってきたかとなると、明確な記録は残っていない。

　アイリッシュ・ウルフハウンドではないかとされる犬に関する最も古い記録は、紀元前279年にまでさかのぼることができる。ギリシャのデルポイを略奪した古代ケルト人が、恐ろしく大きく凶暴な犬を伴っていたというものだ。ここから、当時、巨大でがっしりとした体躯という、グレーハウンドとは一線を画すこの犬独自の特性がすでに表れていたことがわかる。アイリッシュ・ウルフハウンドは、ハウンド系の犬種では最も体高が高くて大きい。大きな犬を作出するために品種改良され発達してきたのだ。

　ケルト人は、紀元1世紀にスコットランドに何度も侵攻を繰り返したが、このとき、数多くのウルフハウンドを伴っていたと伝えられている。5世紀の侵攻では、さらに多くの犬がスコットランドに渡った。この犬たちは、発達初期段階だったディアハウンドにも影響を与えたに違いない。なお、ウルフハウンドという言葉の初出は西暦391年。ローマの執政官クウィントゥス・アウレリウス・シムマクスに宛てて弟のフラヴィニウスが送った書簡である。その手紙では、執政官がローマの円形闘技場で闘わせるためにウルフハウンドを7頭送ったことに対する礼が述べられている。

　古いアイルランドの昔話にも、ウルフハウンドはたびたび登場する。また、古い時代のアイルランド王の紋章にも、竪琴とシャムロックの葉に加えてこの犬の絵が配され、その下には「温情には穏やかに、挑発には猛々しく」という銘が記されている。彼らは、ケルト語でクー（「Cu」）と呼ばれていた。おおまかに「グレーハウンド」を意味する語である。ケルトの人々は、この犬を勇気とパワーの象徴と捉えていたので、昔の戦士や部族の長の名前には「Cu」という語がしばしば含まれていた。アイリッシュ・ウルフハウンドとアイルランドの守護聖人、聖パトリック（387頃〜461年頃）が結びつくのも当然だった。

　ウェールズで生まれたパトリックは、16歳のときに盗賊たちの手により奴隷としてアイルランドに売られたが、6年後になんとか脱走し、神学を学ぶために大陸を目指した。そしてガリア（現在のフランスに当たる）に向かって出航しようとしていた船の船長に頼み込んで乗せてもらうが、船にはローマ人に売るためのウルフハウンドがたくさん積み込まれていた。この犬は当時、ローマ人のあいだでも引っぱりだこで、びっくりするような高値がつけられていた。だが、船に乗せられていた犬たちはまったく言うことを聞かず、船員たちは手を焼いていた。その犬たちをパトリックはすっかりおとなしくさせてしまう。航海は順調だったが、やがてガリア海域に入り、目的地を目前にして船が座礁し、身動きがとれなくなる。そこでパトリックが「野生の豚の群れを遣わしてください」と神に祈ると、本当にたくさんの豚が現れた。パトリックは、犬たちに命じて豚を殺させ、おかげで飢えた船員たち全員に行きわたるだけの食糧が手に入ったという。

　その後も、聖パトリックとウルフハウンドを結びつけるエピソードは続く。キリスト教を伝えるためにアイルランドに渡ったときのことだ。ある土地の長でディフーと呼ばれる男が、新しい宗教が広まるのを阻止するために、このよそ者を殺そうと船までやってきた。彼は、ルアフという名の巨大で

猛々しいアイリッシュ・ウルフハウンドを伴っていた。そしてパトリックを見つけると、襲いかかれと犬をけしかけた。だが、パトリックがひざまずいて神に祈りを捧げると、跳びかかりかけていたルアフはぴたりと止まり、伏せたままパトリックにすり寄って、その手に鼻をこすりつけた。これは、パトリックがアイルランドで起こした最初の奇跡だとされている。感じ入ったディフーは、新しい教会を造るための資材として自宅の納屋を提供し、自身もこの新しい宗教に帰依したという。

非常に攻撃的であると同時に、おとなしく従順で飼い主の言いなりになる——アイリッシュ・ウルフハンドのこの極端な両極性は、昔から非常に重要な長所として利用されてきた。この犬は、家のなかで家庭犬として飼われながら、猟犬や番犬としての働きもする。歴史上名高いゲラートというアイリッシュ・ウルフハンドも、そのような犬だった。イングランドのジョン欠地王（1166〜1216年）から、ウェールズの大半を勢力下に収めたルーウェリン・アープ・イオーワースに1210年頃に贈られた犬である。

ゲラートは、ルーウェリンとその妻ジョーン、幼い息子のダフィドを守るためなら何者にも容赦しなかった。あるときルーウェリンは、いつものようにダフィドをゲラートに託して戦に出かけた。ところが帰還すると、天幕が引き裂かれ、地面には血痕が残っている。そして、血まみれのゲラートがかたわらにうずくまっていた。いつもなら、はずむように跳びついてくるはずのゲラートが身動きひとつしない。戦でまだ気の立っていたルーウェリンは、犬が息子を殺したのだと思い込み、その場でゲラートを斬り殺した。だが、天幕の残骸をのぞき込むと、息子は傷ひとつなく無事だった。そのそばには咬み殺されてぼろぼろになったオオカミの死骸……ルーウェリンは、ゲラートがダフィドを守るためにオオカミを殺したのだと悟る。彼は深い悲しみに暮れ、家のそばのゲラート一番のお気に入りの場所にその亡骸を葬ったという。

15世紀のアイルランドには、1つの地方につき最低24頭のアイリッシュ・ウルフハウンドを飼うべし、という法律があった。野生のオオカミが増えすぎないようにするためである。一方でこの犬は、中世から17世紀にかけてヨーロッパ全土で人気が高まり、イングランドやフランス、スペイン、スウェーデン、デンマーク、ポーランドなどあちこちの王室で政治的な贈り物として盛んに利用された。そのため本国では、アイリッシュ・ウルフハウンドの数が減ってしまい、その影響でオオカミの数が再び増加し始める事態となった。この不均衡を正すため、時の元首オリヴァー・クロムウェル（1599〜1658年）は、アイルランドからこの犬を輸出することを禁じる。

これで犬の数は盛り返したが、それは一時的なものだった。18世紀初頭になるとオオカミが徹底的に狩られて絶滅してしまい、その結果、ウルフハウンドは無用の長物となり、また絶滅の危機に瀕することになったのだ。この犬種に対する興味がようやく復活のきざしを見せ始めたのは、19世紀になってからだ。アイルランドの民族意識が再び高まり、かつてケルト人がもたらしたもの（ここにはウルフハウンドも含まれる）の重要性が再認識されるようになったためである。

今日、アイリッシュ・ウルフハウンドが存在しているのは、一部の熱心な人々の努力によるところが大きい。その先鞭をつけたのがダブリン在住のスコットランド人、H・D・リチャードソン少佐である。彼は、1841年にこの犬種に関する記事を多数寄稿してアイルランドに残るウルフハウンドの居場所を探し出し、他の類似の犬種との異系交配も含めた繁殖プログラムを立ち上げた。彼のプログラムは、キルフェインのジョン・パワー卿と、バリートビンのベイカー及びドロモアのマホーニーの両氏に引き継がれ、1842年から73年まで、この犬の繁殖が続けられた。

その頃、もう1人重要な役割を果たした人物がいる。イングランドに住むスコットランド人で、スコティッシュ・ディアハウンドの権威であるジョージ・グレアム大尉だ。彼は、この古い犬種を守らなくてはいけないと決意し、イングランドでアイリッシュ・ウルフハウンドの繁殖を開始する。しかし、この犬を残すためにはスコティッシュ・ディアハウンドの血を加えざるをえなかった。ほかにも、ボルゾイやグレート・デーン、さらには「チベットの大型犬」などの血統も加えられた。これはかなりの論議を呼んだ。一部には、もともとの犬種の特徴は失われ、もはや本来の姿をしていないという主張もあった。だが、グレアムをはじめとする愛好家たちは違った気持ちでいたようだ。グレアムは、この犬種を復活させようと20年間繁殖を続け、ついに1886年、犬種標準の作成に漕ぎつけた。彼はまた、1885年のアイリッシュ・ウルフハウンド・クラブ設立にも尽力した。

しかし、その後の2つの大戦の影響で、この犬は再び数を減らす。1945年末に英国にいたほぼすべてのアイリッシュ・ウルフハウンドが、クロンボイ・オブ・ウーバラというたった1頭の犬と密接な血縁関係にあったと推測されている。そこで当時、過度の近親交配を危惧した英国の愛好家たちは、米国アイリッシュ・ウルフハウンド・クラブに助けを求めた。そうして同クラブから送られてきたローリー・オブ・キホーンという犬が、英国におけるこの犬種の繁殖に大いに貢献することとなった。

今日、アイリッシュ・ウルフハウンドは、生誕の地ばかりでなく、米国やヨーロッパ、ロシア、オーストラリアなど、世界中の愛好家によって熱心に繁殖が行われている。だが全体として見れば、まだ大いに普及したとまでは言えない。この勇敢で愛情あふれる犬は、家庭犬としてすばらしいペットになるだろう。ただし、なにしろ大きな犬なので、快適な暮らしをさせるためには、家のなかでも外でもかなり広大なスペースを必要とする。そのため、都会の生活には馴染まない犬種である。

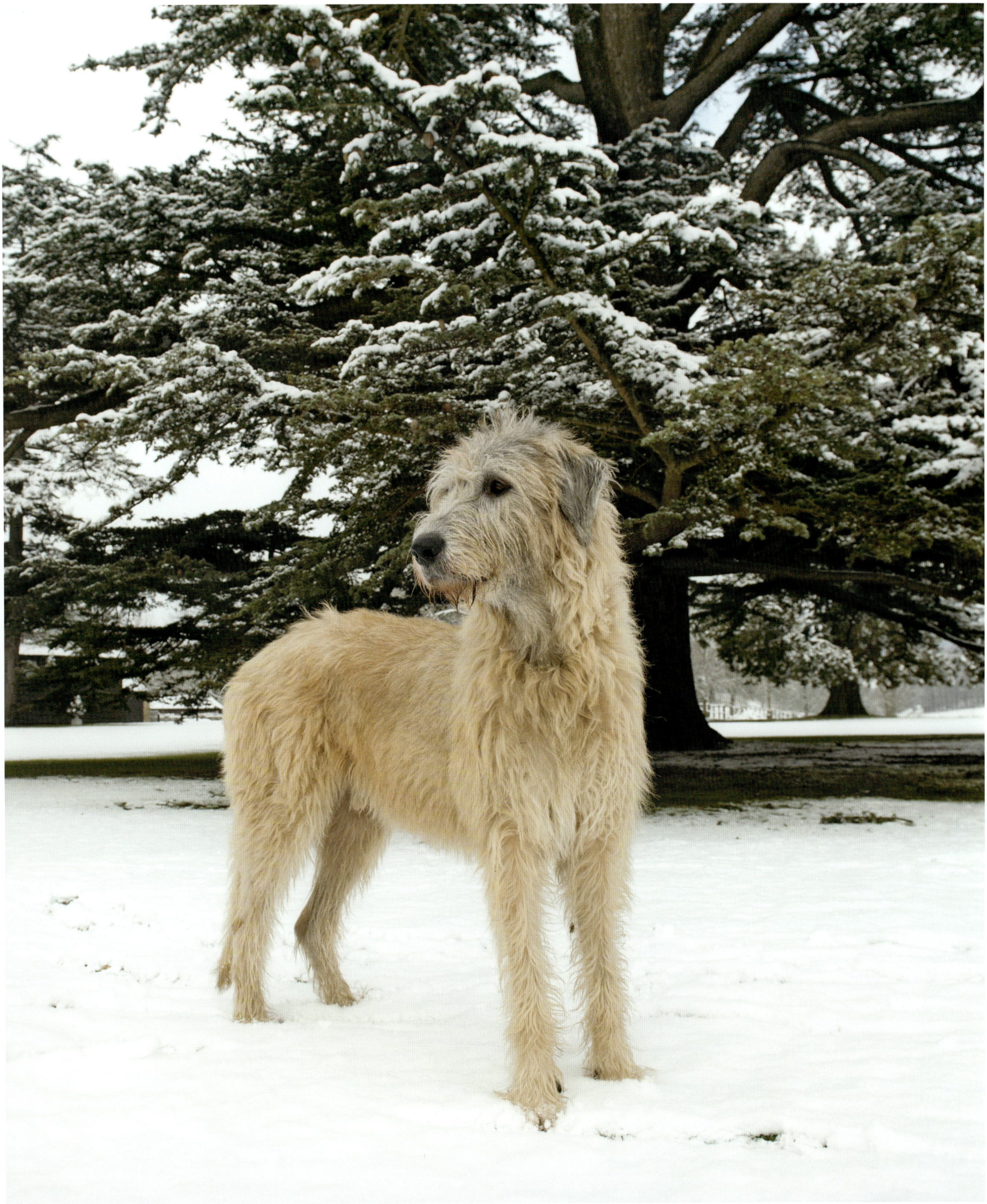

DEERHOUND
ディアハウンド

近世以前－スコットランド－希少

SIZE｜大きさ
体高：雄　76cm以上／雌　71cm以上
体重：雄　45.5kg／雌　36.5kg

APPEARANCE｜外見
力強く精悍。がっしりした体型で、ラフな被毛を持つ大きなグレーハウンドといったところ。頭部は長く、両耳から目に向かって少し細くなる。マズルも鼻先に向かって先細。鼻は黒いものが好まれる。目の色は濃いブラウンかヘーゼル（赤褐色）。黒っぽく、小さくてやわらかい耳は頭部の高い位置に付いている。胸は深い。腰はしっかりしたアーチを描き、尾に向かって徐々に低くなる。幅広く力強い尻もなだらかに傾斜している。寛骨頭の間隔は広い。尾は長く、じっとしているときはまっすぐかわずかに弧を描く程度。動いているときにはカーブしているが、背よりも高く上げることはない。

COLOR｜毛色
濃いブルーグレーや、さまざまな濃さのグレー。あるいはブリンドル、イエロー、サンディ（砂色）、レッド、フォーン、ブラック・ポイント（顔、耳、四肢、尾に黒が入る）。胸と指、尾の先端が白いものも認められる。被毛はもじゃもじゃとして厚く、身体に沿って生えている。手触りは、ざらざら、あるいはちくちくするが、頭部、胸、腹の毛は比較的やわらかい。

APTITUDE｜適性
シカ狩り、ルアー・コーシングに。ショードッグ、家庭犬としても。

　スコットランドの小説家、ウォルター・スコット卿（1771～1832年）は、愛犬のメイダという雌のディアハウンドのことを「最も完璧な神々しい生き物」と評している。彼女の姿は、エドウィン・ランドシーア卿（1802～73年）の筆になる絵画でも見ることができるし、エジンバラのスコット記念塔にあるジョン・スティールが制作した銅像でも、卿のすぐそばに寄り添っているのが見られる。メイダは、アラスデア・マクダネル（1773～1828年）というディアハウンドのブリーダーがグレンガリーに所有する犬舎の生まれだったが、実は純血種ではなく、彼女の父親にはピレニアンの血が入っていた。それでもスコットは、彼女に深い愛情を注いだ。つまり彼は、典型的なディアハウンドの飼い主だった——この犬を飼った者は、それだけの愛情を注がずにはいられない。

　ディアハウンドの起源については意見が分かれている。犬種として発達し始めた頃の記録がまったく残っていないためだ。とはいえ、グレーハウンドと近縁にあることは確かだし、アイリッシュ・ウルフハウンドとはさらに密接な関係がある。また、中東か東ヨーロッパに起源を持つ足の速い犬が、かなり昔からスコットランドにいたこともわかっている。さらに、アイリッシュ・ウルフハウンドが紀元1世紀にこの地に連れてこられたことをうかがわせる記録もある。それらの犬は、地元産の犬と交雑したことだろう。その頃に作られた陶片がスコットランドのアーガイル地方で見つかっているが、そこには、非常に大きな毛むくじゃらの犬をたくさん使ってシカ狩りをする様子が描かれている。間違いなくディアハウンドの先祖犬だ。

　この犬は、スコットランドの荒れ果てた高地や低地でシカを狩る生活に完全に適応してきた。この種の獲物に関する限り、ディアハウンドほど狩りの巧みな犬はいない。グレーハウンドよりもがっしりした体つきで、長い被毛は針金のようにごわごわしている。この被毛が、やぶや岩がごつごつした場所でも身体を保護してくれる。また、最速の犬種はグレーハウンドだと言われるが、それは平地に限ってのことだ。岩場や山がちな地形では、ディアハウンドのほうがずっと速いのだ。ディアハウンドは、こうした地理的環境と利用のされ方に応じて独自の発達を遂げた。以来、近縁種のグレーハウンドやアイリッシュ・ウルフハウンドと同じく、何百年ものあいだその姿はほとんど変わっていない。

　ディアハウンドは、16世紀にはすでに身分の高い人々に保護される存在になっていた。貴族たちは、この犬を使って盛んにシカ狩りを行った。通常、犬たちは単独または2頭1組で働き、獲物を倒した。倒した獲物は、犬が息の根を止める場合もあったし、狩人がやってくるまで押さえつけておく場合もあった。ディアハウンドは視覚ハウンドの仲間ではあるが、嗅覚もすぐれている。それがますます、猟犬としての価値を高めた。一方で、この犬は家族の一員としても大切に扱われた（これは現在も変わっていない）。きわめてフレンドリーで愛情深い気質の犬だからだ。

　そんな性格とシカ狩りの能力ゆえに、スコットランドのクラン（氏族）の長や高貴な家の人々は、この犬を門外不出の禁制品として扱った。だが皮肉にも、外の世界にほとんど存在しなかったことが、ディアハウンドの減少に拍車をかけた。さらに1746年のカロデンの戦いでスコットランドがイングランドに敗れ、クラン制が崩壊すると、この犬種も事実上、姿を消してしまう。広大な私有地は細分されて売りに出され、ディアハウンドの存在できる場所も消滅の危機に陥った。

　そうして1830年代には、ディアハウンドの主要な繁殖系統は2つだけになってしまっていた。西部のアップルクロスと中部のロッホアーバーである。そこでブリーダーたちは、犬種を維持するためにボルゾイなどとの異系交配を試みた。だが、1800年代に元込め式のライフル銃が開発されるに及んで、犬種の衰退は決定的なものになる。狩りの概念が根本

ELEGANCE AND SPEED｜優美さとスピード

的に変わってしまったのだ。犬で追跡するやり方はもはや時代遅れとなり、もっと効率的で破壊的な火器が犬に取って代わった。そんなディアハウンドの運命を方向転換させたのは、ダンカン・マクニール（のちのコロンゼイ卿。1793〜1874年）とアーチボールド・マクニールの兄弟だ。彼らの立てた繁殖計画によりよみがえったコロンゼイ系のディアハウンドは、イエローあるいはフォーンの毛色を特徴とし、すぐに高い評価を受けた。

一方、米国のディアハウンドは、ゆっくりとではあるが、コヨーテやオオカミ、アナウサギを狩る猟犬として信頼を勝ち得ていった。ジョージ・アームストロング・カスター将軍（1839〜76年）は特にこの犬種とグレーハウンドを好み、行軍の際にも彼らを伴っていた。カスターは少なくとも3頭のディアハウンドと22頭のグレーハウンドを所有していたが、なかでも一番のお気に入りがタックというディアハウンドだった。悲劇的な結末を迎える1876年のリトルビッグホーンの戦いで最後までカスターのそばを離れなかったタックは、主人とともに先住民の攻撃を受けて命を落とした。

初めてディアハウンドがAKCに登録されたのは1886年のこと。この年、英国でもディアハウンド・クラブが設立された。それから125年後の2011年には、ウェストミンスター展でフォックスクリフ・ヒッコリー・ウィンドという名のディアハウンドがBISに選ばれている。

この威厳に満ちた犬は、現在でもまだ数は少ないが、熱心な愛好家の献身的な努力で守られている。ディアハウンドを愛する人なら誰でも、ひとたびこの犬を家族の一員として迎えたなら、もうその家族はディアハウンドなしにはやっていけないことを認めるだろう。

DEERHOUND ｜ ディアハウンド

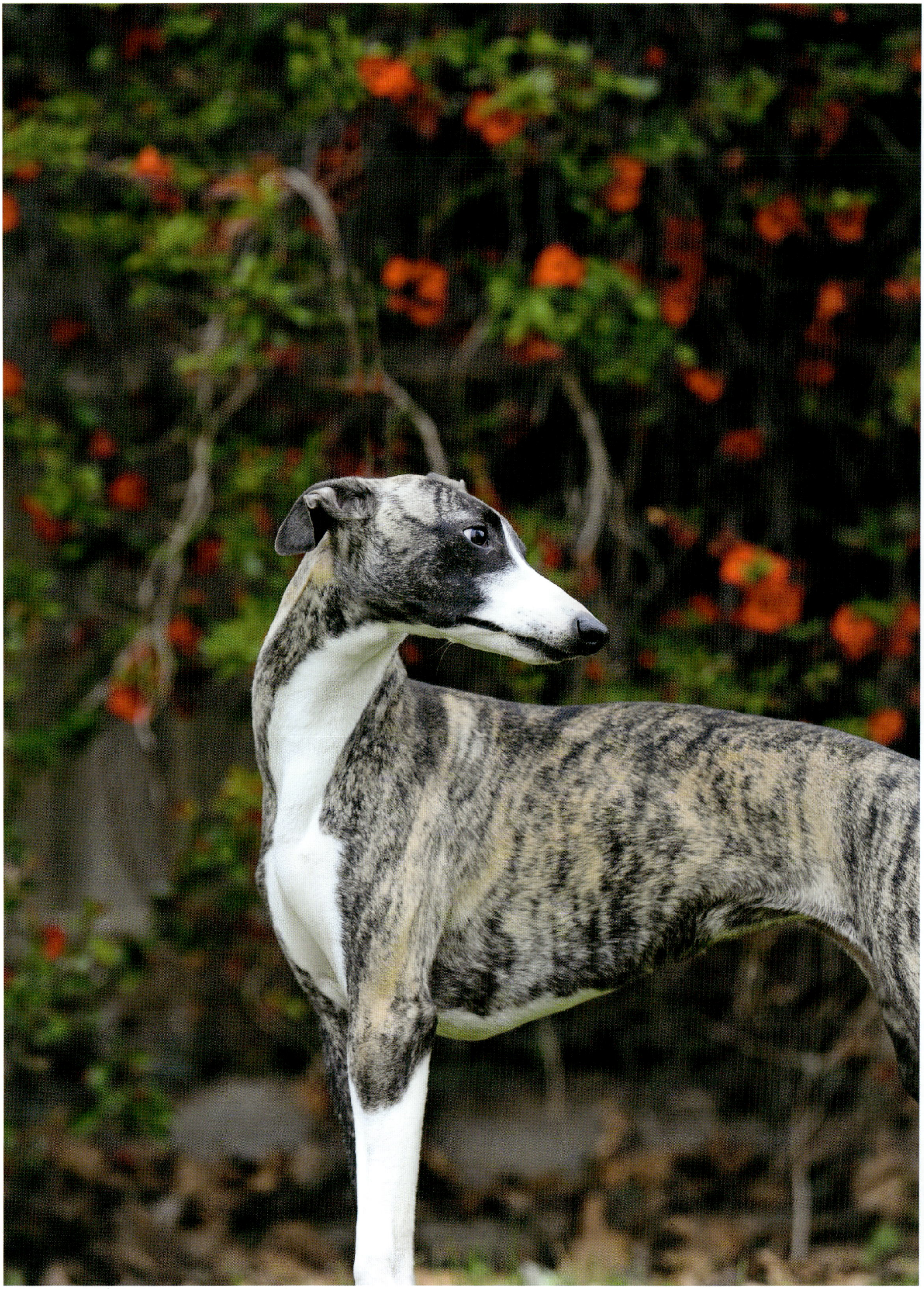

WHIPPET
ウィペット

近現代 – イングランド – 比較的多い

SIZE｜大きさ
雄 47～51cm／雌 44～47cm

APPEARANCE｜外見
可憐で優雅。速く走ることに適した体つき。頭部は長く、マズルに向かって徐々に細くなる。目は楕円形で、油断のない表情を浮かべている。両目の間隔は広い。耳は小さなローズ・イヤー。長い首は筋肉質で、優雅なアーチを描く。背部も長く筋肉質で、腰のあたりでなめらかな曲線を描く。胸は非常に深く、肋骨がよく張り、腹は明確に巻き上がっている。腰には力があふれ、後肢も強靭で、大腿の筋肉がよく発達している。尾は長く、先細で、動いているときにはわずかにカーブしている。

COLOR｜毛色
どんな色でも可。被毛は、細く短い毛が皮膚にぴったり沿うように生えている。

APTITUDE｜適性
小動物の狩り、コーシング、ドッグレースに。ショードッグ、家庭犬としても。

ウィペットの起源はわかっていない。先史時代以来、絵や彫刻にこれに似た犬が登場しているが、小さなグレーハウンドを描いたのか、ウィペットなのかがはっきりしないのだ。ルネサンス期の絵画にも、似たようなタイプの小さな視覚ハウンドがたびたび描かれている。なかでも、アルブレヒト・デューラーの『聖エウスタキウスの幻視』(1500年頃)と、ゲラルド・ホーレンボルトの『1月』(1510頃～20年)は出色だ。

当時、ウィペットのような小型の視覚ハウンドはヨーロッパ全土で人気だった。ただし、さまざまなタイプの視覚ハウンドがまとめて「リヴリエ」と呼ばれていたため、犬種名の混乱が起きた。それは、フランスの宮廷画家、ジャン＝バティスト・ウドリ(1686～1755年)がルイ15世の2頭の犬、ミッスとトゥルルーを描いた傑作でも見られる。2頭の犬は「グレーハウンド」だとされているのだが、一緒に描かれた植物の葉と大きさを比較すると、明らかにウィペットにしか見えないのだ。

現代のウィペットと深い関係があるのは、19世紀のイングランド北部である。驚異的な加速力を持ち、気性もすばらしいこの小型猟犬は、マンチェスターやリヴァプールの鉱山や工場で働く人々や、ランカシャーやヨークシャー、ダラム、ノーサンバーランド一帯の炭坑夫のあいだで大人気になった。大型のいとこたちよりも値段が安く、飼うのも簡単だったからだ。そのため、この犬はときに「貧乏人のグレーハウンド」と称された。

ウィペットはまた、密猟者の友でもあった。視覚ハウンドらしく、グレーハウンド並みのスピードと粘り強さを持っていたためだ。見かけは可憐だが、ウィペットはタフで耐久力のあるハンターなのだ。動いている獲物は何でも追いかける。そして、その驚くべきスピードで必ず獲物を捕らえる。

実際のところ、ウィペットは同じ大きさの犬のなかでは最速で、あっという間に時速56kmにまで加速することができる。

ウィペットはしばしば、「スナップ・ドッグ」とも呼ばれていた。Snapは「さっと動く」「パクリと咬みつく」という意味である。その名の通りこの犬は、狩りの獲物であれ、襲いかかってくる敵であれ、まさにたちまちのうちに相手に追いつき、咬みつくのだ。その昔、農村の人々に人気のあった遊びに、ある一定の広さの囲いのなかでウィペットが何匹のアナウサギを「スナップ」できるかを競うものがあった。そこから派生したのがラビット・コーシングである。現在でも、法律で認められている国では、ウィペットがウサギ狩りに用いられている。

ただし、ウィペットが最もよく使われたのはドッグレースである。かつて、ウィペットによるレースは工業都市の労働者階級が集まる地区の横町で行われていた。その人気が高まるにつれてレース用の直線トラックが造られるようになり、距離は200ヤード(183m)と決められた。さらには、犬の体重や勝歴に応じたハンディキャップ制も導入される。犬の所有者は、ゴールラインの先に立ち、ぼろ布を振って犬を呼び寄せた。そのため、ウィペットには「ラグ・ドッグ」という名称もついた。ウィペット・レースの人気は衰えを知らず、現在でも盛んだ。中心はイングランド北部やスコットランドだが、米国やカナダ、ヨーロッパの一部でも行われている。

この魅力的な犬はイングランドで発達してきたが、独立した犬種として最初に認められたのは米国においてだった。米国に初めてウィペットを連れてきたのは、英国からマサチューセッツ州に移住した粉商人である。マサチューセッツがウィペットの繁殖やレースの中心地になったのはそのためだ。この犬の人気の高まりとともに、繁殖やレースはもっと南のメリーランド州でも行われるようになっていく。特にボルチモアのグリーン・スプリング・ヴァレーに造られたトラックは、最も権威あるレース場となった。ここで行われるレースは、「紳士が紳士のために行う」レースだと言われた。大部分の賭け事が非合法だった禁酒法時代(1920～33年)に、レースに金を賭けることを自主的に控えていたためだ。この習慣は禁酒法がなくなってからも、かなり長いあいだ続いていた。一方、郊外で行われる"アンダーグラウンド"なウィペット・レースでは、ギャンブルが盛んに行われ、熱烈なファンがいた。

ウィペット用に初めて機械仕掛けのおとりが設置された円形のトラックが建設されたのも、メリーランド州のリヴィエラ・ビーチである。ウサギのぬいぐるみが電気で動くグレーハウンド用のトラックをモデルにしたものだ。この円形のトラックは米国で大きな支持を受けた。それまでの直線トラックのレースより観戦しやすいうえ、おとりのおかげで、人間が一緒に走って犬を駆り立てる手間が省けたからである。

　円形のトラックはイングランドにも渡った。初めて持ち込まれたのは、米国の有名な興行師P・T・バーナムの移動サーカスが、1889年にロンドンのオリンピア見本市会場にやってきたときのことだと言われている。英国のエドワード王太子も、ウィペット・レースを見てこの犬のとりこになった1人だ。王太子は1924年、マサチューセッツ州ボストンに住む友人のベイヤード・タッカーマン・ジュニアのもとを訪れた。タッカーマンは、ウィペット愛好家のなかで主導的な役割を果たしていた人物だった。その彼が自宅の敷地に即席のトラックを設けて、王太子にウィペット・レースを見せたのだ。王太子はこの犬にすっかり心を奪われ、ボストンの宝石店にウィペットをモチーフにしたアクセサリーを大量にあつらえさせたという。女物の18カラットの金のブレスレットと男物のタイピンである。

　ウィペット・レースは、1928年には北大西洋に浮かぶバミューダ諸島（英国領）にまで進出する。電気制御の出走ケージを用い、犬は米国から輸入された。米国では当時、ウィペット・レースは南部だけでなく東部でも普及し、さらに西部にも広がりつつあった。また、カナダや南アフリカ、ヨーロッパ各地でも行われるようになっていた。

　AKCに初めてウィペットが登録されたのは1888年。フィラデルフィアで1885年に生まれた雄犬だった。一方、この犬種と深い関わりがある英国では、AKCの登録から3年後の1891年にようやくKCによって認定された。それでもイングランドでは、世界初のウィペット愛好者のためのクラブ、ザ・ウィペット・クラブが1899年に創設されている。以来、優美で賢いこの犬の人気は高まり、現在ではペットとしても作業犬としても非常に高く評価されている。

ELEGANCE AND SPEED ｜ 優美さとスピード

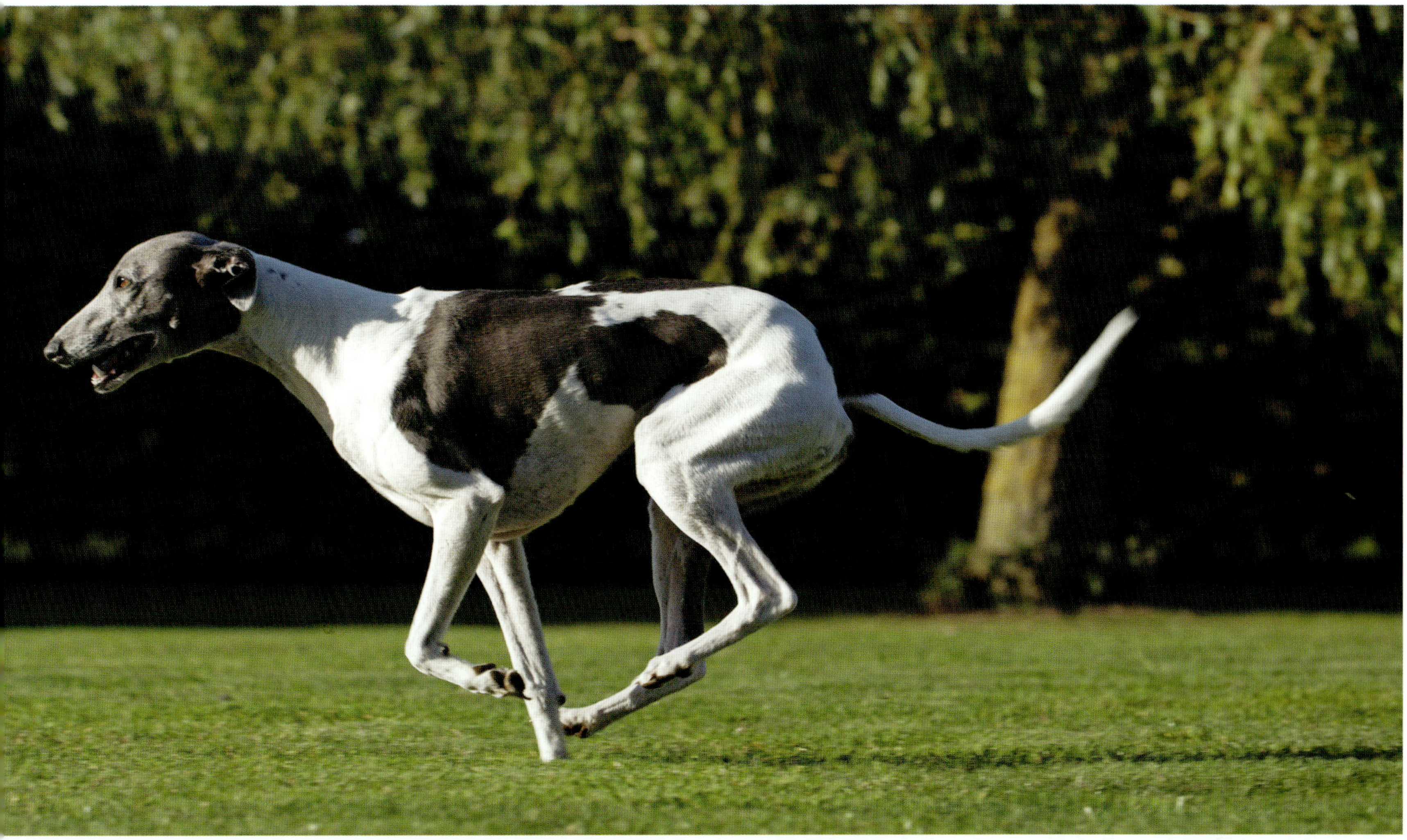
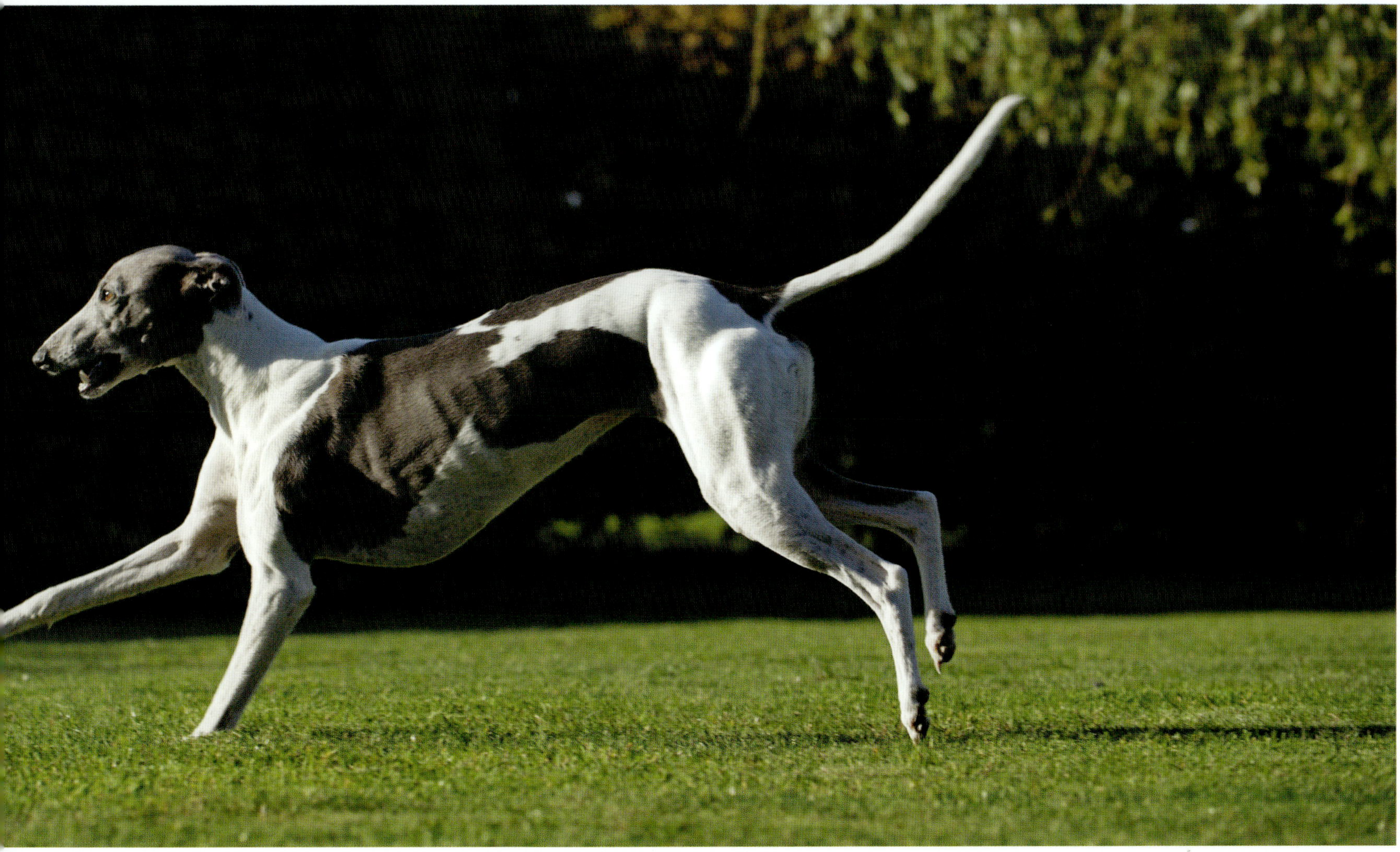

CHAPTER 2
第2章
美とスタミナ

スピッツ・タイプの犬には独特の美しさがある。しかしその内面には、信じられないほどの強靱さと多様な仕事をこなすことのできる適応力が隠されている。この犬たちは家庭犬としてのみならず、猟犬、番犬、牧畜犬、そり犬として利用されてきた。もちろん、捜索救助犬という役割も忘れてはいけない。

大型のスピッツ・タイプの作業犬が欠くことのできない存在になっている文化もある。特に、茫漠たる北極圏の荒野で暮らす人々は、そのような犬に依存する生活を送ってきた。雪と氷に閉ざされ、生物の生存には非常に厳しい条件のもと、他の地域との交流もあまり行われない土地で、犬たちはさまざまな役割を要求されてきた。生き残れるのは、最も強く、耐久力のあるものだけだった。彼らにさまざまな能力が求められた結果、適者生存の自然淘汰が行われたことはほぼ確実だろう。大昔からこの地域で働いていたスピッツ・タイプの作業犬は、驚異的な強さを身につけた。彼らは極寒の厳しい気候をものともしない。彼らがまとうダブル・コート(上毛と下毛の二重構造になっている被毛)はほぼ完全防水だ。彼らはまた、非常に愛情深い。これは、人類と共存してきた何千年ものあいだに磨き上げられてきた特性である。

北極圏の犬たちが初めてハーネスを装着したのがいつなのかはわかっていないが、この犬たちを物品の輸送や移動に利用できると気づいたことは、極北の地で遊牧生活を送る人々にとって重要な意味を持っていた——犬を使えば、移動できる距離が格段に伸びる。そうなれば、狩りの獲物に出会う確率もぐっと上がるし、捕まえた獲物を持って帰るのもずっと楽になる。また、犬たちは狩りで役立つだけでなく、家を守り、子守をすることもできた。狩猟採集文化から牧畜文化に移行すると、犬たちは家畜(トナカイ)を動かし、その番をすることにも使用されるようになった。さらに、犬の毛皮は非常に保温性がよいため、彼らは衣類にも利用された。時には、食糧になることもあった。

そして数百年後、この北極系スピッツ・タイプの犬たちは、西洋人に見出され、北極点や南極点を目指す探検に利用されることになる。これらの旅では、極地探検の先駆けとなった冒険家ばかりでなく、多くの犬たちも厳しい試練にさらされ、命を落とした。死んだ犬をまだ生きている犬の餌にしたという話もあるし、生き延びるために犬を食べたという人の話も伝わっている。

カナダ・ユーコン準州中部のクロンダイクと米国アラスカ州西部のノームで起こったゴールドラッシュ(それぞれ1896〜99年と1899〜1909年)では、一発当ててやろうと意気込む人々とその装備を運ぶために、北極系スピッツ・タイプの犬が数多く使われた。犬ぞりレースの人気が高まったのも、その頃である。1900年頃から17年まで行われていたオール・アラスカ・スウィープステークスという、ノームを出発して656kmを走るレースでは、何チームもの犬たちが互いにしのぎを削った。このスポーツは米国やカナダで人気を博し、やがて北欧にも広がっていった。現在も数々の犬ぞりレースが世界各地で行われているが、なかでも最高峰に位置付けられるのがアイディタロッド・レースだ。これはアンカレッジからノームまでの1850kmを1〜2週間かけて走る過酷なレースで、参加する犬たちの勇気と粘り強さが試される。だが彼らは生まれつき、走ること、引っ張ることが大好きだ。

なお、「スピッツ」というのは一般名称で、犬の品種ではなく、タイプを表す言葉だ。現在、このタイプに分類される犬種は非常に数が多い。そのすべてに共通する身体的特徴としては、背中の上に背負うようにくるりと巻いた尾、小さい三角形の立ち耳、尖ったマズル、分厚い被毛などが挙げられる。このタイプの中核をなすのは長い歴史のある原始的な犬たちで、基本的には作業犬である。しかしそれ以外にも、スピッツ・タイプの特徴を持つ新しい犬種が数多くある。主に、小型で作業用ではないスピッツ系だ。その多くはこの200〜300年ほどのあいだに、ヨーロッパでより古いスピッツ系の犬の血統をもとに開発された犬たちである。

古いスピッツ系の犬は、最も原始的なタイプの犬だと考えられている。つまり、祖先のオオカミに一番近いタイプだ。実際に最近行われたDNA検査では、アラスカン・マラミュート、シベリアン・ハスキー、サモエド、日本の秋田、チャウ・チャウ、バセンジーなど、スピッツ・タイプの多くは最古の犬種に分類されることが明らかになった。そのうちの何種かは、何千年ものあいだ地理的にほぼ孤立した地域で発達したため、他の犬種の影響をほとんど受けていない。これは、19世紀になって西洋の人々に注目されるようになるまで、彼らが進化の系統のなかで原型に近い姿を留めてきたということを意味する。

スピッツ・タイプの犬は、主に中央アジアあるいは東南アジアで進化したと考えられている。先史時代の人々は、犬を伴って移住した。その過程で犬たちは、移住先の地理的な条件に合わせてそれぞれ独自の特徴を身につけていった。その極端な例がバセンジーだ。中央アフリカ原産の犬で、北極圏のスピッツ系と比べてはるかに細い被毛を進化させた。それでも、明らかにスピッツ系の特徴を持つ犬である。彼らはアフリカで、原始的な暮らしを営む人々と付かず離れずの生活をしていた。特に中央アフリカのピグミーと呼ばれる人々の文化とは深い関わりを持ち、主に狩猟に利用されていた。とても狩りの上手な犬なのだ。

　日本の秋田や中国のチャウ・チャウのようなアジアのスピッツ系がことさら大切にされたのも、その狩りの能力ゆえである。秋田もチャウ・チャウも非常に古い起源を持つ犬で、猟犬や番犬として使われてきた（残念ながら秋田は、その勇敢さと粘り強さから闘犬としても使われてきた）。ちなみに現代のチャウ・チャウは、運動能力の高さとスピードを誇った先祖犬とはだいぶ違う容貌をしている。北極圏で暮らしていたいとこたちと同様、チャウ・チャウの先祖も、かつては荷物の運搬に利用されていた。そんなチャウ・チャウも、今では資産家や有名人、特に「ハリウッドのお歴々」のあいだでブームになっている。

　北欧もまた、スピッツ系の犬と縁の深い土地である。特にフィンランド、スウェーデン、ノルウェーでは数々の犬種が誕生している。ノルウェジアン・エルクハウンドもそういった犬種の1つで、北極圏の仲間たちと多くの共通点を持ち、大型動物を狩るために広く利用されている。もっと小型のスピッツ系の犬種も、ヨーロッパを中心に作出されている。歴史的に鳥猟犬として使われてきたフィンランドのフィニッシュ・スピッツや、ノルウェーのノルウェジアン・ルンデフント、そしてオランダのキースホンド（別名ウルフスピッツ）などだ。また、ドイツでもたくさんのスピッツ系犬種が生まれており、それらはすべてまとめてジャーマン・スピッツと呼ばれている。非常に小型で人気のある愛玩犬のポメラニアンも、その1つだ。米国でも、17世紀以降持ち込まれたジャーマン・スピッツからアメリカン・エスキモー・ドッグが誕生している。

ALASKAN MALAMUTE
アラスカン・マラミュート

近世以前 — アラスカ — 一般的

SIZE｜大きさ
体高：雄　64〜71cm／雌　58〜66cm
体重：雄雌とも　38〜56kg

APPEARANCE｜外見
パワフルで、骨量が多く、非常に分厚い被毛を持つ。頭部は幅があり、耳から目に向かって細くなる。マズルは大きい。鼻はブラックかブラウン。目は黒っぽいアーモンド型。小さな三角形の耳は、通常はぴんと立っているが、寝せてスカルにぴたりとつけることもできる。首は頑丈。ボディも力みなぎり、胸が深い。背はまっすぐで、肩から尻に向かってわずかに下がっている。後肢は非常に力強い。足は大きいがコンパクトに見え、指のあいだに保護毛が生えている。波状の羽根飾りのような尾は比較的高い位置に付いており、作業中は背負うように上げている。

COLOR｜毛色
ライトグレーからブラックまでのあらゆる色調のグレー、あるいはゴールドからレッド、レバー（肝臓のような赤褐色）までのあいだの色で、身体の下側、四肢、足、顔の一部にある模様がホワイト。または全身ホワイト。被毛はダブル・コート。上毛は粗くて太く、長くもなく短くもない。下毛は密で脂っぽく、ウールのような手触り。尾は特に被毛が豊富。

APTITUDE｜適性
もともとは重たいそりの牽引に。現在はショードッグ、家庭犬として。

堂々たる体躯を誇るアラスカン・マラミュートは、力が強く、賢く、そして威厳のある犬だ。この犬は、さまざまな場面で人間を助けてきてくれた——エスキモーの人々の生活を支え、極地探検の先頭に立ち、クロンダイクのゴールドラッシュで活躍し、北極圏の人々に郵便物を届け、2つの世界大戦では軍用犬として戦地にも赴いた。アラスカン・マラミュートほどのスタミナと耐久力を持つ犬はほかにおらず、寒冷な気候に耐える力も抜群だ。近年では、もともとの優しく愛情深い性格を生かして、人々に寄り添う家庭犬としての適性も磨かれてきた。

最近のDNA検査から、このスピッツ系の犬は最も古い犬種の1つであることが明らかになった。彼らは中央アジアで誕生し、シベリアの広大な内陸部でその特性を発達させていったと考えられている。それが先史時代のある時期に、遊牧民によって北米に持ち込まれたのだ。エスキモー文化は、紀元前1850年にはすでに確立されていた。アラスカ北西部のケープクルーゼンスターンにそのような文化があったこと示す人類学的証拠もある。他の地域と隔絶し、氷に閉ざされた厳寒の地で暮らしていたかつてのエスキモーの生活は、食べ物を見つける能力、つまりはどれだけ移動する能力があるかにかかっていた。これらの頑強な犬たちに引き綱をつけ、そりとつなごうというアイデアは、そのような孤立した生活を営む人々の生活に大きな変化をもたらした。

このように、アラスカン・マラミュートはエスキモーの人々にとって非常に大切な存在だったので、彼らは人道的に扱われ、きちんと食べ物を与えられていた。一方で選択的繁殖が行われ、子孫を残すのは一番強いもの、一番頼りになる犬だけに限られたため、その数はあまり増えなかった。さらに、エスキモーの人々は犬たちを厳重に管理していたので、その文化圏の外に犬たちが出ていくことはめったになかった。それゆえ、現代のアラスカン・マラミュートの原種となった犬の数はかなり少ない。

1896年にカナダ北西部の辺境ユーコン地方のクロンダイク川で豊富な金を含む礫層（れきそう）が発見され、ゴールドラッシュが始まると、アラスカン・マラミュートは重たい荷物を運搬するのに最も効率のよい輸送手段と見なされ、たいへんな高値で取り引きされるようになった。当時としては破格の1頭500ドルという値もついた。砂金に夢を託す人々が、アラスカン・マラミュートを他のもっと小型で足の速い犬種や、大きなセント・バーナードなどと交配し、"改良"を図ったのも驚くべきことではない。

アラスカン・マラミュートは、極地探検でも欠くことのできない存在だった。ロアルド・アムンゼン（1872〜1928年）が1910年と12年に南極点探査に赴いたときも、彼らがそりを引いて人々と物資を運んだ。リチャード・バード少将（1888〜1957年）も、1930〜50年代にかけて行った南極探検でマラミュートを利用した。現在も、この種の探検では彼らが使われる。バードの探検に参加した犬たちのほとんどは、ニューハンプシャー州にあったチヌーク・ケネルの出身だった。アーサー・ウォールデンによって創設され、シーリー一族に引き継がれた犬舎である。シーリー家の人々は、コッツェブー湾（アラスカ北西部、ベーリング海峡に面した湾）周辺で飼われていたアラスカン・マラミュートをもとに、できるだけその特性を忠実に再現するような繁殖計画を立てた。そして1935年、彼らの尽力により米国にアラスカン・マラミュート・クラブが創設されるとともに、この犬は正式に犬種としてAKCに認められた。

だが、犬の登録はごく短期間で終わってしまい、新たな犬の登録は行われなくなってしまう。しかも第二次世界大戦で多くのアラスカン・マラミュートの命が失われ、登録されていた犬の血統もきわめて少なくなってしまった。そのため、現在アラスカン・マラミュートとして登録されている犬は、血統をたどるといずれもアラスカ生まれの原種犬につながっている。

BEAUTY AND ENDURANCE｜美とスタミナ

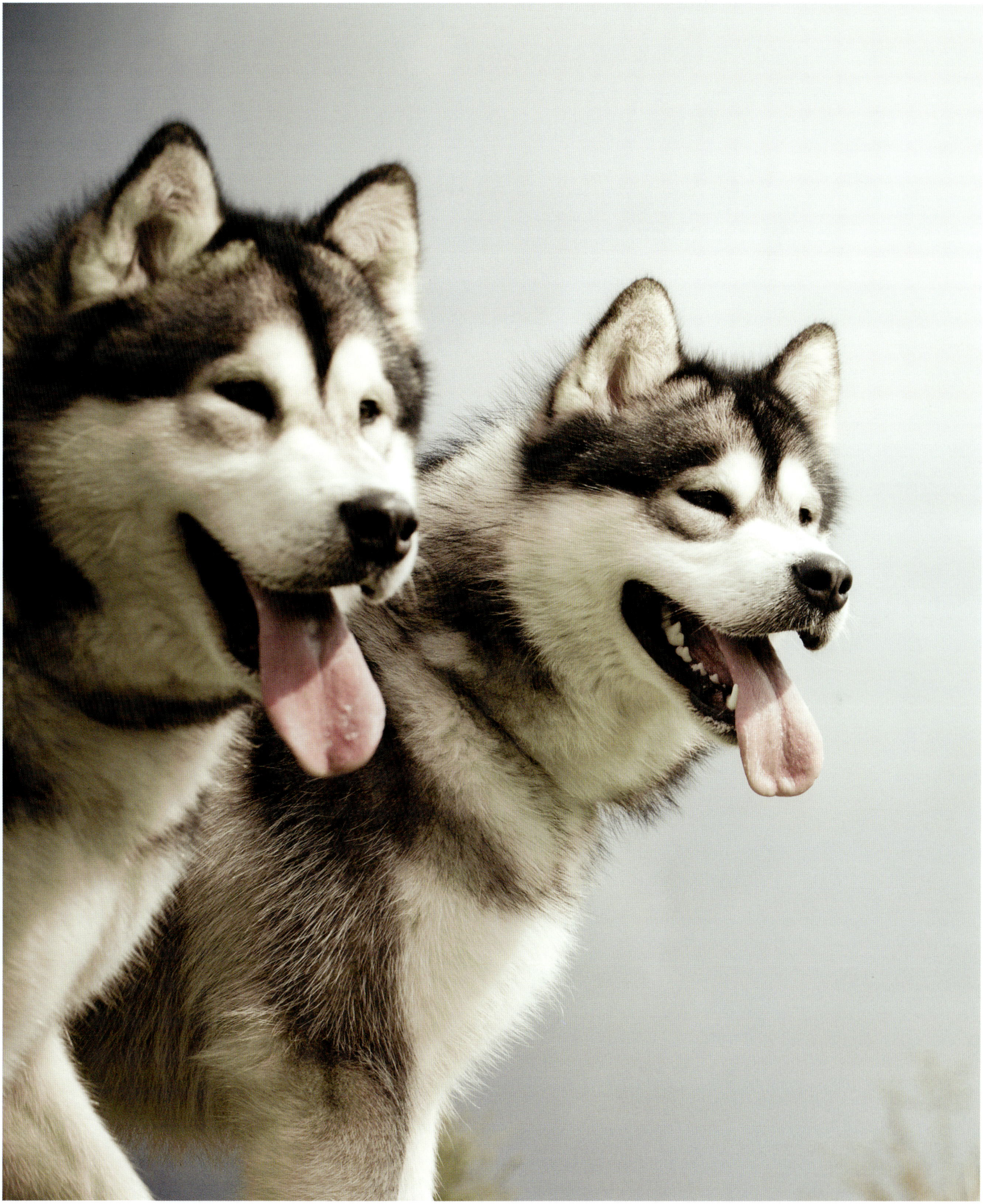

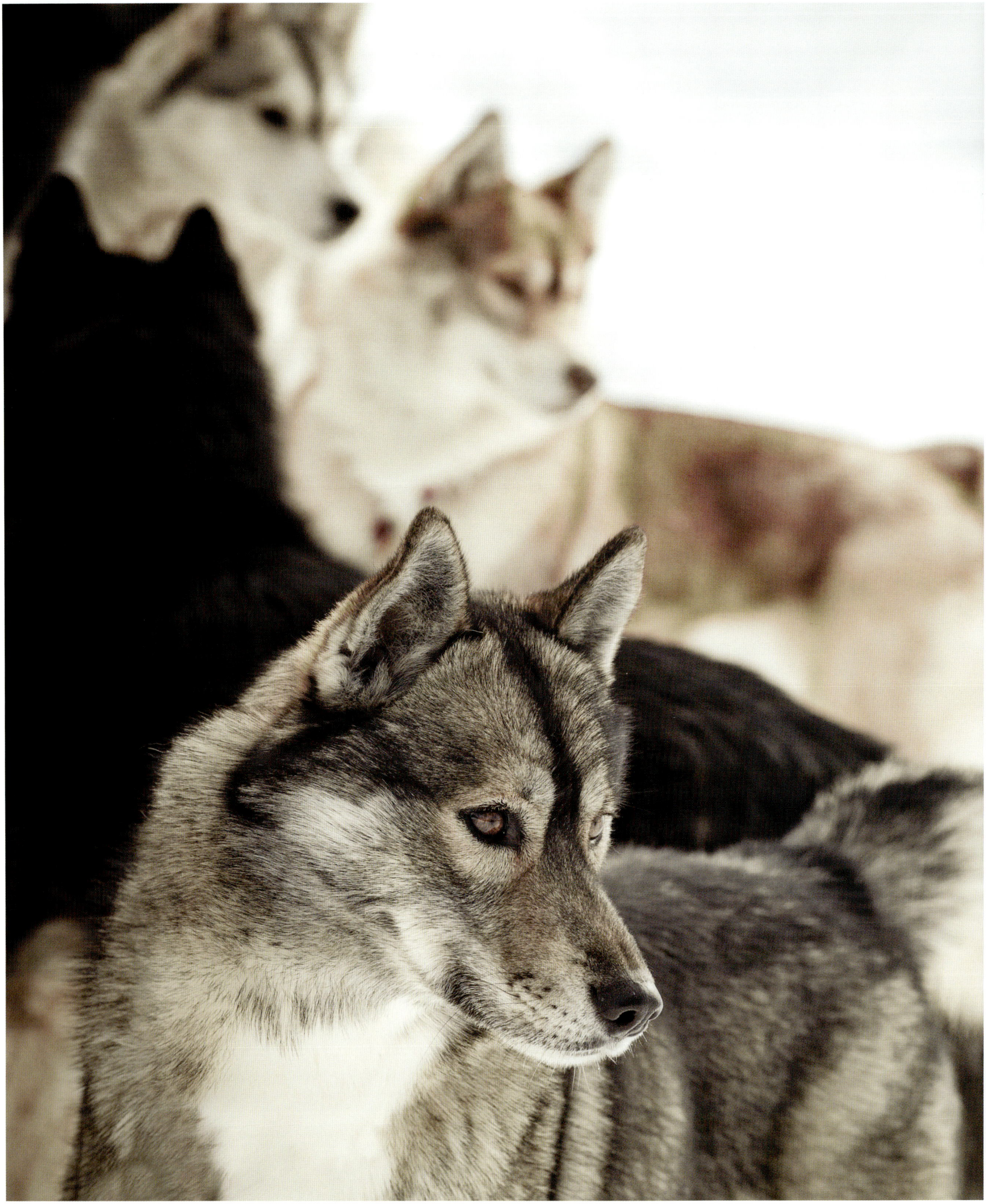

SIBERIAN HUSKY
シベリアン・ハスキー

近世以前 — シベリア — 一般的

SIZE | 大きさ
体高：雄 53〜60cm／雌 51〜56cm
体重：雄 20〜27kg／雌 16〜23kg

APPEARANCE | 外見
機敏で力強く、外交的。外観はキツネに似ている。頭頂部はわずかに丸みを帯び、目に向かって細くなる。マズルは中ぐらいの長さ。鼻はブラックかレバー、あるいは肉色。目はアーモンド型で、友好的で生き生きとした表情を浮かべている。目の色はさまざまな濃さのブルー、またはブラウン。両目の色が違うものやパーティ・カラー（地色に他の色の斑が入っているもの）も認められる。耳は三角形の立ち耳で、頭部の高い位置に付いている。首は弓なりで、誇らしげ。肩甲骨は後ろにじゅうぶんにレイ・バック（後方に向かって倒れている）している。トップラインは水平で、腹側は少しだけ巻き上がっている。胸は深い。後肢は力強く、飛節の輪郭が明瞭に見える。キツネのようなブラシ状の尾は、背の上でカーブするか下に垂れている。

COLOR | 毛色
すべての色と模様が認められる。被毛は中ぐらいの長さのたっぷりとしたダブル・コート。上毛はまっすぐでなめらか。下毛はやわらかく、密生している。

APTITUDE | 適性
そり犬、ショードッグ、家庭犬として。

シベリアン・ハスキーは、そりを引く北極系の純血種のなかでは最も足が速い。したがって、犬ぞりレースで最も好まれる犬種の1つである。そのスピードを裏切らない強靭な肉体と不屈の精神も持っているシベリアン・ハスキーだが、一方で愛情深く、やってきた人間が侵入者であろうが飼い主であろうが関係なく熱烈に出迎える傾向がある。そのため、飼い主にはかなりの理解と忍耐力、それに運動が要求される。また、賢く、独立心もあるが、同時に群れを重視する犬で、相手が犬であれ人間であれ、仲間と一緒の集団行動のときにこそ本領を発揮する。

シベリアン・ハスキーは古い起源を持つスピッツ・タイプの犬で、直接の先祖はチュクチ犬である。この犬を飼っていたチュクチ族はもともと中央アジアに住んでいたが、北東に移住し、最終的にアジアの北東端チュクチ半島に住みついた。彼らは、トナカイの遊牧を行うトナカイ・チュクチと、海沿いに定住する海洋チュクチという2つのグループに分かれたが、犬に依存する生活を始めたのは海洋チュクチだったことがわかっている。数世紀のあいだ外部との交流がほとんどない暮らしが続いた結果、チュクチ犬は気候や地形、使役の目的に完璧に適応し、少量の食糧で極寒に耐え、軽めの荷を高速で長距離運ぶ能力を身につけた。

チュクチ犬が地元以外の人々に発見されたのがいつか、その時期ははっきりしていない。しかし発見したのはおそらく、16世紀にシベリア探検を開始し、その地の人々を征服して植民地化を行ったロシア人だろう。ロシア人が入り込んでくると、シベリアにもともと住んでいた部族は、もはや外部との交流は避けられなくなった。そうして、彼らとアラスカの毛皮商人や捕鯨船員とのあいだで交易が行われるようになる。シベリアの犬をアラスカのノームに輸出したことが記されている最も古い記録は、1908年のものだ。ただし、このときには単に「シベリアン・ドッグ」としか書かれていない。犬名に「ハスキー」とついた印刷物が最初に現れたのは1929年。AKCがこの犬種を認定する直前のことである。

犬ぞりで速さを競うレースは昔からあったが、組織的な大会が開かれるのは20世紀初頭になってからだ。ノームで行われていた犬ぞり競走が競技としての体裁を整えたのは、アルバート・フィンクによるところが大きい。1908年にノーム・ケネル・クラブを創設した人物で、彼はオール・アラスカ・スウィープステークスという現代的なレースを初めて開催した。

ノームを出発し、656kmを走破するこのレースに初めてシベリアン・ハスキーのチームが参加したのは、1909年のこと。ハスキーのチームを所有していたのはロシアの毛皮商、ウィリアム・グーサクだった。マッシャー（御者）の経験が浅く、彼のチームは3位に甘んじたのだが、同じ大会に参加していた若いスコットランド人が、この犬たちのすばらしい能力を見抜いた。彼は60頭ものシベリアン・ハスキーをシベリアで手に入れ、その犬たちで3つの犬ぞりチームを作り、翌年のスウィープステークスにエントリーする。そしてその3チームは、それぞれ1、2、4位という見事な成果を収めた。これにより、シベリアン・ハスキーの犬ぞりレースにおける能力がにわかに注目を浴びるようになったのだ。

ノルウェーの探検家ロアルド・アムンゼン（1872〜1928年）も、1914年の北極点探査に備えてたくさんのシベリアン・ハスキーを集めた。だが第一次世界大戦の勃発で、アムンゼンは計画をやむなく断念。そこで極地探検に備えた訓練のために犬たちを預かっていたノーム在住のレオンハート・セッパラという人物は、犬たちをレースに参加させることにする。犬たちはここで本領を発揮し、セッパラのチームはスウィープステークスで1915年から3連覇を達成するなど偉業を成し遂げたのだった。

しかし何と言っても、シベリアン・ハスキー最大の偉業と言えば、1000km近い距離を走破した「血清リレー」だろう。1925年、ノームの町がジフテリアの大流行に見舞われた。だが、患者の命を救うための血清が足

りない。そこで500kmほど離れた町ヌラートまで届けられた血清を受け取るために白羽の矢が立てられたのが、犬ぞりレースで圧倒的な強さを誇っていたセッパラとその犬たちだった。彼は、20頭のシベリアン・ハスキーのチームを組んでノームを出発する。その間に、当時のアラスカ準州政府はルート沿いに犬ぞりチームをいくつも追加で配置していった。

そのおかげでセッパラは、ノームの東200kmほどのシャクトゥーリクで反対側から来たチームから血清を受け取ることができた。そして史上最悪と言われた猛吹雪を強行突破し、ゴローヴィンという海沿いの町で待機していたチャールズ・オルソンに血清を受け渡す。オルソンはそれを、ノームの南東90kmほどにある町ブラフでグンナー・カーセンに渡し、カーセンはノームまでの最終区間を走りきった。こうしてノームの人々は悪疫の流行を乗り切ったのだった。

このときのカーセンの犬ぞりのリーダー犬バルトの銅像が、現在ニューヨークのセントラルパークに立っている。このリレーに加わった20チームのそり犬たちの功績を称えるためである。1973年から毎年行われているアイディタロッド・レースは、アンカレッジからノームまでの1850kmを走る過酷な犬ぞりレースとして有名だが、そのチェックポイントの多くは、この血清リレーの際に使われたルート沿いの宿だ。これは、血清リレーに参加したマッシャーと犬たちの英雄的な行為に敬意を表してのことである。

血清レースの後、セッパラと彼の犬たちは全米を巡り、数々の犬ぞりレースで優勝した。そして彼は、エリザベス・リッカーというシベリアン・ハスキーの愛好家と協力して、メイン州ポーランド・スプリングに犬舎を立ち上げる。この犬舎出身の犬の多くも、各地のレースで活躍した。1931年にこの犬舎が閉鎖されると、セッパラは自分のシベリアン・ハスキーをケベック州在住のハリー・ウィーラーに譲り渡した。そのウィーラーはセッパラの名を冠した犬舎を開き、広く名前を知られるようになる。今日登録されている犬の血統をたどると、すべてセッパラとリッカーの犬舎か、ウィーラーの犬舎のどちらかにつながっている。

この犬種が正式にAKCに認定されたのは1930年のこと。犬種標準が最初に作成されたのは1932年だ。第二次世界大戦中、軍は多くのシベリアン・ハスキーを捜索救助犬として利用した。この犬種が初めて英国に渡ったのはその頃のことらしい。しかし記録としてきちんと残っているのは、1968年にプロフィット夫妻が持ち込んだ犬が最初だ。その後、ある米国人少佐が連れてきた2頭が、英国で初めての登録犬となる。そしてその2頭から1971年に生まれた子犬たちが、英国生まれのシベリアン・ハスキーとしては初の登録犬となった。1970年代以降、シベリアン・ハスキーの人気は大西洋の両岸で高まっている。それとともに、犬ぞりレースの愛好者も増えている。

BEAUTY AND ENDURANCE｜美とスタミナ

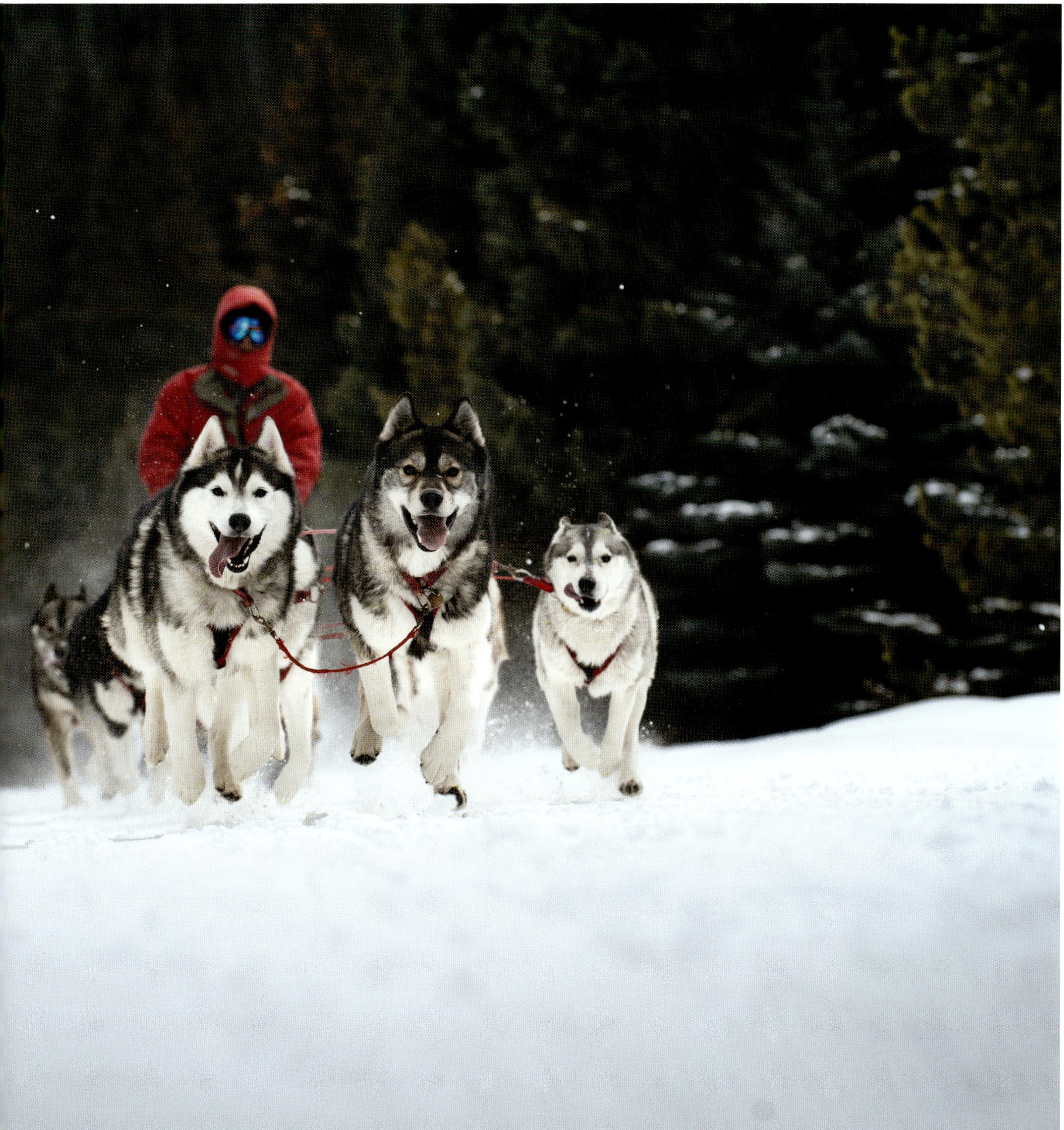

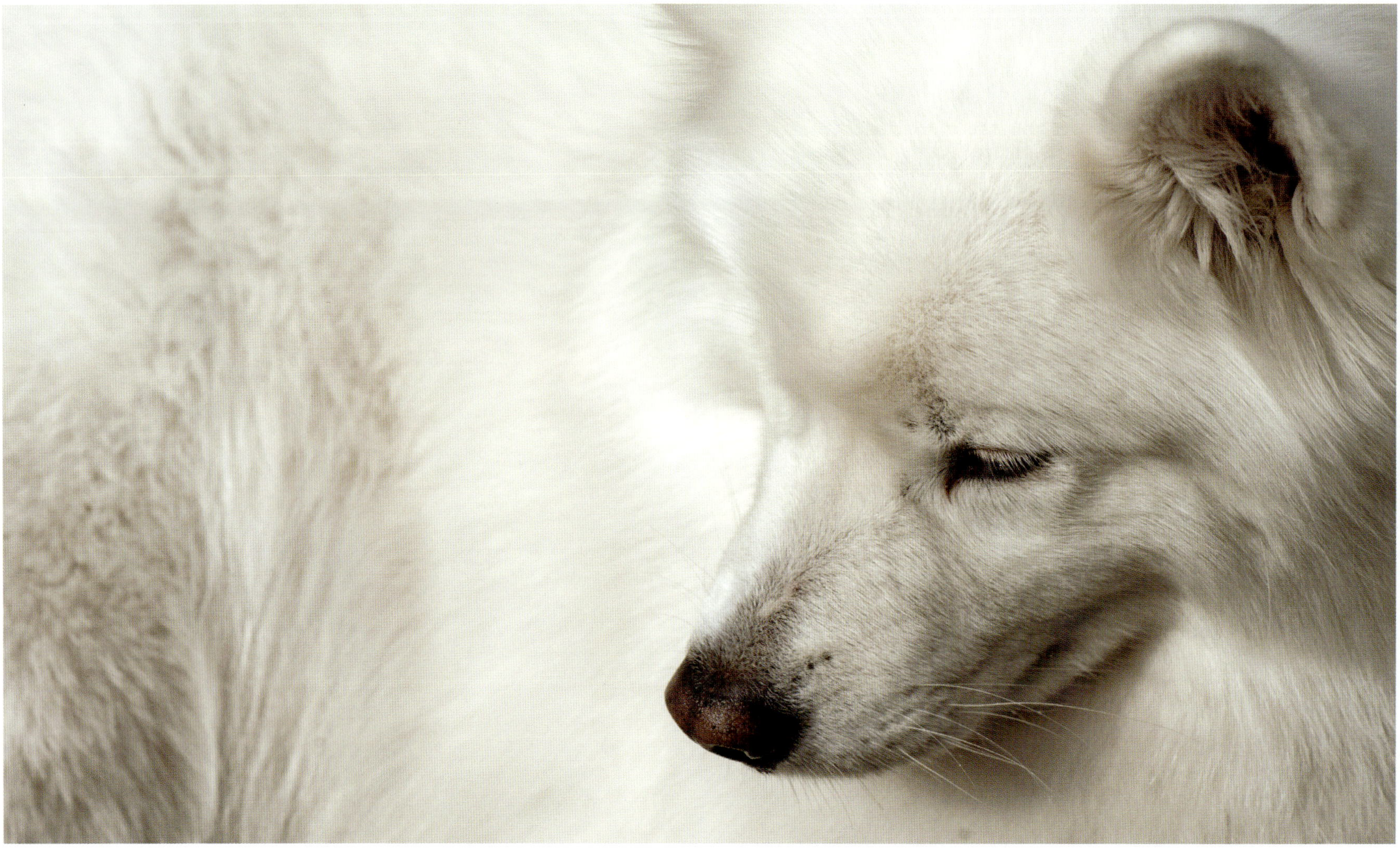

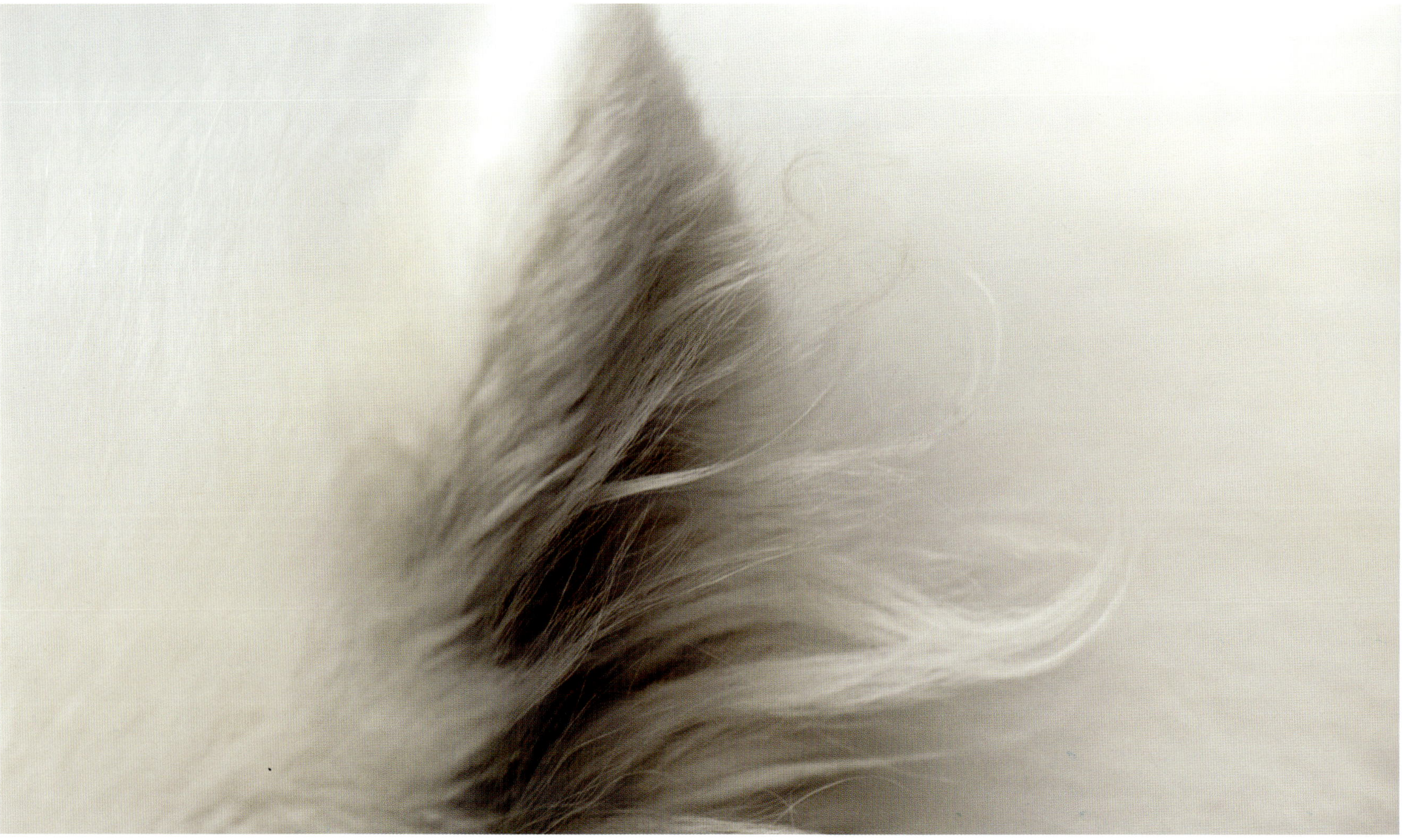

SAMOYED
サモエド

近世以前 – シベリア／ロシア – 一般的

SIZE｜大きさ
雄　51〜56cm／雌　46〜51cm

APPEARANCE｜外見
上品で友好的。頭部はくさび形で力強く、マズルの長さは中ぐらい。鼻はブラックが好ましい。唇もブラック。アーモンド型をしたダーク・ブラウンの目は、利発そうな表情を見せる。耳は三角形の立ち耳で、左右のあいだが離れている。首は力強くアーチを描く。背は中ぐらいの長さで、幅が広く強靭。胸は深い。足は長めで、やや平たく、しっかりと被毛に覆われている。長く、毛がたっぷりと生えている尾は背側あるいは側面に巻いているが、静止時には垂れている。

COLOR｜毛色
ホワイト、クリーム、あるいはホワイトにビスケット色が混じっている。上毛の先端がシルバーのものも。被毛はダブル・コートで、厳しい天候にも耐えられる。上毛は硬く、皮膚に垂直に立っている。下毛は短くやわらかい。

APTITUDE｜適性
トナカイ用牧畜犬、そり犬、番犬、さらにはショードッグ、家庭犬として。アジリティ（障害物競走）にも。

　上品で高貴なサモエドは、もともとビェルキエールと呼ばれていた。また、「笑う犬（スマイリング・ドッグ）」とも言う。それもそのはずで、この犬ほど陽気で快活な犬はほとんどいない。生まれつき気立てがよいのは、この犬種の最大の特徴と言える。さまざまな能力にも恵まれ、外見も美しいこの犬の祖先は、先史時代から存在していた。外部との交流の少ない土地で暮らしていたために、他の犬の血統が混じることはほとんどなく、オオカミから受け継いだ形質を現在に至るまでよく保っている。

　この犬種の名のもとになったのは、サモイェード族という古い部族である。アジアに起源を持ち、大昔から遊牧生活を送ってきたサモイェードの人々は、中央アジアに住みついた最も古い部族の1つで、そこから犬を連れて北西に移動し、北極圏に到達した。現在ではサモイェード族の人口は非常に少なくなってしまったが、いまだに半遊牧生活を続けている人たちもいる。ペンシルベニア州ピッツバーグにあるカーネギー自然史博物館の文化人類学部長、サンドラ・オルセンによれば、カザフスタン北部のボタイにある青銅器時代の遺跡から発掘された遺物のなかには、現代のサモエドに似た犬の骨もあったという。ここから、このようなタイプの犬が当時すでに中央アジアに存在していたことがわかる。だが、この犬が独特の特徴を発達させたのは、もっとずっと北の、寒さの厳しい北極圏であった。

　サモイェードの人々が住んでいたのは、たいていの人間にとってはとても暮らしていけないような土地だった。最終的に彼らは、北海に面するロシアの北西部からエニセイ川にかけての、視界をさえぎるものが何もない、雪に閉ざされた広大なツンドラ地帯を住処に選んだ。そこでは、人間とトナカイの命は切っても切れない関係にあった——季節ごとに食べ物を求めて移動するトナカイの後を追い、それを狩って糧にする。毎日の生活に犬はなくてはならない存在だった。人々が狩りに出かけるとき、犬は留守番をして家や子どもたちを守った。時には狩人についていって狩りを手伝い、そりを引いて獲物を家に持ち帰ることもあった。

　やがて、サモイェードの人々は狩猟民から牧畜民に変わる。トナカイの群れを所有して管理するようになったのだ。このような生活の変化とともに、犬たちも家畜を見張り、移動させるという新しい仕事もするようになった。犬たちはどんな仕事でもうまくこなしたが、特に力を発揮したのがやはり荷物を運ぶことだった。そんな犬たちを、サモイェードの人々は家族の一員として大きな愛情を持って扱った。犬たちは、人々のテント（チョーム）のなかに入ることを許され、じゅうぶんな食事を与えられ、よく手入れをしてもらった。はるか昔から現在に至るまで、このように常に人間と非常に近い関係を持ってきたことが、サモエドの変わることのない優しく忠実な気性につながったのは間違いない。

　犬とサモイェードの人々は、数百年ものあいだ、外部との接触のない暮らしを続けてきた。その間に、この犬種の性格が形成されたのである。彼らの犬については、17世紀初頭までほとんど知られることはなかった。だが、ロシア人がシベリアを探検し植民地化を始めると、この犬の有能さと美しさはたちまち人々の知るところとなり、探検隊やロシアの徴税人のそりを引くために徴用されるようになった。

　19世紀になると、この犬の魅力はロシア国外にも知られるようになる。それを伝えたのは、主にヨーロッパからシベリアに来た探検家たちだった。サモエドの力を借りた最初の探検家の1人に、ノルウェーのフリティヨフ・ナンセン（1861〜1930年）がいる。彼はサモエドについて綿密に調査し、これが北極圏で自分が企図している仕事に最適の犬だと考えた。そして、ロシア人のアレクサンドル・トロンハイムに犬を調達してもらい、1895年に犬ぞりを使って北極点を目指し出発する。結局、極点到達は果たせなかったが、それでもナンセンは最北到達記録を更新した。

　ただ、その代償は大きかった。犬たちは1頭残らず死んでしまったの

だ。実際のところ、この探検は凄惨なものだったらしく、食糧が尽き、犬たちが弱ってくると、ナンセンは一番体力の落ちている犬を殺し、体力の残っている犬に与えたという。それでもナンセンの行った数々の探検は、その後に続く多くの探検家に大きな影響を与えた。イタリア国王の弟で探検家のアブルッツィ公（1873～1933年）もその1人で、彼はナンセンに意見を求め、トロンハイムを通じて120頭のサモエドを手に入れた。ナンセンと同じノルウェー人のロアルド・アムンゼン（1872～1928年）も、1910年と12年の南極探検で、そり犬のリーダー犬にサモエドを使った。

　イングランドに最初にやってきたサモエドは、外交上の贈り物として19世紀末にロシア皇室から英国王室に贈られたものだった。ロシアの皇族たちは、さまざまな種類の犬を重要な進物として利用していたが、サモエドもそんな犬種の1つだった。サモエドが彼らの寵愛を受けていたのは、そのエキゾチックな風貌と親しみやすい性格のためだ。当時、ロシアと英国のあいだには、領土をめぐるややこしい問題が山積していたが、王室同士には強いつながりもあった。1894年にヴィクトリア女王（1819～1901年）の孫娘アレクサンドラ（アリックス）がロシアのラストエンペラー、ニコライ2世（1868～1918年）と結婚したのである。ロシア皇帝夫妻は、アリックスの叔父の英国王太子、のちのエドワード7世（1841～1910年）とその妻アレクサンドラにたびたび犬を贈った。そのなかに、英国に初めて渡ったサモエドも含まれていたのだ。

　そのうちの1頭をモデルにして、ロシアの宝石職人カール・ファベルジェが宝飾品を制作している。ローズカットのダイヤモンドを飾った小さなカルセドニー（玉髄）製のこの犬の像は、1899年にアレクサンドラ妃に贈られた。贈り主は、1895～98年に英国のジャクソン・ハームワーズ遠征隊を率いて北極海のフランツヨシフ諸島を探検したF・G・ジャクソン少佐である。

　英国でサモエドを犬種として確立したのは、アーネスト・キルバーン＝スコットとクララ夫人である。アーネストは王室動物学協会に勤務し、世界各地を飛び回っていた。そうしたさなかにサモエドを目にした彼は、この犬の魅力に取り憑かれ、1頭の白い子犬を英国に連れて帰る。1880年代のことだ。原産地のサモエドは必ずしも純白ではないが、真っ白なその子犬は一大センセーションを巻き起こし、英国ではたちまちホワイトが人気の色になった。そこでアーネストは、さらにホワイトのサモエドを海外から手に入れ、本格的に繁殖を始める。ほどなくして、KCもサモエドを「外国犬」部門でドッグショーに出陳することを認めた。

　そうして1909年にアーネストはサモエド・クラブを設立するが、「ビェルキエール」ではなくサモエドが正式な犬種名になったのはこのときである。KCがサモエドを独立した犬種として認めたのは、その3年後のこと

だ。そして1923年になると、サモイェード族を表す「Samoyade」から、最後の「e」を取った「Samoyad」というつづりが使われるようになる。サモエドの有力な繁殖家となったアーネストとF・G・ジャクソン少佐からは、探検家たちが多くの犬を購入した。

　そのアーネストが1920年に米国に移住すると、妻のクララがあとを引き継いで、英国におけるサモエドの普及活動に多くの時間とエネルギーを費やした。その頃の種牡犬として有名な犬の1頭が、英国チャンピオンになったカラ・シーだ。この犬は、英国、米国双方のサモエドの血統のなかで重要な位置を占めている。なお、アーネストが設立したサモエド・クラブは、彼が米国に移住した年にサモエド婦人協会と合併してサモエド協会となり、現在もこの犬種の保護と普及のために精力的に活動している。

　一方、原産地のサモエドは、1914年から始まった第一次世界大戦と1917年のロシア革命により、壊滅的な打撃を受けた。皇室で飼われていた犬の多くが殺されてしまったため、繁殖に使える犬はロシアにはほとんどいなくなてしまったのだ。これにより、繁殖の中心は英国をはじめとするヨーロッパ、そして米国に移ることとなる。その米国には、1892～1912年にかけてアーネストの犬舎から多数の犬が売られている。そのうちの12頭が、米国における現在のサモエドの基礎となったと考えられている。なかでも有名だったのは、ロシア・チャンピオンのムスタン・オブ・アーゲナウだ。1904年に渡米したこの犬は、AKCに登録された初のサモエドでもある。アーネストが米国に居を構えた1920年には、登録数は40頭前後になっていた。そして1923年、米国サモエド・クラブが結成され、犬種標準が作成される。

　1930年代には、ヘレン・ハリスがペンシルベニア州に所有していたスノーランド・ケネルが、米国におけるこの犬種の確立に大きな役割を果たした。彼女の犬たちは、カリフォルニアのホワイト・ウェイ・ケネルなど多数の犬舎の設立にも貢献している。ホワイト・ウェイを所有していたのはアグネス・メイソンで、彼女の犬たちはそり犬として使われ、その多くが遭難者を救助するために小型飛行機からパラシュート降下する訓練を受けた。そのうちの1頭、ソルジャー・フロスティ・オブ・リミニは、第二次世界大戦中に模範的な活躍をしたとして、善行記章と戦勝記念勲章を授けられている。

　サモエドは、長い年月のあいだに、単に汎用性と適応力のある犬ではないことを証明してきた。人間の利益のために彼らがもたらしてきた貢献は計り知れない。サモエドは賢く、愛情深いペットになるが、彼らが一番幸せなのは、何か仕事を与えられているときだ。そして、どんなに苦しいときも常に快活さを失わない犬でもある。

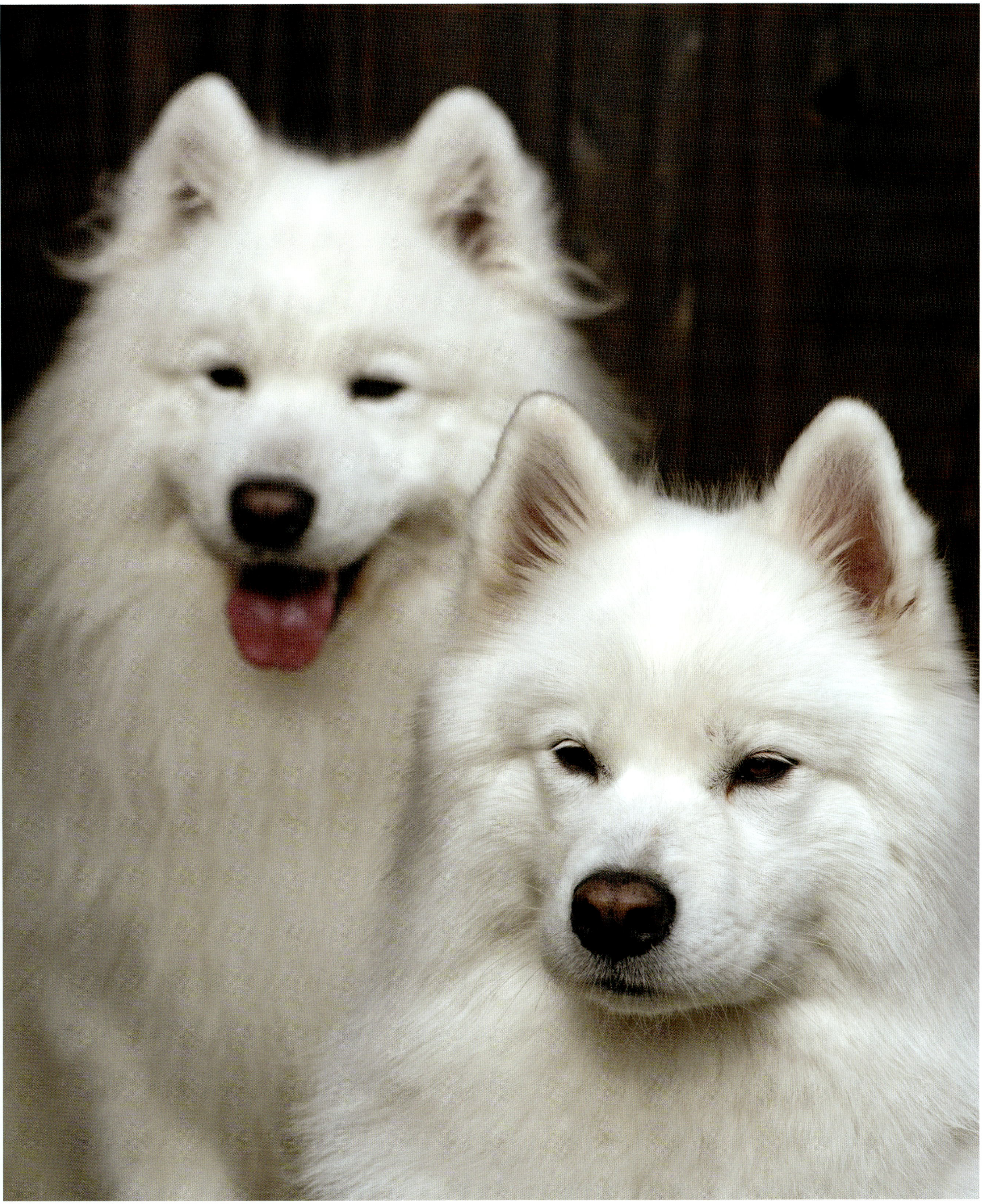

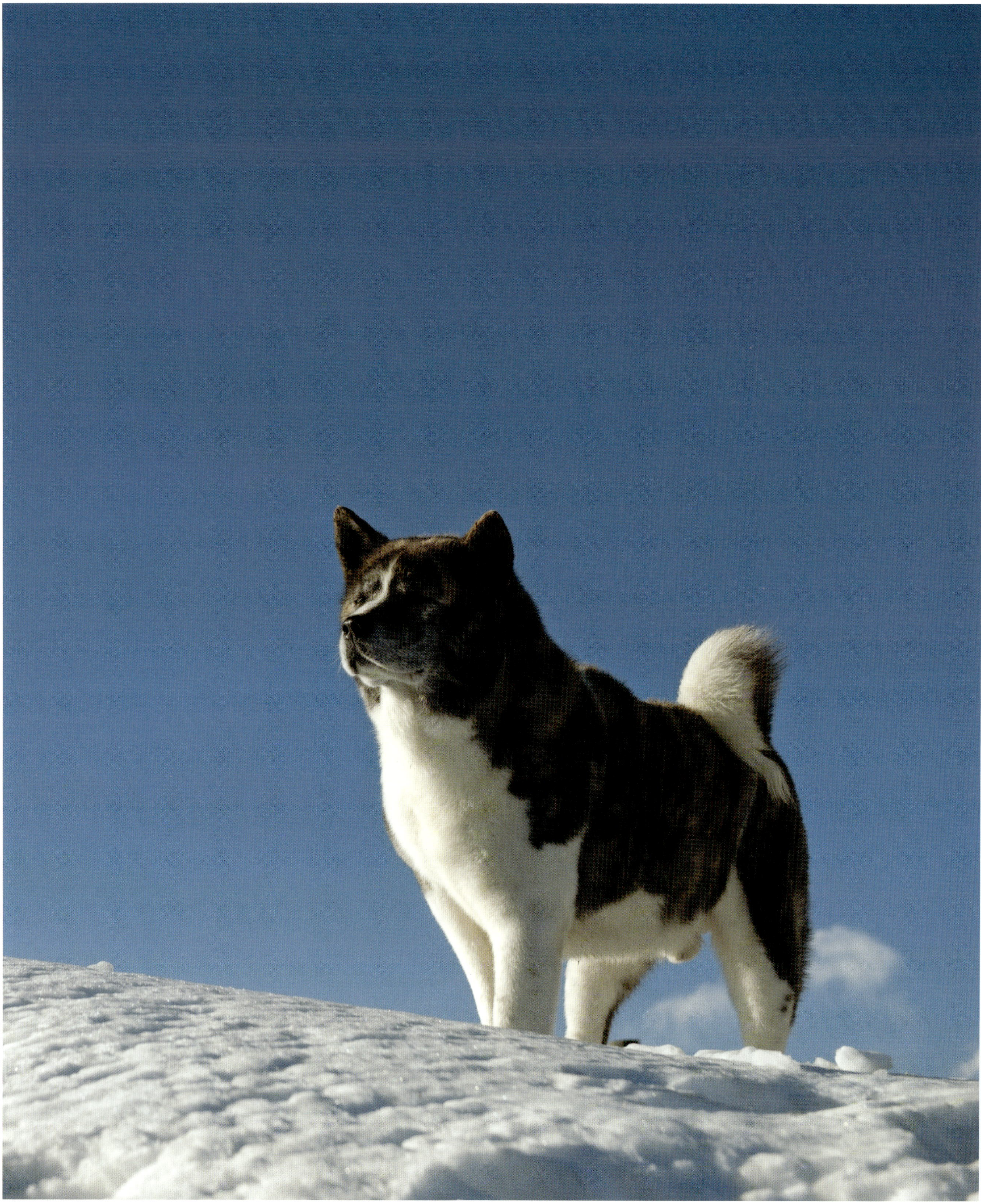

AKITA
秋田
近世以前 – 日本 – 一般的

SIZE | 大きさ
雄 66～71cm／雌 61～66cm

APPEARANCE | 外見
骨格が頑丈で、力強く、勇敢。頭部は大きく、幅広で、あまり尖っていない三角形。目は暗褐色の小さなアーモンド型。耳は三角形で、小さいが厚みがあり、首の後ろのラインと同じ角度で前方に倒れている。首は比較的短く、筋肉質。背の長さは、キ甲（肩の最高点）の高さよりもわずかに長い。胸は深く幅広で、腹は適度に巻き上がっている。前肢はまっすぐで、骨太。後肢も力強い。尾は太く、高く掲げて背の上で巻いている。

COLOR | 毛色
白とすべての色の組み合わせが認められる。胡麻（地色に黒の差し毛のあるもの）や虎も。被毛は、剛直な上毛とやわらかく密な下毛からなるダブル・コート。

APTITUDE | 適性
本来は狩猟、闘犬用。現在はショードッグ、家庭犬として。

秋田という犬種は歴史が浅い。犬種として固定され、分類されたのは20世紀になってからだ。しかし、起源はとても古い。その歴史は波瀾万丈で、さまざまな議論の的にもなってきた。近年、その議論をさらに激化させているのは、犬種をアメリカン・アキタと日本の秋田の2つのタイプに分けたことである。世界各国のケネルクラブで、これについては意見が真っ二つに分かれている。米国のAKCが、この2つは1つの犬種のバラエティであると考え、どちらも単に「秋田」と登録しているのに対し、国際的な統括団体であるFCIや英国のKC、ジャパンケネルクラブでは、この2つを別の犬種に分類しているのだ。

現代の秋田の発達と最も深い関係があるのは、秋田県の大館市（1880年代から「犬の町」と呼ばれている）とその周辺の農村地帯である。冬には厳しい雪に閉ざされる地域だ。昔、秋田地方には、現代の秋田と同じような特徴を持つ犬たちが地域ごとにいろいろいた。これらは皆、「マタギ犬」と呼ばれていた。分厚いダブル・コートに覆われ、がっしりした体躯、立ち耳、巻尾を持つ日本原産の古いスピッツ・タイプの犬である。マタギ犬は主にクマやイノシシ、シカのような大きな獣の猟に用いられ、獲物を追跡して捕らえ、猟師がやってくるまで押さえつけておくように訓練されていた。彼らはまた、番犬としても重用された。親しい人には忠実で愛情深いが、親しい人を危険から守るときには獰猛な一面も見せたためである。マタギ犬は秋田全域で広く普及し、あらゆる身分の者に飼われていた。

歴史的に、この犬種は闘犬と結びつけて考えられている。実際に大館とその周辺地域では、1870年にはすでに闘犬のために特別に品種改良された犬がいた。闘犬は、侍の闘志を養うと考えられ、推奨されていたからだ。このように闘犬を連想させることが、欧米での秋田犬の評判を傷つけているが、現代の秋田は愛らしい犬種だ。昔の闘犬用の獰猛な資質の大部分は取り除かれている。

1854年、日本が西洋世界に門戸を開くと、マスティフやジャーマン・シェパード、グレート・デーンなどの外来の犬も数多く日本に輸入され始めた。日本古来の犬とそれらの犬との交雑から誕生したのが土佐犬だ。大館などでも、闘犬が盛んになるにつれ、土佐犬が導入されるようになった。もともといたマタギ犬よりも、土佐犬のほうが一般により大きく、攻撃性も強かったためだ。当然、異系交配も盛んに行われた。そして1899年に大館に闘犬団体が発足し、専用の闘技場が建設されると、交雑はさらに進んだ。これによって土着の犬らしい特徴は急激に失われていく。

そこで日本政府は、1919年にいくつかの在来犬種を天然記念物に指定して復興させるための法律を制定する。1927年には当時の大館町長、泉茂家によって、この犬の均質性を保つことを目的とする秋田犬保存会が設立された。「秋田」という名が正式に採用されたのは1931年。このときに、犬種としての認定も受けている。日本の秋田の犬種標準が最初に作成されたのは1938年のことである。

"新しい"秋田という犬種は、1932年に多くの人々の知るところとなった。主人に非常に忠実だったハチ公という秋田に関する記事が新聞に掲載されたためだ。1923年に大館で生まれたハチ公は、生後まもなく東京大学教授の上野英三郎にもらわれ、東京の渋谷で飼われていた。この犬は毎日、出勤する上野に寄り添って駅まで歩き、上野が帰ってくるまでそこに座って待っていた。しかし1925年のある日、上野は仕事中に脳溢血で倒れ、そのまま亡くなってしまう。そんなことを知らないハチ公は、それからも毎日、主人の帰りを待ち続けた。別の家に預けられても、逃げ出して駅前で待っていた。そうして10年近く主人の死を悼み続けたハチ公は国民的な英雄となり、1934年には渋谷駅に銅像が建立された。ハチ公はその翌年にこの世を去ったが、そのニュースが流れると、ハチ公像に花を捧げる人々が全国から引きも切らず訪れたという。

盲聾唖ながらさまざまな著書を残し、障害者の福祉・教育に尽力した米国のヘレン・ケラー（1880～1968年）も、ハチ公のエピソードに心打た

れた1人だ。ハチ公の死から2年後の1937年に日本を訪れた際に、その話を知った彼女は、講演で秋田県にやってくると、どうしても秋田犬が欲しいと頼んだ。突然のことに関係者は困惑したが、ケラーの願いは聞き入れられ、やがて米国の彼女の自宅に神風号という名前の雄の子犬が届けられた。だが、その子犬はまもなくジステンパーにかかって死んでしまう。ケラーの悲しみは日本にも伝わり、1939年、今度はその兄弟犬の剣山号が贈られた。彼女は剣山号が亡くなるまで、たいそうかわいがったという。

しかし20世紀前半は、秋田にとって辛い時期だった。第二次世界大戦で軍用の防寒着を作るために多くの犬が没収され、その毛皮が使われたのだ。警察は当時、犬を勝手に捕獲して連れ去ることを許可されていた。ただし、ジャーマン・シェパードだけは例外だった。軍用犬として使用されていたからだ。人間の食糧さえ乏しい時代だったから、犬の食糧など言わずもがな。それどころか、犬が人間の食糧になることすらあった。そのような状況だったため、戦争が終わった1945年当時、秋田はほんのわずかしか残っていなかった。生き残った犬たちには3つのタイプがあった。猟犬であった本来のマタギ犬タイプ（一ノ関系）、交雑の進んだ闘犬タイプ（出羽系）、ジャーマン・シェパードとの交雑で生まれたシェパード秋田である。

やがて、純粋な秋田の特徴を固定化し、犬種を守ろうという努力が新たに始まった。これには、一ノ関系と出羽系の2つの系統が用いられた。そうした努力により日本で秋田という犬種が再び確立すると、米国でも人気が出始める。多くの米軍関係者が日本から帰国する際に秋田を連れて帰ったからだ。ただし、こちらは主に出羽系だった。米国では繁殖も盛んに行われるようになるが、毛色にかかわらず、特にがっしりした骨太の犬が好んで用いられた。

AKCは当時、秋田の犬種標準は承認しなかったが、1955年からこの犬を7つの犬種分類以外の「その他の犬」として登録を認めるようになった。そして1972年、ついに正式に犬種として認定し、秋田は「ワーキング・ドッグ」グループに分類し直された。ところが1974年、AKCは日本産の犬の登録を許可しなくなった。AKCとジャパンケネルクラブで血統証書の相互承認がなされていなかったためだ。1992年になってAKCはようやく日本のクラブを認めたが、日本からの繁殖犬の輸入が止まっていたこの間に米国の犬は日本の秋田とはかなり異なるものになっていた。米国では現在、米国系をアキタ、日本的な形質を受け継いでいるものをジャパニーズ・アキタイヌと呼んでいる。ただし、前述のように英国や日本では、この2つのタイプはまったく別の犬種と見なされている。

実際のところ、外観はかなり違っている。米国のアキタは日本のものよりも大きく、重量感がある。元来闘犬だった血統を受け継いだ犬だからだ。かたや日本の秋田は、ずっと東洋的な表情をしている。もともとは猟犬だったマタギ犬の血を引いているため、より小型でほっそりしたキツネに似た外見だ。毛色についても、日本の秋田では決められているが、米国の犬には制限がない。日本の秋田犬で認められているカラーは4色（赤の裏白、虎の裏白、胡麻の裏白、白）のみ。また、模様についても細かい規定がある。

一方、英国にこの犬が渡ったのは1930年代初頭のこと。1936年には、クラフツ展に1頭出陳されている。しかしそれ以降、日本からも米国からもそれぞれのタイプの犬が輸入されてきたので、英国では両者の血が混じった犬が多い。そのため、英国における日本型の秋田の歴史はまだ浅い。KCが米国系のアキタと日本の秋田を別犬種に分けたのは2006年になってからだ。これは、2001年にジャパンケネルクラブが2つのタイプを別犬種と認めない国に日本産の秋田を販売することを禁止したことによる。それを受けて、KCは遺伝子型に基づいて（表現型ではなく）、これらを2つの犬種に分けると発表した。つまり、外見とは関係なく、3世代前から日本の血統証書がある犬のみを日本の秋田として登録するということである。公式な犬種クラブも、2007年にKCの承認を受けたばかりだ。クラフツ展でこの犬種としてのエントリーが始まったのも、この年である。

アメリカン・アキタも日本の秋田も飼い主には献身的で忠実だが、独立心が強いものも多く、ほかの犬にはない超然とした性格を持っている。さらに、ばかなことをしでかす人間を大目に見ることができない犬なので、万人向けの理想的な家庭犬とは言えない。しかし責任を持ってこの犬を飼う人にとっては、愛らしく、親しみやすく、ユニークな一面も見せるすばらしいペットになるだろう。また、たいていは子どもとも相性がよく、実際に昔は"子守"として利用され、その子に福をもたらすと言われてきた犬でもある。

AKITA | 秋田

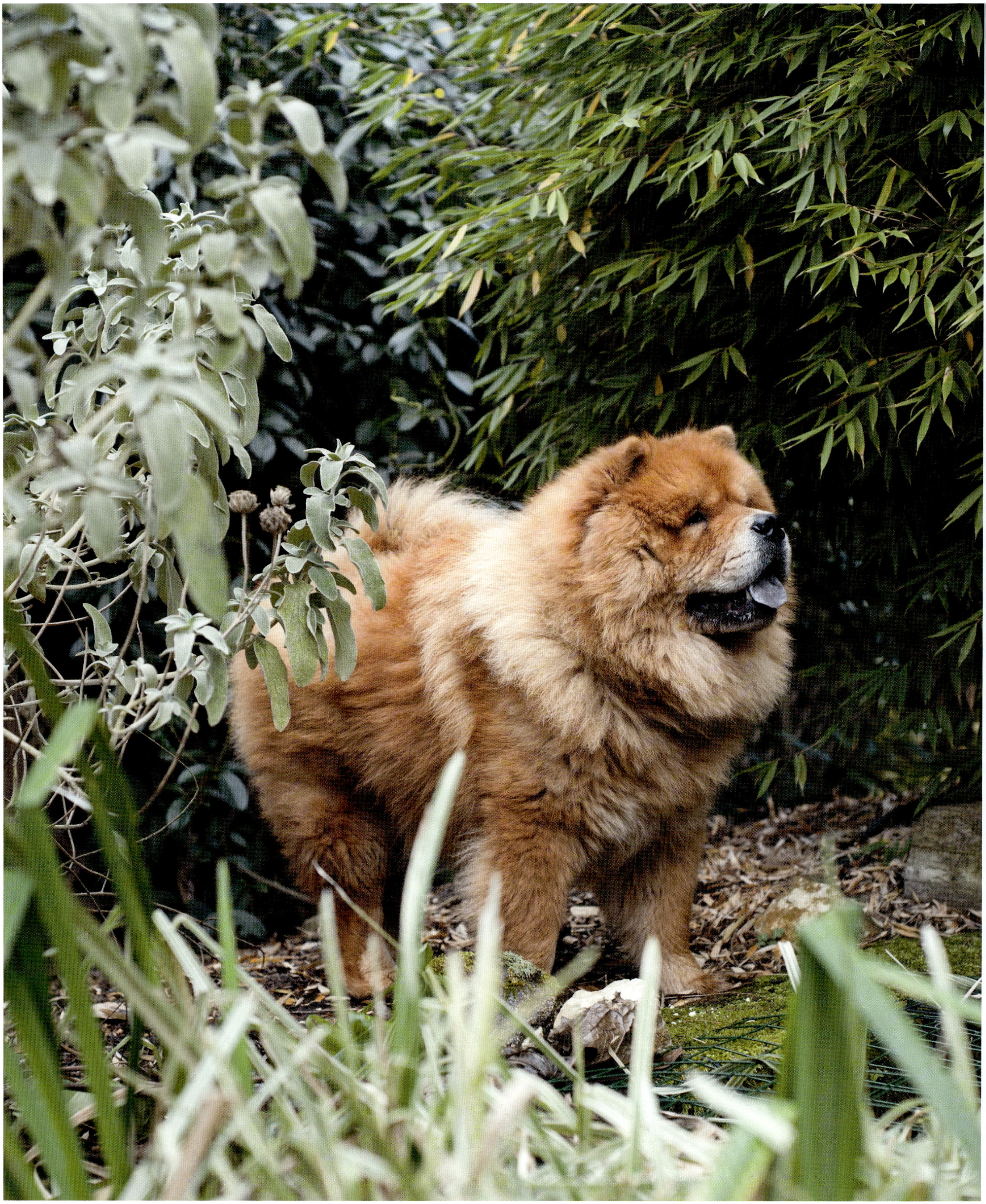

CHOW CHOW
チャウ・チャウ
近世以前−中国−一般的

SIZE│大きさ
雄　48〜56cm／雌　46〜51cm

APPEARANCE│外見
ライオンのような風貌で、がっしりとして威厳がある。頭部は幅広で、マズルの長さは中ぐらい。鼻も幅が広く、色はブラックが望ましい。目は卵形で、標準的な色はダーク。耳は小さく、厚みがあり、目の上あたりで前に傾斜しているので、顔をしかめているように見える。口のなかと舌が青みがかった黒い色をしているのが特徴的。首は力強く、肩も筋肉がよく発達している。胸は深く、幅が広い。背中は短く水平。後肢はほとんどまっすぐに見える。尾付きは高く、尾を背の上に背負っている。

COLOR│毛色
ブラック、レッド、ブルー、クリーム、フォーンあるいはホワイトの単色。色に濃淡があることは多いが、斑やパーティ・カラーは認められない。被毛はダブル・コートで、ラフとスムースの2つのタイプがある。ラフ・タイプの上毛はまっすぐな粗毛が密生しているが、1本1本が皮膚と垂直に開立している。下毛は羊毛のようにやわらかい。スムース・タイプは、上毛も下毛も短くまっすぐな立ち毛が密生しているので、ビロードのような風合い。

APTITUDE│適性
もともとは番犬、牧羊犬、狩猟犬、そり犬、食材用。現在はショードッグ、家庭犬として。

中国に古くから伝わるおとぎ話に、次のようなものがある。「昔々、この世界が創造され、星々が天に据えられたとき、天の一部が欠けて地面に落ちてきました。チャウ・チャウは、その欠片をすっかりなめてしまったため、以来、舌が黒くなってしまいましたとさ」。この犬種の青黒い舌は、ライオンあるいはクマのような外見とともに、とても目立つ特徴の1つだ。そんなチャウ・チャウは、静かで威厳のある気高い犬で、独立心と忠誠心が際立っている。何千年にも及ぶその長い歴史のなかで、この犬はさまざまな形で役立ってきた。そのがっしりした体躯からは想像しにくいが、かつては狩りの能力とスピードを高く評価された犬だった。

最近行われたDNA検査から、チャウ・チャウは最も初期の原始的な犬の直接的な子孫であることが明らかになった。それが北極圏で発達し、徐々に南下してモンゴル、シベリアを経て中国までやってきたと考えられている。また、多くの研究者が、チャウ・チャウはスピッツ・タイプの犬種の先祖犬の1つだと考えている。この犬が非常に古い犬種であることについては異論がないが、その起源についてはおおむね2つの説に分かれている。

1つは、同じくらい古いチベタン・マスティフとサモエドの雑種ではないかというものだ。しかし、サモエドがチャウ・チャウのように青黒い舌を持っていないことを考えると、この説には疑問が残る。逆に、チャウ・チャウからサモエドやノルウェジアン・エルクハウンド、キースホンド、ポメラニアンといった類似の犬種が生まれてきた可能性もある。もう1つの説は、チャウ・チャウが現在最も深い関係にある国、つまり中国に来てから発達してきたというものだ。実は、この2説のほかにさらにもう1つ、あまり支持されていない（少々荒唐無稽な）説もある。チャウ・チャウが、ヘミキオンという1100万年ほど前に生きていた先史時代の絶滅動物と類縁関係にあるという説だ。ヘミキオンは「イヌのようなクマ」と表現される生き物だ。それと近縁で、より小型のシミキオン（絶滅種）から、やはりクマのような外観のチャウ・チャウが誕生したというのである。

それぞれの説の真偽はさておき、現代のチャウ・チャウのような特徴を持つ犬は、すでに漢代（紀元前206〜西暦220年）には存在していた。たとえば紀元前150年頃のある絵には、網を持った8人の狩人に伴われた8頭のチャウ・チャウのような犬が、ウズラかヤマウズラと思われる鳥を狩りに出かけるところが描かれている。同じ年代の小さな粘土像からは、犬の外観が現在とほとんど変化していないことが見てとれる。

これらの美術工芸品からわかるのは、ある年代に犬がどのような姿になっていたかということだけだが、紀元前3000年にはすでにこの犬は存在し、モンゴルや中国一帯で暮らす遊牧民によって、獰猛な番犬、有能な狩猟犬として利用されていたと考えられる。そして仏教が発展する紀元前6世紀には、この犬たちはチベットの僧院で番犬として飼われるようになっていた。現在も、地方の僧院ではチャウ・チャウが繁殖されているところがある。興味深いのは、これらの犬の毛色が基本的にブルーであったことだ。いずれにせよ、かなり昔から、この犬が非常に勇敢で鋭い嗅覚を持つことは人々に認識されていた。そのためこの犬は、オオカミや他のもっと小さな獲物を狩るために広く利用されていた。

中国歴代の皇帝にとっても、犬は重要だった。記録によれば、紀元前1000年頃には、宮廷に「犬に餌をやる」のが専門の役人がいたようだ。その後、唐代（618〜917年）になるとチャウ・チャウは特に好まれ、宮廷になくてはならない存在となった。皇帝たちはたくさんのチャウ・チャウを飼い、狩りに使った。また、この犬は庶民のあいだでも広く利用された。分厚い被毛のおかげで中国の厳しい冬にも容易に耐え、実にさまざまな仕事をこなすことができたからだ。チャウ・チャウは番犬や猟犬として

優秀だったばかりでなく、牧畜犬やそり犬としても用いられた。さらに貴重な食料源でもあり、その毛皮も珍重された。実際に中国北部には、食用及び毛皮用チャウ・チャウの養殖場がたくさんあった。

　チャウ・チャウという名前の語源についても諸説ある。その1つに、中国の俗語で「食用」を意味する「チャウ」あるいは「チュウ」から来ているという説がある。偶然だが、西洋でも「chow」は「食べ物」を表す口語だ。また、18世紀のピジン英語（中国語と英語が接触してできた混合語）に語源があるという説──船長が自分の船の積み荷を「チャウ・チャウ」と呼んだことに由来するというもの──もある。そのほか、「強い力を持つ犬」という意味の「chao」という古い言葉が変化した可能性もある。

　西洋でチャウ・チャウに関して初めて文章をしたためたのは、英国の牧師で博物学者のギルバート・ホワイト（1720〜93年）だ。1781年に彼は、隣人がインドから連れてきた1つがいのチャウ・チャウの特徴について書いている。この犬種が英国で人気を獲得するには時間がかかったが、1800年代初頭にはロンドン動物園で数頭が展示され、人々の注目を集めている。展示のタイトルは「中国の野生犬」だった。人々の関心が一気に高まったのは1880年のこと。その前年に輸入されたチャイニーズ・パズルという名のエキゾチックな黒いチャウ・チャウが、クリスタル・パレス・ショーに出陳されたのがきっかけだった。そして1894年にはKCの犬籍原簿に初めてチャウ・チャウの名が記され、その翌年にはチャウ・チャウ・クラブも設立された。

　一方、米国では1890年に初めてこの犬が人々の目に触れ、1903年にAKCによって正式に犬種として認定された。その3年後には、米国チャウ・チャウ・クラブがAKCの会員クラブとして認められている。それ以降、米国でのチャウ・チャウ人気は高まっている。特に資産家や有名人のあいだではこの犬の飼育がブームになっている。精神科医のジークムント・フロイト（1856〜1939年）と彼のチャウ・チャウたちとの関係はなかなか興味深い。フロイトは、心理療法を行うあいだ犬がそばにいると患者の精神が安定すると信じ、飼い犬のチャウ・チャウたちを非常に大切にしていたという。

BEAUTY AND ENDURANCE | 美とスタミナ

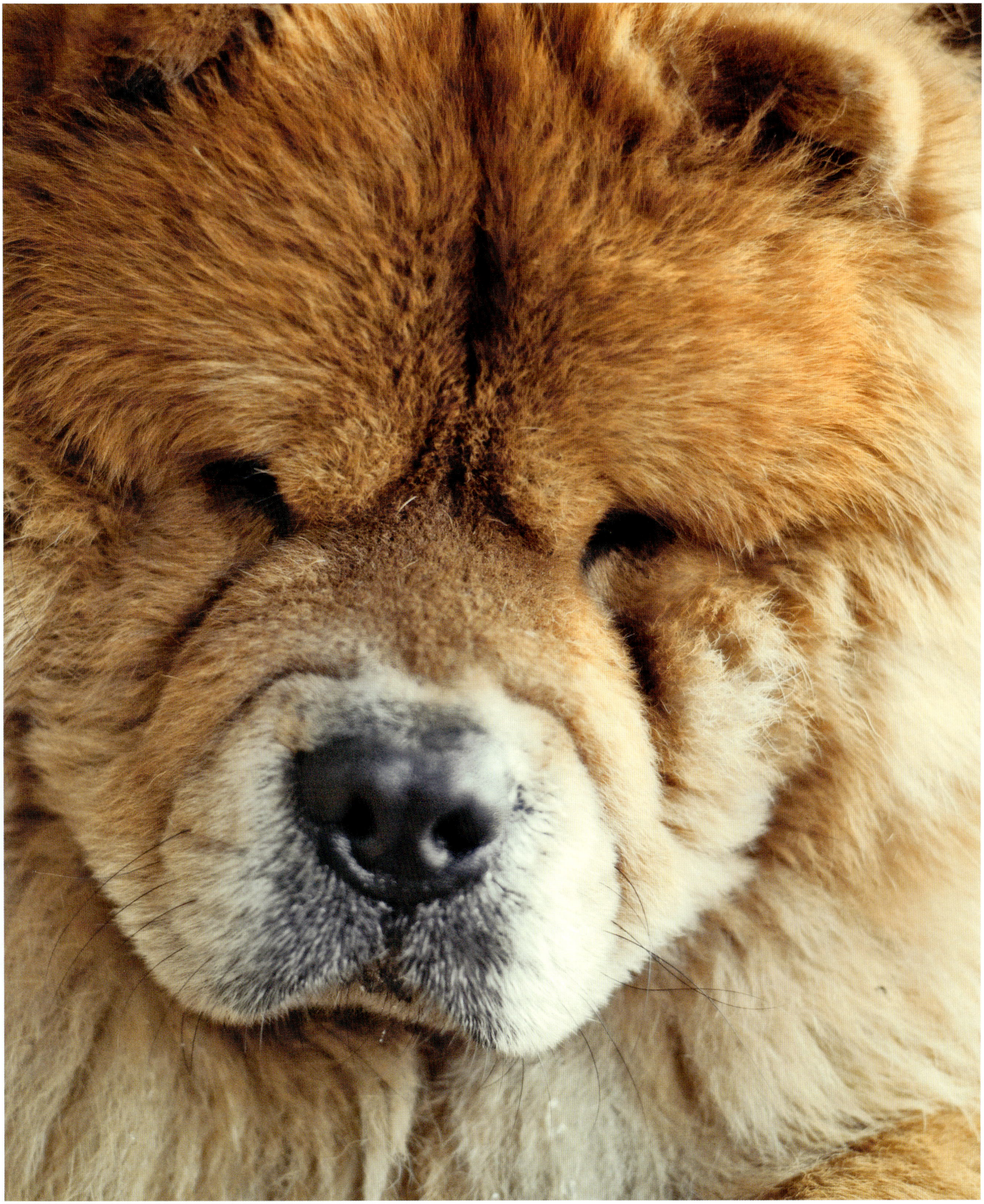

NORWEGIAN LUNDEHUND
ノルウェジアン・ルンデフンド

近世以前 – ノルウェー – 希少

SIZE | 大きさ
雄　33〜38cm／雌　30.5〜35.5cm

APPEARANCE | 外見
精悍で優美。釣り合いのとれた頭部に、中ぐらいの長さのマズル。鼻と唇は黒い。目はアーモンド型で、色は薄いブラウンが好まれる。三角形の立ち耳はとてもよく動き、たたんで閉じることもできる。首は強靭。前肢はまっすぐで、足は少しだけ外を向いている。背中は水平。腹はわずかに巻き上がっている。ふさふさした尾は、高く掲げるか、だらりと下げるか、あるいは背の上でアーチを描いている。

COLOR | 毛色
ホワイトにレッドあるいは黒っぽい模様。または毛先だけブラックで、ファローから、赤みを帯びたブラウン、タン（黄褐色）のあいだのさまざまな色合いにホワイトの模様。被毛はダブル・コートで、やわらかい下毛が密生している。

APTITUDE | 適性
本来はパフィン（ツノメドリ）猟用。現在はショードッグ、家庭犬として。

ノルウェジアン・ルンデフンドは、ユニークな特徴だらけの風変わりな犬だ。現在は数が安定しているが、それでもまだまだ希少な犬で、これまで何度も絶滅の危機に瀕してきた。他の土地との交流があまりない辺ぴな場所で生まれたこの犬は、古代犬の特徴を最も純粋に伝える犬種の1つとされている。ノルウェジアン・ルンデフンドが誕生したのは、ノルウェーのローフォテン諸島。北極圏内にあり、海鳥パフィンの巨大な繁殖地がある。犬名の由来は、パフィンを意味するノルウェー語のルンデ。「パフィン・ドッグ」という意味である。地元の猟師がパフィン猟をするのに欠かせない存在だったのだ。

犬の前肢には通常、拇指を合わせて5本の指があるが、ルンデフンドは基本的に関節が3つの指が5本、関節が2つの指が少なくとも1本と最低6本の指を持つ。しかも6本とも筋肉がしっかり発達している。このためルンデフンドは、パフィンが生息する断崖を楽々と走り回ることができる。とうてい無理だろうと思われる絶壁も走って登り、難なく下りてくる。そして戻ってくるときには、たいてい重たい鳥を口にくわえている。

この犬の形態のユニークさはそれだけにとどまらない。まず、信じがたいほど身体が柔軟で、額と背骨がくっつくまで頭を後ろにのけぞらせたり、首を左右にそれぞれ180度回したりすることができる。この能力を生かし、ルンデフンドは、身体をねじったり曲げたりして狭い岩の隙間を巧みにすり抜ける。また、前足を水平方向に90度曲げることができるので、足場の悪いところでもすばやい動きができる。そして小臼歯が1本欠けているため、くわえて運んでいる鳥を嚙み潰してしまう心配もない。さらに、耳を前後に倒して完全にふさいでしまうことができる。これで水やゴミが耳のなかに入るのを防ぐことができるのだ。

この犬に関する古い記述の1つに、エリック・ハンセン・シェンネボルが1591年に書いた文章がある。ローヴンデン島のパフィンの数について記したもので、そこにパフィン猟に必要な犬としてルンデフンドについての説明が加えられている。1800年代初頭にはスウェーデンの動物学者、スヴェン・ニルソン（1787〜1883年）が、アイスランドに持ち込まれたルンデフンドが「アイスランド・シープドッグ」となった経緯について論じている。

ノルウェー北部の海岸沿いに住んでいる人々の大半は、ルンデフンドを飼っていた。その重要性が認識されるようになると、政府はルンデフンドを販売する際に税を課すようになった。その結果、犬の値段が高騰する。さらに1800年代中頃、犬を使わず、網を使ったパフィン猟が盛んに行われるようになったこともあって、この犬種は数を減らし始めた。ルンデフンドが再び注目を集めるようになったのは、1937年のことだ。これは、エレノア・クリスティーというブリーダーの尽力によるところが大きい。彼女は、姿を消しかけていたルンデフンドをなんとか復活させたいと考え、1943年にノルウェー南部にルクソール・ケネルを完成させた。そこからは、純血のルンデフンドが60頭生まれている。そして同年、この犬はノルウェーケネルクラブに犬種として認定されたのだった。

致死率の高いジステンパーがノルウェー北西部のヴェロイ島で大流行したのはその前年、1942年のことだ。これにより島のルンデフンドは絶滅してしまったばかりでなく、ノルウェー国内のそれ以外の地域でも多くのルンデフンドが命を落とした。さらに1944年、同じ悲劇が再び襲う。クリスティーの飼っていた犬たちも、雄の老犬アスク1頭を残してすべて死んでしまったのだ。そこで多くの人の努力と献身がなされ、1962年にはノルウェジアン・ルンデフンド・クラブが設立された。同クラブは現在も、この犬種の保存と普及活動を続けている。

ルンデフンドが米国にやってきたのは1980年代の終わりだった。そして2004年に米国ノルウェジアン・ルンデフント協会が創設され、その3年後に同協会はAKCからペアレント・クラブとして認められた。だが、AKCがこの犬種を認定したのは2011年のことで、分類は「ノンスポーティング・グループ（非鳥猟犬種）」となっている。

BEAUTY AND ENDURANCE | 美とスタミナ

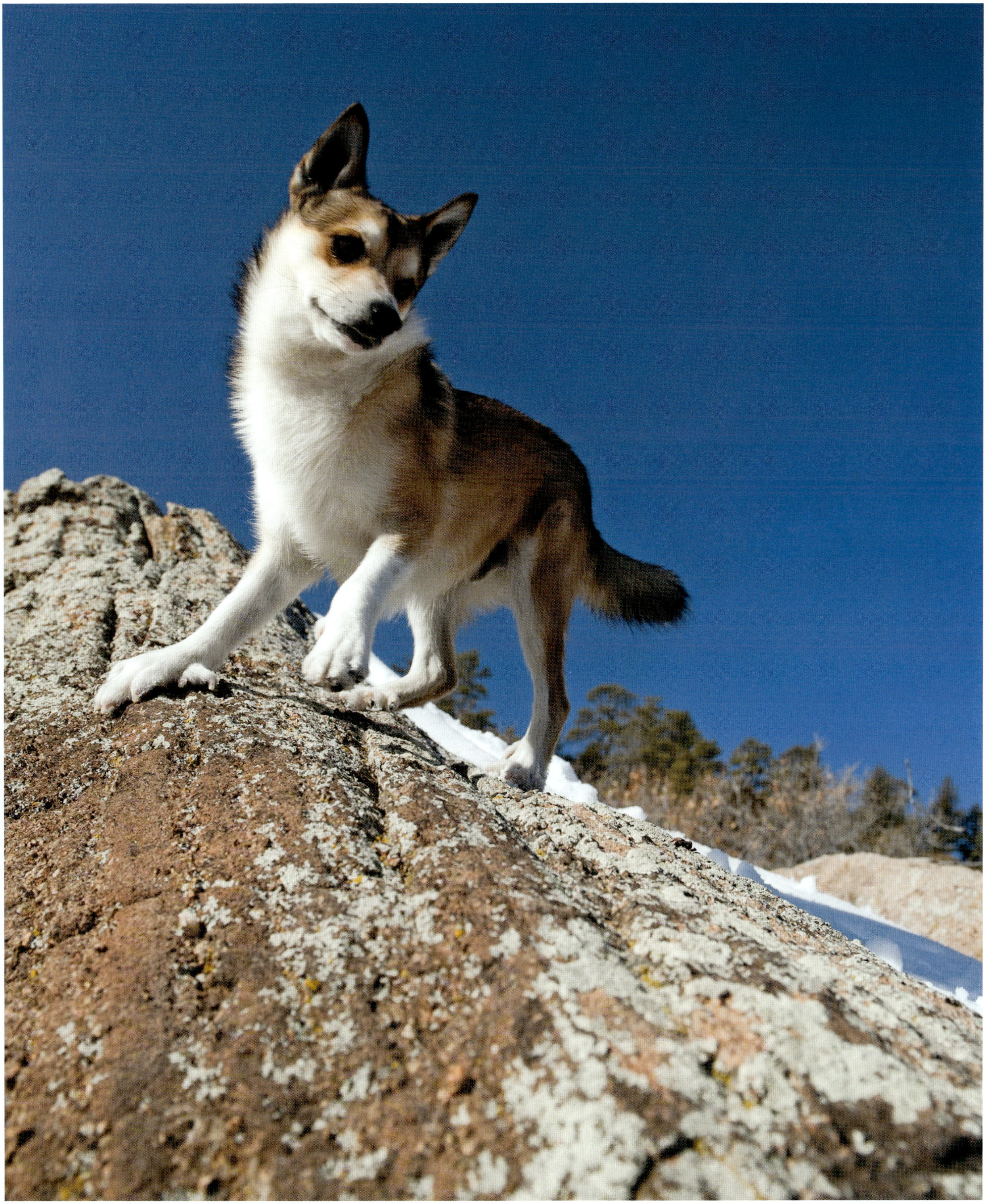

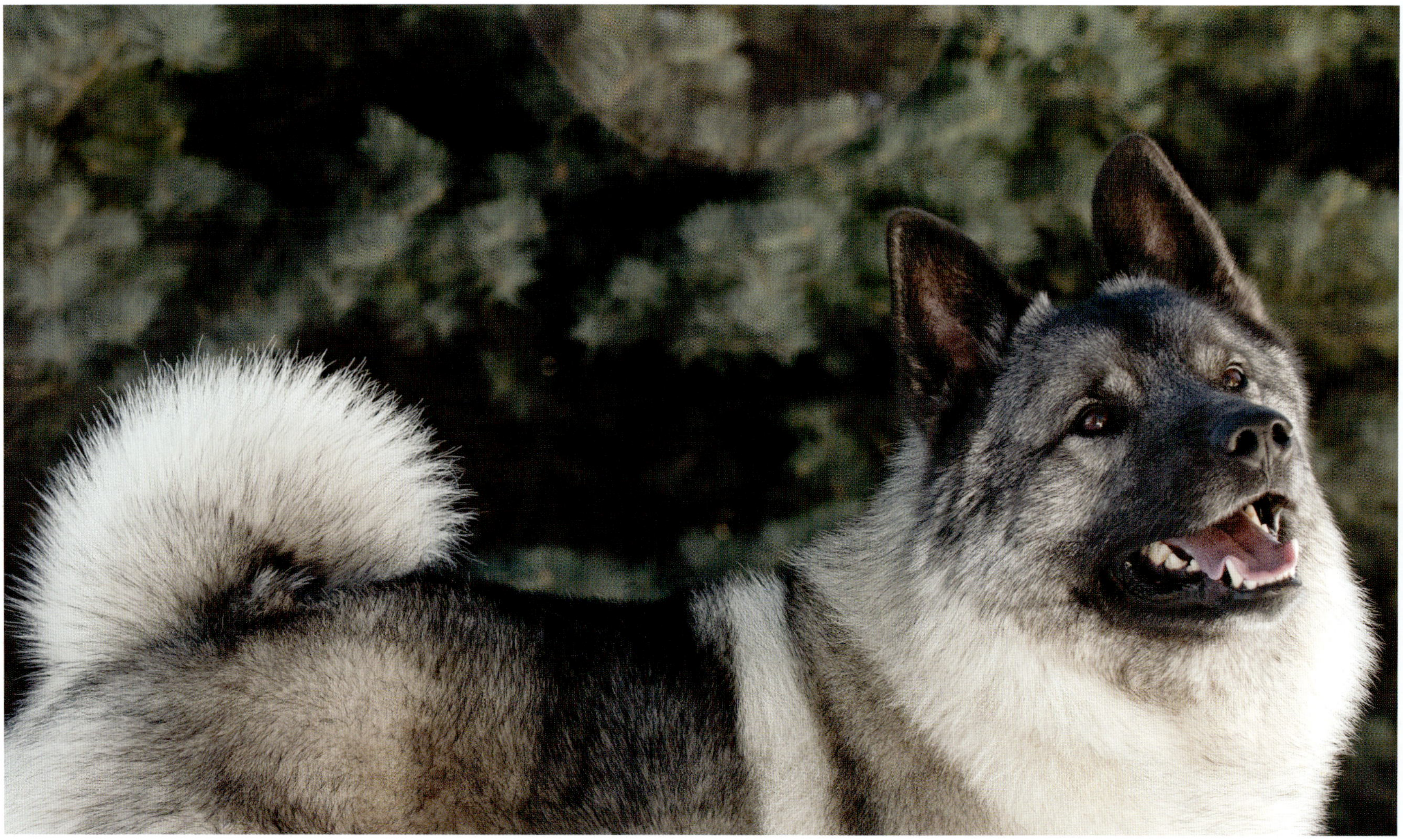
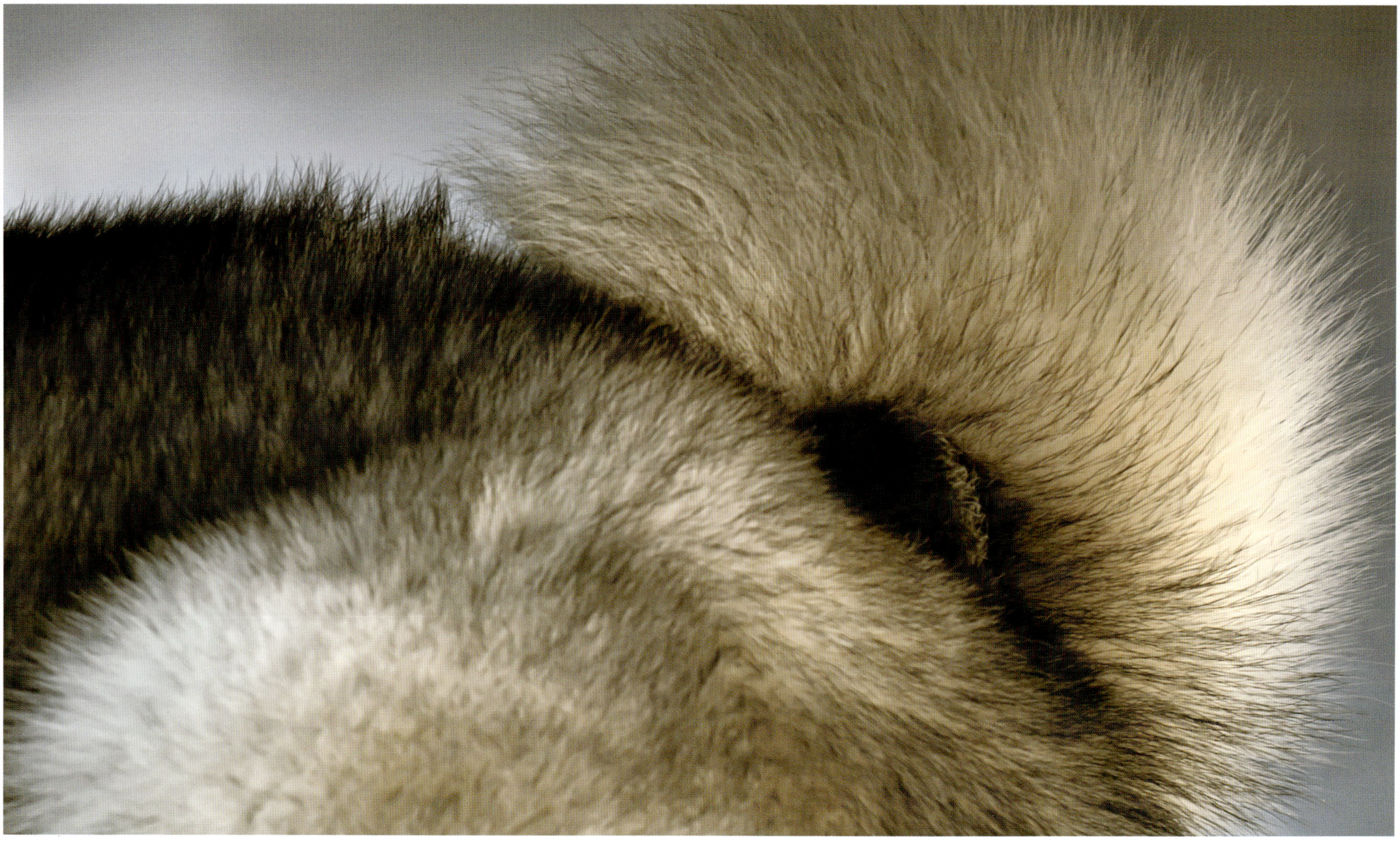

NORWEGIAN ELKHOUND
ノルウェジアン・エルクハウンド
近世以前－ノルウェー－一般的

SIZE | 大きさ
体高：雄 52cm／雌 49cm
体重：雄 23kg前後／雌 20kg前後

APPEARANCE | 外見
コンパクトながら誇り高く、力強い体つき。頭部はくさび形で、耳のあいだの幅が最も広い。濃いブラウンの目は楕円形に近く、率直で恐れを知らず、友好的な表情を浮かべている。耳は小さな三角形の立ち耳で、頭の高い位置に付いている。あごは尖っているが力強く、よく動く。首も力強く、長さは中ぐらい。背は短くて頑丈。腰も短く、幅が広い。胸は深く、やはり幅広。腹はあまり巻き上がっていない。尾付きは高く、分厚い毛で覆われた尾をきっちりと巻いて背の中央に掲げている。

COLOR | 毛色
グレーならどんな色調でもよい。いずれも上毛の毛先が黒く、特に耳とマズルの前方が黒っぽい。一方、胸、腹、四肢、尾の下側や付け根の下はほかの部分よりも明るい。また、「ハーネス・マーキング」というキ甲から肘にかかる幅5cmほどの明るい色の縞がある。被毛はダブル・コートで、粗い直毛の上毛とやわらかく密な下毛を持つ。

APTITUDE | 適性
大型獣の猟に。番犬、ショードッグ、家庭犬としても。

ノルウェジアン・エルクハウンドは、厳しい環境と長年与えられてきた役割に完璧に適応した、特筆に値する犬種だ。特に狩りの腕前は最上級だ。これは、スカンディナビア半島の荒々しい自然で大きな獣を狩るために品種改良されてきたためだ。彼らは昔から、ヘラジカやエルクなど大型のシカや、クマやトナカイを捕らえるために使われてきた。現在もそのめざましい狩りの能力は失われておらず、原産国のノルウェーを中心に、いまだに大型獣を追跡して捕らえるために働いている。

ノルウェジアン・エルクハウンドは、密集したダブル・コートのおかげで、冬のスカンディナビア半島の骨まで凍りそうな寒さをものともしない。加えて傑出したスタミナと粘り強さを持ち、過酷な寒さのなかで1日中獲物を追跡する狩りが連日続いても平然としている。勇敢で熱意あふれる犬であると同時に、飼い主に対してはきわめて忠実で、よく知っている人や大好きな人に対しては実にこまやかな愛情を示すことでも知られている。

大部分のスピッツ・タイプと同様、ノルウェジアン・エルクハウンドも、非常に古い起源を持っていると考えられている。けれども、2004年に純血種のイエイヌのゲノムを調べたハイディ・パーカーらの研究によれば、この犬が普及するようになったのは比較的新しい時代であったようだ。とはいえ、大昔からノルウェーにスピッツ・タイプの大型犬が存在していたことに疑問の余地はない。その犬は、エルクハウンドと同じような特徴を持ち、何世紀ものあいだ「ヴァイキングの犬」と呼ばれてきた。この大きなスピッツ・タイプの犬は、8〜11世紀にかけて繁栄した、北欧の古いヴァイキング文化と密接な関係があるからだ。エルクハウンドも、スカンディナビア半島を根拠地として、海上からヨーロッパ各地を侵攻したヴァイキングにとって、重要な存在だった。番犬や猟犬として使われ、家畜を見張り、移動させる任務も担っていたのだ。

古くからこの犬が存在していることを示す証拠は、ノルウェー西部イェーレンのヴィステ洞窟で見つかっている。石器や人骨とともに発見された、4頭の犬の骨だ。年代はおおまかに紀元前5000〜同4000年のあいだだと考えられている。ノルウェー、ベルゲン博物館のブリンクマン教授によれば、このうち2体はエルクハウンドのような犬だっただろうという。スカンディナビアの国々では、これら古いスピッツ・タイプの犬を「トロヴェモセフンデン」と呼ぶことが多かった。「沼地の犬」という意味である。

スカンディナビア半島には、いろいろなスピッツ・タイプの犬がいる。それぞれの地理的な環境と用途に応じて独自の特徴を発達させているが、ある程度の共通点もある。たとえば、スウェーデンのスウェーデッシュ・エルクハウンド（ヤームトフンド）は、隣国ノルウェーで誕生したこのエルクハウンドと似ている点が多い。発達の初期段階で、これら2つの犬種に共通の先祖がいたのは明らかだ。AKCやKCは、これらを独立した別犬種としては認定していないが、ノルウェー国内のノルウェジアン・エルクハウンド協会では、エルクハウンドという名の下に9つの犬種を認めている。

長年、ノルウェジアン・エルクハウンドは、無骨な作業犬として扱われてきた。つまり、ドッグショーに出陳されるような犬ではなかった。この犬に一般の人々の関心が集まるようになったのは、1877年にノルウェー狩猟家協会が開催したドッグショーにおいてである。以来、血統を維持し、より質の高い犬の作出を目的とする繁殖を行って、血統記録を残していこうという動きが見られるようになった。

英国では、1923年に英国エルクハウンド協会が創設されたが、2003年に名称が変更され、現在のグレートブリテン・ノルウェジアン・エルクハウンド・クラブになった。一方、米国では、米国ノルウェジアン・エルクハウンド協会が創設されたのが1930年、AKCに認定されたのが1935年である。

FINNISH SPITZ
フィニッシュ・スピッツ

近世以前－フィンランド－一般的

SIZE｜大きさ
体高：雄　43〜50cm／雌　39〜45cm
体重：雄雌とも　14〜16kg

APPEARANCE｜外見
コンパクトでキツネに似た容姿。頭部は幅よりも前後の長さのほうが長く、生き生きとした表情を浮かべている。マズルの幅は狭く、鼻と唇が黒い。耳は先が尖った立ち耳。首は筋肉質で、力強い胴体は体長と体高がほぼ同じ長さの正方形。背もまっすぐで力強い。胸は深く、腹は少しだけ巻き上がっている。後肢も強力で、足は丸い。尾には長い飾り毛があり、背の上にぐるりと巻いている。ただし、ゆったりしているときには尾を左右どちらかの大腿に押しつけるように保持している。

COLOR｜毛色
背中は赤みがかったブラウンかゴールド。明るい色が望ましい。耳の内側、頬、マズルの下側、胸、腹、肩の後ろ、四肢の内側、腿の後ろ側、尾の下側は色が薄め。被毛は、頭と四肢の前側は短く、身体に密着するように寝ているが、四肢の後ろ側は長めで、半分立っている。

APTITUDE｜適性
猟犬、番犬に。ショードッグ、家庭犬としても。

フィンランドは世界最北の国の1つだが、フィニッシュ・スピッツ、通称フィンキーは、数千年前にこの地でその独特な性質を発達させた。その昔、初めてこの土地に住みついた人々にとって、この犬は欠かせない存在だった。主に鳥を中心とした狩りに利用されていたが、大型のシカやクマ狩りに使われることもあった。彼らは当時、番犬としても飼われており、この役割は今でも変わっていない。攻撃性のある犬種ではないが、侵入者を見つけると、大声で盛んに吠えたてる。吠えることにかけては、フィンキーの右に出るものはいない。狩りにおいても、吠えることがこの犬の重要な役割になっているので、原産地ではよく吠えることが奨励されている。

フィンキーはもともと、「スオメン・ピスティイコルヴァ」と呼ばれていた。文字通りに訳すと「ぴんと立った耳の犬」である。この犬は、しばしば愛国心を高揚させる民族的な歌にも登場し、1979年にはフィンランドの国犬に指定されている。そして現在でも、フィンランドではかなりの頭数が飼育されている。黄金色に輝くような赤毛の美しさに加えて、性格がすばらしく、頭もよくて狩りの巧みなこの犬は、猟犬としても、家庭犬としても、とにかく仕事をしているときに幸せを感じる犬だ。

スカンディナビア諸国では、フィンキーに対して特に狩りの能力が重視されている。そのためこれらの国では、作業犬であることの証明書か、実猟を模した実技試験の成績証明書がない犬はチャンピオンのタイトルに挑む資格が与えられない。

フィンキーを使った猟の主たる獲物は、ライチョウ科の鳥のなかで最大のキバシオオライチョウだ。その狩りの仕方はなかなか論理的である。キバシオオライチョウは森に棲む鳥で、飛ぶのがあまりうまくない。翼が丸みを帯びて短いうえに、体重が重すぎるのだ。フィンキーはこの鳥を見つけると、その後をついていき、鳥が木の枝に飛び上がって身を落ち着けるのを待つ。そうしたら、木の周りを走り回って鳥の注意を引きつける。いつまでもただ走り回っているだけなので、鳥はやがてすっかり油断してしまう。すると、フィンキーは静かに吠えてハンターに位置を知らせる。その際、少しずつ吠え声のボリュームを上げていく。近づいてくる人間の立てる物音を鳥に気づかれないようにするためだ。そうして射程圏内まで近づいたハンターは、木に止まっている鳥を撃つ。もし鳥が飛んで逃げてしまえば、フィンキーはまた最初から狩りをやり直す。

この狩りでは吠え方が重要な要素となるため、吠えるのがうまい犬は高く評価される。スカンディナビア諸国では毎年、犬の吠え方コンテストがあちこちで開かれるほどだ。この犬種には取り立てて欠点はない。吠えすぎる性癖が問題となるなら、見境いなく吠えまくることがないようにしつけることも可能だ。ただし、訓練を早く始める必要がある。

かつてフィンランドに移住したり、ノルウェー経由でやってきたりした人々は、それぞれ自分の犬を伴っていた。そのため交雑が進んでフィンキーの血統が薄まってしまい、19世紀末には消滅の危機に陥った。だが、2人のフィンランド人がこの犬種を救う。ヒューゴ・サンドベリとヒューゴ・ロースである。2人がフィンランドケネルクラブにこの犬種の保護に乗り出すよう働きかけた結果、1892年にフィニッシュ・スピッツはフィンランドケネルクラブの犬籍原簿に登録されるようになったのだ。

英国にフィンキーが初めてやってきたのは1927年のこと。エドワード・チェスター卿が狩猟旅行でフィンランドを訪れた際、この犬種に感銘を受け、トンミとハモン・シロというつがいを輸入した。彼は、その後も多数のフィンキーをフィンランドから買い入れた。1930〜40年代にかけて英国で生まれたフィンキーの大部分は、チチェスター卿の犬たちの血を受け継いでいる。もう1人、英国で重要な役割を果たした人物がいる。フィンランドでこの犬に出会い、フィニッシュ・スピッツ・クラブを創設したレディ・キティ・リットソンだ。同クラブは、1934年にKCから正式な会員クラブとして認められている。

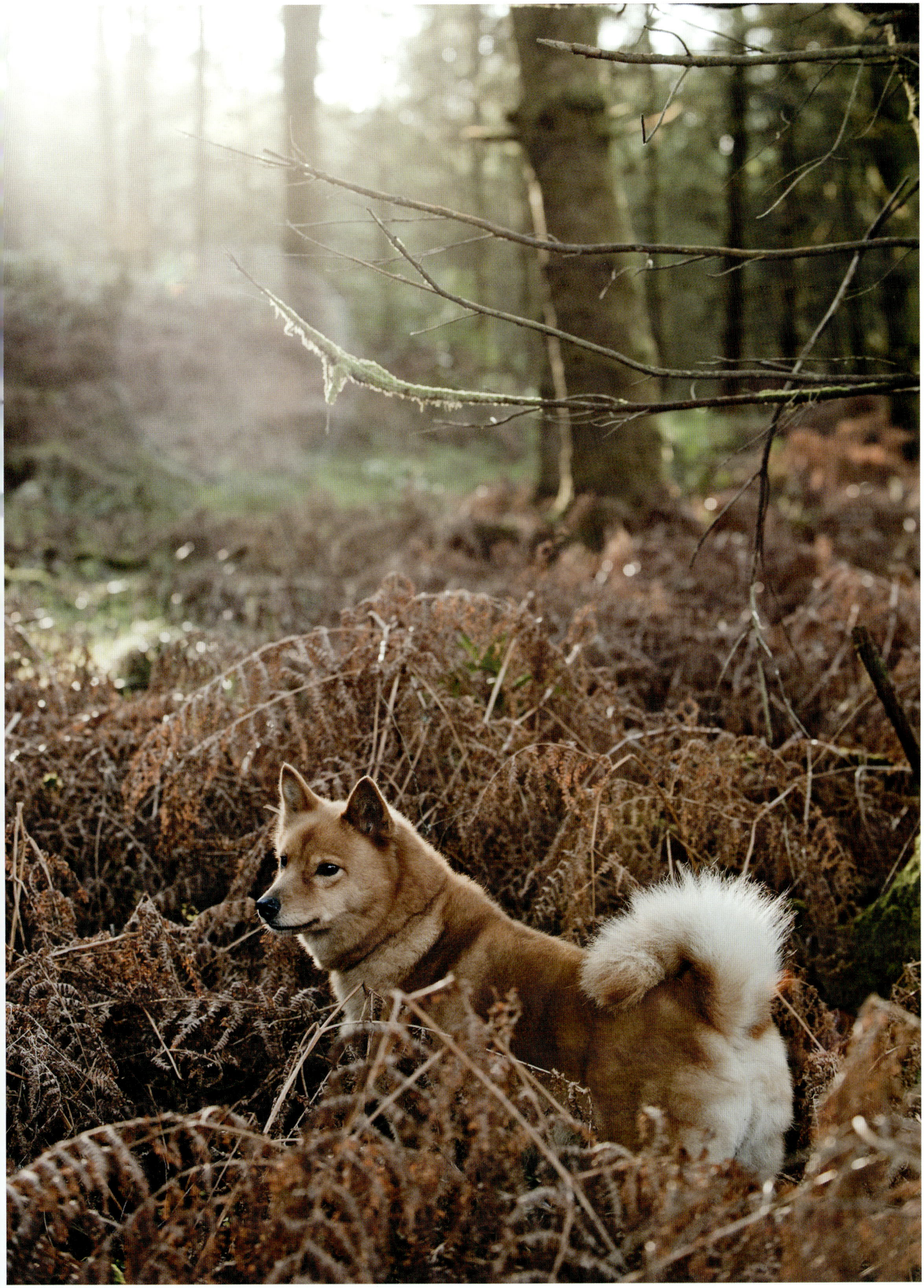

KEESHOND
キースホンド

近世以前/近現代−オランダ−一般的

SIZE | 大きさ
雄 46cm／雌 43cm

APPEARANCE | 外見
コンパクトながら活力にあふれ、カリスマ性が際立つ。頭部はキツネのようなくさび形。マズルは黒っぽく、鼻もブラック。アーモンド型の暗褐色の目の周りにも、「スペクタクルズ（めがね）」と呼ばれる黒い模様がある。耳は小さく、色の濃い立ち耳で、ツタの葉のような形をしている。その手触りはビロードのよう。中ぐらいの長さの首はアーチを描き、大きなラフ（首の周囲の長くて厚い毛）が形成されている。胴体は短くコンパクト。前肢はまっすぐで、後肢は筋肉質。尾付きは高く、ほどよい長さの尾をきつく巻いて背の上に掲げている。尾の色は薄く、毛先だけ黒色の長い飾り毛がある。

COLOR | 毛色
グレーとブラックの混色で、下毛は薄いグレーかクリーム。ボディは毛先が黒く、肩には輪郭のはっきりした模様がある。被毛は長く、粗い手触りで、開立して生えている。前肢には、はっきりしたフェザリング。後肢にも豊かな飾り毛があるが、飛節より下にはフェザリングがない。

APTITUDE | 適性
本来は艀（はしけ）（旅客や貨物を運ぶ小舟）用の番犬。現在はアジリティに。ショードッグ、捜索救助犬、家庭犬としても。

キースホンドは、ヨーロッパのスピッツ系犬種の1つだ。スピッツは最も古い犬のタイプで、進化の中心地はシベリア北部、あるいは北極圏。アラスカン・マラミュートやサモエドなど、多くの犬種がここから誕生した。ヨーロッパの小型スピッツもその仲間だが、キースホンドの起源は少々ややこしい。FCIでは、ほかの4犬種（グロース、ミッテル、クライン、ポメラニアン）とともにジャーマン・スピッツというグループに含められているが、キースホンドは実はドイツとは縁がないのだ。この犬は数百年の歴史を通して、ずっとオランダの犬と考えられてきた。最初にオランダの歴史に登場したのは17世紀のこと。以来、キースホンドはオランダと深い関係にある。

キースホンドは猟犬ではない。番犬として活躍してきた犬である。現在でも、侵入者が現れたときに「大きな声で警告を発する」能力は健在だ。小柄なこともあって、特に船旅のお供としては完璧だった。実際、キースホンドは保安警備が難しい川船や艀で広く利用されていた。それゆえ、しばしば「ダッチ・バージ・ドッグ（オランダの艀犬）」とも呼ばれる。1925年に初めて英国で登録されたときの犬名も「ダッチ・バージ・ドッグ」だった。また、この犬は常に家庭犬としても飼われてきた。

アムステルダム市の紋章には、キースホンドが船の舷側から顔をのぞかせている姿が描かれている。というのも、この犬がアムステルダムの都市の成り立ちに重要な役割を果たしたという言い伝えが残っているのだ。その伝説とは次のようなものだ。フリースラント州ストラフォーレン近くの海でヴァイキング船が難破し、たった1人の生存者が、ある漁師とその飼い犬のキースホンドによって救助された。しかし、港に戻る途中でその漁船も嵐に巻き込まれる。なんとか船を操って、小さな漁村の外れにたどり着いた2人の男は、助かったことへの感謝の気持ちを込めて、アムステル川が海に注ぐ地点に礼拝堂を建立した。この漁村は、やがて大きく発展し、アムステラーダムと呼ばれるようになる。のちのアムステルダムである。以来、船に犬を乗せるのは縁起がよいことと見なされるようになった──。

18世紀になると、キースホンドはオランダ愛国党のシンボルとなった。党の指導者の1人、コーネリウス・デ・ハイゼラールは、どこへ行くにも自分の飼っていたこの犬を連れて歩いていたと言われている。キースホンドという名前も、コーネリウスのあだ名の「ケース」と、「犬」という意味の「ホンド」から来ているという説がある。だが、愛国党がオレンジ党との戦いに敗れると、キースホンドもこの政党と不幸な運命をともにする。党のシンボルだったがゆえに、この犬も数多く殺されてしまったのだ。

しかし、川船業を営む人々や農民は、この犬を変わらず大切に飼い続けた。この犬にブランド価値があったからではなく、役に立つ犬だったからだ。そうした人々に飼われていたキースホンドは、身体的特徴はあまり考慮されず、主に性格のよいもの同士が掛け合わされた。飼い主にとって重要なことは、忠実さや番犬としての優秀さだったのである。

キースホンド専門の犬舎が設立されるようになるのは、18世紀の終わり頃。この犬が英国に渡ったのもその頃だが、一般に定着したのは、それからしばらく後のことである。それは、ウィングフィールド・ディグビー夫人の努力によるところが大きい。彼女がキースホンドを初めて目にしたのはまだ子どものときだった。家族に連れられて、オランダの運河を巡る船旅をした際のことだ。そして20世紀になってまもなく、彼女が生まれて初めてプレゼントされた子犬がキースホンドだった。その後、ファン・ザーンダム・ケネルを設立したディグビー夫人は、キースホンドの繁殖家クラブの設立に尽力し、1925年のダッチ・バージ・ドッグ・クラブ設立に漕ぎつける（クラブ名は翌1926年、キースホンド・クラブと改称された）。以来、彼女をはじめとする愛好家たちは優秀な犬をオランダから多数輸入し、そのおかげでキースホンドは英国に犬種としてしっかりと根づいたのだった。

BEAUTY AND ENDURANCE | 美とスタミナ

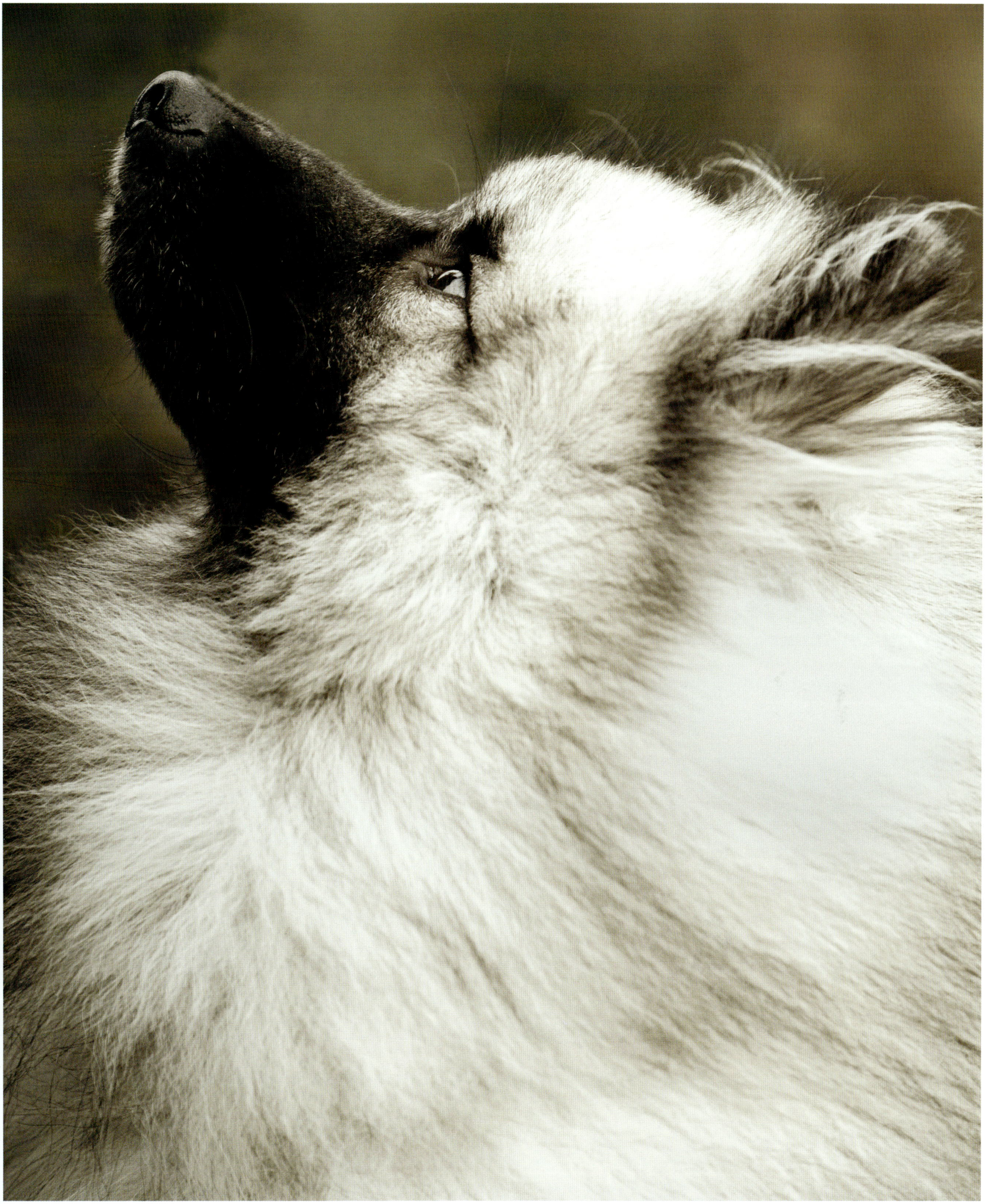

AMERICAN ESKIMO DOG
アメリカン・エスキモー・ドッグ

近現代−ドイツ／米国−一般的

SIZE｜大きさ

スタンダード　38〜48cm
ミニチュア　30.5〜38cm
トイ　23〜30.5cm

APPEARANCE｜外見

コンパクトで警戒心が強く、ホワイトまたはビスケット・クリームのライオンのたてがみのような特徴的なラフを持つ。頭部は美しいゆるやかなくさび形。マズルは幅が広く、鼻と唇、目の縁はブラックから濃いブラウン。賢そうな表情を浮かべた黒っぽい楕円形の目は、左右のあいだが離れている。耳は先が丸くなった三角形の立ち耳で、やはり左右のあいだが広く離れている。首は中ぐらいの長さで、わずかにアーチを描く。胸は深く、幅も広い。ボディはコンパクトで力強く、トップラインは水平。腹部は軽く巻き上がっている。尾はゆったりと弧を描きながら背に担いでいるが、休息時には下に垂らしていることもある。

COLOR｜毛色

ホワイトの単色またはホワイトとビスケット・クリームの混ざったものが好まれる。被毛はダブル・コートで、太く密生した直毛が開立している。首にはラフ、四肢の後ろにはフェザリングがある。尾はふさふさとした長い毛で覆われている。

APTITUDE｜適性

アジリティ、オビディエンス（服従訓練）競技に。番犬、牧畜犬、セラピー犬、さらにはショードッグ、家庭犬としても。

アメリカン・エスキモー・ドッグは美しく頭のよい犬で、略してエスキーと呼ばれることもある。だが、米国で誕生した犬種ではないし、エスキモーの人々ともまったく無関係だ。この犬は、ドイツのスピッツ系を先祖に持つ犬種である。ただし、その身体の特徴や性格を固定化したのは米国においてである。20世紀を通して米国で繁殖され、AKCとUKC（United Kennel Club＝ユナイテッドケネルクラブ）の両方から犬種として公認されている。UKCはAKCに続いて1898年に設立された米国の犬種登録機関で、作業犬としての能力を重視した登録を行っている。エスキーは、カナダケネルクラブからも認定を受けているが、英国のKCは犬種として認めていない。

ヨーロッパ北部産のスピッツ・タイプには長い伝統があり、それぞれが暮らす土地で品種改良された結果、性格の異なるさまざまな犬種が誕生した。ドイツでは農家で飼われ、牧畜犬や家畜を守る番犬として、あるいは猟犬として利用されていた。人の目の届かない場所で、犬だけで家畜の番をすることも多かった。防衛本能にすぐれた彼らは、家を守る番犬としての評価も高く、人の子守を任されることすらあった。

ドイツの移動型民族、ロマ族の人々は小型のスピッツ・タイプを好んだ。この小さな犬たちに曲芸をさせたのは彼らが最初だと言われている。やがてヨーロッパ全土で、曲芸やサーカスと言えばこのタイプの犬と言われるようになり、それが米国にも広まっていったとされているが、それを証明するものはない。いずれにせよ、17世紀末にドイツからの移民が北米——主にニューヨークとペンシルベニア——に定住し始める。さらに19世紀にも、非常にたくさんのドイツ人がやってきた。その際、人々は小型のスピッツ・タイプの飼い犬をドイツから連れてきた。これらの犬から、アメリカン・エスキモー・ドッグが生まれたのだ。

そのため、これらの犬は当初「ジャーマン・スピッツ」と呼ばれていた。UKCはこれを1913年に犬種として認定したが、反独感情の高まりを受けて、17年に犬名を「アメリカン・スピッツ」に、22年には「アメリカン・エスキモー・スピッツ」に変更する。さらに翌年、「スピッツ」という名称も削除され、現在の名前になった。アメリカン・エスキモー・ドッグという名前は、1913年に初の登録犬となった犬が、ホール夫妻が所有するアメリカ・エスキモー・ケネルに所属していたことに由来する。

ドイツにいたエスキーの先祖犬たちは、もともとさまざまな毛色を持っていたが、しだいに白い犬の人気が高まっていった。白い犬は目立つので、農家の人々が遠くからでも見つけやすいという利点があったからだ。この犬種は特別に繁殖されて、やがてヨーロッパの貴族階級の人々がこぞって求める犬になった。

米国でも白い犬が好まれ、エスキーの毛色としてはホワイトとクリームだけが認められるようになった。初めての犬種標準は、UKCに最初のエスキーが登録されてからだいぶたった1958年に作成され、数年後の改訂を経て現在に至っている。初の繁殖クラブは、1970年にできた全米エスキモー・ドッグ・クラブだ。1985年には、AKCによる認定を望む一部の飼い主やブリーダーがAEDCA（American Eskimo Dog Club＝アメリカン・エスキモー・ドッグ・クラブ）を設立する。AEDCAは1750頭のエスキーの血統表を集めてAKCに働きかけ、それを受けてAKCは1995年にこの犬種を公認した。現在、AKCはエスキーを体高によって3つのタイプ——トイ、ミニチュア、スタンダード——に分けているが、UKCはトイ・サイズのエスキーは認めていない。

エスキーは活発で賢い犬で、すばらしい家庭犬になるが、やるべき作業が与えられる生活を好む。アジリティはもちろん、思考と訓練が必要とされることなら何にでも、非常にすぐれた能力を発揮する犬である。

BEAUTY AND ENDURANCE｜美とスタミナ

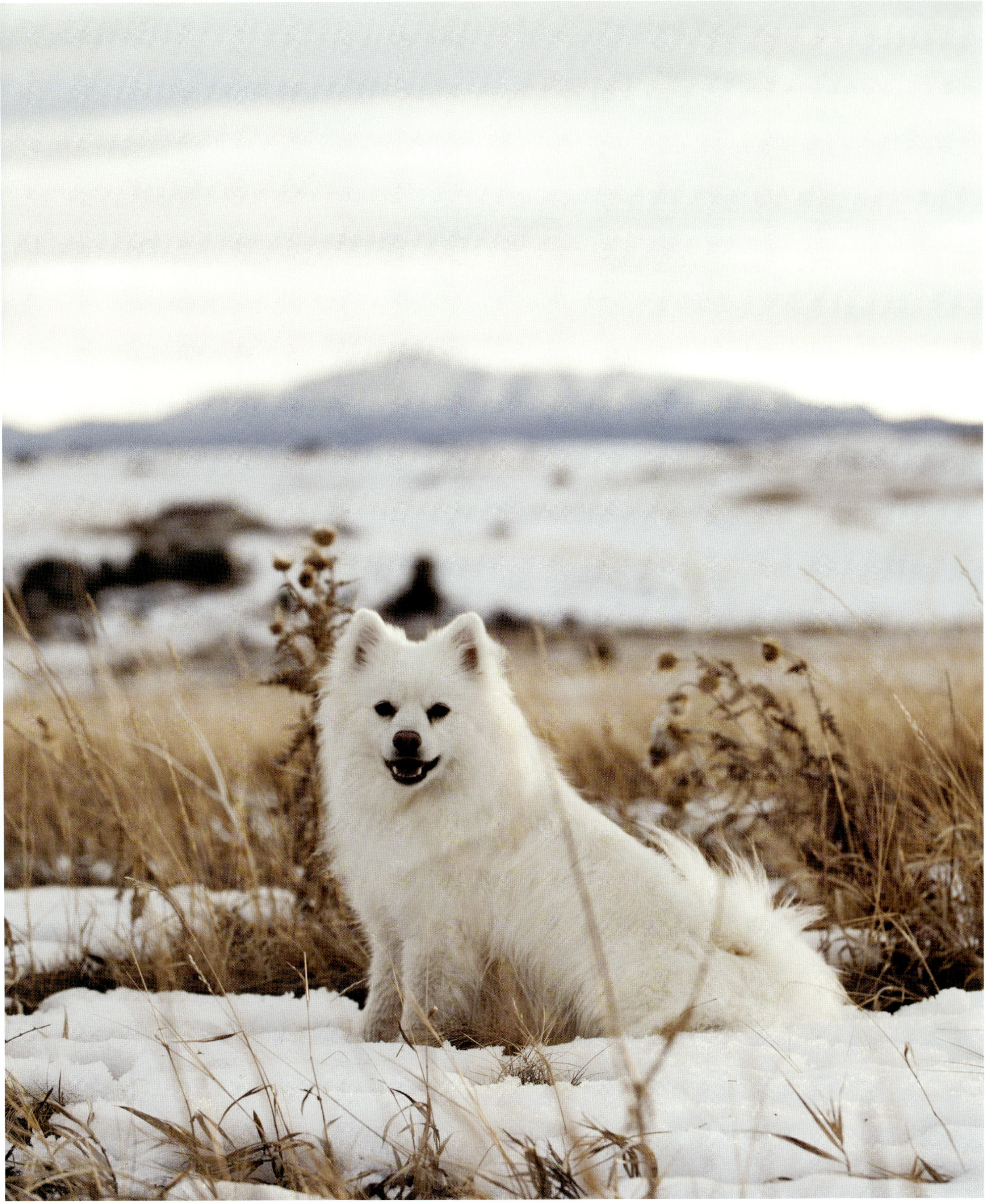

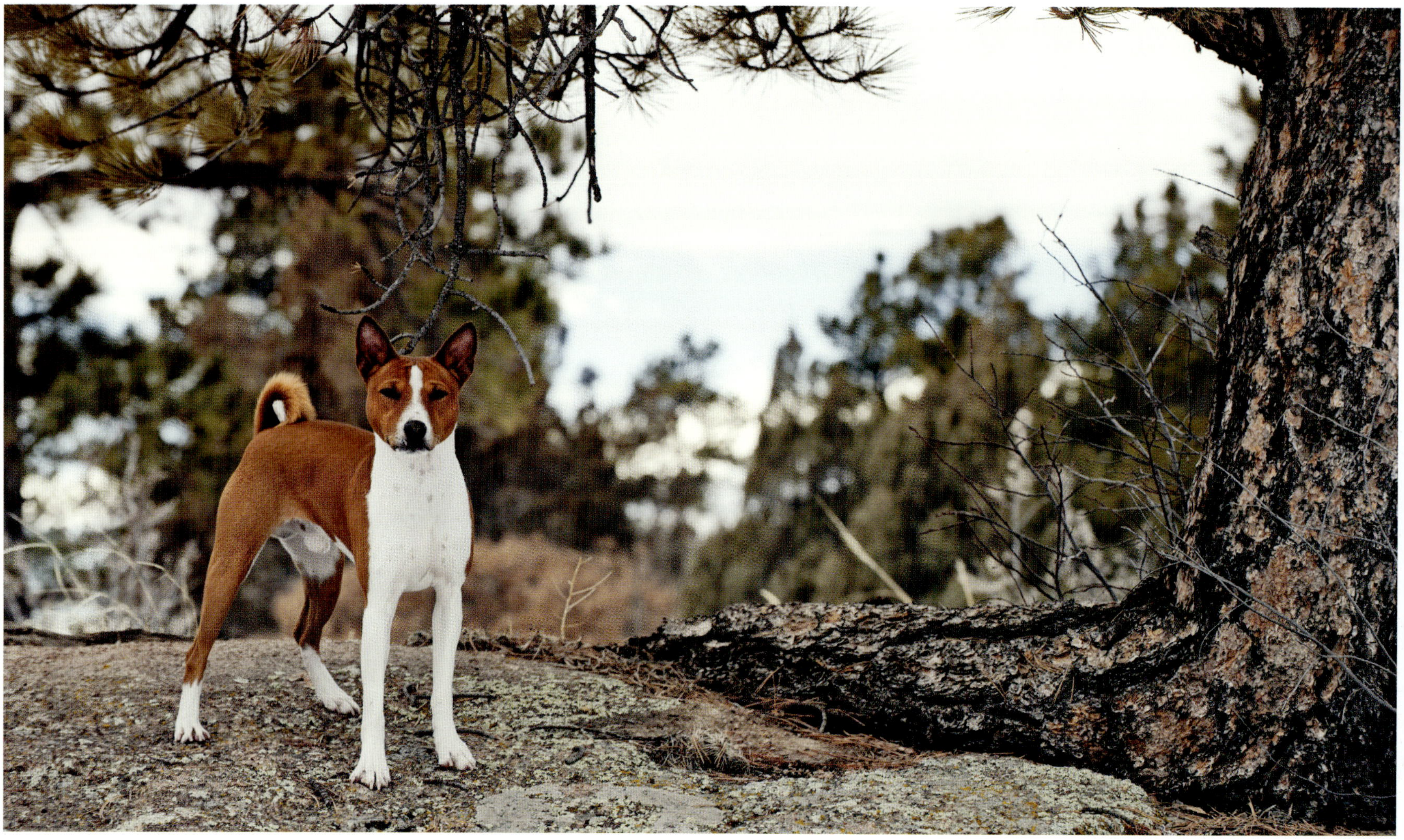

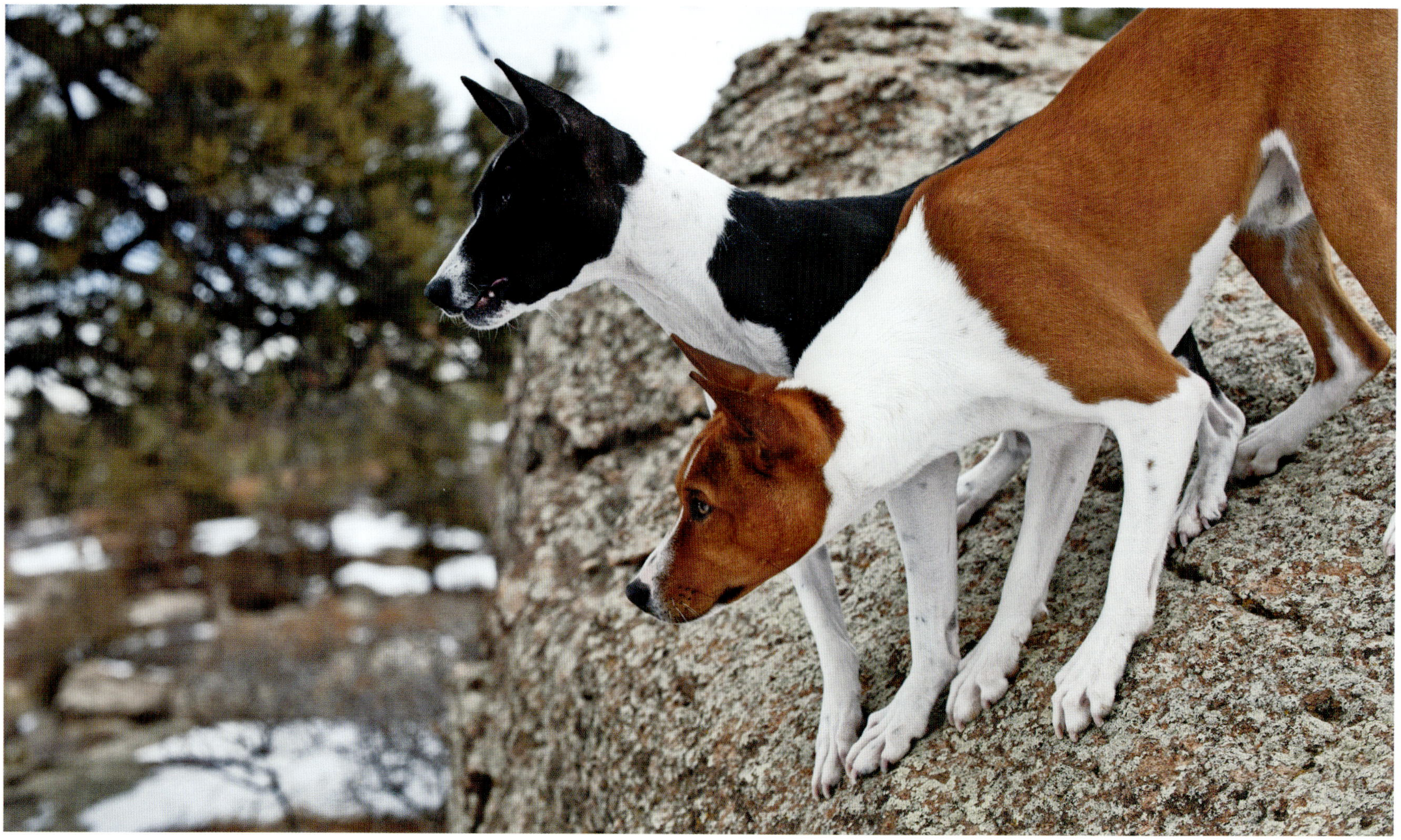

BASENJI
バセンジー

近世以前 − 中央アフリカ − 比較的多い

SIZE｜大きさ
体高：雄　43cm／雌　40cm
体重：雄　11kg／雌　9.5kg

APPEARANCE｜外見
軽快かつ精悍な体つき。頭部の幅は中ぐらいで、鼻に向かって細くなる。耳を立てると、前頭部に特徴的な深い皺が眉毛のように刻まれる。黒っぽい目はアーモンド型で、遠目がきく。鼻も黒い。先端の尖った小さめの耳は、ピンと立って頭部の前のほうに付いている。首は力強く、わずかにアーチを描く。四肢は、胴体の長さに比べると長め。背は平らで短い。胸は深く、肋骨がよく張り、腹は明瞭に巻き上がっている。後肢は筋肉がよく発達し、飛節の位置が低い。足は小さく、幅も狭くてコンパクト。尾付きが高く、背の上でカールした尾は、大腿にぴったりつくように寝ている。カールは一重のものも二重のものもある。

COLOR｜毛色
ブラック&ホワイト、レッド&ホワイト、ブラック&タン&ホワイトで、メロン・ピップ(両目の上の黄褐色の斑)に加え、マズルや頬にはタンの模様がある。あるいはタン&ホワイト、レッドの地にブラックの縞が入ったブリンドル。いずれも足と胸、尾の先端にはホワイトが入っていなければならない。脚まで白いものやブレーズ(両目のあいだから顔面の中央を走る細長い白斑)があるものも認められる。被毛は、非常に細く短い毛が皮膚にぴったり密着するように生えている。手触りはなめらか。

APTITUDE｜適性
小動物の猟、ルアー・コーシングに。ショードッグ、家庭犬としても。

バセンジーはとてもユニークな犬で、古代犬の姿を彷彿とさせてくれる。実際にDNA検査から、この犬は最も古いタイプの犬の1つであることがわかっている。そのため、先祖であるオオカミの特徴がいくつも残っている。その1つが、年に1度しか発情期が来ないことだ。バセンジーは「吠えない犬」としても有名で、声によるコミュニケーションをすることはあるが、吠え声ではなく「ヨーデル」という表現がぴったりの声を出す。また潔癖性で、入念に毛づくろいをするため体臭がないのも特徴だ。さらに好奇心が強く、知的能力も運動能力もすぐれている。

バセンジーという名前は、「やぶに棲む野生犬」を意味するスワヒリ語から来ているが、アフリカでは「村人の犬」とか「ぴょんぴょん飛び跳ねる犬」と言われている。この犬はアフリカと最も縁が深く、この地で発達してきた。くるりと巻いた尾やぴんと立った耳といった、一目でわかる特徴を持つバセンジーのようなタイプの犬は、古代のアフリカの遺物にもたびたび登場する。その多くがベルのついた首輪をしているが、現在のアフリカでも、バセンジーの飼い主は同様の首輪を犬につけている。ベルの音を頼りに犬の居場所を知るためだ。

19世紀に欧米の探検隊がアフリカでこの犬を再発見する以前のことについては、記録があまり残っていない。この犬が登場する最も古い記録は、ドイツの探検家ゲオルク・アウグスト・シュパインフルト博士(1836〜1925年)が1868年頃に書き残した文章だろう。彼が中央アフリカで発見したバセンジーは、定住せずに狩猟で暮らしを立てていた人々のコミュニティの周辺にいた。飼育されているというわけではなかったが、その多くは人に馴れていて、狩りで使用されることもあったという。自立して生活できる能力は、現在でもこの犬種の特徴となっているが、かつてはこの犬が生き残るために必須の能力だったはずだ。バセンジーが猟犬としてすぐれているのは、声を出さず静かに獲物に接近できるからだ。そうやって、猟師が仕掛けておいた網に獲物を追い込むのだ。

バセンジーがアフリカから初めてヨーロッパに渡ったのは1895年のことだ。つがいが輸入され、ロンドンのクラフツ展に出陳された。このエキゾチックな犬は当時、アフリカン・ブッシュ・ドッグ、あるいはコンゴ・テリアと呼ばれた。だが残念ながら、このつがいはジステンパーですぐに死んでしまう。当時輸入されたバセンジーは、ほぼすべてがこの病気で命を落としている。また、1928年にレディ・ヘレン・ナッティングが輸入した6頭のように、ジステンパーのワクチンの副反応により死んでしまった犬たちもいる。翌年、アフリカ旅行中にこの犬に惚れ込んだオリヴィア・バーン夫人がイングランドに連れ帰った5頭も、生き残ったのは1頭の雌だけだった。

それでもバーン夫人は1936年に再びこの犬を輸入し、交配を始めた。現在、英国で登録されているこの犬種は、すべてバーン夫人の犬たち——ボンゴ・オブ・ブリーン、ボコト・オブ・ブリーン、バシェレ・オブ・ブリーン、ベレケ・オブ・ブリーン、ブングゥ・オブ・ブリーン、バクマ・オブ・ブリーン——の子孫である。この犬種に対する人々の興味は、彼女が1937年のクラフツ展でボンゴとボコトを出陳すると、一気に燃え上がった。そして1939年、バーン夫人とナッティングは、ヴェロニカ・チューダー=ウィリアムズ、K・C・スミスらと共同で、この犬種の繁殖クラブとしては世界初となる英国バセンジー・クラブを設立した。

米国初のバセンジーは、1937年に輸入されたクラフツ展の出陳犬だ。1944年にAKCに認定されると、この犬の人気は徐々に高まっていった。だが、初期に飼育されていた頭数が少なかったため、欧米のバセンジーの遺伝子供給源は非常に小さかった。そこでAKCは、1990年にアフリカにいた14頭を加えて犬籍原簿を作り直し、今に至っている。

CHAPTER 3
第3章
パワーと屈強さ

　同じ祖先から共通の特徴を受け継いだ、マスティフと呼ばれるタイプの犬がいる。だが、ほかにマスティフというイングランド生まれの犬種もあり、それが混乱を生むことがある。この犬種と混同しないよう、マスティフ・タイプの犬をまとめて「モロシアン」と呼ぶ人もいる。また、マスティフ・タイプの犬の祖先のことを「モロシアン」と呼ぶことも多い。

　古い文献や手工芸品に残されたモロシアンは、角ばって力強いあごとつぶれたマズルを持つ、がっしりと骨太な大型犬で、恐るべき勇猛さを発揮する存在として描かれている。この特徴は、現代のマスティフ・タイプの犬にも見られる。モロシアンという名は、ギリシャ北西部の遠隔の山岳地帯、エピルス（現在のアルバニア）に住んでいたモロッソイという勇敢な氏族に由来する。モロッソイは戦いに犬を連れていくことで知られていた。その犬たちは闘争心が非常に強く、高い戦闘能力を持っていたため、多くの人々がこの地の犬を欲しがるようになったという。

　ただし、モロシアンという犬の起源ははっきりしていない。一節には、中央アジアか東南アジアで誕生した歴史の古い犬で、チベタン・マスティフと近縁ではないかと言われている。その姿が描かれている最も古い遺物は、バビロニアと呼ばれていた地域（現在のイラクのバグダッドから南に行ったあたり）で発見された、紀元前2500〜同2000年頃のものだ。モロシアンが登場する最古の文献は、古代ギリシャの哲学者アリストテレス（紀元前384〜同322年）が紀元前350年に著した『動物誌』で、この犬には2つのタイプ——狩猟用と家畜番用——があると書かれている。猟犬タイプの犬は少し軽量で、家畜番タイプはオオカミやクマのような捕食者を追い払うために、より大きな体躯と強い攻撃性が求められたという。

　そして、後者のようながっしりとしたタイプの犬が古代社会全体に広まり、基本的な性質は残しながら、住みついた地域の特性に合わせてそれぞれ独自の特徴を発達させていった。そうして数百年の時を経て、イングランドのマスティフやブルドッグ、フランスのボルドー・マスティフ、ドイツのボクサーやグレート・デーン、シャー・ペイなどの犬種が誕生した。

　これらの犬は昔から、家畜を守り、戦争で闘い、家の番や（もっと足の速いハウンド犬と連携して）大型獣の狩りを手伝った。また、つないだ動物に犬をけしかけて遊ぶベイティングという娯楽や闘犬でも使われた。スペインのコンキスタドールたちは、もっと血なまぐさい目的でマスティフ・タイプの犬を利用している。先住民の掃討に使ったのだ。スペイン人ほど大々的にではないが、イングランドの人々も同じ目的でこの犬を使っている。しかし、この犬たちが特に力を発揮したのは、何と言っても大型の捕食動物を追い払い、人々を守る仕事だった。

　15世紀になると、マスティフ・タイプの犬はヨーロッパ中で非常に好まれるようになった。外交上の贈り物として、この犬がやりとりされることもしばしばあった。たとえばイングランド王エドワード4世は1461年、フランスのルイ11世の即位記念にマスティフ・タイプの犬を5頭贈っている。

　16世紀には"スポーツ"としてベイティングが盛んに行われるようになり、ここでも不屈で恐れを知らないこの犬たちは好まれた。ヨーロッパでベイティングは、必須とまではいかないが王族にふさわしい遊びとして認知され、イングランドではエリザベス1世（1533〜1603年）の時代に、その人気が絶頂に達した。犬に襲わせる動物は実にさまざまだった。雄牛やクマ、馬、ロバといった身近な動物だけでなく、ライオンやトラ、ジャガーといった珍しい外国の動物も登場した。1721年にはホッキョクグマが使われたという。同じ頃、アジアでもベイティングと闘犬が行われていた。特に闘犬は人気だった。

　ベイティングや闘犬は19世紀まで行われていたが、一方でマスティフ・タイプの犬は、ヨーロッパやアジア、アメリカ各地の商人にも利用されていた。車を引かせて、荷を運んだり商品を届けたりするためだ。肉や牛乳、郵便物、医薬品など、さまざまなものをこの犬は運んでいた。また、番犬としてこの犬を利用する人も増えていく。財産や家畜の番や、人の護衛をさせたのである。

　番犬と言えばこんなエピソードがある。ルイ15世の王宮に住んでいたコンティ公ルイ・アルマン2世（1696〜1727年）は、若い妻の浮気が心配で、夜中に何度も妻の寝室をのぞいて見張っていた。夫の嫉妬深さに嫌気が差したコンティ公妃（1693〜1775年）は、お灸をすえてやろうと考え、1頭のマスティフを訓練して、夜自分と一緒にベッドで眠って侵入者があれば攻撃せよ、と教える。そうして公爵は妻の寝室で、間男ではなく、巨大なマスティフと対峙することになる——犬は即座に公爵に咬みついた。公爵は、自分に咬みついた犬は許したが、妻のことは一生許さなかったそうだ。

POWER AND STRENGTH｜パワーと屈強さ

ベイティング人気がしだいに下火になっていく一方で、18世紀から19世紀半ばにかけて、手軽に開催できる闘犬が英米で盛んになっていった。ロンドンのセント・マシュー通りにあったウェストミンスター・ピットなど、闘犬を行う場所は「ピット」と呼ばれた。そのため、マスティフ系の犬のなかに「ピット・ドッグ」と呼ばれる犬が登場する。特に力を発揮したのはブルドッグだったが、これにテリアやピット・ブル、さらにはスタッフォードシャー・ブル・テリアを交配させた犬も生み出された。米国では、イングランドのスタッフォードシャー・ブル・テリアをもとにしてアメリカン・スタッフォードシャー・テリアとアメリカン・ピット・ブル・テリアが作出された。

　英国でベイティングと闘犬が禁止されたのは1835年（残念ながら、闘犬は非合法な形で現在も存続しているが）。米国でも、1860年代にようやく大半の州で闘犬が法律で禁止された（ただし、すべての州で禁止になったのは1976年のことである）。さまざまな禁止令を受けて、これらの娯楽に用いられてきた犬種には新たな任務が課されるようになった。人の伴侶となる家庭犬という役割だ。この役割変化を、彼らはいとも簡単にやってのけた。実際、ブルドッグやマスティフのような家族の愉快な一員が、かつてはまったく違う役割を果たす犬であったことなど、今では想像もできない。

　マスティフ・タイプの犬は、生まれながらに「守りたい、保護したい」という本能を持っている。何世紀も昔から農業を営む人々はそうした本能を利用して、このタイプの犬に家畜や財産の番をさせてきた。これらマスティフ系の犬は、マウンテン・ドッグの発達にも大きな影響を与えたとされている。マウンテン・ドッグとは、ユーラシア大陸の山岳地帯で生まれ（一部例外除き）、家畜番として利用されている犬とその子孫たちのことだ。セント・バーナードやバーニーズ・マウンテン・ドッグ、ニューファンドランド（カナダで唯一のモロシアン犬種）などである。

　これらの犬のなかには、保護本能だけでなく、人を「救いたい」という強烈な本能を持ち合わせたものもいる。このような犬は、山岳地帯で遭難した人を救助する際に広く用いられてきた。ニューファンドランドは、水難救助犬としても活躍している。彼らは生まれつき非常に賢く、創意工夫をする能力がある。人間の指図を受けなくても、自分自身で考えて働くことができるのだ。しかも（概して）きわめて愛情深い。マスティフ・タイプは、すばらしく忠実で、落ち着きがあり、親しみにあふれた犬たちなのである。

POWER AND STRENGTH｜パワーと屈強さ

MASTIFF
マスティフ

近世以前 – イングランド – 比較的多い

SIZE｜大きさ
雄雌とも非常に大型。肥満は許されない。

APPEARANCE｜外見
力強く、堂々として威厳がある。頭部の外観は四角く、かなり大きい。耳のあいだは広く、警戒しているときには額に皺が寄る。マズルは短く幅広で、尖っていない。目の色はヘーゼル・ブラウンで、暗色なものほどよい。両目のあいだも離れている。耳は薄くて小さく、静止しているときには平らに寝ている。首は筋肉質で、わずかにアーチを描く。肩はがっしりとして重量感があり、筋肉が発達している。胸は深く、幅広い。やはり筋肉質で幅広の背と腰は水平にまっすぐ伸び、雄の腰は少しだけ弧を描いている。後肢も筋肉質で幅が広い。尾付きは高く、先細の尾は飛節に届くくらいの長さか、それより少し長い程度。

COLOR｜毛色
フォーン、アプリコット(橙黄色)、またはブリンドル。マズルと鼻、耳はブラックで、黒い部分は目のあいだにまで広がっている。被毛は短く、皮膚に密着している。

APTITUDE｜適性
もともとはブル・ベイティング(牛攻め)やベア・ベイティング(クマ攻め)、闘犬、軍用犬、荷車牽引用。現在はドッグ・カート(荷車牽引)レース用、警備犬、番犬、さらにはショードッグ、家庭犬として。

　マスティフは長く血塗られた歴史を持つ犬種だ。とにかく身体が大きく力が強いことから、それを善からぬ人間に利用され、長いあいだ忌まわしい目的のために働かされてきたのだ。しかし現在、この犬が最も穏やかで物静かな生き物の1つであることは周知の事実だ。慎み深く、落ち着きがあり、忠実で頭のよい犬として広く認められている。

　マスティフ系の犬は何千年も昔から存在していた。この犬を描いた最古の遺物は、イラクのバグダッド南方にある古代バビロニア遺跡で発見された。紀元前2500～同2000年頃の粘土板に刻まれた浅浮き彫りで、驚くほど現代のマスティフに似ている。また、同じく現在のイラクにあった古代都市ニネヴェにアッシリア王アッシュールバニパル(在位紀元前669～同630年)が建設した王宮の壁には、王が多数のマスティフを従えてライオン狩りやロバ狩りをする情景のレリーフが残っている。

　古代エジプト、ギリシャ、ローマでも、視覚ハウンドとマスティフ系が犬の主流だったことが、さまざまな記録からわかっている。この犬の祖先は、中央アジアか東南アジア、あるいは中東で進化したと考えられている。そこから移住する人間に伴われて、世界各地に広がっていった。そのなかで、この犬種と最も関係が深いのはイングランドである。マスティフ系の犬が初めてこの地にやってきたのがいつ頃のことなのか、確かな記録は残っていないが、すぐれた海上交易文化を誇ったフェニキア人によって、遅くとも紀元前500年には持ち込まれたようだ。

　紀元前55年にローマ人が侵攻したときにはすでに、イングランドのマスティフ系の犬の存在は不動のものとなっており、戦場での猛々しい働きが評判になっていた。ユリウス・カエサル(紀元前100～同44年)も、この屈強なイングランドの犬が主人の兵士に寄り添うようにして闘う様に深く感銘を受けている。そこで代々のローマ皇帝は、イングランド南部のウィンチェスターに「プロキュラトール・キネギイ(犬斡旋人)」という役職を置き、よい犬を選んでローマに送らせた。選ばれた犬たちは、戦場に赴いたり、円形闘技場で闘わされたりした。この犬の価値を最も高めたのは、闘犬としての能力だったようだ。彼らはライオンやクマ、雄牛、他の犬、馬、ロバなど、さまざまな動物を相手に闘わされた。この野蛮な娯楽は、形態を少しずつ変えながら19世紀まで続く。特にイングランドでは盛んになった。そして、闘犬として最も有能というレッテルを貼られたのが、イングランドのマスティフだった。

　一方、農家ではマスティフが警備犬として飼われていた。彼らの仕事は、クマやオオカミなどの捕食者から家畜を守り、好ましからざる(人間の)侵入者を家屋から追い払うことだった。現代のマスティフも、この方面で高く評価されている。大きくていかにも強そうなその体躯を見ただけで、侵入者は退散してしまうだろう。さらにこの犬は、猟犬としても非常に優秀だった。そのため、イングランドのカヌート王(985頃～1035年)が定めた森林法には、マスティフの前足の真ん中の指は切り取るべし、という条文があったほどだ。イングランド全土の森がすべて王の狩り場であり、そこに棲むいかなるシカも、すべて王のシカである。したがって、それらをマスティフが捕らえたり、殺したりすることはまかりならぬ、というわけだ。

　特定のマスティフに関する文章で最も古いものは、1415年のアジャンクールの戦いにまつわる記述だ。フランス北部のこの村で、イングランドがフランス軍を破った戦いである。その戦闘で、イングランドのピアーズ・リー卿(1389～1422年)は深手を負って動けなくなってしまう。しかし、飼い犬の雌のマスティフが彼の身体をずっとかばい続けたおかげで、リー卿は九死に一生を得、このマスティフとともにライムズ・ホール城の家族のもとに帰還することができたのだった。この雌犬は、のちのライムズ・ホール・マスティフの一方の祖になったと言われている。この血統は19世紀末まで続いていた。ライムズ・ホール城の客間の窓には、リー卿とその雌犬

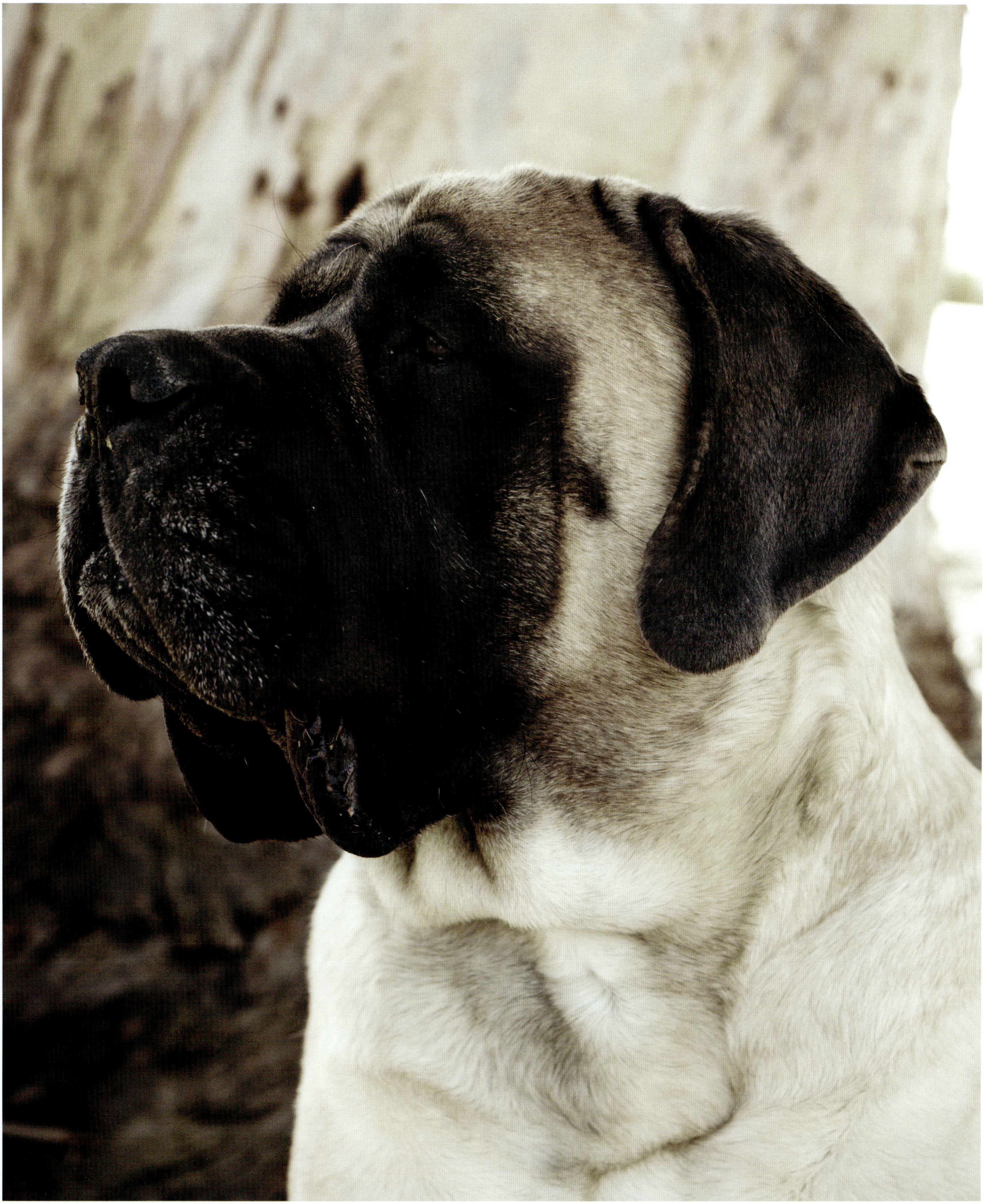

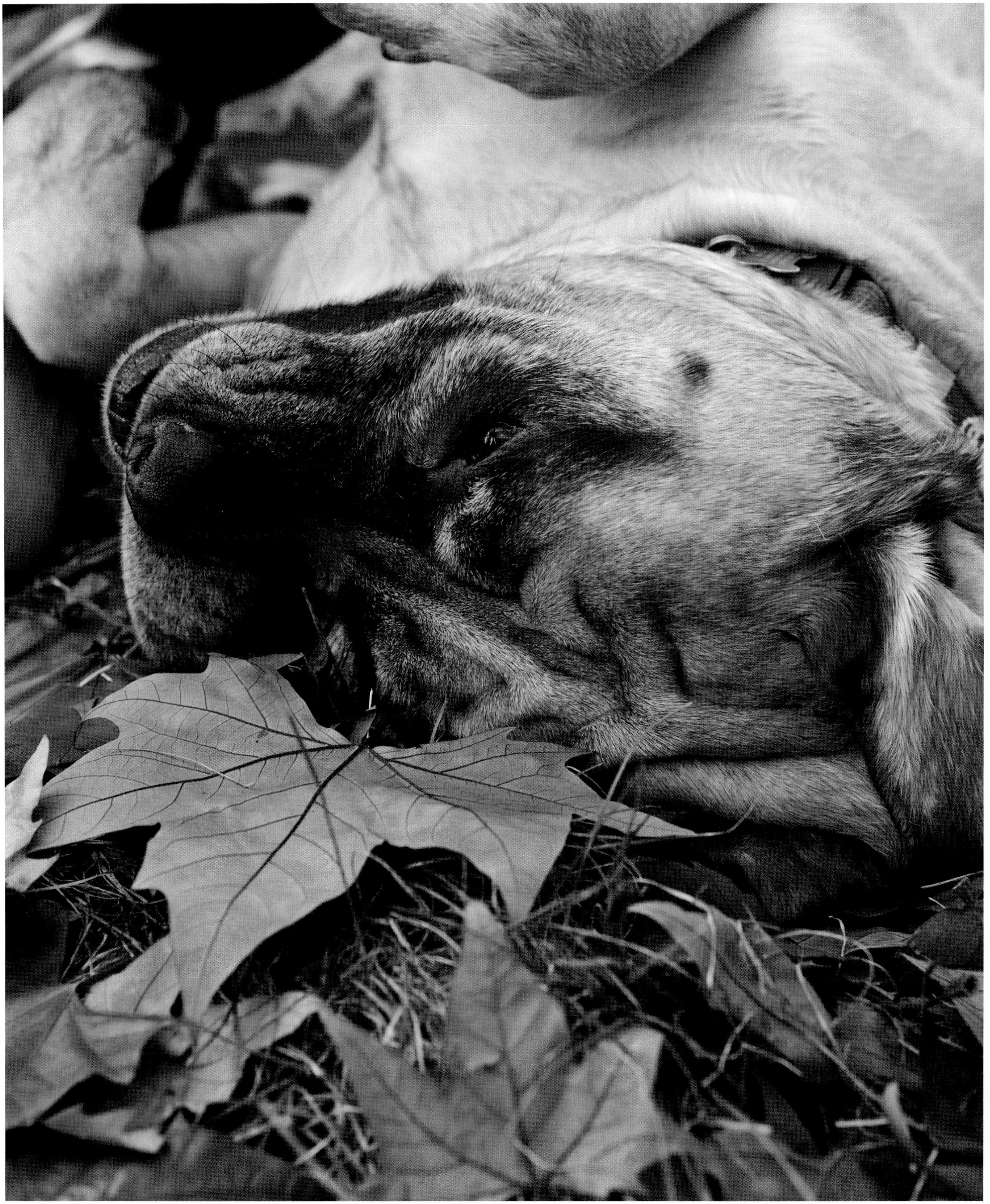

の姿を描いたステンドグラスがはめられており、現在も見ることができる。

　北米大陸に初めてマスティフ・タイプの犬を持ち込んだのは、クリストファー・コロンブス（1451～1506年）だった。1493年のことだが、このときの積み荷目録では、犬は「武器」に分類されていた。コロンブスも、それに続いたコンキスタドールたちも、またさらに後代の植民者たちも、アメリカ先住民を殺すためにマスティフ・タイプの犬を使った。捕虜の公開処刑にこの犬が使われたことすらある。1585年にヴァージニア植民地を建設するために赴いたウォルター・ローリー卿も、マスティフを伴っていた。その目的を、卿はクマやオオカミ、そして必要とあらば「人間」を殺すためだ、と明言している。

　ちょうどその頃、犬同士の闘犬や、クマや雄牛、アナグマなどを相手に犬を闘わせるベイティングが大西洋の両岸で流行していた。特にエリザベス1世（1533～1603年）の時代には、この野蛮な娯楽の人気は最高潮に達した。こうした闘犬やベイティングは、王族の娯楽としても非常に重要な位置を占めていた。身分の高い客人をもてなすために、このような催しが開かれることも多かった。1559年にエリザベス1世の宮廷を訪れたフランス大使も、テムズ川南岸のバンクサイドにあったパリス・ガーデンという見せ物小屋で、ベア・ベイティングやブル・ベイティングを見物している。マスティフがクマや雄牛と巧みに闘う様子を見て心を動かされた大使は、何頭かのマスティフをフランスに連れて帰った。

　このようにもてはやされたイングランドのマスティフは、王侯貴族が贈り物によく使っていた。たとえばエリザベス1世は、フランスのシャルル9世（1550～74年）にこの犬を何頭か贈っている。女王はまた、アイルランドとの戦いに赴くエセックス伯ロバート・デヴァルー（1566～1601年）にも、軍用犬としてマスティフを100頭、王室犬舎から下賜している。

　マスティフ人気はヨーロッパ全土に広まっていた。美術作品のなかにこの犬がしばしば登場することからも、その人気がうかがえる。なかでも有名なのは、ディエゴ・ヴェラスケス（1599～1660年）の絵画『ラス・メニーナス（宮廷の侍女たち）』（1656年）だろう［訳注：画面右下にマスティフが描かれている］。さらにマスティフ人気はアジア、北米へも拡大していった。

　英語の文章で「犬種」としてマスティフという言葉を最初に使ったのは、詩人のバーナビー・グージだと思われる。1631年の彼の文章に「家を守りしマスティ」という表現が出てくる。当時、娯楽で用いられることが多かったマスティフだが、最も高く評価されていたのは、実は人や物を守る能力だったということがよくわかる。実際に王族も貴族も、屋敷を守らせたり身辺を警護させるためにこの犬を飼っていた。広大な地所には必ず大きな犬舎があり、そこではこの犬の繁殖も行われていた。

　だが、英国でベイティングが禁止された1835年以降、マスティフの数も減少していった。さらに異系交配もたびたび行われ、マスティフ本来の姿が失われてしまう恐れもあった。一部のブリーダーたちの努力と献身がなければ、この犬種は消滅していただろう。その中心を担ったのは、イングランド北部の町ハリファックスのトンプソン長官、ジョン・クラブトリー、T・H・ラッキー、ヘレフォード侯といった人々だった。

　19世紀後半になると、同じ形質を持つ犬を一貫して生み出すことに努力が傾けられるようになっていった。ショーへの出陳を目的として交配が行われるようになったのもこの時期だ。ドッグショーというものが始まって間もない1859年当時、あるショーに出陳されたマスティフはわずか6頭だったが、71年には64頭にまで増えている。そしてKCの創設から10年後の1883年、オールド・イングリッシュ・マスティフ・クラブが誕生した。米国でも、1885年にAKCがこの犬種を認知している。

　しかし、これらの"近代的"なマスティフが隆盛を見たのは短期間にすぎなかった。第一次世界大戦が勃発した影響で、英国をはじめとするヨーロッパでも米国でも数が激減してしまったうえに、戦前、戦後ともにブルマスティフとの交配が進んで、この犬種の特性がどんどん失われていったのだ。そこでイングランドでは、1920～30年代にゴーリング・ケネル、ハーヴェンゴア・ケネル、ミス・ベルの所有するウィジーブッシュ・ケネルといった犬舎の血統を中心に、純粋なマスティフ同士の交配が再び始まった。一方、当時の米国では、純粋なマスティフがほとんど姿を消していたため、数多くの犬が国外から持ち込まれて数を回復していった。

　ところが第二次世界大戦が始まると、イングランドのマスティフを取り巻く状況はまたもや悪化する。食糧が配給制となり、繁殖はおろか、じゅうぶんな餌を与えることすらままならなくなったのだ。その結果、繁殖可能な雌は、サリー・オブ・コールドブローというたった1頭になってしまう。この犬は、テンプルコーム・トーラスという雄と交配されたが、テンプルコームには血統書がなかった。しかも、2頭のあいだに生まれた子犬のうち、生き残ったのは1947年に生まれたニディア・オブ・フリスエンドただ1頭だった。そこで米国やカナダのブリーダーが援助に乗り出し、3頭の血のつながった子犬とヴァリアント・ダイアデムという雄を英国に送り込んだ。ヴァリアントとニディアからは合計30頭を超える子が生まれ、その子犬たちが、この犬種を救うのに重要な役割を果たすことになる。ただし、遺伝子プール［訳注：互いに交配が可能な生物全個体が持っている遺伝子の総体］が非常に小さかったので、やむをえず、多くの近親交配が行われた。

　現在、英国、米国、カナダでは、マスティフの数は急速に増えている。英国ではまだ数の多い犬種とは言えないが、米国での人気はかなりなもので、AKCの登録数では毎年トップ30に必ず入る人気犬種となっている。

BULLDOG
ブルドッグ
近世以前 – 英国 – 一般的

SIZE｜大きさ
雄 25kg／雌 23kg

APPEARANCE｜外見
体高が低く、幅広でどっしりとした体つき。頭部は大きくて四角い。マズルは幅が広く、ずんぐりとして巻き上がっている。鼻も大きくて黒い。角ばったあごは頑丈で、下あごが上あごよりわずかに突き出て、適度に上を向いている。額と頭部の皮膚は若干ゆるく、優雅な皺が刻まれている。丸い目はブラックに近い暗色で、左右のあいだが離れている。耳は薄くて小さなローズ・イヤー。首はほどよい長さで太く、後ろにはしっかりとアーチを描いている。肩も幅が広くパワフル。背は短くがっしりとしていて、肩のすぐ後ろで少し落ち込み、腰のあたりで高くなり、尾に向かってまた下がってくる。胸は深く、やはり幅が広い。腹部は巻き上がっている。ずんぐりとして頑丈な前肢は左右の間隔が広く、後肢に比べて少し短め。後肢は筋肉がよく発達し、スタイフル（膝に当たる部分）がほんの少し外を向いている。尾付きは低く、先のほうが下を向いている。

COLOR｜毛色
ブリンドル、さまざまな色調のレッド、フォーン、ファロー、ホワイトの単色か、単色にブラックのマズルまたはマスク、あるいはパイド（ホワイトの地に上記いずれかの色の斑）。肉色、ブラック、ブラックにタンが混じったものは好ましくない。被毛は、短い直毛が皮膚にぴたりと沿うように生えている。

APTITUDE｜適性
かつてはブル・ベイティング、闘犬用。現在はショードッグ、家庭犬として。

英国を代表する犬種と言えば、やはりブルドッグだろう。勇気、忍耐、不屈の精神を体現する象徴として英国の国犬となっている。また、1700年代初頭以来、擬人化された英国の国家像あるいは典型的国民像として風刺漫画などに描かれてきた「ジョン・ブル」の隣にも、しばしばこの犬が控えている。

このように英国的なるものを受け継いできたブルドッグだが、実は米国での人気が非常に高い。米国海兵隊の公式マスコットに採用されているほか、多くの大学がマスコットに起用している。この犬種が誕生した頃の歴史を考えると不思議な感じもするが、愛情深く忠実で、時としておどけた性格のブルドッグは、今や人々に愛される存在なのだ。現代のブルドッグは、品種改良を重ねて人なつこい性格を固定した犬種である。これは、英国、米国双方のブリーダーのおかげだ。彼らの努力がなければ、この犬種が存続することはなかっただろう。

ブルドッグの起源はわかっていないが、マスティフと密接な関係がある犬種であることは確かだ。一説には、マスティフとパグを交配させて作出されたのではないか、とも言われている。挿絵画家でもあったシドナム・エドワーズ（1768〜1819年）の書き残した文章などにも、そのような記述が見られる。昔は、マスティフのような特徴が見られる犬は、一様に「マスティフ」と呼ばれていた。16世紀には、「ボンドッグ」あるいは「ボルドッグ」という言葉が使われるようになっていたが、これは、番犬に使われていた攻撃的な犬を指す呼び名だった。特定の犬種の名称として「ブルドッグ」という言葉が初めて文献に登場するのは、1631年のことだ。プレストウィッチ・イートンというイングランド人がロンドン在住の友人ジョージ・ウェリンガムに送った書簡のなかで、「よいマスティヴ犬」を1頭と「よいブルドッグ」が何頭か欲しいと書いている。そのことから、この時代には、マスティフとブルドッグははっきり区別されるようになっていたことがわかる。

ブルドッグという名は、囲いにつないだ雄牛（ブル）に犬をけしかけるブル・ベイティング（牛攻め）から来ている。13世紀にはすでに、ブル・ベイティング専用に品種改良された犬が誕生していた。この野蛮な娯楽の人気が高まるのに伴って、人々は、もともと使われていたマスティフ・タイプの犬を、より雄牛を相手にするのに特化した犬に改良していった。ブル・ベイティングは荒っぽい見せ物だ。攻撃性が高く、勇敢で、しかも痛みに対して鈍感な犬でなければうまくこなすことができない。通常は雄牛をつないでおき、そこに犬をけしかける。犬は1頭の場合もあれば、複数の場合もあった。犬たちは、本能的に牛の一番の弱点である鼻を狙う。そして、牛が力尽きて膝をつくまで、咬みついた鼻を締めつけ続ける。だが、常に犬が勝つわけではない。牛と同様、犬もまた深手を負う場合がある。しかしブルドッグは、自身が重傷を負ってもひるむことなく、容赦のない攻撃を続ける犬だと評判が高かった。

闘うブルドッグの体つきは、改良された現代のブルドッグのそれとはまったく異なっていた。体高が低いところだけは変わっていないが、当時のブルドッグのほうがずっと精悍で脚が長く、身軽だった。また、あごの特徴は現在も残っているが、これはまさにブル・ベイティング用の犬として作出された名残だ。下あごが上あごより前に突き出ることで、ぎゅっと強い力で口を閉じておくことが可能になったのだ。ブルドッグのあごの力は非常に強く、気を失ってもがっしりと牛の鼻に咬みついたままだったと言われている。

ベイティングが動物虐待防止法により英国で禁止されたのは1835年のことだ。ブルドッグが使用されていたもう1つの人気の娯楽である闘犬も、このとき同時に禁止されている。その結果、ブルドッグは数を減らし

BULLDOG | ブルドッグ

POWER AND STRENGTH | パワーと屈強さ

ていくことになる。闘犬自体はそれからも裏で広く行われていた（ヤミ闘犬の伝統は現在も続いている）が、より闘犬向きだと考えられていたテリアと掛け合わせたブル・アンド・テリアが主流を占めるようになったため、ブルドッグは活躍の場を失ってしまったのだ。

しかしこの犬は、今度はペットとして注目されるようになる。ブルドッグの商品価値を再び高めるために一役買ったのが、ロンドンで犬の販売業を営んでいたビル・ジョージ（1802～81年）という人物だ。彼はロンドンにケナイン・キャッスル（犬の城）という名の犬舎を持ち、ベイティングや闘犬用のブルドッグを繁殖・販売していたが、1835年に動物虐待防止法が成立すると、それらの犬をペットとして売り始めたのである。ほかにも多くのブルドッグ愛好家が、改良により人の伴侶に適した性格の犬を作り、犬種の保護に努力を傾けた。1875年にはブルドッグ・クラブも創設され、会員たちはロンドンのオックスフォードストリートにあったブルーポストというパブで会合を重ねた。そうして犬種標準が作成され、1894年に同クラブは正式にKCの会員クラブとして承認された。その3年前の1891年には、ロンドン・ブルドッグ協会という団体も設立されている。

米国に初めてブルドッグがやってきたのがいつのことかははっきりしていない。とはいえ、17世紀半ばにはすでに米国にいたことがわかっている。ニューヨーク地方の行政長官だったリチャード・ニコルズ（1624～72年）が、ブルドッグを使ってはぐれ牛を駆り集めるよう命じているのだ。19世紀になるとブルドッグ人気が高まり、たくさんの犬がイングランドから輸入された。AKCに犬種として正式に認められたのは1886年。分類はノン・スポーティング・ドッグのグループだった。1877年に初めてニューヨークでウェストミンスター展が開催されたときには10頭のブルドッグが出陳され、88年にはロビンソン・クルーソーという雄犬が初のAKCチャンピオンに輝いている。1890年には、米国ブルドッグ・クラブも設立された。

2つの世界大戦はブルドッグの数に影響を及ぼしたが、戦間期にイングランドではミセス・ピアソンがこの犬種を守るために重要な働きをした。彼女は、1936年にブルドッグ・クラブ初の女性総裁に就任した人物でもある。同じ頃、米国ではエドナ・グラスがブリーダーの中心的な役割を果たし、多くのチャンピオン犬を作出している。やがて第二次世界大戦が終わると、ブルドッグの数は盛り返し、現在も熱心なブリーダーや愛好者によって支えられている。AKCの登録数を見ると、米国では常にトップ10に入る人気犬種だ。今日のブルドッグは不思議なカリスマ性を持つ穏やかな犬で、歴史に名を刻んだ祖先たちとはまったく趣の異なる犬となっている。

AMERICAN STAFORDSHIRE TERRIER
アメリカン・スタッフォードシャー・テリア

近現代―米国―一般的

SIZE｜大きさ
雄　45.5〜48cm／雌　43〜45.5cm

APPEARANCE｜外見
筋肉質で敏捷。その大きさに似つかわしくない強靱さを持つ。頭部は幅が広く、頬の筋肉が際立って発達している。マズルは中ぐらいの長さで、強力なあごを持つ。鼻は黒い。丸い目も黒っぽい色で、左右のあいだが広く離れている。耳は高い位置に付いており、断耳はしていないほうが好ましい。首は力強く、わずかにアーチを描く。肩も筋骨たくましく、肩甲骨が少し傾斜している。背はかなり短く、キ甲から尻にかけてなだらかに下がっている。胸は深く、幅も広い。両前肢のあいだも幅が広い。尾付きは低く、先細で短い尾が伸びている。

COLOR｜毛色
すべての色の単色。パーティ・カラーやパッチ（不規則で大きな斑）も認められる。ただし全身ホワイト、あるいは80％以上ホワイトなもの、ブラック＆タン、レバーはあまり好ましくない。被毛は硬くて短いが、つやがある。

APTITUDE｜適性
もともとはブル・ベイティング、闘犬、番犬用。現在はアジリティ、オビディエンスに。さらにはショードッグ、家庭犬としても。

かつてベイティングや闘犬に用いられていた犬種の多くがそうであるように、現代のアメリカン・スタッフォードシャー・テリアも、忠実さ、穏やかさ、ユニークな性格が特徴の犬である。時にほかの犬の存在を受け入れることを嫌うこともあるが、この犬は献身的で愛情深い家庭犬になる。したがって、子どものいる家庭にも向いている。しかし残念ながら、このところマスコミではあまり好意的に取り上げられていない。攻撃性のある犬だという評判や、違法な闘犬と言えばこの犬だというイメージがあるからだ。だが、それらはこの犬全般の真の姿を伝えているとは言えず、ごく少数の無責任な飼い主のせいでできあがってしまったイメージにすぎない。

やはりマスコミから否定的な扱いを受けてきたアメリカン・ピット・ブル・テリアとアメリカン・スタッフォードシャー・テリアはよく混同される。AKCはスタッフォードシャーの登録しか行っていないが、UKCが犬種として認めているのはアメリカン・ピット・ブル・テリアだけだ。以前、UKCはピット・ブル・テリアという犬名で両方の犬を一緒に登録していたのだが、2010年に方針を変えたのである。しかしブリーダーの多くは、この2つの犬種は長いあいだ交わることなく別の血統で繁殖を続けてきたので、それぞれ明らかに違う形質を持つ独立した犬種だと感じている。

アメリカン・スタッフォードシャー・テリアの歴史をさかのぼると、19世紀初頭のイングランドにたどり着く。この地で、ブルドッグとさまざまなタイプのテリアが掛け合わされて生まれたのだ。当時のブルドッグは、がっしりした体格ではあったが、現在のブルドッグより機敏で運動能力がすぐれていた。19世紀になると人々は、このブルドッグに、体重が軽くスピードのあるテリア系の犬を掛け合わせた。不屈でパワフルなブルドッグと、より機敏で活発なテリアの性質を併せ持つ犬の作出を目指したのだ。テリア系の犬で使われたのは、現在はもう存在していないイングリッシュ・ホワイト・テリアや、ブラック・アンド・タン・テリア（現在はパッターデールと呼ばれている）、フォックス・テリアなどだった。

そうやって生まれた犬たちは、「ブル・アンド・テリア・ドッグ」「ハーフ・アンド・ハーフ」「ピット・ドッグ」「ピット・ブルテリア」などと呼ばれていた。名前につく「ピット」という言葉は、闘犬場（ピット）から来ている。その言葉通り、これらの犬たちはピットに放り込まれて、戦闘能力が残っている限り、あるいは生きている最後の1頭になるまで闘わされた。こうした犬たちが、やがてスタッフォードシャー・ブル・テリアと呼ばれるようになる。

スタッフォードシャー・ブル・テリアは19世紀末に米国にやってくると、より大型でパワーのある犬に変貌していった。そして、農場や牧場で猟犬、番犬、家庭犬など、さまざまな用途に用いられるようになる。イングランドと同様、闘犬として使われる犬もいた。当時、闘犬はすでに違法になっていたが、裏で盛んに行われていた。闘犬に使われた犬たちは当初、「ピット・ドッグ」「ピット・ブル・テリア」「アメリカン・ブル・テリア」などと呼ばれていた。通常、犬をけしかけるハンドラーは、犬が闘っているあいだも一緒にピットのなかに立つ。そのため、ほかの犬に対する執拗な攻撃性を維持しつつ、人間には従順な犬が作られていった。アメリカン・スタッフォードシャー・テリアが今日人気犬種となったのは、このような人間に対するときの温厚さによるところが大きい。

AKCがこの犬種の犬籍原簿を作ったのは1936年。このときの名称はスタッフォードシャー・テリアだった。米国スタッフォードシャー・テリア・クラブが創設されたのも同じ年である。アメリカン・スタッフォードシャー・テリアという名称に変更されたのは、それから40年後の1976年のこと。その前年、AKCがブリティッシュ・スタッフォードシャー・ブル・テリアを公認したため、ただのスタッフォードシャー・テリアから改称されたのだ。AKCに登録されたアメリカン・スタッフォードシャー・テリアのなかで最も有名なのは、大ヒットしたコメディ映画シリーズ『Our Gang（我らがギャング）』に出演し、スター犬となった「子犬のピート」だろう。

POWER AND STRENGTH｜パワーと屈強さ

AMERICAN STAFORDSHIRE TERRIER | アメリカン・スタッフォードシャー・テリア

BOXER
ボクサー
近現代―ドイツ―一般的

SIZE｜大きさ
体高：雄　57〜63cm／雌　53〜59cm
体重：雄　30〜32kg／雌　25〜27kg

APPEARANCE｜外見
貴族的ながら、強靭で筋肉質。横から見ると、体高と体長が同じ長さの正方形に見える。特徴的な頭部に、幅広で、深く力強いマズル。わずかに上向きに湾曲した下あごは、上あごより少し前に突き出ている。濃いブラウンの目は表情豊かで知的。スカルの最も高いところに離れて付いている耳は、休んでいるときはぺたりと寝て頰のあたりに垂れているが、警戒すると前方に折れ曲がる。首は強靭で、エレガントなアーチを描く。背は短くまっすぐで、後肢に向かってわずかに下がっている。胸は深く、腹は明確に巻き上がっている。後肢は非常に筋肉質。尾付きは高め。かつては断尾するのが普通だったが、現在は行われておらず、楽しげに高く掲げられている。

COLOR｜毛色
さまざまな色合いのフォーン、ブリンドル。白い斑があってもよいが、地色の3分の1を超えてはならない。被毛は短く、なめらかで光沢がある。

APTITUDE｜適性
もともとはブル・ベイティング用。現在はアジリティに。また番犬、軍用犬、警察犬、ショードッグ、家庭犬としても。

活発で生気あふれる性格と王者のようなふるまいで知られる現代のボクサーは、19世紀終盤にドイツで開発された犬である。だがその基盤となったのは、はるかに長い歴史を持つ犬——比較的がっちりした体格をした戦闘用の犬——だった。少なくとも紀元前2000年頃のアッシリアにはそのような犬がいた。マスティフ的な特徴を持つこの犬は、現在のギリシャとアルバニアの国境付近に当たるエピルスという地方に住んでいたモロッソイという部族にちなんで「モロシアン」と呼ばれた。モロシアンはその獰猛さで名を馳せ、警備や戦闘に用いられた。

この犬がしだいにヨーロッパ大陸各地に広がり、それぞれの土地で少しずつ違うタイプの犬になっていく。スペインでは、現在アラーノ・エスパニョールあるいはスパニッシュ・ブルドッグと呼ばれる犬が誕生し、フランスではボルドー・マスティフや、それほど有名ではないがブールドグ・ドゥ・ミダといった犬が生まれた。これらは皆、現代のボクサーと共通する特徴を持っている。

古代ローマでは、犬を雄牛やクマ、イノシシなどの大型獣にけしかけて闘わせる遊びが、きちんと体系化された娯楽として人気を博していた。ブリテン島でも、西暦43年にローマに侵略されて以来、この娯楽が盛んに行われるようになった。このような野蛮な娯楽は、やがて"スポーツ"としてヨーロッパ全土に広まった。そして、この娯楽に適した、勇敢で力が強く攻撃的な犬を作り出すことを目的として品種改良が行われ、3つの系統の犬が誕生した。大型のブレンバイサー（マスティフに似ている）、グレート・デーン（ブレンバイサーとディアハウンドを掛け合わせて生まれた非常に大きなハウンド・タイプの犬）、そして小型のブレンバイサー（ブレンバイサーと英国のブルドッグを掛け合わせたもの）である。このうち、ベルギーの北東部ブラバント地方で繁殖が行われていた小型のブレンバイサーが、現在のボクサーの直接の祖先だと考えられている。

ドイツで大々的に犬の品種改良を行っていたのは貴族たちだ。彼らは広大な犬舎を所有し、すぐれた猟犬、闘犬の作出を目的に交配を行っていた。そんななかに小型のブレンバイサーもいた。これらの犬は非常に頑健だったうえに賢かったので、やがて、家畜の群れの移動や護衛、さらにはと畜場で牛を追いたてるために使われるようになっていく。彼らはまた、ペットとしても人気だった。人なつこいと同時に、番犬としても有能だったからだ。

ところが1830年代になると、英国のブルドッグが大量にドイツに輸入され始め、ブレンバイサーと交配されるようになる。当時のブルドッグは、現在よりもずっと脚のすらりとした身軽で活発な犬で、色はホワイトか、白い斑のあるものが多かった。そのため、その血を受け継ぐ現代のボクサーにも白い模様がよく見られる。時には全身真っ白なボクサーも生まれるが、この毛色はKC、AKC、ドイツケネルクラブいずれにも認められていない。初めてボクサーの犬種標準が作られたのは1895年のこと。同年にドイツのミュンヘンに創設されたボクサー・クラブにおいてだった。当初は、この犬種の遺伝的な性質を固定するために同系交配が盛んに行われた。そこに白いブルドッグも混じっていたため、ときどき純白のボクサーが生まれてしまうのだ。

ボクサーは、ドイツで初めて警察や軍で利用されるようになった犬でもある。彼らはどちらの仕事でも、その能力を存分に発揮した。英国へは、1930年代に初めてドイツから輸出され、36年に英国ボクサー犬クラブが創設された。創設メンバーはごく少数だったが、1946年に最初のチャンピオンシップ・ショー［訳注：一定数のショーで優秀な成績を収め、チャンピオン犬として登録された犬だけが参加できるドッグショー］を開催し、クラブ名を英国ボクサー・クラブに変更してKCの加盟クラブになって以降、会員数はうなぎ登りである。

BOXER | ボクサー

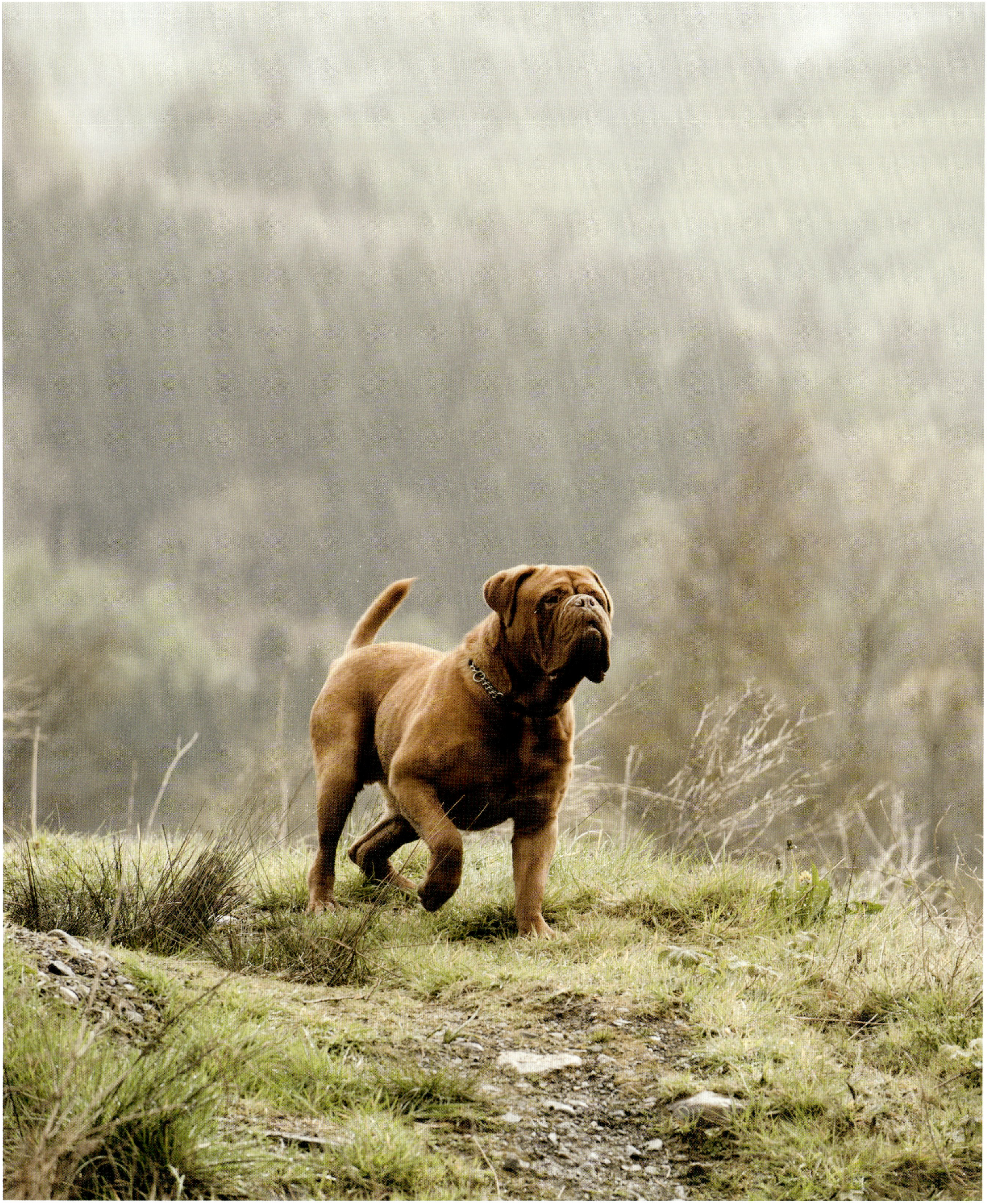

DOGUE DE BORDEAUX
ボルドー・マスティフ
近世以前－フランス－比較的多い

SIZE｜大きさ
体高：雄　60〜68cm／雌　58〜66cm
体重：雄　50kg以上／雌　45kg以上

APPEARANCE｜外見
筋骨たくましく、剛健でがっしりしている。幅広で大きな頭部には、左右対称のデリケートな皺が刻まれている。やはり幅広で短いマズルは、少し上を向いている。あごは力強く、下あごがしゃくれ上がっている。ヘーゼルから暗いブラウンの目は卵形で、左右のあいだが離れている。耳は小さく、高い位置に付く。首は強靭で、皮膚がしなやかでゆるい。首回りの太さは頭部のサイズとほぼ等しい。背部は幅広く、筋肉がよく発達している。トップラインはまっすぐ。胸は幅広く、深い。腹は少しだけ巻き上がっている。体長は体高よりわずかに長い。尾は根元が太く、先端が飛節にまで達する。静止しているときには低く垂れているが、動いているときには背の上にぴんと掲げる。

COLOR｜毛色
あらゆる色合いのフォーン。黒っぽいマスクも可。被毛は細くて短く、やわらかい手触り。

APTITUDE｜適性
本来は猟犬、闘犬、番犬用。現在は番犬、ショードッグ、家庭犬として。

　フレンチ・マスティフとも呼ばれるボルドー・マスティフは、驚異的なパワーを持つ犬種だ。原産国のフランスでは、昔からさまざまな用途で使われてきた。先祖は、中央アジアあるいは東南アジアで発達した古代のマスティフ・タイプの犬で、その昔、これらの犬は人々が移住するのに伴って分布を広げてきた。現在のアルバニア付近に住んでいたモロッソイという部族に戦で使われ、獰猛な犬として名を馳せたのも、おそらくこのタイプの犬だったはずだ。その地名にちなんでモロシアンと呼ばれたこの犬は、ヨーロッパ中に広がっていき、それぞれの地域に適応してタイプの異なる犬に進化していった。スペインのアラーノ・エスパニョール、イタリアのナポリタン・マスティフ、そしてボルドー・マスティフもそのような犬種だと考えられている。一説には、ボルドー・マスティフには英国のマスティフやブルドッグ、あるいはブルマスティフの血も入っていると言われている。

　有能で力が強く、獰猛な一面も持っていたボルドー・マスティフは、軍用犬あるいは猟犬として広く使われていた。また、人を護衛する能力や、家畜を捕食動物から守る能力に長けた犬としても知られていた。これは、この犬種が生来、強い保護本能を持っていたからだ。この性質は現在でも顕著に見られる。さらに闘犬としても高く評価され、クマや雄牛、他の犬といった身近な動物だけでなく、ライオンやジャガーなどの珍しい獣を相手に闘ったりしていた。闘犬に使われる犬たちは、耳を引き裂かれるリスクを最小にするために、断耳を施される場合が多かった。

　さまざまな形で利用されていたこの犬は、当然ながら、あらゆる階層の人々に大切にされていた。たとえば、貴族たちは闘犬をさせたり、地所を守らせたりするためにこの犬を飼育・繁殖し、農家の人々は家畜を守るためにこの犬を利用していた。このように支配階級、労働者階級双方と深い関係を持っていたために、ボルドー・マスティフはフランス革命（1789〜99年）が起きても消滅をなんとか免れることができた。当時、貴族が所有していた犬の多くは殺されてしまったのだ。

　しかし2つの世界大戦中、この犬は再び受難のときを迎える。特に第二次世界大戦では、負傷者を乗せた荷車を引くために軍に徴用されたり、ナチスに対する地下抵抗運動を行っていたレジスタンスの人々に護衛用に利用されたりした。だが、護衛犬としてあまりに優秀だったために、レジスタンスに手を焼いたヒトラーの命令で大量の犬が殺されてしまう。その結果、ボルドー・マスティフは消滅の危機にさらされることとなったのだ。生き残った犬をもとに繁殖が行われ、回復を果たしたのは、フランスケネルクラブに犬種として正式に認定された1960年代のことだ。これは、レイモン・トリケ博士や、モーリス・ルケ博士、フィリップ・セルーユらの努力によるところが大きい。

　ボルドー・マスティフは、19世紀になるまでフランス国外ではあまり知られていなかった。最も深く関わりのあった地域の名を取って現在の名前で呼ばれるようになったのも、1863年になってからである。この年、パリ西部のブローニュの森にあるアクリマタシオン公園で開かれた犬の展示会で優勝したマジェンタという雌犬が、「ボルドー・マスティフ」という犬名で出陳されていたのだ。ただし、この犬は当時、トゥールーズ・タイプ、パリ・タイプ、ボルドー・タイプという3つの系統に分かれていた。獣医師のピエール・ムギャンによって初めて犬種標準がまとめられたのは、1896年のことだ。

　ボルドー・マスティフはその頃初めて英国に輸出された。当時の『Stock Keeper（飼育者）』という雑誌に、この犬の記事が掲載されている。だが、英国ボルドー・マスティフ・クラブが創設されたのは、それから1世紀以上たった2000年になってからだった。同クラブは翌年、ショーなどへの参加に制限のある輸入犬種クラブとしてKCに認定され、2008年には一般犬種を登録するクラブに昇格した。

GREAT DANE
グレート・デーン
近世以前 − ドイツ − 比較的多い

SIZE｜大きさ
体高：雄　76cm以上／雌　71cm以上
体重：雄　54kg以上／雌　46kg以上

APPEARANCE｜外見
高貴でエレガントでありながら非常に筋骨たくましい。頭部は長く、力強いあごを持つ。マズルは幅広く、尖っているようには見えない。目は黒っぽく、かなり深くくぼんでいる。耳は三角形で高い位置に付き、前に折れている。首は長く、しっかりとしたアーチを描く。胸は非常に深く、肋骨がよく発達している。背は強靱。やはり力強い腰は少し弧を描き、腹はしっかり巻き上がっている。前肢は長く、まっすぐ。後肢は筋肉がよく発達している。足は丸く、指がしっかり握られて盛り上がった猫足。尾は根元が太く、ゆるくカーブしながらだんだんに細くなって、先は飛節に達する。動いているときは、背のラインと同じ高さまで持ち上がる。

COLOR｜毛色
ブリンドル、フォーン、ブルー、ブラック、ハールクイン（白地にブラックまたはブルーの斑が不規則にあるもの）、あるいはマントル（肩、背、脇に毛布をかけたように黒い部分があり、首の周りなどに白い斑があるもの）。短い被毛が密生し、なめらかな光沢がある。

APTITUDE｜適性
もともとは警備、大型獣の狩猟用。現在はショードッグ、家庭犬として。

　堂々として威厳のあるグレート・デーンは、ほかの犬とは一線を画す特異な犬種だ。それは、その大きさのせいばかりではない。世界で最も背の高い犬種でありながら、エレガントさが際立っているのだ。マスティフ・タイプの犬にありがちないかつさや重量感はなく、まるでマスティフ系とハウンド系の犬のよいところだけを寄せ集めたような姿をしている。

　俊敏そうなすっきりとした体つきだが、実は圧倒的なパワーを持つグレート・デーンは、かつてはかなり獰猛な犬として知られていた。大型獣を狩る猟犬や警備犬として利用されていたのもそのためだ。優しく、穏やかで愛情深い性格の現代のグレート・デーンからは想像もつかない。現代のグレート・デーンは、人間の子どもやほかの動物たちとも上手に付き合える（ただし、適切な引き合わせ方をする必要がある）。そんな気質でもなお非常に大きな犬なので、優秀な番犬の役割を果たすこともできる。

　グレート・デーンはグレート（大きい）だが、デーン（デンマーク生まれ）ではない。デンマークとは縁もゆかりもなく、ドイツ原産の犬とされている（1876年にはドイツの国犬となった）。英国やアイルランドにルーツがあるとする資料もあるが、犬種として発達したのがドイツであることは間違いない。「ドイッチェ・ドッゲ」「ジャーマン・マスティフ」とも呼ばれるこの犬が、英語で「グレート・デーン」となったのは1700年代。デンマークでこの犬を見たフランスの博物学者ビュフォン伯ジョルジュ＝ルイ・ルクレール（1707～88年）が、「デンマークの大きな犬」と呼んだのが始まりだ。しかし、英国人がなぜこの呼び名を使うようになったかは謎である。ドイツでは今も「ドイッチェ・ドッゲ（ドイツの大きな犬）」と呼ばれ、1888年に設立された犬種クラブも「ドイッチェ・ドッゲン・クラブ」と言う。

　このカリスマ性あふれる犬種の祖先をたどっていくと、古代エジプトやバビロニアにまでさかのぼることができる。実際、これらの地域にある記念碑や墓などからは、ほかのマスティフ・タイプの犬と比べるとずっと背が高く、線は細いが、一緒に描かれた人間の絵から判断すると現代のグレート・デーンと同じくらい大きな犬の絵が数多く見つかっている。その大きさと気高さから「犬の王」とも称されるグレート・デーンの祖先は、おそらく先史時代に中央アジアにいたマスティフ・タイプの犬だと思われる。かつてヨーロッパでは、常に民族が移動を続けていた。特にローマ人の侵略を受けた地域では、たくさんの人がよその土地に移り住んだ。人の動きに伴って、さまざまなタイプの犬があちこちで出会い、異系交配が起こる。そうして誕生した犬たちは、戦争やベイティング、闘犬などに利用されたほか、番犬や猟犬として働いた。グレート・デーンもまた、そのような犬の1つであったと考えられている。

　グレート・デーンは、がっちりとした体格のほかのマスティフ系犬種とは体型がやや異なっている。そこから、この犬には、イングランドのマスティフやドイツのブレンバイサー（絶滅品種）のほかに、アイリッシュ・ウルフハウンドやディアハウンド、グレーハウンドの血が入っていると想像できる。ただ、もしそれが本当だとしても、背が高いことは説明できるが、実際にどのようにして影響を受けたのかについては推測の域を出ない。

　ドイツではイノシシ狩りによく使われたため、グレート・デーンは当初、「ボア（イノシシ）・ハウンド」と呼ばれていた。この犬を飼い、繁殖させていたのは貴族階級である。これだけ大きな犬を養っていくには、それなりの財力が必要だったのだ。犬たちは、しばしば特別扱いを受けた――主人の寵愛を一身に受け、人間の家のなかで生活することを許され、おいしい食べ物をたっぷり与えられ、高価な首輪を身につけた。英国の詩人アレキサンダー・ポープ（1688～1744年）から、ハノーヴァー朝の王太子フレデリック・ルイス（1707～51年）に1738年に贈られたグレート・デーンも、そのような生活をしていた。この犬は、「私はキュー［訳注：ロンドン南西部にある地区］にお住まいの王太子殿下の犬であるぞ。さて、君の飼

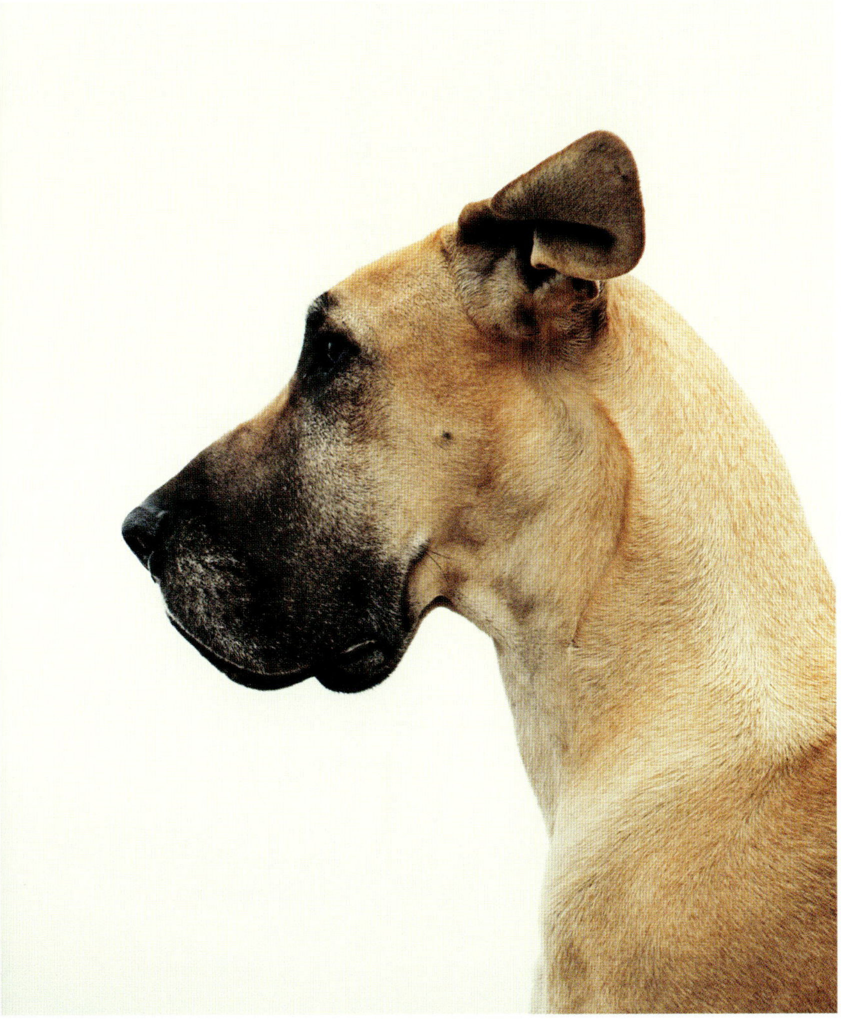
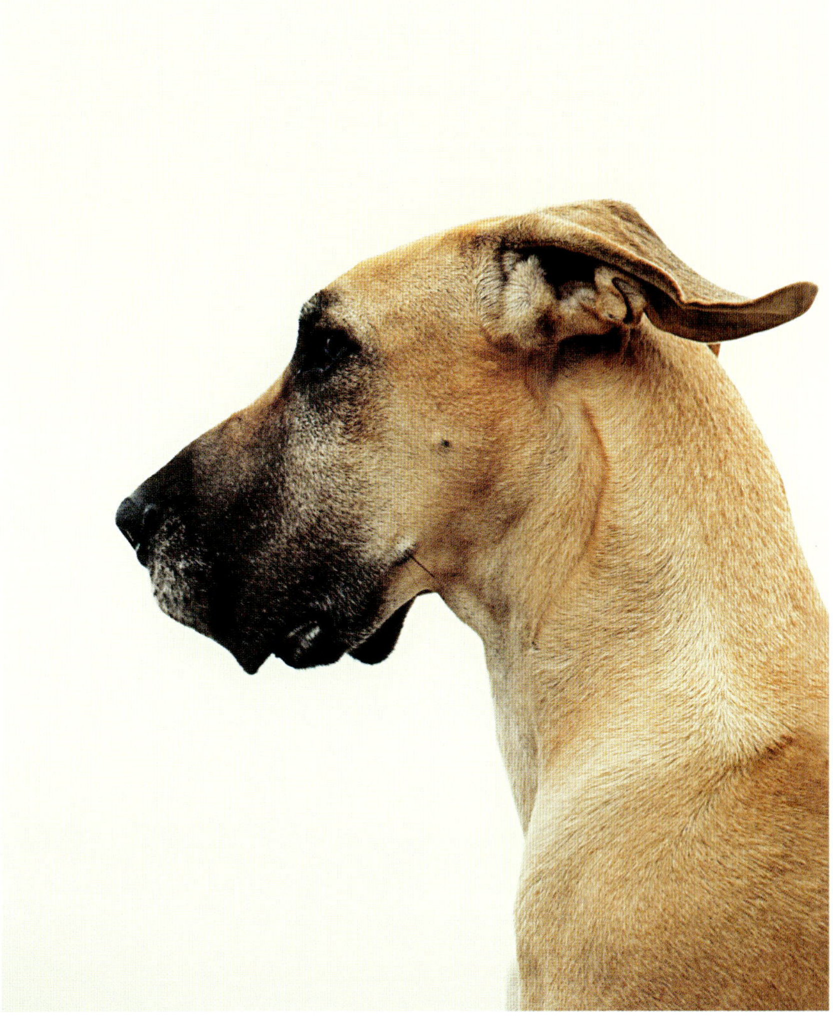
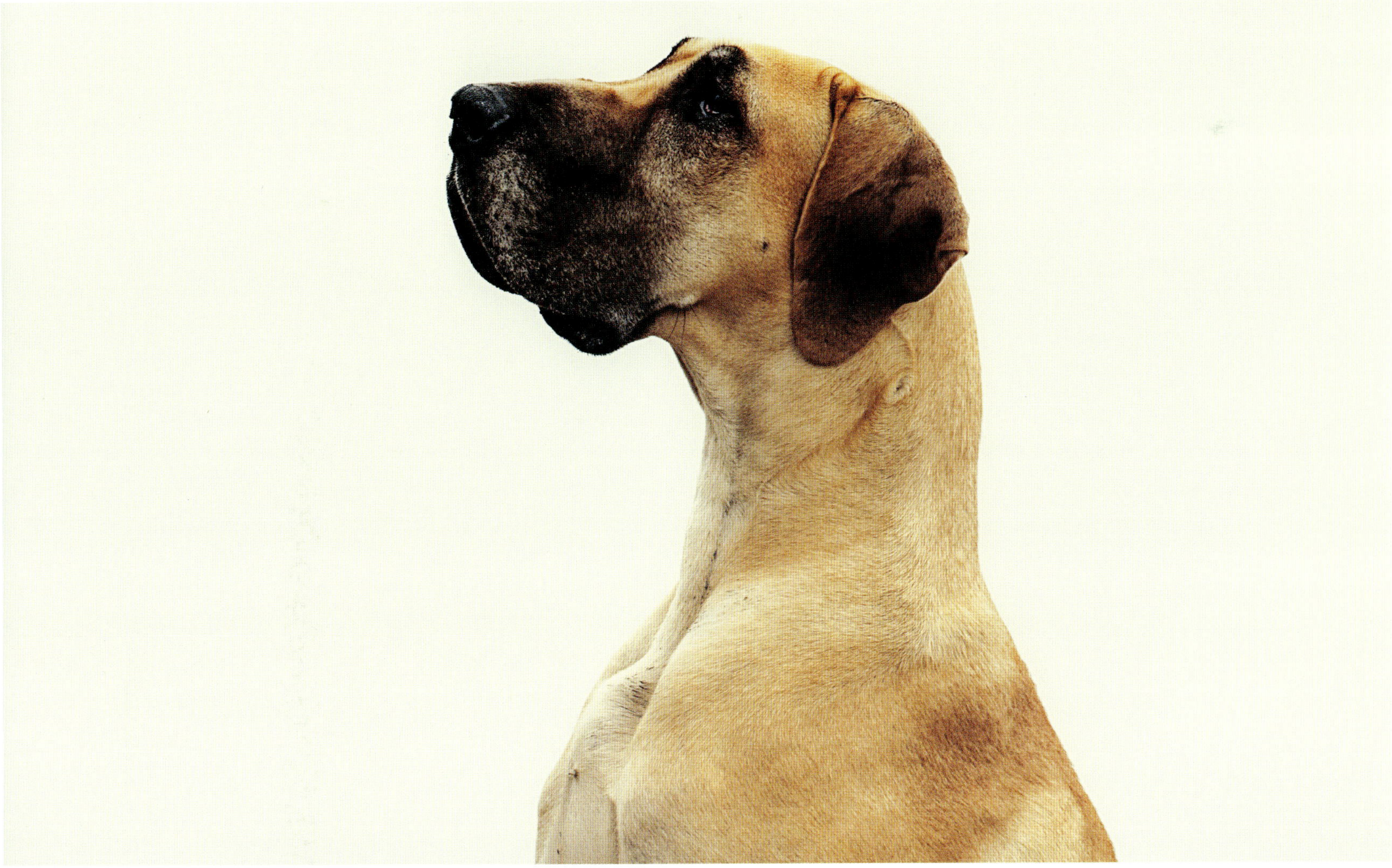

主はどなたかな?」と刻印された首輪をつけていたそうだ。

　グレート・デーンは、勇敢な番犬であると同時に、指示に従わせるのが容易で、しかも家族に対しては愛情深い。この犬が大型獣の猟や警護に使用されていたドイツでは、その性格と大きな体格を維持することに努力が傾けられた。そうして1880年にイングランドのマスティフとは異なる犬種であることが認められ、91年にはドイッチェ・ドッゲン・クラブによって正式な犬種標準が定められた。

　イングランドでは1883年にグレート・デーン・クラブができる。創設に寄せて、ドイツのシュヴァルツブルク＝ルードシュタット侯アルベルト（1798〜1869年）が『ケネル・ガゼット』誌に寄稿し、このクラブへの支援を約束した。その際、彼はクラブの名称を「グレート・ジャーマン・ドッゲン・クラブ」に改めることを求めたが、この改称は実現しなかった。1894年になると、英国のエドワード王太子（1841〜1910年）が、慣習となっていたグレート・デーンの断耳を禁止することを提案し、イングランドではそれが受け入れられた［訳註：現在、米国では犬種標準で断耳が求められているが、ヨーロッパのほとんどの国では禁止されている。ジャパンケネルクラブは、禁止はしていないが断耳しなくてもかまわないという立場］。

　そして20世紀に入ると、英国グレート・デーン・クラブの働きで、この犬種は飛躍的に普及する。第一次世界大戦中は繁殖プログラムの推進に多少影が差したが、それでも人気は衰えず、1920〜30年代にはセンドとウーバラという犬舎が重要な役割を果たした。だが、第二次世界大戦による影響は小さくなく、戦時中は中小の犬舎が相当数閉鎖された。それでも戦後は再び数が回復し、1953年のクラフツ展でこの犬種がBISに選ばれると、その人気にさらに拍車がかることとなった。

　一方、米国では1887年にAKCがこの犬種を公認し、その後ワーキング・グループに分類した。米国グレート・デーン・クラブは、1889年にシカゴで発足している。それ以降、徐々に米国でも人気が高まり、現在はAKCの登録犬数で常にトップ20に入る人気犬種となっている。

　姿が美しく、少々ひょうきんで愛らしい性格のグレート・デーンは、映画や小説にたびたび登場し、歴史に名を刻んできた。実在のグレート・デーンで人々の心を最も強くつかんだのは、英国海軍の軍籍を持つ唯一の犬、ジャスト・ニューサンスだろう。南アフリカの軍港都市シモンズタウンで衆目を集めたジャスト・ニューサンスは、第二次世界大戦中、兵士の士気を高揚させるという任務を与えられ、その役目を見事に果たした。彼が1944年に亡くなると、盛大に軍葬が執り行われたという。

GREAT DANE | グレート・デーン

SHAR-PEI
シャー・ペイ
近世以前 – 中国 – 比較的多い

SIZE｜大きさ
雄雌とも　46〜51cm

APPEARANCE｜外見
コンパクトながらがっしりとした堂々たる体躯。頭部はボディに比べて大きく、額と頬が皺に覆われている。そのため、顔をしかめたような表情に見える。マズルは幅広で短め。鼻は大きく、色はブラックが好まれる。やはり黒っぽい色の目は、中ぐらいの大きさのアーモンド型。耳は非常に小さいが厚みのある三角形で、頭部の前方に離れて付き、頭にぺたりとつくように寝ている。力強く、ほどよい長さの首は、下の皮膚がたるんでいる。肩は筋肉がよく発達し、胸は深く、幅も広い。トップラインは、キ甲の少し後ろでわずかに沈み、短いが幅のある腰のあたりで少し隆起している。肩や尾の付け根あたりにもほどよく皺が寄っている。尾付きは非常に高く、先細の尾を巻き上げて背負うか、くるりと丸めるか、弧を描いて背の上に保持している。

COLOR｜毛色
ホワイト以外のすべての単色。被毛は、短くて非常に硬い毛が開立して生えている。

APTITUDE｜適性
元来は闘犬、牧羊犬、猟犬用。現在はアジリティに。また番犬、ショードッグ、家庭犬としても。

　額に刻まれた皺こそがシャー・ペイの特徴だ。そのしかめ面に、悪霊さえも恐れをなして逃げ出すと言われている。その真偽のほどは確かめようがないが、少なくとも人間の侵入者を追い払うにはじゅうぶんな面構えをしている。がっちりとして筋肉質の威厳に満ちたこの犬は、もともとは農家で飼育されていた。その用途はさまざまだったが、特に番犬としての能力にすぐれていた。この犬は飼い主にどこまでも忠実で、愛する家族を身体を張って守ろうとするし、子どもやほかのペットとも、上手に引き合わせればうまく付き合うことができる。逆に、知らない人間に対しては無関心で冷淡だ。暖炉の前に並んで寝そべるもよし、アジリティのコースを一緒に疾走するのもよし――そんなシャー・ペイは、必ずや愛情深いすばらしい伴侶となるだろう。

　犬種としての起源は、少なくとも漢代（紀元前206〜西暦220年）の中国までさかのぼることができる。この時期に作られた、シャー・ペイに似た特徴を持つ陶製あるいは翡翠製の小像がたくさん発見されているのだ。これらの像の多くは、悪霊を追い払い死者を守るための副葬品だった。こうした小像からは、シャー・ペイのような犬のほかにも、チャウ・チャウや大型のマスティフ系、シー・ズーなど異なるタイプの犬がこの地に存在していたことがわかる。シャー・ペイとチャウ・チャウは、どちらも青黒い舌を持っており、この2つの犬種が近縁であるとする資料もある。一方で、チベタン・マスティフと共通する特徴もある。その起源を示す確かな証拠は残っていないが、この地原産の犬のあいだでさまざまな交雑が起こっていたことは間違いないだろう。

　中国のなかでもシャー・ペイは特に南部の地方と深い関わりがあり、農民たちが家畜を移動させる、家や家畜を守る、猟をする、荷車を引くといった目的で飼育していた。また、闘犬に使われることもあった。特に広東省の大嶺は闘犬が盛んなため、シャー・ペイはこの村で誕生したのではないかと言われている。いずれにせよ、かつてのシャー・ペイが多様な仕事をこなしていたことは、この犬が賢く、適応力のある犬で、強い攻撃性を示しながら、飼い主や家畜に対しては非常に忠実で頼りになる存在だったことを示している。

　シャー・ペイは、勇敢で粘り強い犬としても知られ、凶暴なイノシシを狩ったり、闘犬をさせたりしたときに重傷を負っても、決して攻撃をやめようとしない。その身体は、狩猟や闘犬によく適している――がっしりとして筋肉質で、重心が低いため、強烈な突進力を発揮できる。だが、このような血なまぐさい仕事に役立つ最大の強みは、何と言ってもその被毛と皺だろう。シャー・ペイの被毛は特徴的だ。その短い毛は、咬みついた相手があまりの不快さに口を離してしまうほど、ちくちくとした剛毛なのだ。そんな被毛を持つ犬はほかにいない。また、皺には目を保護する役割もあるほか、ゆるくてよく伸びる皮膚をうまく利用すれば、咬みつかれたままぐるりと身体を回して相手に対峙することを可能にしてくれる。つまり、必殺の攻撃につながる動きをとれる範囲が広くなる。これは、闘犬として非常に大きな"武器"になる。

　また、中国のほかの犬と同様、シャー・ペイも食用にされることがあった。特に戦争や飢饉で食糧が不足するとよく食べられていた。そのせいか、1911年の辛亥革命以降、シャー・ペイは姿を消す一方になった。さらに1949年に建国した中華人民共和国では、犬を飼うこと自体がブルジョワ的なぜいたくと見なされ（貧しい農村の人々がぜいたくのために犬を飼っていたわけはないのだが）、重税がかけられたため、多数の犬が殺された。中国の犬たちにとっては、まさに暗黒の時代だった。そんななか、一部の犬がひそかに香港やマカオ、台湾に持ち出される。そして1960年代になると、香港ケネルクラブがこの犬種を公認し、犬の登録を始めた。

　その当時、中国本土ではシャー・ペイは実質的に絶滅してしまってい

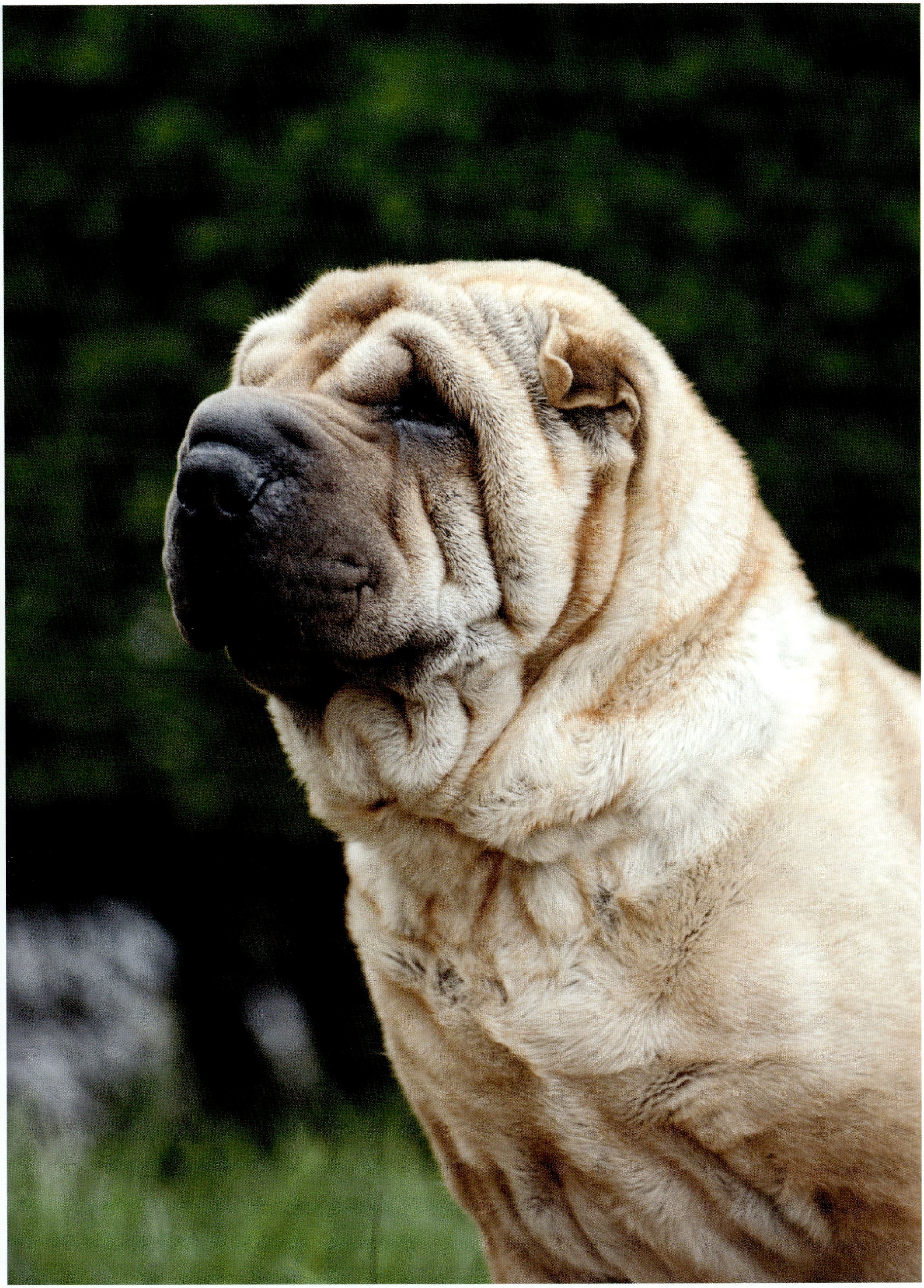

た。C・M・チャン、マットゴー・ローという香港の2人のブリーダーの努力がなければ、この犬は本当に地上から姿を消してしまっていただろう。2人は、種牡や台牝として繁殖に使えるシャー・ペイを増やすために手を尽くした。その努力は1973年に一気に実を結ぶ。ローが、この犬種を救うために手を貸してほしいと愛犬家に呼びかける記事を米国の『ドッグズ・マガジン』誌に寄せたところ、少数ながら米国に輸入されていたシャー・ペイのオーナーたちから反響があったのだ。ローはその年、12頭ほどのシャー・ペイを自身のダウンホームズ・ケネルから米国に送る。そして、そのうちの1頭、ダウンホームズ・リトル・ピーがローの犬のなかで初めて米国で子を産んだのだった。

米国で最初にシャー・ペイを飼い始めた人々は互いに連携し、米国チャイニーズ・シャー・ペイ・クラブの創設と飼育犬の登録のために努力を重ねていった。そうして1974年についに創設されたクラブは、78年にはシャー・ペイに特化したドッグショーを初めて開催する。このショーは以来、毎年行われている。同じく1978年、シャー・ペイは世界で最も希少な犬としてギネスブックにも載った。

英国のシャー・ペイ第1号は、1981年に米国から輸入された1頭だった。翌年にはさらに多くのシャー・ペイが輸入され、そのなかには香港のローの犬舎からやってきた雌犬もいた。それから4年もしないうちに、KCの登録犬数は350頭を超える。特に米国からは相当数のチャンピオン犬が輸入され、英国におけるこの犬種の発展に大きな影響を与えた。1983年には熱心なブリーダーによって英国シャー・ペイ・クラブも創設され、シャー・ペイの愛犬家団体としては初めてKCの会員クラブとなった。

このように米国のシャー・ペイは英国におけるこの犬種の発展に多大な貢献を果たしてきたが、AKCが「その他の犬」グループでシャー・ペイの登録を認めるようになったのは1988年。正式に犬種として認定され、ノンスポーティング・グループに分類し直されたのが1992年だ。以来、この犬は世界各地に輸出されるようになり、今ではオーストラリアやニュージーランド、ヨーロッパ、南アフリカ、ロシアなどでも人気を博している。

POWER AND STRENGTH｜パワーと屈強さ

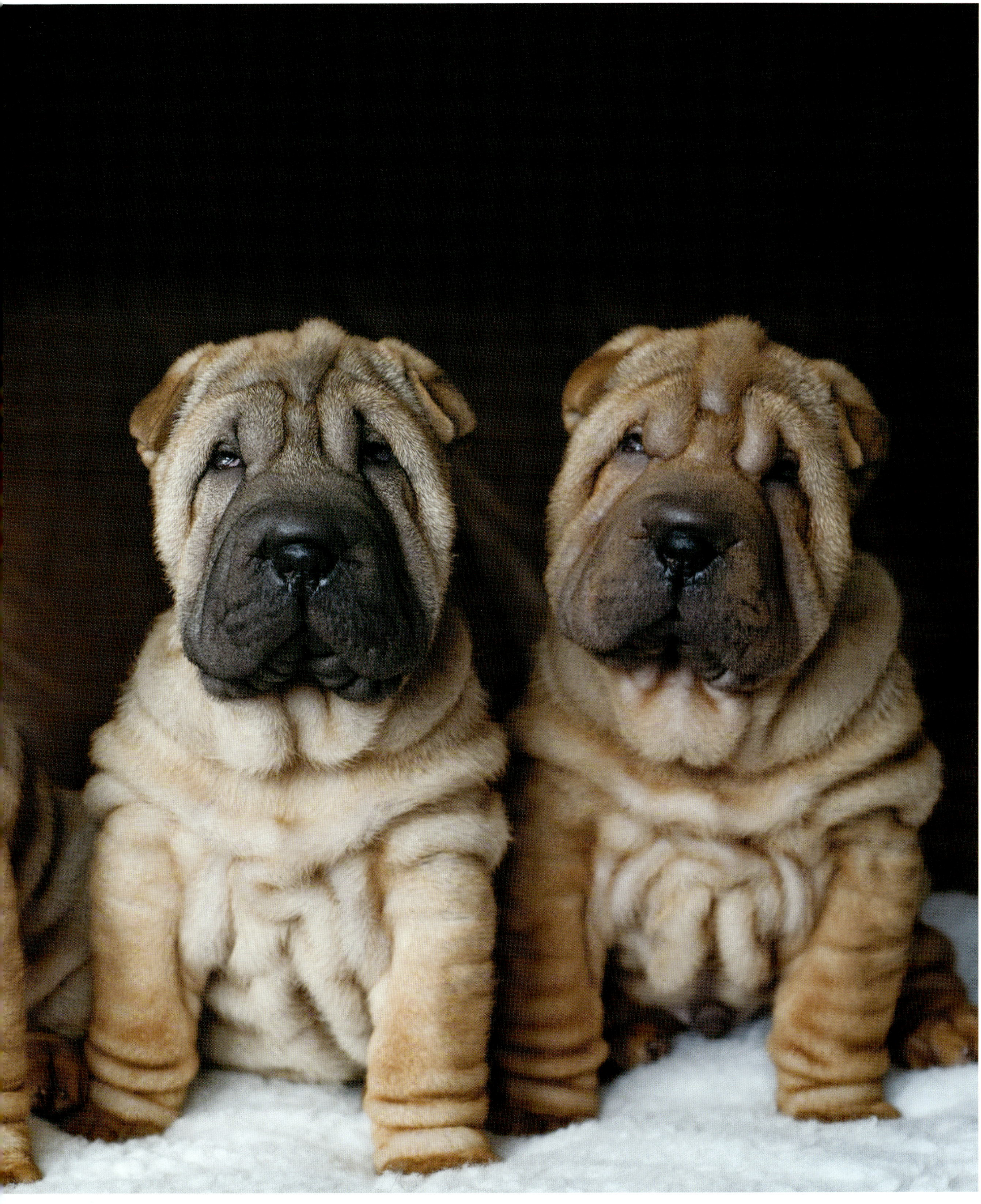

NEWFOUNDLAND
ニューファンドランド

近世以前 - カナダ - 比較的多い

SIZE｜大きさ
体高：雄 71cm／雌 66cm
体重：雄 64〜69kg／雌 50〜54.5kg

APPEARANCE｜外見
威厳があり、力強く頑健。頭部は大きく、幅もある。マズルは短い四角形。濃いブラウンの目は小さく、左右のあいだが離れている。耳も小さく、頭に接している。首は頑丈。胸は深く、幅も広い。背も幅広で水平。腰は筋肉がよく発達している。足は大きく、指に水かきがある。尾は中ぐらいの長さで、運動時には身体よりやや上に保持している。ただし、背の上に巻き上げることはない。

COLOR｜毛色
ブラック、あるいはブラウン。胸、指、尾先の白斑は許容される。白地にブラックの斑があるランドシアというタイプもある。被毛はまっすぐな粗毛が密生するダブル・コートで、脂っぽく耐水性がある。

APTITUDE｜適性
もともとは漁の補助役。現在はそり犬、水難救助犬、さらにはショードッグ、家庭犬として。

威厳あふれるニューファンドランドほど栄光に満ちた歴史を誇れる犬種は、ほとんどないだろう。この犬は生まれつき、人間を守りたい、危険な目に遭っている人、特に水の事故に巻き込まれた人を救いたいという本能を持っている。溺れてもがいている人間を見ると、それが誰であれ、必ず助けに駆けつける。この犬の英雄的行為を伝える話は数限りなくある。加えて、深い愛情、忠誠心、献身性、穏やかさといったすばらしい性格を持ち合わせている。

これらの特長によって、ニューファンドランドは19世紀初頭以降、たいへんな人気犬種となり、数多くの国家元首や王族、探検家、さらには作曲家、詩人、画家などの著名な芸術家に飼われていた。19世紀には犬の肖像画を描くことが大流行するが、当然ながらニューファンドランドをモデルにした絵もたくさん描かれた。英国の画家エドウィン・ランドシーア卿（1802〜73年）も、しばしばこの犬種を絵のモチーフに選んでいる。白地に黒の斑があるランドシアというバラエティは、彼の名にちなんで名づけられたものだ。なお、このランドシアは、AKCとKCではニューファンドランドの毛色の1タイプとしているが、FCIでは別の独立した犬種に分類している。

ニューファンドランドの起源についてはほとんど推測するしかないが、カナダのニューファンドランド島で誕生したことは確かだ。この島には、遅くとも紀元前50年にはベオサック族という先住民が住みついていた。一説には、彼らが連れていた大型の黒い原始的な犬が、ニューファンドランドのもとになったのではないかと言われている。その後、1001年前後にヴァイキングの探検家、レイフ・エリクソン（970頃〜1020年）に率いられてこの島にやってきたスカンディナビア人たちも、大きな犬を連れていた。この犬たちは、土着のベオサック族の犬と交雑したはずだ。そして15世紀になると、ヨーロッパの漁師たちがこの島を再発見し、以後、多数のヨーロッパ人が魚を求めて島にやってくるようになった。そのせいか、ニューファンドランドには、英国人やポルトガル人が連れてきたマスティフ系の犬の特徴や、ピレニアン・マウンテン・ドッグをはじめとするマウンテン・ドッグのような形質もある。

島の植民地化は1610年に始まった。このときにはすでに、かなり特徴の定まった犬が現れており、「セント・ジョンズ・ドッグ」と呼ばれていた。これらの犬は、おおまかに2つのタイプに分けられた――体重の重い、長毛のグレーター・セント・ジョンズと、ぴたりと寝たなめらかな被毛を持つ、細身で小型のレッサー・セント・ジョンズである。ニューファンドランドは、この前者から生まれた犬種だ。一方、後者からはラブラドール・レトリーバーが生まれた。19世紀になると、セント・ジョンズ・ドッグは、ドイツのレオンベルガーやスイスのセント・バーナードの復活にも利用された。また、フラットコーテッド・レトリーバーやカーリーコーテッド・レトリーバーにも、ニューファンドランド島の犬の血が入っている。

今でも泳ぐのが大好きなニューファンドランド島の犬たちは、その性質ゆえ、漁業に携わる人々のあいだで広く利用されていた。積み荷や漁網を運んだり、泳いで船を曳航し陸に引き上げたり、溺れた人の捜索や救助をしたり……。ニューファンドランドがほかの犬とは比べ物にならないほど泳ぎが得意なのは、耐水性にすぐれた被毛を持ち、指には水かきがあるためだ。しかも、生まれつき人を「救いたい」という強い欲求を持っている。そんな彼らは家庭犬としてもかわいがられていた。

この犬がニューファンドランドと名づけられたのは、1775年のことだった。ある男が自分の犬をニューファンドランドと呼んだのが、そのまま犬種名になったのだ。この島からたくさんの犬たちが英国やヨーロッパ大陸、北米に持ち出されたが、ニューファンドランドが現在のような犬種になったのは英国においてだ。英国では、1886年にすでにニューファンドランド・ドッグ・クラブができている。KCが犬種として認めたのも1886年のことだ。ニューファンドランドは20世紀に入る頃に一時流行が下火になったもの

POWER AND STRENGTH｜パワーと屈強さ

の、第一次世界大戦が始まるまでは英国で人気の犬種だった。しかし大戦が始まると、計画的な繁殖が行われなくなり、犬の数は激減してしまう。さらに第二次世界大戦の勃発が、それに追い打ちをかけた。戦後の英国でニューファンドランドが復活を遂げることができたのは、米国から輸入した犬のおかげである。

　これまで数々のニューファンドランドが歴史に名を残してきた。たとえば、1803年に探検家のメリウェザー・ルイス（1774～1809年）が20米ドルで購入したシーマンという名の犬は、1804～06年にかけて、ルイスとウィリアム・クラーク（1770～1838年）とともにアメリカ西部横断の探検に出かけている。同じ頃、イングランドの詩人バイロン男爵（1788～1824年）も、ボースンという名のニューファンドランドを飼っていた。男爵はこの犬をとても愛し、犬が死ぬと、ノッティンガムにあった彼の館ニューステッド・アビーに碑を建てた。そこには忠実な友を偲ぶ詩が刻まれている。

　また、ドイツの作曲家リヒャルト・ワーグナー（1813～83年）も、ラトヴィアの首都リガで巡り会ったロッバーという名のニューファンドランドを連れて帰っている。彼にはもう1頭、ルスというニューファンドランドもいた。ルスは、川に落ちて溺れていた娘のエヴァを救っている。今日のニューファンドランドも、海岸の水難救助や捜索救助チームの一員として働いている。

NEWFOUNDLAND｜ニューファンドランド

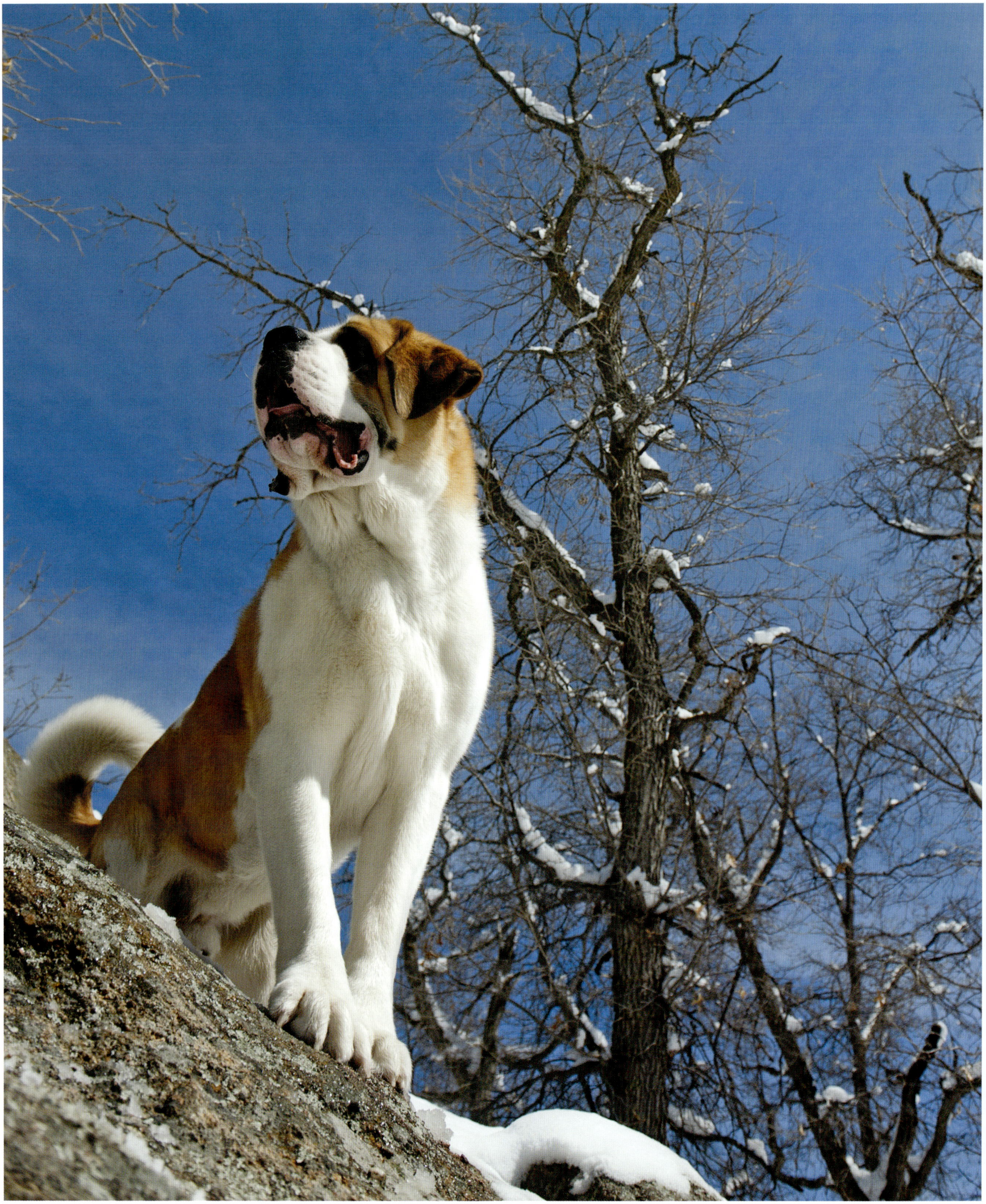

ST. BERNARD
セント・バーナード
近世以前 – スイス – 比較的多い

SIZE｜大きさ

雄　75cm以上／雌　70cm以上

APPEARANCE｜外見

がっしりした体つきだが、気高く人なつこい。頭部が大きく、表情は優しい。マズルは短く、鼻先が四角い。大きなブラックの鼻に、黒みがかった目。耳は中ぐらいの大きさで、頭部に沿って垂れている。首は長く筋肉質。肩はなで肩。胸は深く、幅も広い。背は水平。前肢はまっすぐで骨太。後肢も骨太で力強い。足は大きいが引き締まっている。尾付きは高く、長い尾が垂れ下がっている。

COLOR｜毛色

オレンジ、マホガニー（赤褐色）のブリンドル、レッドのブリンドル、上記のいずれかの色の斑のあるホワイト。マズル、ブレーズ、首、胸、前肢、足、尾先はホワイト。顔や耳は黒みがかっている。被毛のタイプは、ラフとスムースの2つ。ラフ・コートでは、ぺたりと寝た長めの毛が密に生えている。首の周りは特に毛が多く、腿や尾にはじゅうぶんなフェザリングがある。スムース・コートは、ハウンド系の犬のように、短毛が身体に密着するようにびっしり生えている。腿と尾には適度なフェザリングがある。

APTITUDE｜適性

そり犬、捜索救助犬として。さらにはショードッグ、家庭犬としても。

　スイスとイタリアを結ぶ、スイスアルプスのグラン・サン・ベルナール峠は、西アルプス山脈にある峠のなかでは最も古くから名の知られた峠だ。スイスで最も標高の高い峠道の1つでもある。現在は自動車道路が通っているが、かつては1年の半分以上が雪に閉ざされる、足場の悪い危険な難所だった。峠を登りきったところに、グラン・サン・ベルナール・ホスピスという宿坊がある。創建は1050年頃。麓の町の大聖堂の助祭長だったベルナール・ド・マントン（のちに列聖）が、旅人が寝泊まりしたり荒天を避けて避難したりする場所を提供するために造ったものだ。そしてここは、セント・バーナードの誕生の地でもある。

　宿坊の犬たちの祖先はマスティフ・タイプの犬で、1～2世紀頃にローマ軍によってこの地域にもたらされた。大型のマスティフ系は、ローマ時代以降もこの地に数多く残っていた。特に貴族の家では、番犬として重用されていた。これらの犬は、地元スイスで農作業用に飼われていた土着の犬と交雑したが、マスティフ的な特徴は強く残ったままだった。

　だが、この峠の宿坊は16世紀に火災でほぼ全焼し、保存されていた文書もほとんどが燃えてしまったため、宿坊の犬に関する最古の文献は1700年代初頭のものだ。また、現在のセント・バーナードと特徴の似た犬の絵も1600年代後半以降のものしかない。最も古いのはイタリアの画家サルヴァトール・ローザ（1615～73年）が描いたものだ。

　当時、宿坊の犬たちは捜索救助犬として有名になっていた。彼らは、アルプス越えをしていて道に迷ったり、怪我をしたりした旅人を助けていた。18世紀の記録によれば、嵐がやむと、修道僧が犬を連れて付近を捜索し、遭難者がいないか探して歩いたという。やがて生来の能力を生かし、犬たちは修道僧なしで活動するようになる。彼らは2頭でペアを組んで捜索し、遭難した旅人が見つかると、安全な道をたどって宿坊まで案内した。もし旅人が動けなければ、1頭がそばに横たわってその身体を温め、もう1頭が宿坊まで助けを求め走った。犬によって命を救われた人は2000人にのぼるという。

　救助犬としての評判がことに高まったのは、1790年代から1814年にかけてである。しかも、その手柄のうち相当数がバリー（1800～14年）という犬1頭によるものだった。バリーは、生涯で40人の旅人を救ったという。その功績を称えるため、現在、宿坊の犬の1頭は必ずバリーと名づけられることになっている。しかしその後、犬たちを悲劇が襲う。1816～18年は冬がいつになく厳しく、頻発した雪崩に多くの人が巻き込まれた。その救助活動の最中に、二次被害に遭ってたくさんの犬が命を落としたのだ。繁殖に使える種牡や台牝も数多く失われてしまい、貴重な宿坊の犬は絶滅の危機に瀕した。そこで修道僧たちは地元の犬で不足を補充し、さらにグレート・デーンやマスティフなどの血も入れた。

　1850年代になると、犬の繁殖は宿坊以外で行われるようになった。その中心となったのは、ハインリッヒ・シューマッハという人物である。彼の尽力で、この犬種の犬籍原簿も作られた。シューマッハは、犬を繁殖させて宿坊に提供したほか、かなりの数の犬をイングランドに売った。そして1883年にスイスケネルクラブができると、翌84年にはこの犬種の最初の犬種標準が作成された。それまで「ホスピス犬」「バリー犬」「マウンテン・ドッグ」「スイス・アルプス・ドッグ」などと呼ばれていた犬たちに、「セント・バーナード」という名が与えられたのもその頃のことだ。

　1899年にはスイス国内で犬種クラブが設立され、イングランドでも1922年にセント・バーナード・クラブがKCの会員クラブとして認められた。現在、セント・バーナードの犬種標準は、イングランド独自のもの、1884年にスイスで作成されたオリジナルの犬種標準をもとにした米国のもの、そしてオリジナルに改訂を加えたスイスのものの3タイプが存在してる。

CHAPTER 4
第4章 気品と信頼性

人間の文化と関わりながら進化していくにつれ、イエイヌは、いくつかの異なる系統に分かれていった。そこから、軍用犬や猟犬としてすぐれた素質を持つ犬や、そりを引くのが得意な犬、家や人を守るのに適した犬、家畜の群れを扱うのがうまい犬が誕生する。さまざまなタイプの犬種が大昔から存在していて、それぞれ違う役割を果たしていたが、なかには与えられた仕事に特化して独自の発達を遂げた犬もいる。牧畜犬も、そのような専門性を身につけた犬たちだ。

牧畜犬には、高度に磨き上げた特殊な技術が要求される。同時に、あくまで従順であること、賢いこと、人間とぴったり息を合わせて働けること、さらに自らの判断で行動する能力も必要だ。多くの古代文化において家畜は貴重な財産であり、家畜がいなければ人々の生活が成り立たなかった。だから信用できる犬、黙々と仕事に励む犬、そして何と言っても家畜に危害を与える心配のない犬は欠かせない存在だった。

家畜の扱いに長けた犬種は数多くあるが、特に優秀なのがスコットランドとイングランドの境界地帯で誕生したボーダー・コリーだ。頭のよさでこれをしのぐ犬はほとんどないし、仕事の能力も群を抜いている。特殊な役割に特化した犬を作出するという明確な目的をもって品種改良を重ねた結果生まれた犬だ。牧畜犬は概してアジリティ(障害物競走)で優秀な成績を出すが、ボーダー・コリーも例外ではない。特にシープドッグ・トライアルでは、この犬にかなうものはほとんどいない。

シープドッグ・トライアルとは、牧畜犬の能力を試す競技である。犬はハンドラーの指示(主に笛と手信号を使う)を受け、羊の群れを決められたルートに沿って誘導する。見どころは、犬の従順さと羊との一体感だ。羊に対して攻撃性を見せれば、もちろん減点になる。この競技は1867年にニュージーランドで始まり、1873年には英国で初の大会がウェールズのバラで開催された。翌年にはスコットランドでも大会が開かれ、1880年代になると米国でも行われるようになった。

牧畜犬には性質の異なるさまざまな仕事が要求される。そのため、それぞれの仕事をタイプの違う犬に任せたほうがうまくいく。羊を扱うのが得意な犬が牛もうまく扱えるとは限らないし、牛用の犬は羊に向かないことが多い。羊の群れを集めるには、いくつかの特殊な技術が必要だ。犬は通常、先頭に立って群れを動かす。また、あまり吠えたててはいけない。つまり、作業には静けさとデリケートさが要求される。

一方、牛は羊とは反応の仕方が異なるため、仕事のやり方も違ってくる。群れを動かす際は、その後ろについて追いたてる。オーストラリアン・キャトル・ドッグなどは、牛を扱うのに特に適した犬で、ブルー・ヒーラー、レッド・ヒーラーというあだ名で呼ばれている。ヒーラーとは、「かかとをつけ回す者」という意味だ。広々とした牧草地で牛を集めるのも、囲いのなかで牛を誘導するのも非常に上手な犬である。

牛は暴れたり蹴ったりすることも多いため、その群れを扱うのは、機敏で、頑強で、絶対に尻込みすることのない度胸のある犬でなければならない。今日、実際に仕事をしているところを見ることはほとんどないが、コーギーも本来は牛を追う犬である。背が低く、がっちりとした体躯は、蹴上げた牛のひづめを器用に避けながら走り回るのに非常に適している。ロットワイラーやジャイアント・シュナウザーも、昔はドイツで牧牛、特に市場への牛の移送に使われていた犬である。そのため、このような仕事をする犬はしばしば「ブッチャーズ・ドッグ(と畜業者の犬)」と呼ばれていた。

牧畜犬には、家畜を守るという役割もある。これに最も適しているのは、生まれながらに強い保護本能を持った犬だ。たとえばコモンドールやブリアードは、人間の指示を受けずに1日24時間ずっとつきっきりで、捕食動物から家畜の群れを守り続ける。ブリアードなどは、必要があれば群れを移動させる仕事もできる。家畜の番をする犬は、捕食動物に対する激しい攻撃性を持ちながら、預かった家畜を決して襲わないという信頼性がなければならない。また、家畜の群れを移動させる犬は群れの周囲が仕事場になるが、家畜を守る犬は群れのなかで家畜に混じって生活する。そのため、大半の番犬は家畜の群れのなかにすっかり溶け込み、見分けがつかないように白くて羊毛のような独特の毛を持っている。群れを移動させる役割の犬が、監督する人間が見分けやすいように黒っぽい毛色を持っているのとは対照的だ。

農家で生活する犬にとってもう1つ重要な仕事は、家財を守ることだった。家畜番をする犬の多くは、家畜以外の番をするのにも利用されていたが、なかにはこの目的に特化して作出され使われた犬もいる。たとえばドーベルマンは、ある収税吏が、仕事でトラブルに巻き込まれたときに自分の身を守ってくれる犬を作ろうと、意図的に交配を重ねたことで誕生し

た犬種だ。この犬たちは、人々が喜んで金を支払うよう促すのにも大いに役立ったことだろう。

　そのほか、古代からイスラエルの地にいたカナーン・ドッグも家財と家畜を守る仕事をしていたし、ブリアードも有能な警備犬として知られていた。今では愛玩用の家庭犬と考えられているシュナウザーも、かつては農場を守る恐るべき"警報装置"として機能していた。この威勢のいい犬は、さまざまな能力を持つ家畜として飼われていた。小さな害獣を退治し、財産を守り、牛を追い、夜は農夫と一緒に丸まって幸せな眠りにつく、という生活をしていたのだ。

　20世紀になると、社会における農業の重要性が変わり、農業そのものの性格も大きく変貌した。それに伴い、農作業だけを行う犬の必要性も薄れていく。その結果、家畜や番犬として飼われていた犬種の多くが、その知性や敏捷性、スタミナ、勇気、忠誠心、保護本能を必要とする違った方面で働くようになる。すなわち軍事関係である。犬は古代ローマの時代から戦争に使われていたが、19世紀末以降、非常に専門的な軍事訓練を受けた犬が登場するようになったのだ。

　そのような犬は、伝令、哨戒警護、捜索救助、補給物資の運搬、地雷や罠の検知、追跡、狙撃手や偽装爆弾を発見するための斥候などの任務を与えられた。さらには、「対戦車犬」などというものまで現れた。よく使われたのは、訓練のしやすいジャーマン・シェパードだったが、雑種犬も含め、あらゆる犬が軍事的利用を考慮された。20世紀を通して、戦死した犬は何十万頭にものぼる。21世紀に入っても、中東ではそのような活動をする犬がいまだに存在する。忠実さ、勇気、知性、粘り強さといった牧畜犬や番犬に利用される犬種の特長と、その応用範囲の多様さはとどまるところを知らないのだ。

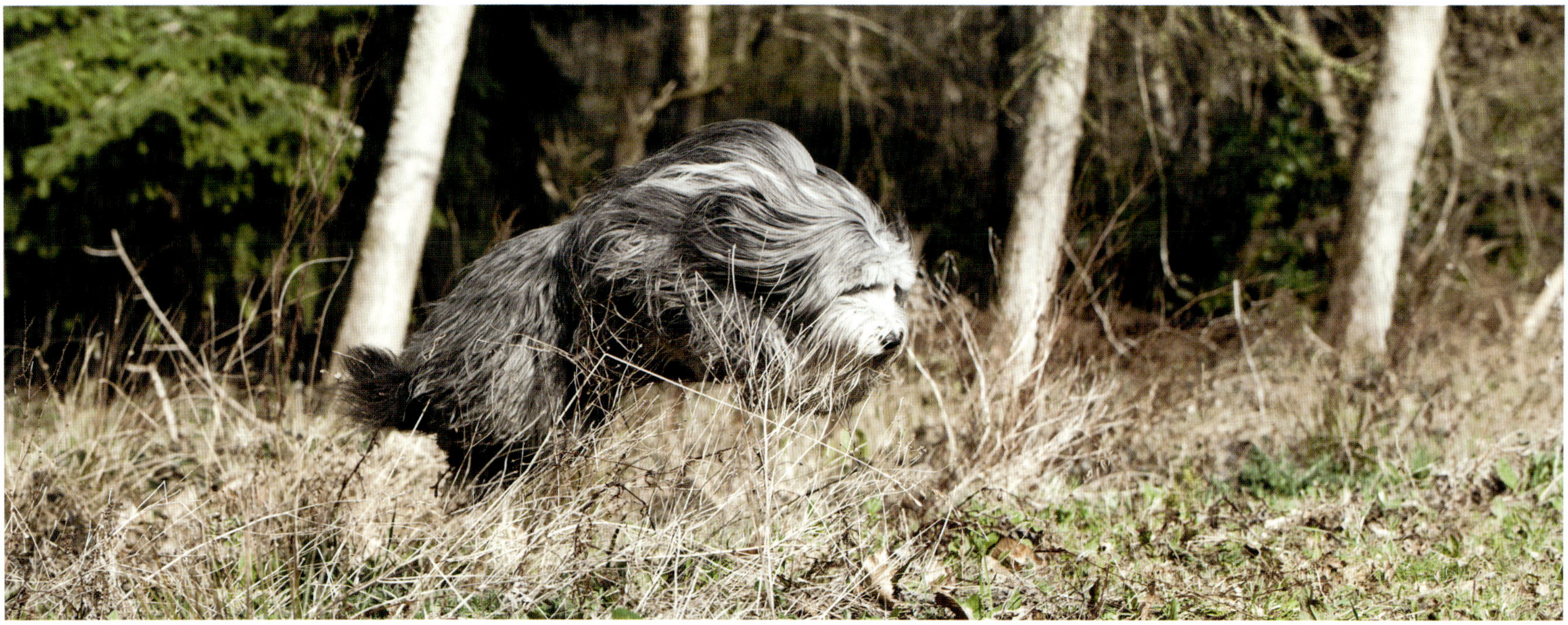

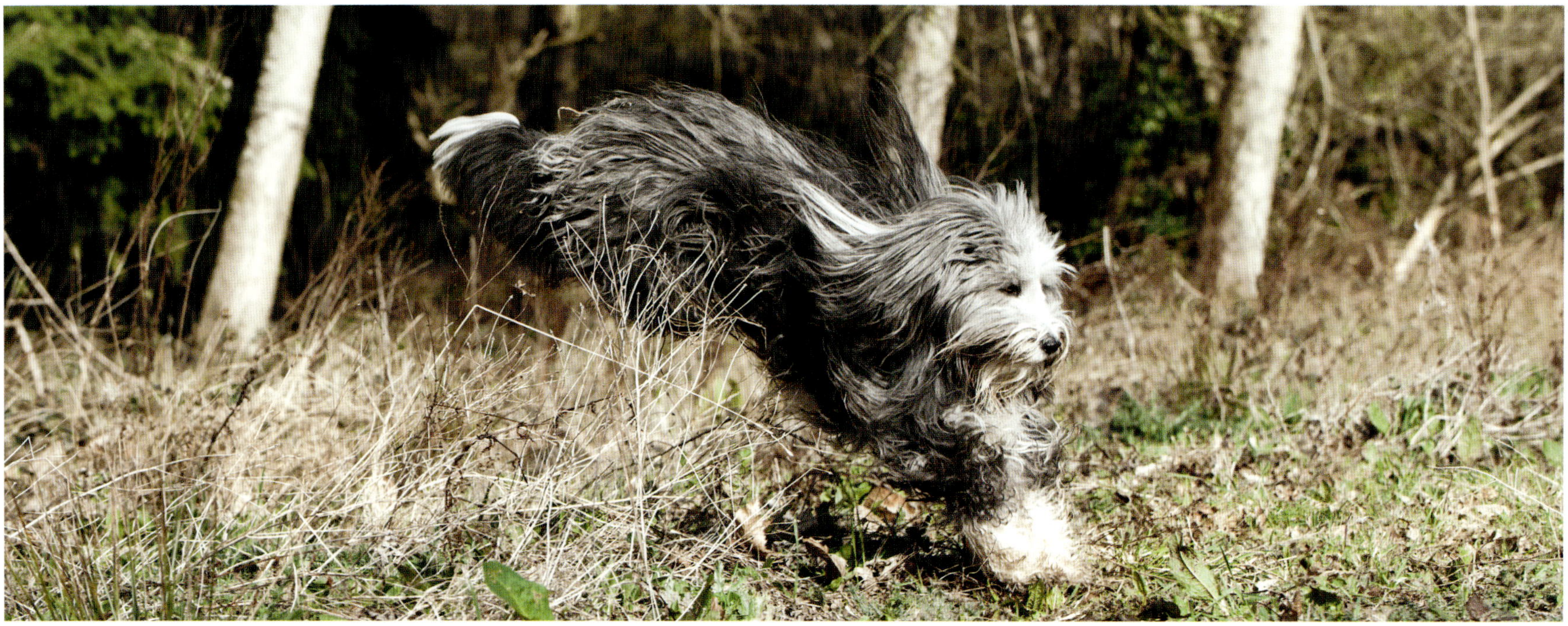

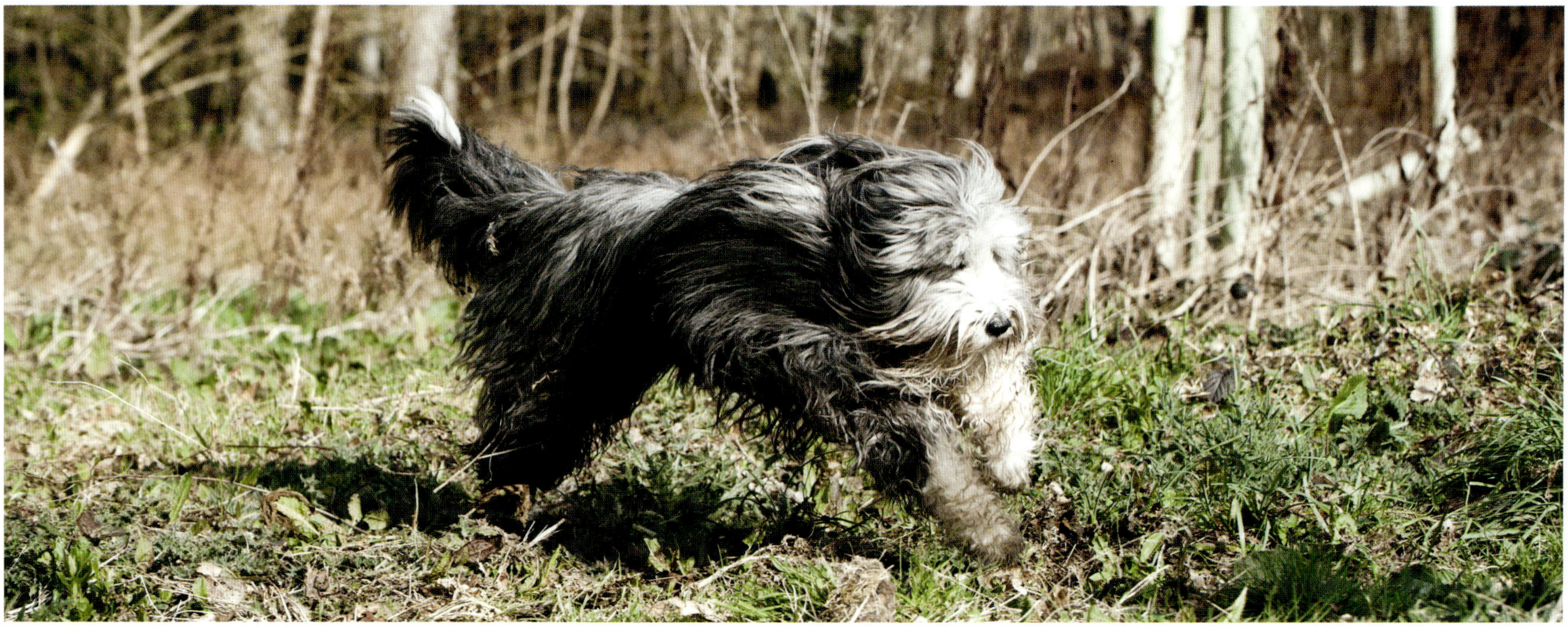

BEARDED COLLIE
ビアデッド・コリー

近世以前 – スコットランド – 比較的多い

SIZE｜大きさ
雄 53〜56cm／雌 51〜53cm

APPEARANCE｜外見
生き生きとして快活。頭部はボディとバランスのとれた大きさ。幅広いスカルに、力強いマズル。鼻は大きく四角形で、通常はブラック。やはり大きな目は、あいだがかなり離れ、穏やかな表情を見せる。目の色は毛色と調和している。耳は中型の垂れ耳。首は筋肉がよく発達し、わずかにアーチを描く。肩はなで肩。背は水平。体高よりも胴が長く、胸が深い。四肢は全体がむく毛で覆われている。後肢は筋骨たくましく、飛節の位置が低い。尾付きも低く、飛節に達するほどの長さの尾は下に垂れているが、先端は少し上に向かって巻いている。

COLOR｜毛色
スレート・グレー（濃い青灰色）、赤みがかったフォーン、ブラック、ブルー、さまざまな色合いのグレー、ブラウン、サンディ。ホワイトの模様があるものとないものがある。目の上、耳の内側、頬、尾の付け根の下、四肢それぞれの地色とホワイトの模様との接点に、わずかなタンの斑があっても許容される。被毛はダブル・コート。上毛は硬いむく毛が身体に沿うように生え、多少のウェーブは認められる。下毛はやわらかく、豊かに密生している。

APTITUDE｜適性
牧羊犬、ショードッグ、家庭犬として。トライアル、アジリティにも。

ビアデッド・コリー、愛称ビアディは非常に能力の高い牧羊犬だが、牛を扱うのも巧みだ。この愛らしい犬はスコットランドで生まれ、地元では「スコッチ・シープドッグ」「マウンテン・コリー」「ハイランド・コリー」「ヘアリー・モード・コリー」などと呼ばれていたこともある。何百年ものあいだ、地元以外で知られることなく暮らしてきたこの犬は、スコットランドの農村地帯ではなくてはならない"仕事道具"だった。

ビアディは、羊の群れを追うという目的のために発達してきた犬だが、そのもとになったのは、ヨーロッパ大陸にいたやはり毛の長い牧畜犬だったと考えられている。スコットランドの犬に外からの影響があったことを示唆する最も古い記録は、ポーランド人の船主カジミエズ・グラブスキーにまつわるものだ。1514年、グラブスキーは羊を買いつけるために、穀物を積んで海路スコットランドにやってきた。そのとき彼は、6頭のポリッシュ・ローランド・シープドッグを伴っていたという。グラブスキーの犬たちがスコットランドの犬と交配したかどうかを示す記録は残っていないが、今日のビアディの身体的特徴がポリッシュ・ローランド・シープドッグと驚くほど似ていることから、その影響があった可能性はきわめて高いと思われる。

そこからどのように発達したか、その経過もはっきりしていないが、ビアデッド・コリーは、長い被毛を持ち、顔にひげのようなぼさぼさのむく毛がある、スコットランドの厳しい気候に非常に適した犬になった。その昔、犬種標準など存在していなくても、この地の牧羊犬として最も適した犬だけが繁殖に使われることで、現在のような形質が固定化されてきたのだと考えられる。

18世紀になると、この犬は芸術作品にも登場するようになる。最も古いのは、トマス・ゲーンズバラ（1727〜88年）の筆になる第3代バックルー公の肖像画で、公爵に寄り添うようにして毛むくじゃらの小さな犬が描かれている。この犬は、その少し後にジョシュア・レイノルズ（1723〜92年）がバックルー公爵夫人を描いた絵にも描き込まれている。この犬種について書かれた文献で最古のものと思われるのは、ヒュー・ディエルの『British Dogs（英国の犬）』（1879年）だ。スコットランド西部に「Bearded Colley」という、おそらくハウンド犬の血が混じった毛むくじゃらの犬がいる、とディエルは書いている。この本の改訂版で、ディエルは犬名のつづりを「Colley」から「Collie」に改め、イングランドの各種シープドッグとコリーの交配から生まれた犬ではないかと推測している。

この頃、シープドッグ・トライアルがすでに誕生していた。英国で初めての大会は、ウェールズのバラで1873年に開催された。以来、このスポーツは急速に人々の人気を集め、今では世界中で行われている。特に盛んなのは、米国とオーストラリア、ニュージーランドである。ビアディは、この競技でも抜きん出た成績を収めている。

しかし、この犬種への関心が増しても、きちんとした犬種標準は1898年まで作られなかった（なお、このとき定められた詳細の大部分は現在も変更されていない）。また、20世紀に入ってもビアディの数はそれほど増えず、犬種クラブを作ろうという計画も、第一次世界大戦の勃発によって頓挫してしまう。だが戦争が終わると、ミセス・ミラーを中心とするスコットランドのブリーダーたちが、再びビアディの普及に努め始める。そうして1929年から、第二次世界大戦の開戦が迫る34年に活動を休止するまでのあいだに、55頭ものビアディが登録された。

ビアデッド・コリー・クラブができたのは1955年のことだった。以後、ビアディの人気は、英国はもちろん、ヨーロッパや米国、南アフリカ、オーストラリアでも着実に伸びている。特にイングランドでは、1989年のクラフツ展でザ・ビアディ・ポッターデール・クラシック・アット・ムーンヒルがBISを受賞して以来、この犬種の評判が高まっている。

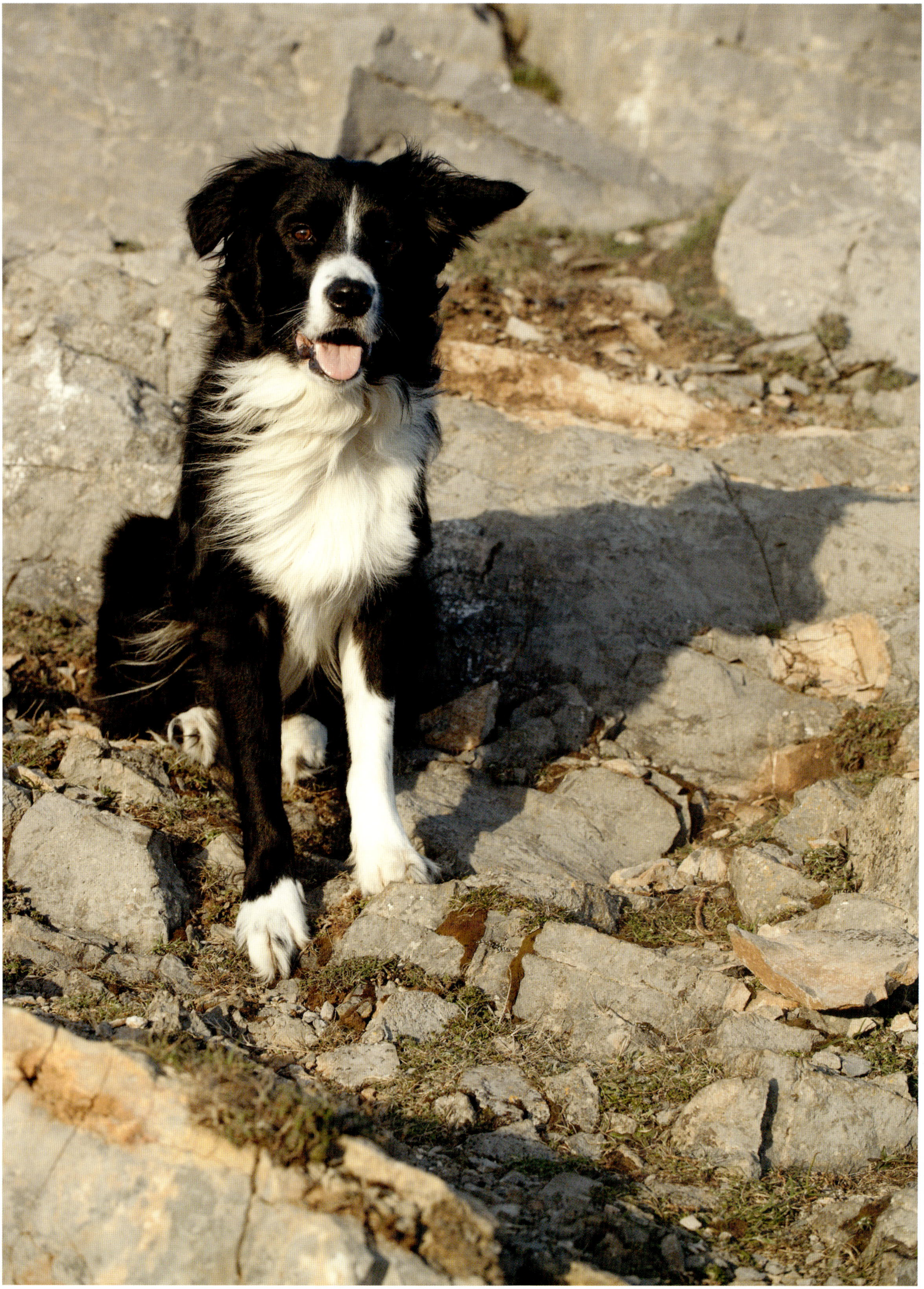

BORDER COLLIE
ボーダー・コリー
近現代−英国−一般的

SIZE｜大きさ

雄　53cm／雌　雄よりもやや小柄

APPEARANCE｜外見

優雅で精悍かつ知的。完璧に均整のとれた、いかにも運動能力にすぐれた犬らしいアウトライン。マズルは意外に幅が広く、適度な長さで、鼻に向かって細くなる。目は卵形で、左右のあいだが離れている。目の色は通常ブラウンだが、毛色がマール（明るい地色に同系色の濃い斑）の犬の目はブルー。耳はほどよい大きさの直立耳か半直立耳で、かなり離れて付いている。首はじゅうぶんな長さ。幅の広い深い胸は、肋骨がよく張っている。胴は体高よりもやや長め。後肢は筋肉がよく発達している。尾はかなり長く、普段は低い位置で保持しているが、興奮すると上に上がる。ただし、背中に背負ってはいけない。

COLOR｜毛色

単色、2色、3色、マール、セーブル（褐色に黒い毛先が混じるもの）。ただし、全身ホワイトの単色は認められない。被毛は、直毛かゆるやかなウェーブのある長めのラフと、少し手触りがごわごわした短毛のスムースの2つのバラエティがある。

APTITUDE｜適性

牧羊犬、遭難救助犬、ショードッグ、家庭犬として。トライアル、オビディエンス、アジリティにも。

世界最高の牧羊犬は、何と言ってもボーダー・コリーだろう。頭のよさでも常に十指に数えられる。身振りや音声による指示によく反応し、問題解決能力も他の犬種の追随を許さない。さらに、親しい人にはとても忠実で愛情深い。ただし、高レベルの運動が必要で、常に知的な刺激を受け続けていなければ我慢できない犬なので、作業犬として働いていない場合は、アジリティなどの大会に出場させたほうがよい。

ブリテン島のケルト人クラン（氏族）が農業や牧畜で生活の土台を築いていったのは紀元前600年頃から西暦50年頃のことだが、その頃羊の飼育も始まり、その過程でいろいろなタイプの牧羊犬が現れた。ウェルシュ・シープドッグ、ブラック・アンド・タン、ウェルシュ・ヒルマン、シェットランド・シープドッグ、ビアデッド・コリー、オールド・イングリッシュ・シープドッグ、スコッチ・コリーなどだ。ボーダー・コリーは、スコットランドとイングランドの境界（ボーダー）付近でこれらの犬から発達してきた犬種だが、19世紀に入るまでその存在が"公式"に認識されることはなく、単に「作業用牧羊犬（ワーキング・シープドッグ）」と呼ばれていた。現在の名称が使われるようになったのは、1915年のことである。ほかのコリー系の犬種と区別するためだった。

1840年代、ヴィクトリア女王（1819〜1901年）が所有する英国王室犬舎には2頭の「作業用コリー」がいた。しかし、この犬種が女王の寵愛を手に入れるのは、1860年代に入ってからだった。女王が最初にペットとして飼ったボーダー・コリーはシャープという名前で、1866年に撮影された一連の女王の肖像写真にも一緒に写っている。もう1頭のお気に入りはノーブル3世という名前の犬で、しばしば絵のモデルにもなった。さらにナニーという名の真っ白い雌もいたが、KCやAKCの犬種標準では純白はボーダー・コリーには認められていない毛色だった。そして1873年、英国初のシープドッグ・トライアルが開催されると、ボーダー・コリーは驚異的な結果を残した。特に、ハンドラーが口笛と手信号だけで与えた指示に的確に従う能力に、世間の人々は舌を巻いた。

現代のボーダー・コリーを作出するうえで、特に重要な役割を果たした犬が何頭かいる。なかでも、1893年生まれのオールド・ヘンプの働きは特筆に値する。彼は200頭以上の雄犬と、記録しきれないほど多くの雌犬の父親となったと言われ、現代のボーダー・コリーの基礎となった種牡犬だと考えられている。また、1901年に生まれたオールド・ケップは優しい気性の犬で、いつも羊を「目で操る」ことで有名だった。ボーダー・コリーは、羊の群れを動かすときに、しばしば目を使う。羊をじっとにらみつけるだけで、言うことを聞かせるのだ。

そのほか、ボーダー・コリーの質の向上に努めたブリーダーのJ・M・ウィルソンが飼っていた、ウィルソン・キャップ（1937年生まれ）による貢献も大きい。188頭もの登録犬の父親になった犬で、1963年生まれの伝説の犬、ウィストン・キャップも、この犬の子孫である。ウィストン・キャップは、国際シープドッグ協会の紋章に描かれ、その血を引く犬たちは現在、最も近代的なボーダー・コリーの血統であると見なされている。

ボーダー・コリーの繁殖では常に外見は二の次で、すぐれた作業能力が重視されてきた。そのため、ドッグショーに犬を出陳する人々と、実際に働いているボーダー・コリーを飼育している人々とのあいだに意見の食い違いが生じることもあった。そういったこともあり、1976年にドッグショーに出陳できる犬種としてボーダー・コリーを認定したKCは、今後のボーダー・コリーの発展が道を逸れたものにならないよう作業能力テストを導入し、この犬が持つ作業犬としての基本的な性質を守っていくことにした。このテストに合格した犬だけが、最高レベルのチャンピオン・タイトルに挑戦することができるのだ。一方、米国では、単に外見の基準だけで登録するAKCと、本来の性質を失わせたくないと考える作業犬の飼い主たちのあいだで対立も起きている。

NOBLE AND FAITHFUL｜気品と信頼性

COLLIE (ROUGH)
ラフ・コリー

近現代 − スコットランド − 比較的多い

SIZE｜大きさ
雄　56〜61cm／雌　51〜56cm

APPEARANCE｜外見
美しく、威厳があり、油断がない。頭部は、横から見ても前から見ても先端の丸い、すっきりとしたくさび形。目はアーモンド型の暗褐色で（毛色がマールなら、ブルーの目でもよい）、穏やかで知的な表情を浮かべている。耳は小さな半直立耳で、先端が前に折れている。中ぐらいの長さの首は筋肉質で、しっかりとしたアーチを描く。体長は体高に比べて少し長い。背は腰のあたりでわずかに盛り上がる。胸は深い。尾は長く、低い位置で保持している。警戒しているときに高く上げることもあるが、背の上に背負うことはない。

COLOR｜毛色
セーブル＆ホワイト、トライ・カラー（ブラック、タン、ホワイトの3色）、ブルー・マール。首回り、前胸、ブレーズ、四肢、足、尾先には特徴的なホワイトの斑がある。被毛はダブル・コートで、ラフとスムースの2タイプがある。いずれも、上毛はまっすぐで手触りが粗く、下毛はやわらかく密生している。たっぷりとしたメーン（首の後ろと脇にある長く豊富な毛）とフリル（あごの下の胸の飾り毛）があり、前肢にも豊かなフェザリングがある。後肢のフェザリングは飛節の上だけ。尾の毛も非常に豊富。

APTITUDE｜適性
牧羊犬、ショードッグ、家庭犬として。トライアル、アジリティにも。

この美しくエレガントな犬には、数々の呼び名がある——コリー、ラフ・コリー、イングリッシュ・コリー、スコティッシュ・コリー、ロング・ヘアード・コリーなどだ。コリーには2つのタイプがある。長毛のラフ・コリーと、短毛のスムース・コリーである。20世紀のあいだ人気が高かったのは、前者のほう。美しい外見もさることながら、その人気に火をつけたのは、アルバート・ペイソン・ターヒューン（1872〜1942年）やエリック・ナイト（1897〜1943年）の小説だろう。名犬ラッシーは、ナイトが生み出したキャラクターである。

ラフ・コリーは、スコットランドのハイランド地方や、英国諸島の高地や荒野で作業犬、牧羊犬として働いていた犬から発達した。基本的な特徴としてはまず、攻撃的な行動をとらないこと、従順で耐久性があることなどが挙げられる。必要があれば、かなりのスピードも出せる。そのため、今日でも実際に作業犬として使われている。また、とても頭がよい犬で、何かやるべき仕事を与えられることを喜び、アジリティやオビディエンスの大会に出れば好成績を収める。さらに親切で気立てがよく、特定の人に対して忠実であることから、すばらしい家庭犬にもなる。ただし、よく吠えるという一面もある。

ラフ・コリーの頭部が特徴的なくさび形なのは、一説には、犬種として発達する過程でボルゾイの血が入ったからだと言われている。確かに、ラフ・コリーとボルゾイはたびたび掛け合わされてきた。特にロシア皇帝は、この交配をしばしば行わせたという。けれども、ラフ・コリーの独特な頭の形は、実際はかつての家畜商人が自分たちのコリーにディアハウンドやグレーハウンドを掛け合わせた結果なのではないかと思われる。一方、ラフ・コリーからは20世紀初頭にシェットランド・シープドッグが誕生した。この活発な小型犬と大きなラフ・コリーが非常によく似ているのは、単なる偶然ではないのだ。

ラフ・コリーは1860年に初めてドッグショーに登場した。バーミンガム愛犬協会が主催するショーで初めて「シープドッグ、コリー、作業場・猟場犬」部門が設けられ、これに出陳されたのだ。その直後、ヴィクトリア女王（1819〜1901年）がこの犬をとても気に入って飼い始め、熱心に後援した。1867年になると、オールド・クッキーという名前の犬が生まれる。この犬種に、褐色に黒い毛先が混じったセーブルという毛色のバラエティが誕生したのは、この雄犬によるところが大きい。そして1873年にKCが創設されると、きちんと内容が立証できる血統書が発行されるようになる。その年さっそく血統書を交付された数少ない犬のなかに、雄のラフ・コリー、トリフォイルもいた。トリフォイルの姿はラフ・コリーの理想とされた。ちなみに、飼い主のスワリス・シャーリーという政治家はKCを創立した人物でもある。現代のコリーは皆、多少なりともトリフォイルの形質を受け継いでいると言われている。

初期のブリーダーで重要な役割を果たしたのは、ヘンリー・レイシーとオークライトだ。彼らの犬たちによって、ブルー・マールのバラエティが確立された。ラフ・コリーの犬種標準が作成されたのは1881年。同年に設立されたコリー・クラブにおいてだった。その内容は、現在もほとんど変わっていない。1885年にはスコットランド・コリー・クラブも創設された。このクラブは今も存続しているが、KCの会員クラブとして認定されたのは1939年である。

この犬種の人気は2冊の本によって決定的なものになった。1冊は、1888年にL・アプコット・ジルが出版したヒュー・ディゼルの『The Collie — its History Points and Breeding（コリー、その歴史と繁殖）』。もう1冊は、1890年にホレース・コックスによって出版された、ロードン・リーの『A History and Description of the Collie or Sheep Dog in His British Varieties（コリー、または英国のシープドッグの歴史と特徴）』である。

OLD ENGLISH SHEEPDOG
オールド・イングリッシュ・シープドッグ
近現代 − イングランド − 比較的多い

SIZE｜大きさ

雄 61cm以上／雌 56cm以上

APPEARANCE｜外見

がっしりとして、全体的に四角い印象。非常に豊かな被毛に覆われている。頭部も、頑丈なマズルも四角い。大きなブラックの鼻に、ダークまたはウォール・アイ（青白い目色、あるいはブルーの斑がある目色）の目。両目のあいだは広く離れている。耳は小さく、頭部に接して垂れている。首も頑丈で長く、アーチを描く。胴体は短くコンパクトで、上から見ると洋梨型。トップラインはキ甲から腰に向かってゆるやかに持ち上がる。胸は深い。腰は幅広で、わずかに弧を描いている。かつては断尾が施されていたが、現在は行われておらず、豊富なフェザリングのある尾を自然に掲げている。

COLOR｜毛色

さまざまな色合いのグレー、グリズル（ブルーがかったグレー）、ブルー。首、前躯、腹の下側はホワイトで、斑はあってもなくてもよい。胴と後肢は単色。後肢にはホワイトのソックスがあってもよい。被毛はダブル・コート。上毛は粗い質感のむく毛だが、カールはしていない。下毛は防水性がある。

APTITUDE｜適性

牧畜犬、ショードッグ、家庭犬として。アジリティにも。

1961年、デューラクスという英国の塗料会社がオールド・イングリッシュ・シープドッグを会社のマスコットとして採用し、この犬は同社の"顔"となった。テレビCMに登場した初代犬は、シェプトン・ダッシュという名で、ドーセット州シェプトンマレットにあった有力な犬舎、シェプトン・ケネルの出身だった。それから何代もの犬が、この会社のマスコットとして活躍し続けた。広告に使われたおかげで、この犬は広く一般の人々に知られるようになり、人気の高い犬種となった。CMばかりでなく、『チキ・チキ・バン・バン』やディズニーの『リトル・マーメイド』などの映画にも登場している。

この犬種の起源はわかっていないが、一般には、ビアデッド・コリーとロシアン・オフチャルカという犬の影響があったと考えられている。これらの犬と明らかに外見が似ているためだ。ロシアン・オフチャルカは、バルト海沿岸から船でスコットランドに持ち込まれ、ビアデッド・コリーと交雑したのではないかと推測されている。そのほか、フランスのブリアードの名前もしばしば挙げられる。いずれにせよ、19世紀にはオールド・イングリッシュ・シープドッグらしい特徴がすでに表れていた。

この犬と最も縁の深い土地はイングランド、サセックス州のサウスダウンズ地方である。ニューフォレスト種のポニー（小型馬）を移動させるのに使われることもあったが、仕事の中心は牛や羊を市場まで追いたてることだった。そのため、ロンドンのスミスフィールド地区で開かれていた家畜市にちなんで、「スミスフィールド・ドッグ」と呼ばれることもあった。18世紀になると、英国では愛玩犬に税が課せられるようになり、課税対象外である作業犬には、ペットではない証として断尾が行われた。現在も、この犬を「ボブテール（切り尾）」と呼ぶことがあるのはこのためだ。イングランドでは2007年に断尾を禁止する法律ができたが、米国では現在も許されている。

この作業犬の性質についてまとめられた古い文献の1つに、1810年にR・パーキンソンが著した『Treatise on the Breeding and Management of Livestock（家畜繁殖管理論）』がある。パーキンソンはこの本のなかで、その発祥の地はドーセットだと述べている。すぐれた作業能力を誇るボブテールは、きわめて優秀──最も頑健で、賢く、従順──なものだけが繁殖に用いられ、その特徴を発達させていった。1877年にKCが「シープドッグ、短尾、イングランド産」という犬を2頭登録するが、これはこの犬のことだと考えられている。

1881年になると、ウィリアムとヘンリー・ティリー兄弟が、シェプトン・ケネルというオールド・イングリッシュ・シープドッグの犬舎を始める。この犬舎はたくさんのチャンピオン犬を輩出し、その血統をもとに新たな犬舎がいくつも設立された。その後ヘンリーは、イングランド・オールド・イングリッシュ・シープドッグ・クラブの総裁を務めた。英国の犬種標準は1888年に作成されたが、これもまた彼の尽力によるところが大きい。さらにヘンリーは、米国にこの犬を紹介することに力を入れるとともに、同国の犬種標準作りにも協力した。彼とフリーマン・ロイドが米国の標準を書き上げたのは、1904年のことだ。この年、米国オールド・イングリッシュ・シープドッグ・クラブも創設されている。

こうして米国では、1880年代後半からこの犬の人気が高まっていく。そのきっかけの1つが、ピッツバーグの大資本家、ウィリアム・ウェイドがこの犬の熱心なファンだったことであった。その影響で、鉱山経営で財を成したグッゲンハイム家や鉄道王コーネリアス・ヴァンダービルトの一族をはじめとする米国の富裕層のあいだで、この犬種が急速に認知され飼われるようになったのだ。2つの世界大戦の影響は英国でも米国でも小さくなかったが、それでもオールド・イングリッシュ・シープドッグは戦後すぐに数を戻し、今日でも多くのファンを持つ犬種の1つとなっている。

NOBLE AND FAITHFUL｜気品と信頼性

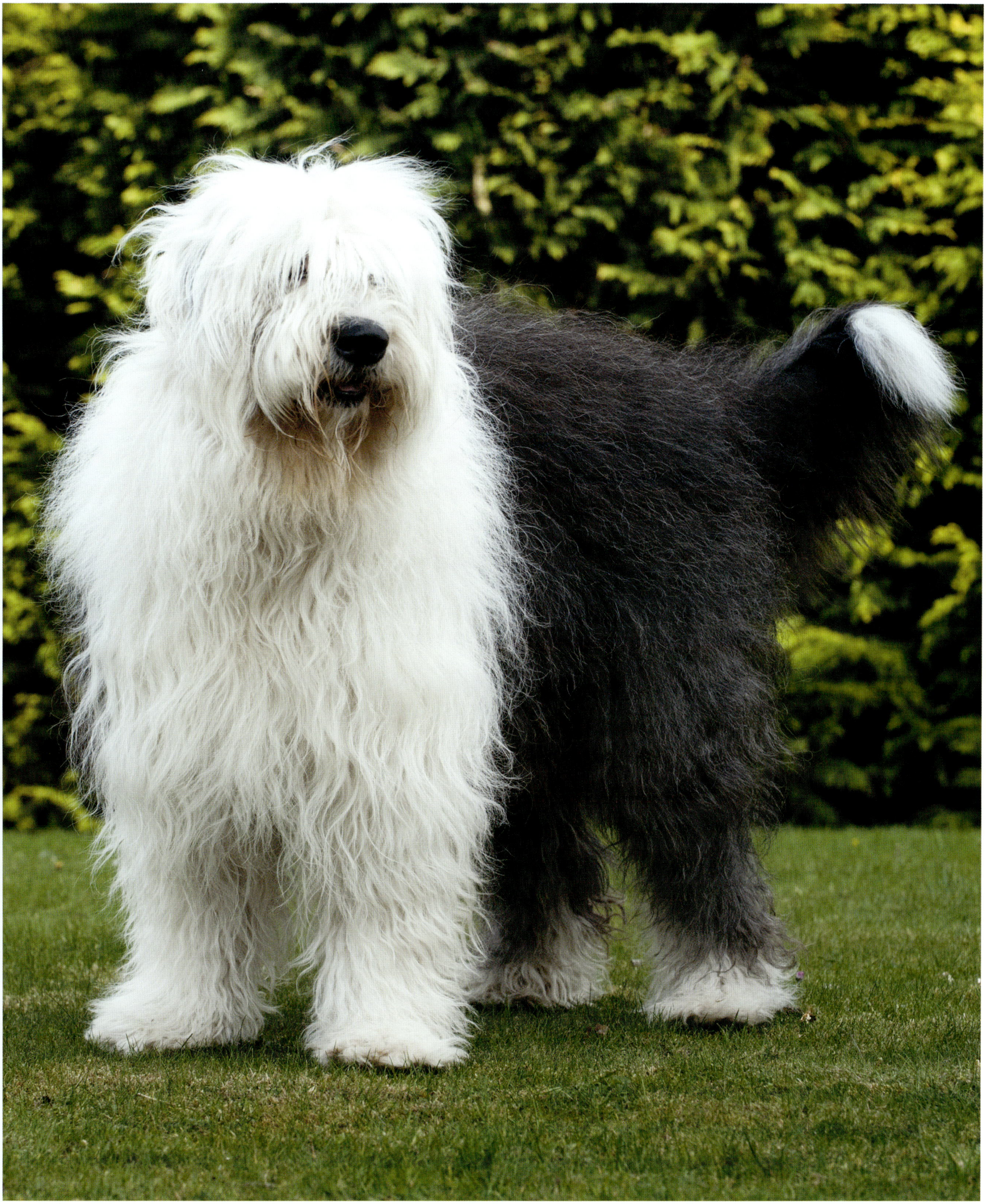

PYRENEAN MOUNTAIN DOG
グレート・ピレニーズ

近世以前 – フランス – 比較的多い

SIZE｜大きさ
体高：雄 70cm以上／雌 65cm以上
体重：雄 50kg以上／雌 40kg以上

APPEARANCE｜外見
優雅で高貴かつ堂々としたたたずまい。頭部は力強く、ほどよい長さ。マズルも力強く、鼻先に向かって徐々に細くなる。目はアーモンド型で、暗いアンバーブラウン（茶系の琥珀色）。三角形の小さな耳は、くつろいでいるときには頭に沿って垂れている。短めの首も、肩もやはりパワフル。胸は幅広い。背も幅広で、筋肉がよく発達している。腰は筋骨たくましい。尻はわずかに傾斜し、トップラインからなめらかな曲線で尾まで続いている。前肢は骨太でまっすぐ。後肢にはしっかりとしたデュークロー（飛節の下に生ずる余剰趾）が2本ずつあり、指がわずかに外を向いている。根元が太く、先細の尾は飛節の少し下まで達し、羽根飾り状のプルームと呼ばれる太く長い飾り毛がたっぷりと生えている。休んでいるときは下に垂れているが、警戒時には背の上にくるりと巻き上げる。

COLOR｜毛色
ホワイト。ウルフ・グレーやバジャー（ホワイト、グレー、ブラウン、ブラックが混合した毛色）、淡いレモン色、オレンジ、タンの斑があるものも可。被毛はダブル・コート。長い上毛は、直毛かわずかにウェーブがかった毛が平らに寝ており、手触りは粗い。下毛はやわらかく密生している。

APTITUDE｜適性
軍用犬、番犬、ショードッグ、家庭犬として。

ヨーロッパ南西部に横たわる雄大なピレネー山脈がグレート・ピレニーズのふるさとだ。この美しい白犬は何千年ものあいだ、この山々に囲まれた、他の地域との交流の少ない土地で暮らしてきた。その起源は、先史時代に中央アジアあるいは東南アジアで生まれ、進化してきた大型犬にまでさかのぼる。生誕の地を離れた犬たちは、それぞれ独自の特徴を発達させていく。グレート・ピレニーズの祖先がピレネー山脈にやってきたのは、紀元前3000年より前ではないかと考えられている。

彼らは、その環境と番犬としての役割に適応していった。実際にグレート・ピレニーズは、家財や人を守ることはもちろん、家畜を守るのにもすぐれた能力を発揮する。特に牧羊犬としての歴史は数百年にも及び、人間の指示がなくても、自分だけで羊の群れの面倒を見ることができる。この犬に関する最も古い文献は、1407年にある歴史家が著したものだが、そこにも「山に棲む大きな犬」の優秀さが挙げられている。

この犬種に多くの人々の注目が集まるようになったのは、17世紀のことだ。ルイ14世（1638～1715年）が、この犬を「フランス王家の犬」に選んだためである。貴族たちは、この犬を手に入れて屋敷の警備に利用した。またバスク地方の漁師たちは、漁にこの犬を伴った。そして漁師に連れられてカナダのニューファンドランド島に渡ったこの犬から、ニューファンドランドという犬が誕生したとも言われている。

英国の文献に出てくる最も古いグレート・ピレニーズは、1844年にフランス王ルイ・フィリップ（1773～1850年）がヴィクトリア女王（1891～1901年）に贈った1頭だ。この犬種にしては非常に珍しいことだが、この犬は攻撃的で、女王の腕を強く咬んだため王宮を追い出され、ロンドン動物学協会に下賜されてしまったという。それでも翌1885年にはクリスタル・パレス・ショーでこの犬種の出陳が始まり、KCに犬種として公認された。しかし、基本的に作業犬と見なされていたため、英国ではなかなか繁殖が試みられず、犬種として定着するのは1930年代以降である。なお、英国やヨーロッパ大陸では、この犬種をピレニアン・マウンテン・ドッグと呼ぶ。そのため、1936年に創設された英国初の犬種クラブも、英国ピレニアン・マウンテン・ドッグ・クラブという名称を用いている。

一方、17世紀に人気を博したフランスでは、繁殖クラブが2つあったにもかかわらず、この犬種への人々の関心が薄れたことなどにより、その数を徐々に減らしていった。さらに、2つの世界大戦でフランス軍がこの犬を徴用して伝令として利用したため、ついには危機的なまでに数が減ってしまう。幸い今では数も人気も回復しているが、それは一部の愛好家と、2つのクラブが1920年に合併してできたピレネー犬愛犬家協会の尽力によるところが大きい。同協会が1927年に作成した犬種標準は、他の国々の標準の基礎となっている。

米国に初めてこの大きな白い犬が持ち込まれたのは1824年。フランスの貴族で軍人でもあったラファイエット将軍（1757～1834年）によってだと言われている。しかしその後に続く者はおらず、グレート・ピレニーズが改めて導入されたのは1931年のことだった。そしてその2年後に、AKCからワーキング・グループに属する犬種として認定された。

20世紀末、絶滅が懸念されていたピレネー山脈のヒグマの数を増やすため、何頭かのクマが自然に放された。それに不安を募らせた地元の羊飼いたちに対し、EUは羊の群れを守るグレート・ピレニーズを追加購入するための補助金を交付した。その結果、現在では、この地方のほとんどの羊の群れに4～5頭のグレート・ピレニーズがついている。だが、この犬の活躍の場は羊の放牧場ばかりではない。愛情深い伴侶として、すばらしい家庭犬にもなりうるのだ。

NOBLE AND FAITHFUL｜気品と信頼性

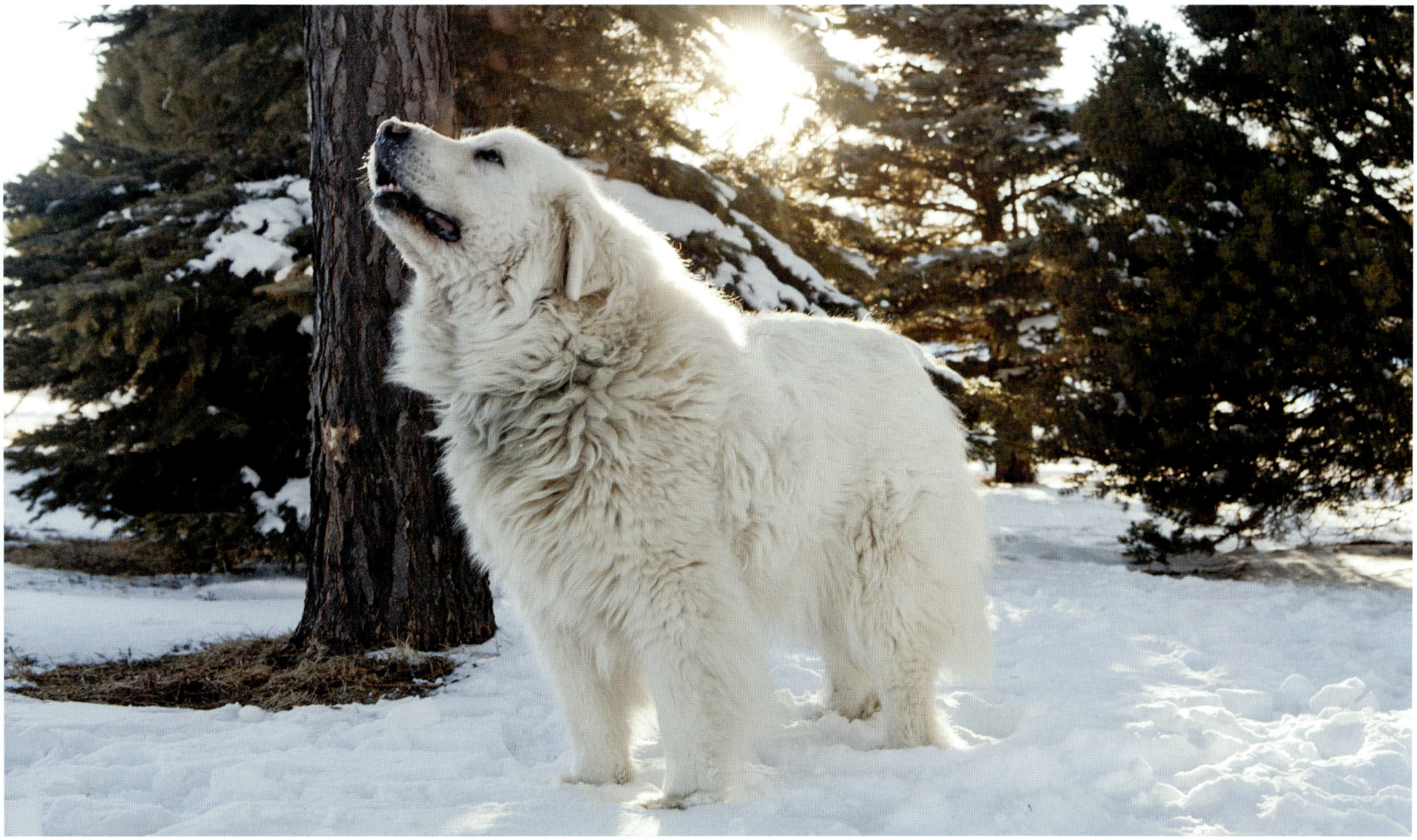

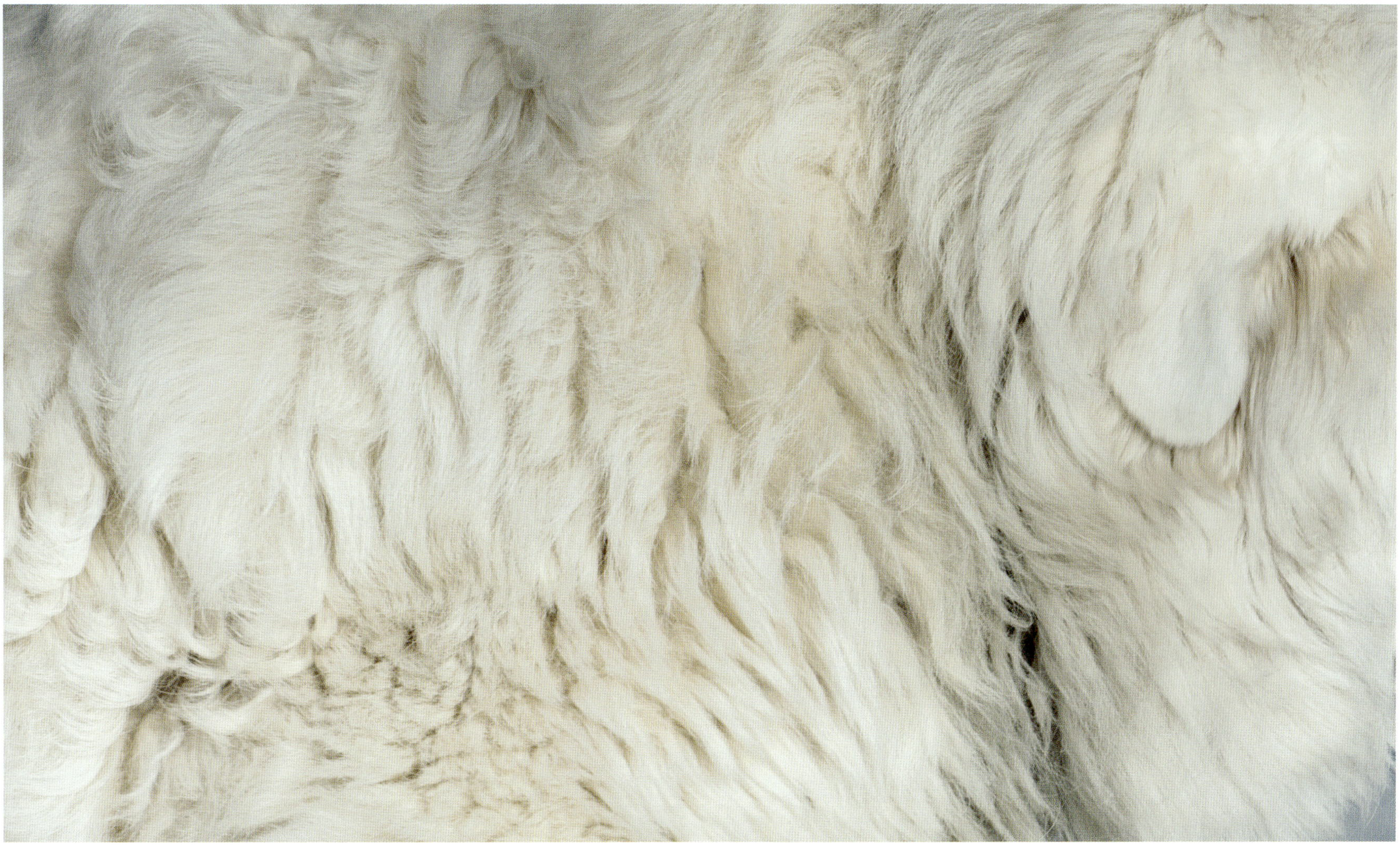

NOBLE AND FAITHFUL | 気品と信頼性

AUSTRALIAN CATTLE DOG
オーストラリアン・キャトル・ドッグ

近現代―オーストラリア―一般的

SIZE｜大きさ
雄 46〜51cm／雌 43〜48cm

APPEARANCE｜外見
コンパクトな身体ながら、がっしりとして筋肉質。スカルは幅広く、耳のあいだがわずかにカーブしている。顔面も幅広く、中ぐらいの長さのマズルに向かって細くなる。目は楕円形で、色は濃いブラウン。耳は立ち耳で、付け根の幅が広く、左右のあいだが離れている。首は非常に力強い。体長が体高よりも少し長く、トップラインは水平。胸は深く、ほどよい幅がある。四肢の骨も頑丈で、特に後肢は筋骨たくましい。背もがっしりとして力強く、尻は傾斜している。尾付きは低く、わずかにカーブしながら垂れている。

COLOR｜毛色
ブルー、ブルーの斑あるいは小斑、レッドの小斑で、他の色の模様はあってもなくてもよい。被毛はダブル・コート。上毛はなめらかな直毛で、下毛は短く密。

APTITUDE｜適性
牧牛犬、ショードッグ、家庭犬として。アジリティにも。

オーストラリアン・キャトル・ドッグ（ACD）は、ブルー・ヒーラー、クイーンズランド・ヒーラー、オーストラリアン・ヒーラーなどとも呼ばれ、牧牛犬の世界をリードする犬種である。この犬は、19世紀初頭に牛の群れを操るために特別に品種改良されて誕生した。現在でも、この犬にかなう牧牛犬はおらず、特にオーストラリアと北米で活躍している。牛追いの達人となるべく作出された犬種であるが、家族として迎えればすばらしいペットとなる。ただし、相当活動的な犬であることは覚悟しておく必要がある。

この犬の祖先をたどると、オーストラリアがヨーロッパの植民地だった18世紀末の、シドニーとその周辺にたどり着く。入植者たちは、ヨーロッパで自分たちが使っていた作業犬を連れてきた。特に、スミスフィールドと呼ばれるタイプの犬が多かった。有名なロンドンの家畜市の名をもらったこの犬たちは、イングランド南東部全域から集まる牛を誘導するのが仕事だった。ACDは、むく毛で大型のコリー・タイプのこの犬の影響を受けている。

シドニー周辺のスミスフィールドは、イングランド時代と同じような仕事ぶりを発揮していた。だが、やがて入植者たちは、より広く、より質のよい牧草地を求めて奥地に向かい始める。1813年にシドニーからグレートディバイディング山脈の一部を構成するブルー山脈を抜けて西に向かうルートが発見されると、この動きは一気に加速した。ニューサウスウェールズ州の広大な内陸部が、誰にでも行ける場所になったのだ。

そこでは何千エーカーもの牧草地が牛たちを待っていた。しかし、このとてつもない広さの放牧地では、家畜の群れが人間と接触することはめったになく、牛たちは野性化していった。そのため、足の遅いスミスフィールドは牛の群れについていけなくなってしまう。さらに、広大な地形と厳しい天候にも、この犬は耐えられなかった。

スミスフィールドをはじめとするイングランドのコリー・タイプの作業犬は、もともと羊の群れをまとめるのが得意だった。群れの先頭を走り、吠えながら羊を導く――だが、この「先頭作戦」は、イングランドのおとなしい牛には通用したが、野性的なオーストラリアの牛には不向きだった。牛は犬のあとについていかず、吠えられると興奮して群れがばらばらになってしまったのだ。そこで牧場主たちは、オーストラリア独自の牧牛犬を作出する必要があると考えた。暑さに強く、どんなに長い距離でも苦もなく走り、牛の群れを後ろから静かに追いたてることのできる犬だ。

1830年代、これを最初に試みたのは、ティミンズという牧場主だった。彼は、スミスフィールドと、めったに吠えないことが特徴のオーストラリアの野生犬ディンゴを掛け合わせ、静かで頑強な作業犬を作り出す。これらの犬は優秀だったが、独立心が強すぎ、攻撃的でよく咬みついた。そのため、彼らは「ティミンズの咬みつき犬」と呼ばれた。他の犬種も試されたが、ラフ・コリーを使った犬は興奮しやすく、ブルテリアの血を入れると、牛の前に回って鼻に咬みついたまま離れなくなってしまう犬ができた。

牧牛犬として本格的に普及する犬を最初に作出したのは、ニューサウスウェールズ州のトーマス・ホールという牧場主だった。彼は、ブルー・マールのハイランド・コリー（スムース・タイプ）を2頭スコットランドから輸入し、ディンゴと交配して吠えない優秀な牧牛犬を作り出した。この犬は彼の名を取ってホールズ・ヒーラーと呼ばれ、牧場主たちのあいだで評判になった。ブルー・マールのハイランド・コリーとディンゴとの組み合わせは、いろいろな人に試された。クイーンズランド州のジョージ・エリオットもその1人だ。彼の犬は、シドニーのカンタベリーにあった家畜競売場で有力な食肉業者が使用したため、評判がすぐに広まり、牛を扱う人々のあいだで大人気となった。

それからほどなくして、評判の犬を買い入れて自ら繁殖を始める人たちが現れ、そういったなかからACDが誕生する。生みの親は、カンタベリーで牛を扱う商売を営んでいたジャックとハリーのベイガスト兄弟。彼らはたくさんの犬を購入し、それらの犬と輸入したダルメシアンを交配し

た。これは、ホールズ・ヒーラーの馬に対する反応を改善し、さらに番犬としての本能に磨きをかけようと考えてのことだった。残念ながら、この交配で生まれた犬は、牧牛犬としてはそれほど優秀ではなかったが、変わった毛色の犬が現れた。現在よく見られるレッドやブルーの小斑があるタイプだ。続いてベイガスト兄弟は、犬の作業能力のレベルを元に戻すため、それにブラック＆タンのケルピーという犬種を掛け合わせた。すると、仕事の能力が抜群にすぐれ、スタミナもある、ディンゴに似た姿の犬が生まれた。現在のACDである。この犬も毛色がユニークで、ブルーの犬は目の周囲の模様と耳が黒く、四肢の色はタン。胸と頭部の斑もタン。額の真ん中には小さな白い斑。ボディは濃いブルーで、ブルーの小斑が均等に散らばる。一方、レッド・バラエティは、ブラックの代わりに暗いレッドの斑があり、赤い小斑が均等に散らばっていた。

　ACDが初めてドッグショーに登場したのは1893年のこと。出陳したのはブリーダーのロバート・カレスキだった。1902年に犬種標準を書いたのも彼である。最も作業能力のすぐれたタイプを保存していきたいと考えたカレスキは、ディンゴ・タイプの形質を強調した犬種標準を作成した。翌年、オーストラリアのキャトル・アンド・シープ・ドッグ・クラブとニューサウスウェールズ・ケネルクラブが、この犬種標準を採用した。当時はオーストラリアン・ヒーラーという名称だったが、最終的にオーストラリアン・キャトル・ドッグという犬種名が確定する。

　ACDは米国でも作業犬として高い人気を誇り、現在も多くの牧場主がこの犬を利用している。だが、米国オーストラリアン・キャトル・ドッグ・クラブができたのは1960年代になってからだ。初めAKCは、オーストラリアに登録のある犬まで先祖がたどれる血統書を持つ犬以外は犬籍原簿に登録しないことにしたのだが、当時、米国にいる犬の多くが純血種ではなく、この基準を満たしていなかった。そこでAKCは1979年に米国独自の犬籍原簿を作成し、翌年、オーストラリアン・キャトル・ドッグを公認した。分類は当初ワーキング・グループだったが、1983年にハーディング（牧畜犬）グループに分類し直されている。

　英国に初めてやってきたACDは、オーストラリアのランドマスター・ケネルで生まれた1頭で、ジョンとメアリー・ホームズ夫妻によって1979年に輸入された。夫妻は、所有するフォーマキン・ケネルにこの犬を迎えた。同じ頃、ケント州にあるソードストーン・ケネルのオーナー、マルコム・ダッディングも、ブルー・タイプの子犬を1つがい輸入した。英国におけるACDの基礎を築いたのは、この2つの犬舎で生まれた犬たちだが、それ以外にも、ACDは毎年オーストラリアから輸入されていた。1985年には英国オーストラリアン・キャトル・ドッグ協会が創設され、以来、この犬種の保護と普及に努めている。

NOBLE AND FAITHFUL｜気品と信頼性

AUSTRALIAN CATTLE DOG｜オーストラリアン・キャトル・ドッグ

BRIARD
ブリアード

近世以前 – フランス – 比較的多い

SIZE｜大きさ

雄 62〜68cm／雌 58〜65cm

APPEARANCE｜外見

無骨で筋肉質。頭部は、後頭部からストップ（両目のあいだの、マズルとスカルの境のくぼみ）までと、そこから鼻先までが、同じ長方形を2つつなげたような形をしている。マズルは四角張って頑丈。目は大きく、濃いブラウンで、知的な表情。耳は長い毛に覆われ、高い位置に付く。カーブした首は筋肉質で、よく伸びている。背は水平だが、尻の部分は少し傾斜している。体長は体高よりも長め。長く、豊かな毛で覆われた尾は下に垂れているが、先端だけ上向きにカーブする。

COLOR｜毛色

ブラック、さまざまな色調のフォーン、またはスレート・グレー。ブラックに白い毛が均等に混じっているものも可。被毛はダブル・コートで、長さは7cm以上なければならない。上毛はわずかにウェーブがかかり、粗い手触り。下毛は細やかで密。頭部の毛がまるで口ひげ、あごひげ、眉毛のように見え、目の上の毛は垂れて目を隠している。

APTITUDE｜適性

本来は、家畜の警護に。現在は牧畜犬、軍用犬、ショードッグ、家庭犬として。

この古いフランスの作業犬には長い歴史があるが、記録はあまり残っていない。一般の人々の注目を集めるようになったのはここ200年ほどだが、8世紀には現在のような特徴的な姿になっていたと考えられている。フランク王カール大帝（742〜814年）が愛した犬だとも言われ、王のかたわらにこの犬が控えているタペストリーも残っている。カール大帝は狩猟と乗馬を好む王だった。それゆえ、主に羊の群れを扱っていたこの犬種を友に選んだことには驚かされる。とはいえ、ブリアードはもともと家畜の群れを守る仕事を任されてきた犬で、強烈な保護本能と底知れぬ勇気を特長としていたから、王のお供をするのにふさわしい犬ではあった。

それから数百年後、ナポレオン・ボナパルト（1769〜1821年）も2頭のブリアードを飼っていた。それほど犬好きではなく、妻のジョゼフィーヌが愛犬のパグたちを寝室に入れることを許さなかったナポレオンがブリアードを飼ったのは、おそらく警備犬としての能力を買ってのことだろう。

「ブリアード」というのは、19世紀末〜20世紀初頭に新しく作られた名称だ。それ以前は、ただ「フランスの牧羊犬」と呼ばれていた。また、19世紀に使われ始めた「シアン・ベルジェ・ド・ブリー」、あるいはロジエの大修道院長が1809年に著した『Course of Agriculture（農業の進路）』に初出する「シアン・ド・ブリー」という名もある。

この犬名の由来には2つの説がある。1つは、この犬が、フランス北部のセーヌ川とマルヌ川の渓谷に挟まれたブリー地方と深い関わりがあるとするもの。ブリー地方はチーズで有名な土地だ。肥沃な農業地帯で、たくさんの牛や羊が飼われている。ブリアードがこの地域で発達したことを裏付ける証拠はないが、この地域をはじめフランス国内各地で農業に関連する仕事に使われていたことは確かだ。

もう1つは、14世紀に起こったある殺人事件と勇敢な犬にまつわる伝説と関わりがある。この話は、イタリアの古典学者ユリウス・カエサル・スカリゲル（1484〜1558年）の書簡にも記されている。言い伝えによれば、1371年頃、フランスのオーブリー・ド・モンディディエという宮廷人がパリの北にあるボンディの森で殺された。彼は現在のブリアードに似た飼い犬を連れていた。主人の殺害を目撃した犬は犯人を追跡し続け、ついに捕らえる。犯人のロベール・マケールには、犬と1対1で決闘せよ、という王の裁きが下された。決闘はノートルダム大聖堂のあるシテ島で行われ、敗れたマケールは縛り首になった。そうして「オーブリーの犬」は、やがて発音の似ている「ド・ブリー」に変化し、この犬種の名称として定着したというのだ。マケールと闘う犬の姿は、フランス北中部モンタルジーの町にある銅像で今も見ることができる。

警護と家畜の群れを扱うことの両方に長けている作業犬は珍しい。この2つの仕事にすぐれた才能を発揮するむく毛のブリアードは、フランスの農家にはなくてはならない存在だった。もともとの仕事は家畜の警護で、彼らは家畜の群れと一緒に屋外で生活し、人間の目が届かないところでは、オオカミやキツネなどの捕食動物や、ときには泥棒から家畜を守った。その後、家畜の群れを操る仕事もするようになったのだが、ブリアードは生まれつき、この能力も持っていた。定期的に牧草地から牧草地へと群れを移動させたり、群れが散らばって隣の土地に入り込んでしまわないようにしたりするためには、この能力が物を言う。彼らは現在も、このようにして家畜を扱う仕事をしている。

第3代米国大統領トーマス・ジェファーソン（任期1801〜09年）も、この犬の能力に魅了された1人だ。彼は1785〜89年にかけて駐仏公使を務め、パリで暮らしていた。その期間中、親交があったラファイエット侯爵（1757〜1834年）からブリアードを紹介されたのだ。ジェファーソンはこの素朴なフランスの牧羊犬に深い感銘を受け、帰国の際には3頭を連れて帰った。彼は、その翌年にも1頭の雌を輸入している。さらに1806年と09年には、ラファイエットが3頭のブリアードをヴァージニア州の大統領

NOBLE AND FAITHFUL｜気品と信頼性

邸に送っている。ジェファーソンは、この犬たちを繁殖させ、生まれた子犬を友人たちにプレゼントした。とはいえ彼は、この犬のすぐれた能力を認めてはいたものの、伴侶としては考えていなかったようだ。というのも、彼の犬たちは家のなかに入ることを許されていなかったからだ。

フランスでは、1863年に初めてドッグショーがパリで開催された。そのとき牧羊犬部門で優勝したのが、この毛の長い犬だった。それから約30年後の1897年、その前年に発足したクラブ・ドゥ・シアン・ド・ベルジェ（牧羊犬クラブ）によって最初の犬種標準が作成され、1909年にはレザミ・デュ・ブリアール（ブリアードの友）協会が創設された。この団体は第一次世界大戦の勃発によって解散を余儀なくされたが、1923年に再結成され、25年にさらに詳細な犬種標準を作っている。

第一次世界大戦中、ブリアードはフランス軍に徴用され、補給物資を前線に運搬したり、警戒や監視の任にあたったりした。鋭い聴覚を生かして負傷兵の捜索にも使われた。そうした任務はまさに命懸けで、実際に多くの犬が命を落としている。そのため、ブリアードの存続は非常に危ういものとなったが、戦後、熱心な愛好家の手によりなんとか危機的な状況を脱することができた。

ブリアードが米国に一般に輸出されるようになったのは1920年代に入ってからだ。そして1922年には、米国生まれの子犬が初めてAKCに登録される。1928年には、米国ブリアード・クラブも設立された。このクラブでは、フランスのスタンダードに少しだけ変更を加えた犬種標準を採用している。

BRIARD｜ブリアード

CANAAN DOG
カナーン・ドッグ

近世以前 – イスラエル – 希少

SIZE｜大きさ
体高：雄雌とも　50〜60cm
体重：雄雌とも　18〜25kg

APPEARANCE｜外見
全体のシルエットは、バランスのとれた四角形。頭部はくさび形だが、耳の付き位置が低いために幅広に見える。目は黒っぽいアーモンド型で、耳は中ぐらいの大きさの立ち耳。首は筋肉質。長さは中程度で、しっかりアーチを描いている。ボディは正方形で強靭。背は水平。胸は深く、ほどよい幅がある。腹はよく巻き上がっている。後肢は力がみなぎり、飛節の位置はかなり低め。カールした太いブラシ尾を持ち、尾付きは高い。速く走るときや興奮したときには、尾は背中に背負われる。

COLOR｜毛色
砂色から赤みがかったブラウン、ホワイト、ブラック、または斑。左右対称の黒いマスクを持つものもいる。被毛はダブル・コート。上毛は中ぐらいの長さの直毛で、下毛は皮膚にぴたりとついている。いずれも硬く密生している。

APTITUDE｜適性
牧羊犬、警備犬、ショードッグ、家庭犬として。アジリティにも。

　現代のカナーン・ドッグは中東にいた古代のパリア犬の子孫で、その歴史は有史以前にさかのぼる。その時代に描かれた、カナーン・ドッグに似た姿の犬の絵は数多く残っている。なかでも、エジプトのベニハサン遺跡にある岩窟墓に描かれた紀元前2200〜同2000年頃の犬の壁画は印象的だ。

　この犬は、宿営地や家畜の群れを守るために古代イスラエルの人々が利用していたと考えられている。特に現在のパレスチナ近辺に相当するカナーンの地で広く使われていたことから、この名がついた。しかし、紀元1世紀にイスラエルの人々はローマ人によってこの地から追い払われてしまったため、主人を失った犬たちの多くが南部のネゲヴ砂漠に棲みつき、ほとんどが野生化した。そして、自然淘汰の結果生き残った犬たちは、頑健さや粘り強さに磨きがかかり、自活能力の高い犬になっていった。その一部は、やはりこの土地で暮らしていた遊牧民のベドウィン族の人々に利用され、別の一部は、ずっと北方に暮らしていたイスラム教ドルーズ派の人々のもとに行って飼われるようになった。現在も、ベドウィン族とドルーズ派の人々は、この犬を飼育している。

　このような犬が存在することは、長いあいだ外の世界には知られていなかった。だが1934年、その歴史が変わる。その年、犬の権威であったルドルフィーナ・メンゼル博士とその夫が、ウィーンからイスラエルに移り住んだ。移住後まもなく、博士はハガナーに招聘される。ハガナーとはイスラエル軍の前身で、国として独立する以前、ユダヤ人の防衛にあたっていた地下軍事組織である。軍用犬部隊の設立を考えていたハガナーは、その任務に適した犬の選別と訓練を博士に依頼したのだ。

　犬たちの任務には、ユダヤ人入植地の護衛のほかにも、敵の追跡や地雷探知など、さまざまなものが含まれていた。その内容を聞いたメンゼル博士は、土着のパリア犬（カナーン・ドッグ）が訓練に耐えるなら理想的な軍用犬になると考える。そこで何頭かの野生の犬を餌で釣ってキャンプ地に呼び込み、さっそくテストを開始した。すると彼らはすぐに人に馴れ、あっという間にいろいろなことを学習していった。そのスピードは博士も舌を巻くほどだった。

　多数の野生の犬を訓練したメンゼル博士は、次に計画的な繁殖を始めた。そうして生まれた犬たちは非常に賢く、従順で、しかも活発だった。さらに五感の鋭さも手伝って、彼らは理想的な軍用犬となった。そのなかには地雷探知犬の先駆けとなったものもおり、第二次世界大戦では400頭が活躍した。

　戦争が終わると、今度はカナーン・ドッグに盲導犬の訓練を施す事業に博士は着手した。しかし、この犬は身体が小さく、また独立心が強すぎるため、盲導犬には向かないことがわかった。博士は盲人活動教育研究所を拠点に、カナーン・ドッグの計画的な繁殖を行っていたが、やがてブネイ・ハ・ビタチョン・ケネルを設立する。この犬舎で博士はカナーン・ドッグ本来の形質を保存するために、しばしば野生の犬の血も入れている。

　英国に初めてカナーン・ドッグがやってきたのは1965年のことだった。コニー・ヒギンズが迎えた、シェババという名の雌犬である。1969年には、メンゼル博士夫妻からヒギンズにタイロンという名の雄が贈られ、同年、この雄犬とシェババのあいだに英国で初めてのカナーン・ドッグの子どもが生まれた。タイロンとシェババはKCに登録されたが、残念ながら英国におけるカナーン・ドッグ人気は高まらなかった。人々の興味がこの犬に集まったのは1980年代になってからである。ルース・コーナーが2頭の妊娠した雌を輸入し、1986年の『The Field Magazine（フィールド・マガジン）』誌に記事を寄稿するなど、この犬種の普及に努めたおかげだ。そして1992年にはカナーン・ドッグ・クラブが結成され、以来、英国におけるこの犬のファンは増え続けている。

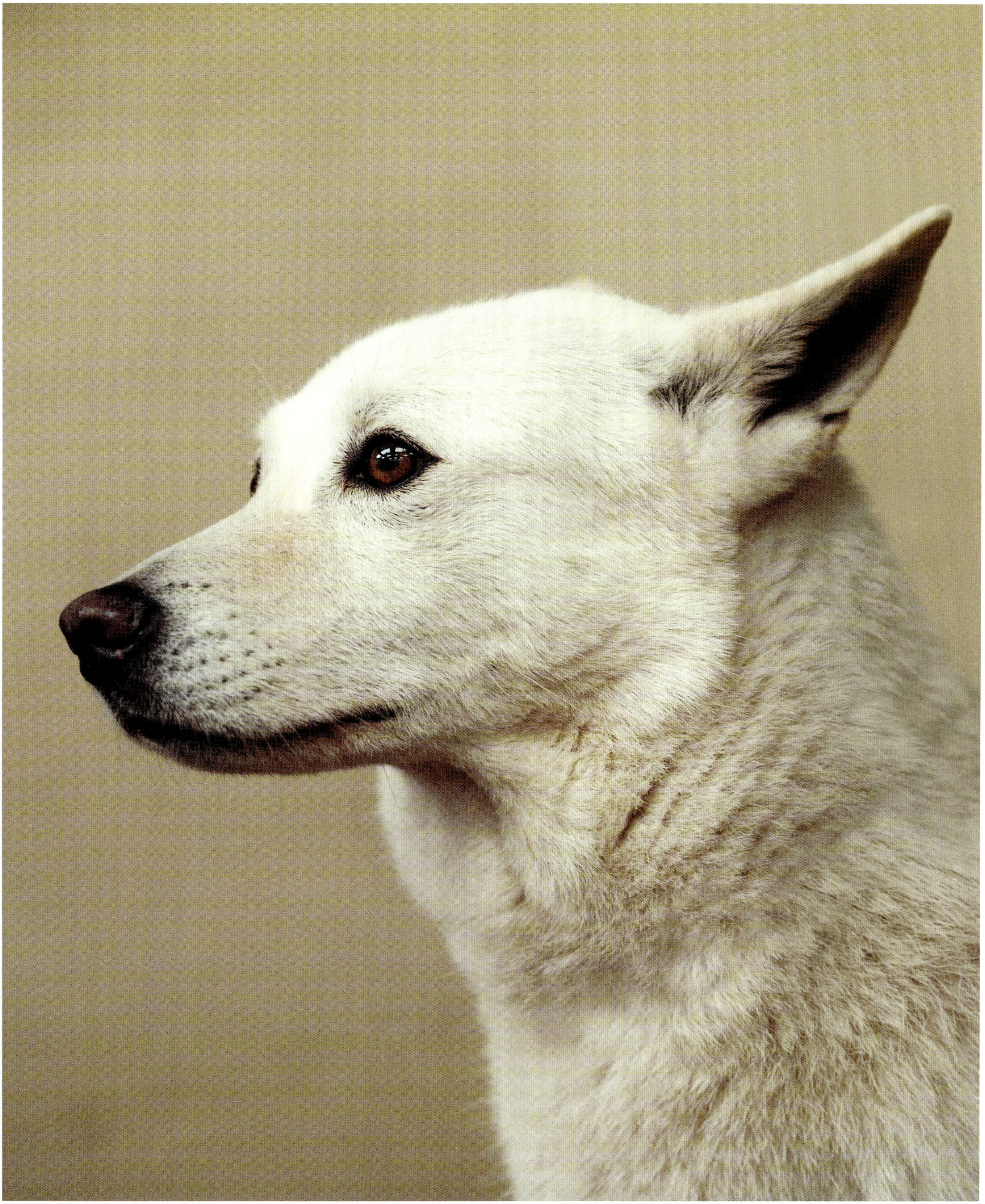

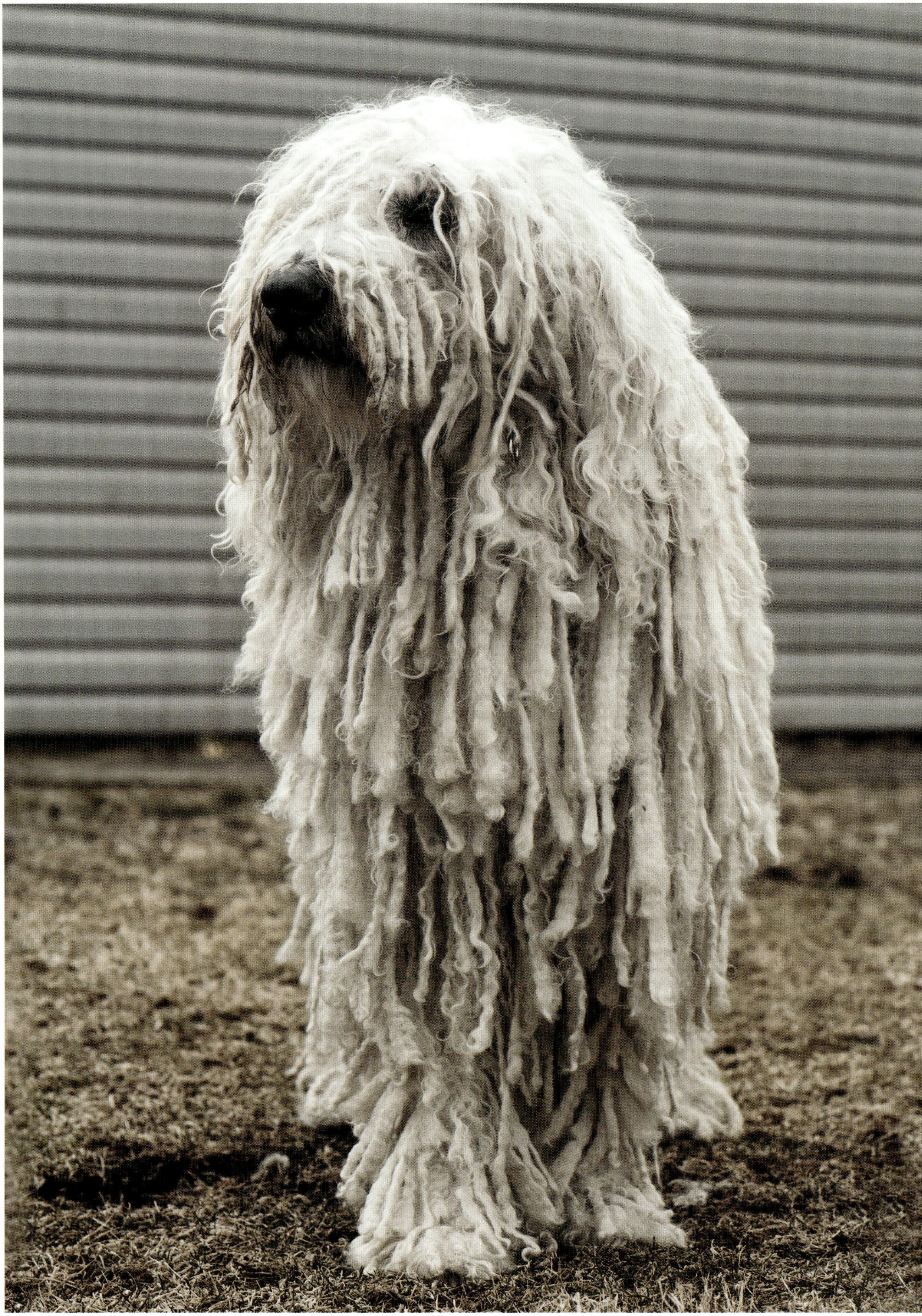

KOMONDOR
コモンドール

近世以前 ─ ハンガリー ─ 希少

SIZE｜大きさ
体高：雄 80cm／雌 70cm
体重：雄 50〜61kg／雌 36〜50kg

APPEARANCE｜外見
大柄で力強く、もつれて縄状になった被毛に覆われている。頭部は、幅に比べて長さが短い。スカルはわずかに弧を描いている。マズルは幅広で、スカルより少し短め。目は黒っぽい。耳は中ぐらいの大きさで、U字形に垂れている。首の長さはやや短めだが、力強い。胸は幅も深さもたっぷりとある。背は水平。尻も幅広く、尾に向かってわずかに傾斜している。後肢は筋肉がよく発達し、やはり力強い。尾は飛節に達する長さで、先端が少しカーブしている。興奮すると、身体と同じ高さに掲げられれる。

COLOR｜毛色
ホワイト。被毛はダブル・コート。上毛は手触りの粗い長毛で、尻、腰、尾のあたりが最も長い。ウェーブやカールはあってもよいが、縄のようにもつれる傾向がある。下毛はやわらかく、密に生えている。

APTITUDE｜適性
羊の群れの警護に。ショードッグ、家庭犬としても。

コモンドールをほかの犬種と見間違えることは絶対にありえない。数ある犬種のなかでも、これほど特徴的で、堂々として威圧感のある体躯を誇る犬はそうはいない。また、見る者を圧倒する外見に加えて、この犬は護衛という仕事にかけても絶対的な能力を持つ。コモンドールに攻撃を仕掛けるのは、愚かな捕食者だけだ。この大型犬は、原産地のハンガリーでは国の宝と見なされている。そして、しばしば家畜を守る「犬の王」と呼ばれる。コモンドールが羊の群れを守るときの情熱は、飼い主とその家を護衛するときと少しも変わらない。その能力ゆえに、ハンガリーでオオカミが姿を消したのはこの犬のせいだと言われている。

コモンドールは元来、土地に対しても、人や家畜に対しても激しい縄張り意識がある。すぐれた家畜番になるには、この意識がとても役に立つ。さらに、人に頼らず頭を使うこと、自分で決定を下すこと、単独で仕事をすること、必要なものは自力で手に入れることができるように、何百年間も交配が重ねられてきた。これらの特質を持つことが、農家や牧畜を行う人々に重用されてきた理由だ。だが、この犬は、犬を飼った経験の少ない人には向かない。幼い頃から首尾一貫した強固な服従訓練が必要であるうえ、屋外で仕事をしていなければ幸せを感じられない犬だからだ。被毛の手入れも非常に手間がかかる。しかし、犬のことをよく知っている人々にとっては、必ずや献身的で忠実な伴侶犬となる。

コモンドールはマジャール族の犬だったとする学説がある。マジャール族は、9世紀に東方からやってきてカルパチア盆地に住みつき、この広大な地域にかつてのハンガリー王国を建設した人々だ。その版図は、現在のハンガリーよりもはるかに大きかった。

もう1つ、この犬の起源に関する学説がある。こちらのほうが信憑性が高く、考古学的な証拠も発見されている。コモンドールはクマン族と深い関係があるという説だ。もともと中国の黄河流域に住んでいたこの古い民族は、10世紀末頃、モンゴル族が勢力を拡大するにつれて西への退避を余儀なくされた。そして1220〜30年代にかけてウラル山脈を経てハンガリーに達する。ハンガリー王ベラ4世（1206〜70年）は1239年、対立を深める大貴族やモンゴル族の侵入に対抗するために彼らと同盟を結び、ドナウ川とティサ川に挟まれた土地を居住地として与えた。だが、もともと彼らのことを快く思っていなかった地元の農民たちが大貴族に扇動されて、クマン族の長だったケテニュを殺害。その意趣返しのために、クマン族の人々は略奪をほしいままにしながらハンガリー国内を南進し、最終的にブルガリアに住みつく。

そうした混乱のさなかの1241年、ハンガリーにモンゴル帝国軍が襲来する。ベラ王は大貴族の協力を得られず、大敗を喫してアドリア海の島に逃れたが、翌1242年にモンゴル軍が皇帝の死去により撤退したため、ハンガリーに帰還することができた。そして、大貴族に対抗するためにクマン族の人々をハンガリーに呼び戻し、再び前と同じ地域に居住地を与えるとともに、長男のイシュトヴァーンとケテニュの娘エルジェーベトを結婚させて結束を固めたのだった。

この地にあるクマンの人々の墓地で発掘された犬と馬の骨の配置から、彼らのなかでこの2つの動物が重要な意味を持っていたことがうかがえる。ある墓では、亡くなった人が枕のように犬の上に頭をのせた状態で埋葬され、別の墓では、死者の周囲を取り囲むように何頭もの犬が埋められていた。これらの犬の遺骸は、現在のコモンドールに似た犬であったことがわかっている。そうしたことから、「コモンドール」という名前の語源も、「コマン・ドール」、つまり「クマンの犬」から来ているのではないかと推測されているのだ。

コモンドールの発達には、ロシアン・オフチャルカも関わっていたのではないかと考えられている。ウラル山脈からロシア南部を通ってハンガリーにやってきたクマン族の人々が、旅の途中でこの牧羊犬に出会って

いた可能性は高い。また、イタリア・アルプスに棲むベルガマスコ・シェパード・ドッグとの類似点もある。特に、縄のようにもつれた被毛はよく似ている。ただし、ベルガマスコの毛色はブラックが普通だが、コモンドールには白い毛色しかない。コモンドールと、やはりハンガリーのプーリーも、多くの特徴を共有している。そのため、この2種の犬同士の交配がたびたび行われていたと考えられている。コモンドールの主な役割は家畜を守ることであるが、ずっと小型のプーリーは、家畜を追って移動させるのに適している。この2つの犬を組み合わせて使えば、羊飼いにとっては鉄壁のチームができあがる。

　コモンドールの被毛は非常に特殊だが、これは現在も昔と変わらぬ仕事をしている彼らにはとても有用だ。まず、羊の群れのなかに入ってしまえば見分けがつきにくい。また、捕食動物に襲われても、被毛が身体を守ってくれる。さらには、厳しい気候に耐えることも可能にしてくれる。この犬は、羊の群れとともに野外で生活する。そうしてオオカミやコヨーテ、クマ、悪い人間からの脅威を排除するのだ。コモンドールが、親を亡くした子羊の世話をすることもよく知られている。歴史的に見れば、コモンドールはあくまで羊飼いの犬であり、羊が人里離れた場所で飼われていることを考えると、この犬がほかの犬種と交雑した可能性は低い。つまり、もっぱら羊の番をうまくこなす犬を作るために繁殖され、純血が保たれてきたということだ。

　コモンドールはまったく恐れを知らない。どんな捕食動物や脅威にも果敢に立ち向かう。山野の放牧地でも、人目があるところでもそれは変わらない。したがって、この犬を飼う際には、幼いときから社会化をしっかり行い、ほかの犬や人間との付き合い方を身につけさせる必要がある。これがきちんとできていれば、この犬は愛すべき穏やかなペットになる。

　米国にコモンドールが初めて持ち込まれたのは1933年、AKCに犬種として公認されたのは37年のことだ。第二次世界大戦が始まると登録犬数は激減するが、戦後は右肩上がりで回復してきた。最近になって米国では、この有能な犬が家畜の警護という本来の仕事で再導入され、大きな成功を収めている。

　一方、英国に初めて持ち込まれたのは1970年になってからだった。ミセス・ランツがハンガリーから雌のコモンドールを輸入した。この犬に続き、さらに雄雌1頭ずつが、今度は米国から輸入されている。英国で初めて子犬が生まれたのは1976年。生まれた3頭の子犬たちのうち1頭は米国に戻された。この5頭が英国におけるコモンドールの基礎を築き、その後、輸入や繁殖によって数が増えていった。英国コモンドール・クラブの設立は1978年。数は少ないが熱心な愛犬家たちがクラブを支えている。

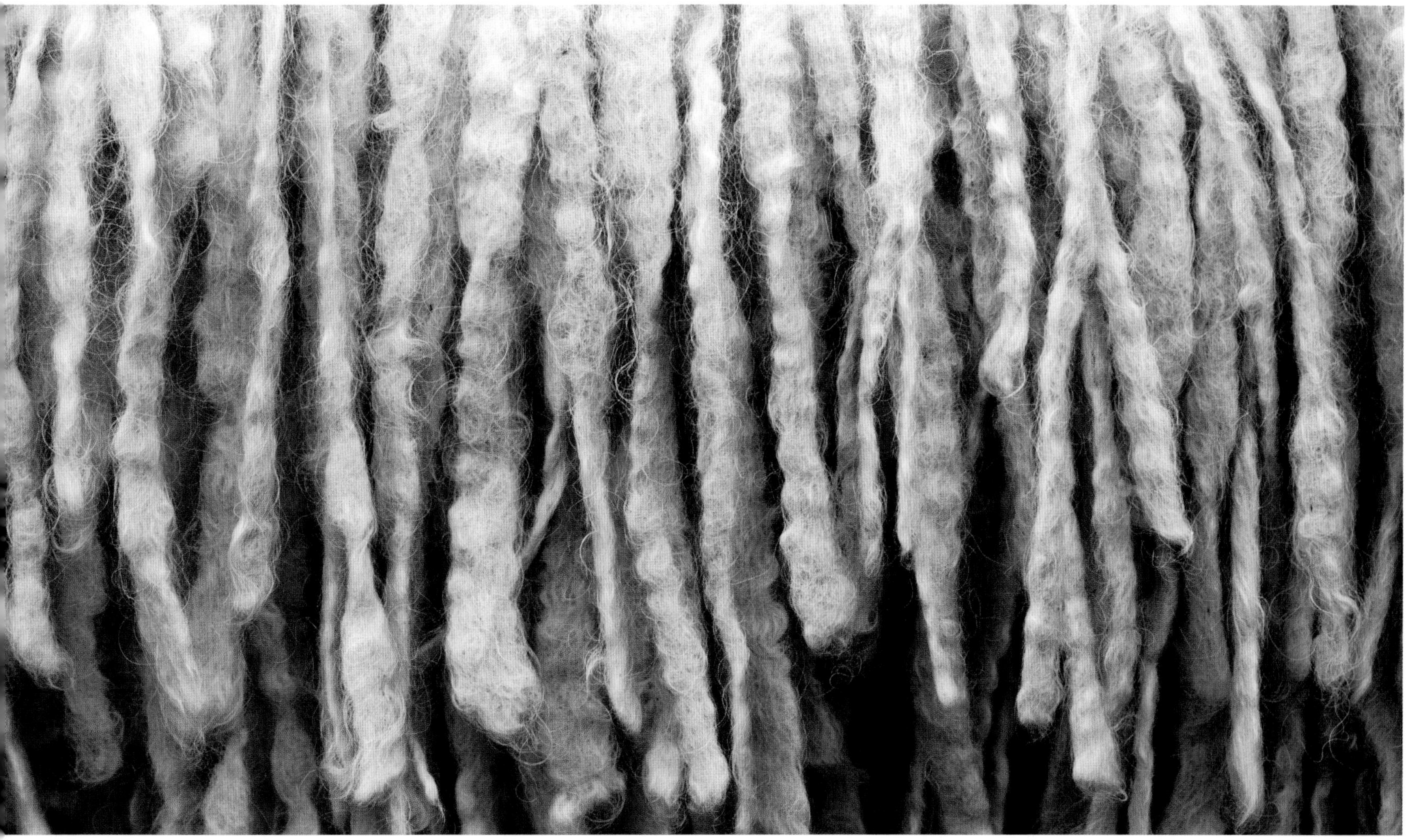

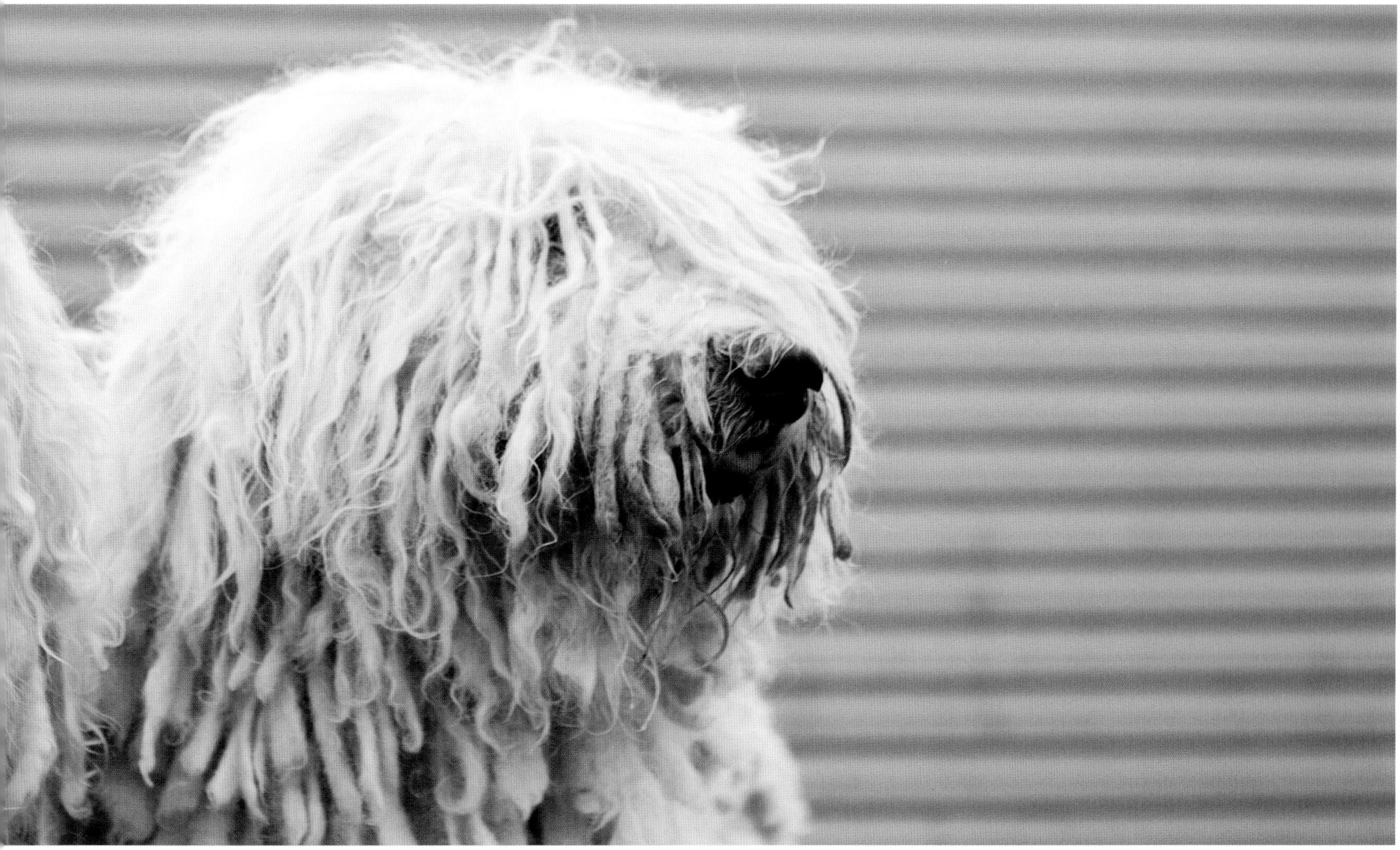

SCHNAUZER
シュナウザー

近世以前 – ドイツ – 一般的

SIZE｜大きさ
雄 48cm／雌 45cm

APPEARANCE｜外見
がっしりとして、体高と体長がほぼ同じスクエアな体型。頭部は頑丈で、耳から鼻先に向かってだんだんに幅が狭くなる。先端の丸いくさび形のマズルは力強く、口ひげとあごひげがある。目は黒っぽい卵形で、密生した眉は長くカーブしている。耳はすっきりとして形のよいV字形だが、頭の高い位置から前方に垂れている。首は適度な長さで、わずかにアーチを描く。胸は深く、幅は中ぐらい。背は力強く、まっすぐで、肩の部分が腰よりも高い。足は短く丸い猫足。かつては慣習的に断尾が行われていたが、現在は自然のままで、元気よく掲げられている。長さは中ぐらいで付け根が太く、尾先に向かって細くなる。

COLOR｜毛色
ブラックまたはソルト＆ペッパー（黒っぽい地色にホワイトやシルバーの差し毛が入ったもの）。後者では、毛が濃色—淡色—濃色と縞になっている。被毛はダブル・コート。上毛は針金のように硬く、下毛はやわらかく密生している。

APTITUDE｜適性
ネズミ捕り、家畜の護衛、アジリティに。さらには警備犬、軍用犬、ショードッグ、家庭犬としても。

今日、スタンダード・シュナウザーは主に家庭犬と考えられているが、かつてはドイツで最も幅広い作業をこなす犬種の1つだった。愛らしい気性と高い知性を持つことで知られ、また非常に鋭い直感力を持ち合わせていることから、セラピードッグとしても用いられてきた。シュナウザーには3つのタイプがある。スタンダード・シュナウザーは、単にシュナウザーとだけ呼ばれることも多く、ほかの2つ——ジャイアント・シュナウザーとミニチュア・シュナウザー——のもとになったタイプだ。シュナウザーという名前は、ドイツ語で「ひげ」を表す「Schnauze」から来ている。だが、この名称が正式に用いられるようになったのは20世紀初頭以降のことだ。

3つのタイプのうち最も古いスタンダード・シュナウザーは、その起源を14世紀のドイツまでたどることができる。そして15世紀頃以降、この犬はヨーロッパの美術作品のなかにたびたび姿を現すようになった。アルブレヒト・デューラー（1471〜1528年）の作品は特に有名だ。このドイツ人画家は、しばしば作品のなかに、シュナウザーのような姿の小型犬や中型犬を描き込んでいる。また、シュトゥットガルトにある夜警像（1620年制作）でも、シュナウザーのような特徴を持つ小さな犬が「夜警」の足元に控えている。

シュナウザーは、ドイツ南西部のヴュルテンベルクや南東部のバイエルンあたりで生まれたと考えられている。もとになったのは、おそらくテリアと家畜の護衛犬または猟犬だろう。シュナウザーは生来、これら3種類の作業犬の能力を備えている。ただ初期のシュナウザーは、現代とはかなり異なる外見をしていた。今のような姿に固定されたのは19世紀になってからだ。それでも初期のシュナウザーたちは、農家の何でも屋として高く評価されていた。特に小さな害獣の駆除に力を発揮し、なかでもネズミ捕りが大好きだった。また、家ではよき家族の一員であり、同時に、家屋や家畜を油断なく見張る番犬でもあった。

スタンダード・シュナウザーとジャイアント・シュナウザーは、家畜の群れを追って誘導することもあった。行き先は主に市場で、競りが行われているあいだは主人の荷車を見張りながら待っていた。ジャイアント・シュナウザーは特に食肉処理場への牛の移送が多く、しばしば「ブッチャーズ・ドッグ」とも呼ばれていた。また、スタンダードもジャイアントも、あまり重くない荷なら運ぶことができた（スタンダード・シュナウザーは中型犬だが、驚くほど頑健な体つきで、大きさの割には力が強い）。19世紀末に作り出されたミニチュア・シュナウザーも、本来は作業犬だった。その仕事は、初期のシュナウザーと同じく、農家でネズミなどの害獣を退治することだった。

シュナウザーは何百年ものあいだ、農家の犬として、また忠実な伴侶犬として存在してきたが、この有能な犬を特定の犬種として固定し、意図的に作り出そうという試みは、19世紀中頃になるまで行われなかった。タイプの固定化を図るために使用されたのが、ドイツの黒いプードルと灰色のウルフスピッツで、これらの交雑により現れた2種類の毛色——ブラックとソルト＆ペッパー——が、現在、犬種標準で認められている毛色である。

ドイツでは黒いシュナウザーはごく一般的だが、英国や米国では珍しい。これらの犬は当初、ワイアーヘアード・ピンシャーと呼ばれていた。「ピンシャー」というのは、小害獣の駆除が特に得意な（テリアのような）タイプの犬を指す言葉だ。だが、1879年の第3回ドイツ国際ドッグショーでシュナウザーという名前のワイアーヘアード・ピンシャーが優勝すると、それが犬種名としてそのまま用いられるようになった。そして翌年、犬種標準が初めて作られる。すると、この犬種の人気が一気に高まり、1895年にケルンにピンシャー・クラブが、1907年にはミュンヘンにバイエルン・シュナウザー・クラブが創設された。この2つの愛犬家団体は1918年に合併し、ピンシャー・シュナウザー・クラブという名称でドイツケネルクラブ

NOBLE AND FAITHFUL｜気品と信頼性

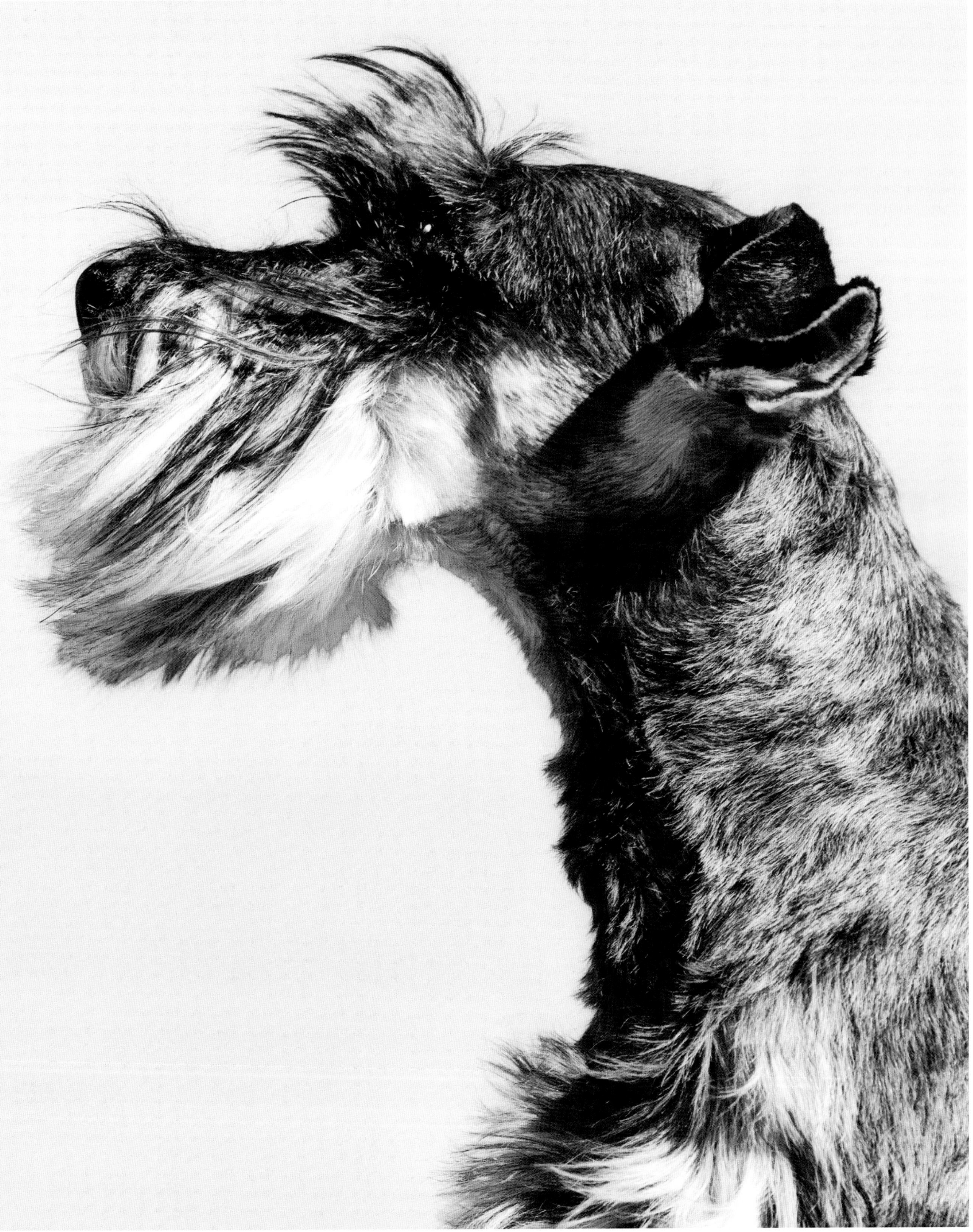

NOBLE AND FAITHFUL | 気品と信頼性

の正式会員クラブとなった。

　さまざまな役割を巧みにこなしていたスタンダード・シュナウザーとジャイアント・シュナウザーは、警察犬、さらには軍用犬としても利用されるようになった。シュナウザーというのは非常に頭のよい犬種で、しかも従順なので、警察や軍で要求される作業も難なくこなすことができた。第一次世界大戦では、警備犬としてのみならず、文書を届けたり、負傷者の救助にあたったりといった任務も果たした。

　米国にシュナウザーが持ち込まれたのは、20世紀初頭のこと。1904年にはAKCに犬種として認定され、ワーキング・グループに分類されている。とはいえ、第一次大戦が終わるまでは、輸入される犬の数はそれほど多くなかった。しかし戦後になると、この犬に人々の関心が集まるようになり、1925年には米国シュナウザー・クラブが創設された（同クラブはその後、1933年に米国スタンダード・シュナウザー・クラブと米国ミニチュア・シュナウザー・クラブの2つに分かれた）。翌1926年には、AKCがミニチュア・シュナウザーを別の犬種として認定し、テリア・グループに入れている。ジャイアント・シュナウザーの公認は1930年で、こちらはワーキング・グループに分類された。

　1940年代になると、シュナウザーはマスコミの注目も集めるようになった。これは、ハリウッド・スターのエロール・フリンの愛犬だったことが大きい。フリンはシュナウザーを何頭も飼っていたが、特にアルノーという名の犬をかわいがっていた。アルノーは常にフリンのそばに付き従い、映画のセットのなかにまで入ることを許されていた。さらに、フリンの所有するヨットにもしばしば出入りしていた。だが、ある晩、アルノーは魚を見つけて追いかけようとしたのだろうか、ヨットから海に飛び込み、溺れ死んでしまう。フリンの悲嘆は尋常でなく、のちに彼はアルノーのために海軍式の水葬礼を執り行ったという。

　20世紀前半には、シュナウザーは英国にも渡っている。そのなかには、ブルーノというドイツ・チャンピオンの雄犬もいた。1928年に英国にやってきたブルーノは、30年に開催されたクラフツ展で初代BOB（犬種チャンピオン）にも輝いた。その前年には英国シュナウザー・クラブが創設されている。KCは現在、スタンダードとミニチュアをユーティリティ（実用犬）グループに、ジャイアントをワーキング・グループに分類してそれぞれ公認している。

PEMBROKE WELSH CORGI
ウェルシュ・コーギー・ペンブローク

近世以前－ウェールズ－一般的

SIZE | 大きさ
体高：雄雌とも 25〜30cm
体重：雄 10〜12kg／雌 9〜11kg

APPEARANCE | 外見
背は低いがたくましく、活動的。頭部はキツネに似た外観で、マズルは若干先細り。目はブラウンで丸い。耳は中ぐらいの大きさの直立耳で、やや丸みを帯びている。首は意外に長い。体長は中ぐらい。胸は幅広く、深さもあり、前肢のあいだによく下りている。前肢は短いが、まっすぐで骨量が豊か。後肢はスタイフル（膝に当たる部分）がよく屈曲している。尾も短く、トップラインと同じ高さに付いている。歩いているときや警戒したときには、自然に背より上に掲げられる。

COLOR | 毛色
レッド、セーブル、フォーン、あるいはブラック＆タン。四肢、前胸、首には白い斑があってもよい。被毛はダブル・コート。上毛は中ぐらいの長さの硬い直毛で、下毛はやわらく密生している。

APTITUDE | 適性
牛追いに。ショードッグ、家庭犬としても。

コーギーは、いろいろな意味でスケールの大きな犬だ。大きくないのは体高だけである。スタミナも、作業能力も、そして短い脚に支えられた身体のパワーも驚異的だ。コーギーは、何百年も前から家畜を追う犬として発達してきた。そのため牛や豚、ガチョウなどを実に手際よく移動させることができる。体高の低さも、その際に有利に働く。蹴ってくる家畜の足を避けるのに、非常に都合がよいのだ。

しかしコーギーは、とても作業犬には見えない。どう見ても膝に乗せてかわいがる愛玩犬だ（もちろん、この役目も立派に果たすことができる）。けれども実際には、彼らはたいへんな働き者で、仕事をしているときが何よりも楽しいという犬なのだ。家畜を市場まで追うほかにも、農家の周囲を警備したり、小さな害獣を退治したりしてきた。と同時に、情愛あふれる伴侶としての務めも果たしていた。まさに万能犬と言える。

コーギーには、カーディガンとペンブロークという2つのタイプがある。それぞれ、生誕の地であるウェールズのカーディガンシャーとペンブルックシャーという地域にちなんで名づけられた。2種のうち、より歴史が古いのはカーディガンだと考えられている。しばしば互いに交配されてきたが、それでもこの2つの犬種には明確な違いがある。主な違いは、カーディガンのほうが胴が長く、重量感のあるしっかりした尾を持っていること、耳が少し大きめで丸みも強いこと、足が丸いこと、ホワイトが優勢でなければどんな毛色も認められていることなどだ。一方、ペンブロークはより小柄で、キツネに似ている。顔の造作も尖った印象が強い。そして尾がほとんどないのが特徴である。KCは、この2つを1928年に1つの犬種として公認したが、双方のブリーダーからの異議申し立てにより、34年に公式に別の犬種として認定した。

ペンブロークの発達に関係したと思われる犬種には、スウェーディッシュ・ヴァルフント、ノルウェジアン・ブーフント、初期のポメラニアンなどがある。これらは皆、スピッツ・タイプの犬だ。一方、より古いカーディガンは、テケルというドイツのダックスフンドに似た犬を先祖に持っている。

20世紀以降、コーギーは英国王室の代名詞ともなっている。王室のコーギー熱は、1933年にヨーク公（のちのジョージ6世。1895〜1952年）が娘のエリザベス（現女王エリザベス2世。1926〜）とマーガレットのために1頭の雄の子犬を手に入れたところから始まった。しつけを担当した飼育係は当初、この子犬をデューク（公爵）と呼んでいた。それが間もなくデューキーになるが、彼のヨークシャーなまりのせいで周りにはドゥーキーに聞こえ、結局、子犬の名はドゥーキーに落ち着いたのだった。王室には、やがてジェーンという雌のコーギーも迎え入れられた。ジェーンとドゥーキーのあいだには2頭の子犬が生まれ、そのうちの1頭で雄のクラッカーズは14歳まで生きた。足腰の立たなくなったクラッカーズのために、王太后（現女王の母。1900〜2002年）は幌付きの車椅子をあつらえさせ、それを押してクラッカーズを連れて歩いたという。

現女王エリザベス2世も熱心なコーギー・ファンで、長年にわたり数多くの犬を繁殖してきた。現在、英国王室で飼われているコーギーのすべてが、エリザベスが18歳の誕生日にプレゼントされたスーザンという名の子犬の子孫である。さらに女王は、自分の愛犬を妹のマーガレット王女が飼っていたダックスフンドのピプキンと交配し、犬種として認定されてはいないが「ドーギー」という愛称で呼ばれる犬も作出している。女王は現在も数頭のコーギーとドーギーを飼っている。

英国初の愛犬団体は、1925年にウェールズ南西部カマーザンという港町で誕生したコーギー・クラブだ。このクラブには、カーディガンもペンブロークも登録されていたが、のちにカーディガン・ウェルシュ・コーギー協会という別のクラブが同じくウェールズに作られた。一方、ペンブロークの愛犬団体であるウェルシュ・コーギー連盟も1938年にイングランドで設立された。現在では、地域ごとにそれぞれの愛犬団体が存在しているが、どちらかと言うとペンブロークのほうが多くの人気を集めている。

NOBLE AND FAITHFUL | 気品と信頼性

PEMBROKE WELSH CORGI ｜ ウェルシュ・コーギー・ペンブローク

ROTTWEILER
ロットワイラー
近世以前―ドイツ―一般的

SIZE | 大きさ

雄 60〜68.5cm／雌 56〜63.5cm

APPEARANCE | 外見

堂々として力強く、並外れた体力があることをうかがわせる体つき。頭部は中ぐらいの長さで、耳のあいだが広く、マズルはかなり深い。目はアーモンド型で、濃いブラウン。耳は高い位置に離れて付いており、頬に近いところまで垂れている。長い首は筋肉がよく発達し、わずかにアーチを描く。傾斜が大きい肩甲骨に、幅広で深い胸。背はまっすぐで力強く、長すぎてはいけない。前肢もまっすぐで骨太。後肢は筋肉たくましく、飛節も頑丈でじゅうぶんな角度がついている。かつては断尾を行う習慣があったが、現在は行われていない。尾付きはさほど低くなく、警戒すると水平か背よりも少し高く掲げられる。

COLOR | 毛色

ブラックに鉄さび色からマホガニーの斑が入る。被毛はダブル・コート。上毛は、中ぐらいの長さの粗毛が平らにびっしり生えている。下毛も密で、首と腿の毛はやわらかい。下毛は上毛を通して見えてはいけない。

APTITUDE | 適性

家畜の護衛、牛追い、アジリティに。番犬、そり犬、警察犬、さらにはショードッグ、家庭犬としても。

ロットワイラーは長い歴史を持つ気高い犬で、抜きんでたパワーを誇るすばらしい犬種だ。残念ながらマスコミ受けはあまりよくないが、これは、ひとえに無責任な飼い主のせいである。身体が大きく力の強い動物を飼う人には、じゅうぶんな知識と心構えが必要だ。常に訓練を怠らず、ほかの人や犬との付き合い方を教え、たっぷり運動させ、終始精神的な刺激を与えてやらなければならない。そのような飼い方をすれば、ロットワイラーは最高の伴侶となって飼い主の努力に報いてくれる。忠誠心があり、従順で賢く、家族をしっかり守る犬なのだ。

ロットワイラーの歴史をさかのぼると、古代ローマ帝国が版図を広げていった時代にまでたどり着く。古代ローマでは、巨大な軍隊を出撃させるとき、兵士たちの食糧にするために牛の群れを連れていった。この牛を移動させる際、ローマ人たちは粘り強いマスティフ・タイプの犬を使っていた。これらの犬たちは、夜になると、牛の群れだけでなく野営地の警備も担当した。

西暦73年、ローマ人はスイスから南ドイツに侵攻し、シュヴァルツバルト（黒い森）の近くにアラエ・フラウィアエという砦を築く。その際に彼らが連れていた犬たちは、旅の道すがらバーニーズ・マウンテン・ドッグやグレーター・スイス・マウンテン・ドッグ、アッペンゼラー・マウンテン・ドッグ、エントレブッヒャーといった犬たちと出会ったはずだ。ロットワイラーは、これらの犬とどこか似たところがあるのだ。

時代が下って中世になると、この地は、「ダス・ローテ・ヴィル」と呼ばれるようになった。ローマ人が築いた村の家々は、赤いかわら屋根だったためである。それが「ロットヴァイル」（英語ではロットワイラー）に変わり、そこに住んでいた犬もそう呼ばれるようになった。そして牛の売買が盛んになると、この犬はなくてはならない存在になっていく。活躍の場は、主に食肉処理場だった。そのため、この犬たちは「ロットヴァイラー・メッツガーフント（ロットヴァイルのと畜業者の犬）」と呼ばれるようになった。

19世紀に入ると、鉄道が発達し、犬に荷車を引かせる必要はなくなった。時を同じくして、牛の群れを犬に追わせることが法律で禁止される。突然、この犬はやるべき仕事を失ってしまったわけだ。19世紀の終わりには、ドイツで国際レオンベルガー・ロットワイラー・クラブが創設され、1901年にはロットワイラーの犬種標準が作成されたが、その後まもなくクラブは解散してしまう。しかし第一次世界大戦の開戦前夜、ドイツの警察がロットワイラーに目をつけ、警察犬として利用し始める。ロットワイラーはこの方面でも有能だった。実際に戦争が始まると、伝令や物資の輸送、警備、警護、怪我人の輸送などにも使われた。そして戦争が終わり、1921年になると、アルゲマイナー・ドイチャー・ロットヴァイラー・クルップ（ADRK＝ドイツ人民ロットワイラー・クラブ）が設立され、24年に初めて犬籍原簿が作成される。米国でも1931年にAKCに公認され、ワーキング・グループに分類された。

一方、英国では1936年に初めてミセス・テルマ・グレイがロットワイラーを輸入し、第二次世界大戦が始まるまで輸入を続けた。戦争が始まると、彼女は犬たちをアイルランドに疎開させた。英国におけるこの犬の定着に貢献したブリーダーがもう1人いる。ロイ・スミス大尉だ。彼は1953年にロットワイラーを輸入し始め、60年にはロットワイラー・クラブの総裁になった。以来、多くの人々がロットワイラーを輸入し、徐々にこの犬は英国に定着していった。KCがワーキング・グループに属する犬種として公認したのは1965年。それから現在に至るまで、英国でロットワイラーの人気は根強く続いている。米国でも、この犬は登録犬数が常に上位15位以内を保つ人気犬種となっている。ロットワイラーは、その性格をよく理解したうえでしっかりと服従訓練を行い、日々の運動を欠かさなければ、愛情深く従順なかけがえのないペットになるだろう。

NOBLE AND FAITHFUL | 気品と信頼性

ROTTWEILER | ロットワイラー

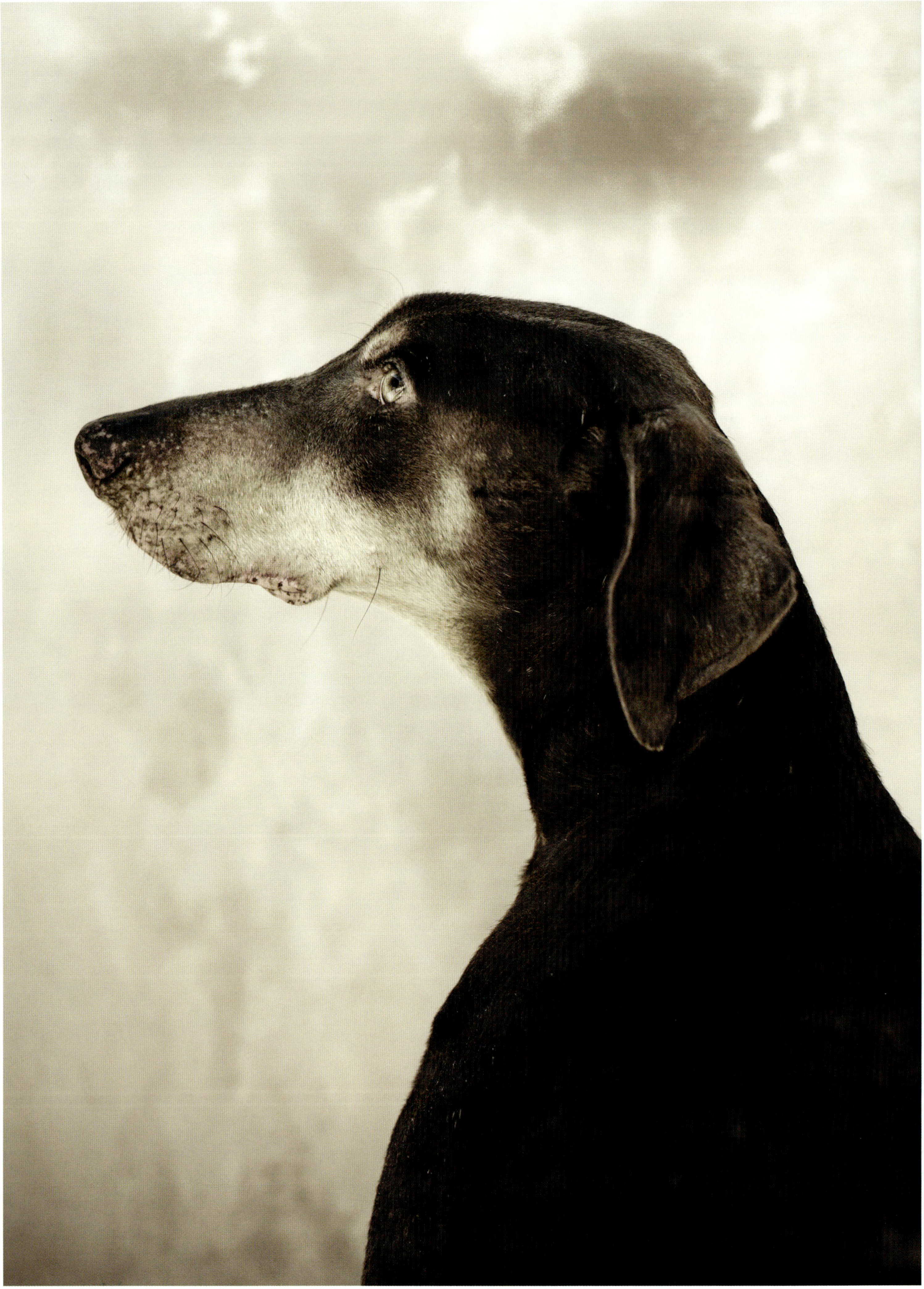

DOBERMANN
ドーベルマン
近現代―ドイツ―一般的

SIZE｜大きさ

雄 69cm／雌 65cm

APPEARANCE｜外見

エレガントで気品があり、精悍。頭部は長めで細長く、先のあまり尖っていないくさび形。マズルはかなり深い。鼻は毛色に応じてブラック、ブラウン、グレーのものがある。目はアーモンド型で、生き生きとした表情を浮かべている。目の色は、ブラックの犬の場合はブラウン、ほかの毛色の場合は虹彩が斑と同じ色になる。すっきりとした耳は高い位置に付いており、本来は長く垂れているが、断耳を施されて立っているものもある。首はかなり長めで引き締まり、誇り高く掲げられている。胴体の輪郭はなめらかで、無駄がない。体高と体長は等しく、背は短めで、やはり引き締まっている。トップラインはまっすぐで、キ甲から尻にかけわずかに傾斜している。腹は明確に巻き上がっている。後肢は筋肉がよく発達して力強い。昔から断尾の習慣があるが、断尾を行わない場合は背骨から自然に伸び、自由に保持される。

COLOR｜毛色

ブラック、ブラウン、ブルー、イザベラ（薄い栗毛）で、赤さび色の輪郭のはっきりした斑がある。被毛は短く硬い毛が密生し、手触りはなめらか。

APTITUDE｜適性

警護犬、警察犬、軍用犬、さらにはショードッグ、家庭犬として。アジリティにも。

特徴的な姿をしたドーベルマンの歴史は19世紀末に始まった。この犬の誕生に最も重要な役割を果たしたのは、ドイツのフリードリヒ・ルイス・ドーベルマン（1834～94年）という収税吏だ。彼は、自分の仕事の助けになる犬を作り出したいと考えた。厄介事に巻き込まれたときに身を守ってくれる犬だ。しかも、そのような犬を連れていれば、税金を納めたがらない人も、さっさと金を出す気になるに違いない。さらに、忠実で愛情深い伴侶にもなってくれれば言うことはない、とドーベルマン氏は考えた。残念ながら彼は、この犬を作出するために使った犬の記録を残していない。そのため、彼がどんな努力をしたかは推測するしかない。

ドーベルマン氏は、ドイツ中部のアポルダという町に住んでいた。ここで彼は、収税のほかに野犬の捕獲を生業としていた。つまり、さまざまな犬を自由に利用できる立場にあった。そんな彼は、身体的な特徴ではなく、気質を基準に犬を選んでいた。にもかかわらず、驚くべきスピードで一定の"タイプ"の犬ができあがったのだ。彼の繁殖実験は19世紀中頃に始まり、彼の犬たちは早いうちから「ドーベルマンの犬」と呼ばれていた。最初の基礎となったのは、シュナップという名前の雄とビザルトという雌だった。シュナップについては、賢く恐れを知らない犬だったということしかわかっていない。一方のビザルトは、警護犬タイプの犬だった。2頭のあいだに生まれた子どもたちは、黒地に赤さび色の斑があった。

19世紀末にはすでに、ドーベルマンのもとになった犬種についてさまざまな推測が行われるようになっていた。互いに矛盾する説もあったが、現在ではロットワイラー、ジャーマン・ピンシャー、ボースロン、ジャーマン・シェパード、ワイマラナー、ジャーマン・ショートヘアード・ポインター、グレート・デーン、ブラック・アンド・タン・テリア、マンチェスター・テリア、グレーハウンドの血が入っているというのが定説になっている。だが、これらの犬種がどの程度、どんな割合で掛け合わされたのかはまったくわからない。

1863年、ドーベルマン氏は、作出した犬たちをアポルダの犬市場に連れていった。彼の犬たちは、たちまち人々の人気をさらった。ドーベルマン氏が1894年に亡くなると、オットー・ゲーラーとゴズヴィン・ティシュラーが彼の仕事を引き継いだ。この2人のおかげでドーベルマンは広く普及する。ゲーラーは、1899年にナショナル・ドーベルマン・ピンシャー・クラブを設立した。そして1900年頃には、ドイツケネルクラブによって最初の犬種標準（当時の犬種名は「ドーベルマン・ピンシャー」）が承認されている。これほど短期間に、1つの犬種が誕生して固定されるのは驚異的だ。

1908年になると、AKCでもワーキング・グループに属する犬種として登録された。1921年には、米国ドーベルマン・ピンシャー・クラブもできている。米国では、この犬は警察犬としてよく使われた。嗅覚が非常にすぐれていたため、追跡犬として利用されたのだ。やがて軍の仕事もするようになり、第二次世界大戦中は米国海兵隊が軍用犬として正式に採用した。だが、多くのドーベルマンが任務中に命を落とし、特に犠牲の大きかったグアム島には、戦死したドーベルマンたちの慰霊碑が建てられている。

英国でドーベルマン・クラブが結成されたのは1948年ことだ。この頃ドイツでは、犬種名から「ピンシャー」がなくなっていた。ピンシャーとはもともとドイツのテリア系の犬のことなので、この犬の犬種名としては適切ではないと考えられたのだ。改名は英国でも行われたが、米国では、今も正規の犬種名はドーベルマン・ピンシャーのままである。

今日、ドーベルマンは気質に主眼を置いて繁殖されている。そのためドーベルマンは、どんな仕事でも有能にこなす多才な犬であると同時に、すばらしい伴侶犬にもなりうる犬になった。知性、敏捷性、忠誠心、保護本能、いずれも申し分のない犬である。

GERMAN SHEPHERD
ジャーマン・シェパード・ドッグ

近現代-ドイツ-一般的

SIZE | 大きさ

雄 63cm／雌 58cm

APPEARANCE | 外見

気高く知的で力強い。頭部は輪郭がすっきりとして、耳と耳のあいだは適度な幅がある。マズルはくさび形で、がっしりしている。目はアーモンド型で、色は黒っぽいブラウンが望ましい。耳は中ぐらいの大きさの立ち耳で、高い位置に付いている。首は筋肉質で長め。肩にも力がみなぎっている。体長は体高よりもわずかに長い。胸は深いが、幅が広すぎることはない。トップラインはなめらかで、首から明確なキ甲を経て、尻に向かって直線的にわずかに傾斜している。背部は引き締まり、腰は幅広い。尻からなだらかにつながる尾は、毛がふさふさとしており、少なくとも飛節に達するほどの長さでなければならない。静止時にはサーベルのようなゆるやかな曲線を描くが、動いているときには上に掲げられる。ただし、背中に背負うことはない。

COLOR | 毛色

ブラックの単色、またはブラックの地にタンやゴールドからライトグレーが入ったサドル（馬の背に鞍を置いたような斑模様）があるもの。あるいは全身グレーで淡いグレーやブラウンが入ったもの（セーブルと呼ばれる）。被毛はダブル・コート。上毛は硬い直毛で、非常に密。やわらかい下毛も密生している。

APTITUDE | 適性

家畜の護衛、牧羊、アジリティに。番犬、警察犬、軍用犬、盲導犬、麻薬・爆発物探知犬、さらにはショードッグ、家庭犬としても。

ジャーマン・シェパードは、近代的な育種による傑作である。歴史は短いが、全世界で最も人気のある犬種の1つとなっている。ジャーマン・シェパードはまた、最も利用範囲の広い犬でもある。実にさまざまな役割を果たして、人間の役に立っている。非常に賢い犬であるため、いろいろな方法で訓練することが可能だ。犬種の作出に至る初期の段階で、外見ではなく、頭のよさと作業能力を基準に繁殖を重ねてきたのは偶然ではないのだ。

ジャーマン・シェパードの賢さを示す、とても微笑ましいエピソードがある。精神分析の創始者であり、たいへんな愛犬家としても知られていたジークムント・フロイト（1856～1939年）は、ウルフという名前のジャーマン・シェパードを飼っていた。フロイトがこの犬を購入したのは、娘のアンナの友だちにするためだった。ある日、アンナとウルフが散歩に出かけたとき、兵士の一団が突然空に向かって空砲を撃ち始めた。その轟音に驚いたウルフは一目散に走り出し、たまたまドアを開けていたタクシーに飛び乗ってしまう。そのタクシーの運転手によると、乗り込んできた犬は運転手のほうに頭を突き出し、しばらく首を反らせていたという。それを見ているうちに首輪に犬の住所が書かれていることに気づいた運転手は、犬をその住所まで送り届け、フロイトからたんまりチップをもらったそうだ。英雄的な行為により有名になったジャーマン・シェパードは数多くいるが、タクシーを利用して有名になった犬はなかなか珍しい。

ドイツには伝統的に、頑健で、信頼できる作業犬がいた。家畜の群れを動かしたり、警護したりするために使われていた犬たちだ。このような牧羊犬タイプの犬たちは、何百年もかけて発達し、環境的な要因、またはその土地特有の繁殖傾向などによって、それぞれ違った特徴を身につけていった。その結果、さまざまな被毛の種類や毛色、体つき、能力を持つ犬が誕生した。19世紀になると、これらの多様な犬のタイプを特徴ごとに分類して、犬種名をつけようという動きが始まる。そして犬種標準が作られたり、犬種ごとの愛犬家団体が結成されたりして、それぞれの犬の特長を促進しようという努力がなされた。

ドイツで最初にできたクラブの1つに、ファラックス協会という団体がある。ドイツ原産の犬種を整理する目的で1891年に作られた団体である。ファラックス協会は繁殖の方法をめぐって、犬の外見を固定することを目指す会員と、職能の向上を目指す会員のあいだで内紛が起こり、結局、数年後に解散してしまうが、会員のなかに現代のジャーマン・シェパードの誕生に大きく貢献した人物がいた。マックス・フォン・シュテファニッツ大尉（1864～1936年）である。

シュテファニッツは、ドイツに昔から存在していた犬を使って特定の作業犬を作り出したいと考えていた。そして1899年にドイツ西部のカールスルーエで開かれたドッグショーを見にいった彼は、ある1頭の牧羊犬に出会う。オオカミに似た姿のその犬は、まさに彼が作出したいと思っていた犬そのものだった。シュテファニッツはその犬を売ってもらい、ホランド・フォン・グラフラートと名づけた。この犬をもとに、彼は計画的な繁殖を始める。さらにフェライン・フュア・ドイチェ・シェーファーフント（ドイツ牧羊犬協会）を設立し、ホランドを「ジャーマン・シェパード」第1号として登録した。

その後、シュテファニッツはホランドの兄弟犬ルックスも手に入れ、それぞれ、ふさわしい雌と交配させた。そうして生まれた子どもたちを何度も同系交配し（ほかの牧羊犬の血も少しずつ加えながら）、形質を固定化していった。ホランドの子どもたちのなかで最もすばらしい形質を受け継いだのは、ヘクトール・フォン・シュヴァーベンという雄で、この犬と、やはり血のつながったベオウルフの2頭が、犬種の基礎を築く血統の中心となった。

NOBLE AND FAITHFUL | 気品と信頼性

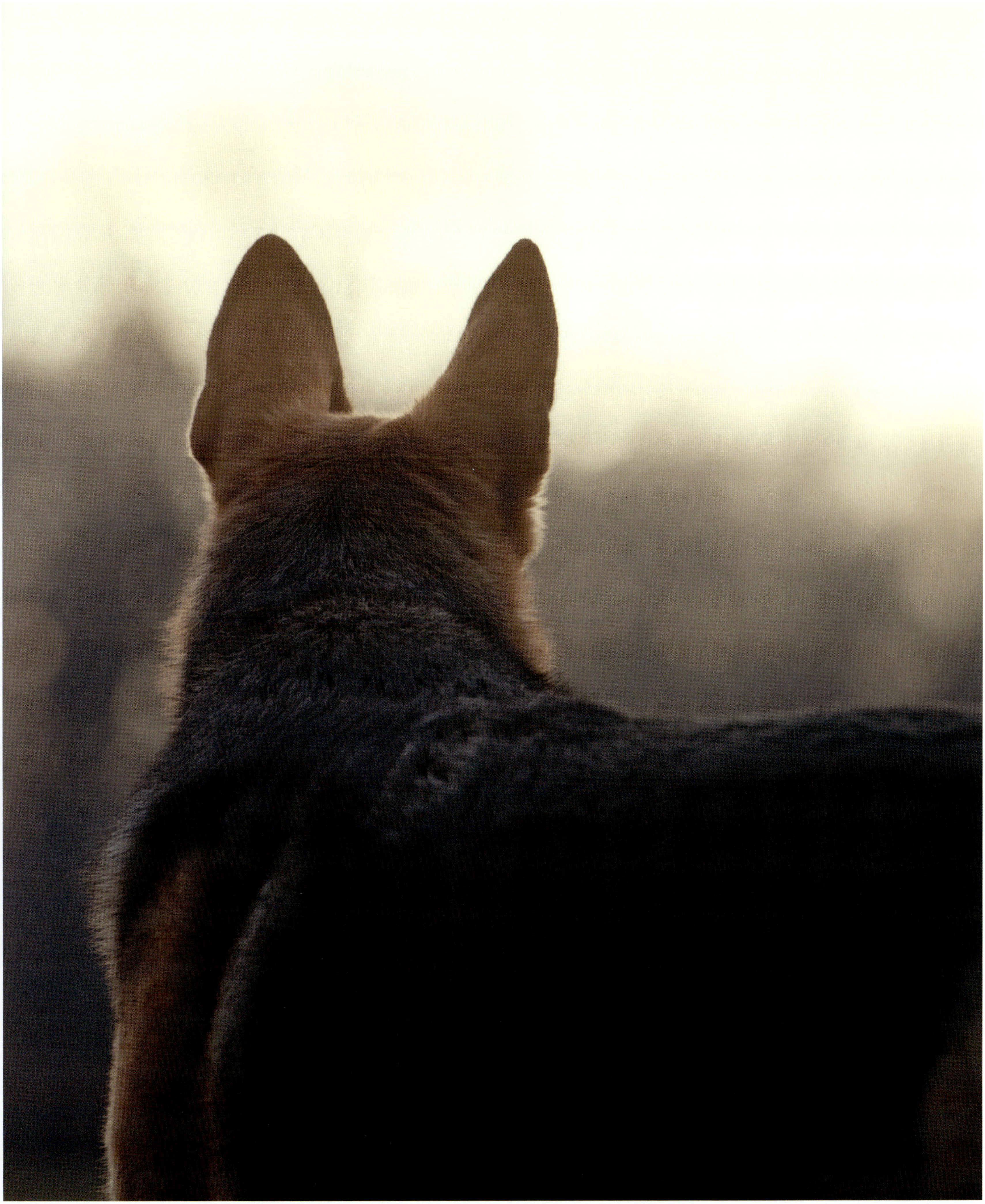

NOBLE AND FAITHFUL | 気品と信頼性

シュテファニッツが犬の繁殖に際して主眼を置いたのは、「知性と有用性」だった。犬種標準も当然、この2つを念頭に作成された。

しかし20世紀に入ると、牧羊犬や家畜の護衛犬の需要はしだいに減少していった。そこでシュテファニッツは、警察を中心にジャーマン・シェパードの市場を開拓することにする。この犬が非常に賢いことはすでに証明済みだった。何種類もの訓練をうまくこなす能力があることもわかっていた。しかも、忠実で強い護衛本能を持っている。これらの特質によって、ジャーマン・シェパードは世界最高の警察犬となったのだった。

やがて、この犬は軍にも利用され始める。第一次世界大戦では、ドイツだけで何千頭ものジャーマン・シェパードが軍に徴用されている。これらの犬たちは伝令や人命救助、歩哨といった任務を与えられたほか、人間の護衛を担当することもあった。彼らの勇敢さは、世界中の兵士たちの心を打った。

米国では、1907年に初めてドッグショーにジャーマン・シェパードが登場する。ミラ・フォン・オッフィンゲンという名の犬だった。その翌年にはAKCが犬種として公認し、ハーディング・グループに分類した。そして1913年に米国ジャーマン・シェパード・ドッグ・クラブが結成されるが、米国が第一次世界大戦に参戦しドイツと戦うことになると、「ドイツ」「ジャーマン」と名のつくものはすべて敬遠されるようになった。そのため、同クラブは米国シェパード・ドッグ・クラブと改称された。イングランドでも同じ時期に、犬種名が「アルザシアン」に変更されている。仏独国境にあるアルザス=ロレーヌ地方から取った名だ。この呼び名は1977年まで使われていた。

第一次世界大戦が終わると、多くの犬が復員する兵士とともに英国や米国に帰還した。兵士たちは、軍事作戦中に犬たちが見せる勇敢さや誠実さにすっかり感銘を受けていた。このとき帰還兵が米国に連れ帰った犬のなかに、1頭の子犬がいた。リー・ダンカンという陸軍伍長が、フランスのロレーヌ地方でドイツ軍が放棄した軍用犬待機所から救い出した2頭の子犬のうちの1頭である。ダンカンはそれぞれリンチンチン、ナネットと名づけたが、ナネットは残念ながら死んでしまい、リンチンチンだけを連れて帰国した。

この子犬に、ダンカンはさまざまな芸やジャンプを教えていった。あるとき彼は、リンチンチンを映画俳優としてデビューさせようと思いつく。これは一説によると、ある映画のセットで、言われた通りに演技することを頑として拒否しているオオカミを見たのがきっかけだったという。いずれにせよ、リンチンチンは10年間で23本ものハリウッド映画に出演することになり、亡くなる1932年までに莫大な出演料を稼ぎ出した。リンチンチンの子や孫もまた、あとを継いでハリウッドで活躍した。1950年代には、少年とジャーマン・シェパードの絆を描いた『名犬リンチンチン』という子ども向けのテレビドラマも放映されている。それ以降もジャーマン・シェパードは数々の映画やテレビに出演し、そのたびに世界中でこの犬種に対する人気が高まった。

一方、英国のKCは1919年にこの犬種を公認した。当時の犬種名は、前述のようにアルザシアンだった。このときには54頭が登録されている。1920年代には、英国王太子（のちのエドワード8世）が、クロース・オブ・シールという名前のアルザシアンをクラフツ展に出陳している。王太子の祖母にあたるテック公爵夫人は戦前、ドイツにこの犬種の繁殖犬舎を所有していたという。1926年には、英国内のアルザシアンの登録犬数は8000頭にのぼり、同年の米国におけるこの犬の登録数も全犬種の36％に達していた。

この頃から、ジャーマン・シェパード・ドッグは新たな、そして重要な役割を果たし始める——盲導犬である。この犬を盲導犬として初めて訓練したのは、原産国のドイツの人たちだった。毒ガスのイペリットで失明した兵士の介助をさせるため、1917年にこの犬が選ばれたのだ。そして1925年、ドイツで訓練を受けた盲導犬第1号のラックスが、米国ミネソタ州選出の上院議員で、1907年に失明したトーマス・D・ショールに贈られた。その頃、ヘレン・ケラーも個人が訓練した盲導犬を入手している。こちらは、米国で訓練を受けた盲導犬第1号である。1929年には、ドロシー・ハリソン・ユースティスとモリス・フランクが、スイスにあったユースティスの犬舎の犬を導入して、シーイング・アイ盲導犬基金を設立している。

第二次世界大戦が始まると、連合国側も同盟国側も、再びジャーマン・シェパードを軍用犬として利用する。犬たちは、これまでの軍用犬の役割に加え、地雷やワイヤートラップを発見する訓練も受けた。米国では、ドッグズ・フォー・ディフェンスという、軍にジャーマン・シェパードを中心とする軍用犬を供給する会社もできた。敵国ドイツと、ジャーマン・シェパードのあいだに密接な関係があることは明らかだったし、アドルフ・ヒトラーがこの犬種を好んだことも知られていたが、だからと言ってこの犬の評判が下がることはなかった。その人気は現在までずっと続いている。

しかし、見境のない不適切な繁殖の影響は免れず、形態や健康、気性に関するさまざまな問題も発生している。このような問題を解決し、ジャーマン・シェパードを世界で並ぶもののない最高の犬にしている特長を保っていくことを目指して、現在、クラブや個人の愛犬家のたゆまぬ努力が続けられている。

CHAPTER 5
第5章
気骨と胆力

　嗅覚ハウンドは高度に発達した嗅覚を生かし、獲物を見つけ追跡することができるタイプの犬である。また、そういった作業に真摯に取り組む性質も備わっている。視覚に頼って機敏に狩りを行う視覚ハウンドと比べると、動きはゆったりとしているが、その持久力は特筆に値する。

　嗅覚ハウンドは、ホットノーズとコールドノーズという2つのタイプに大きく分けられる。ホットノーズの代表格は、イングリッシュ・フォックスハウンドやアメリカン・フォックスハウンドで、これらの犬は、新しい臭跡をある程度のペースを保って追跡することができる。ひとたび新しいにおいを見つけると元気に走り出すため、馬に乗って行う狩りに最適な犬種と言える。一方、コールドノーズの犬は、古い臭跡を拾い上げることができる。希少なオッターハウンドは、水中のにおいまでたどることができる。また、ブラッドハウンドをはじめとするきわめてすぐれたコールドノーズを持つ犬は、行方不明者や遺体の捜索にも役立てられているし、ビーグルなど、薬物や爆発物探知の分野で活躍するコールドノーズの嗅覚ハウンドもいる。

　嗅覚ハウンドの起源は、先史時代から主に戦争や狩猟に使われた古いマスティフ系にあると考えられている。古代ケルト人や、イラン系遊牧民族サルマタイを祖先に持つアラン人は、マスティフ・タイプの犬の品種改良を行っていた。明確な記録は残っていないが、猟犬、番犬、牧畜犬としての能力を備えた犬を掛け合わせ、それぞれの特性を固定させようとした。いずれにせよ、外見よりも作業能力が重視され、タイプが違っても同じ能力を持つ犬同士を異系交配したことは間違いない。そして何世紀もの年月を経て、明確に異なる特性を持つ犬種が現れてくる。戦争や警護に使われる犬はマスティフらしい重厚感のあるがっちりとした筋肉をまとい、嗅覚ハウンドはずっと軽やかで精悍な犬に発達した。

　特定の嗅覚ハウンドの繁殖記録で最も古いのは、ベルギーのサン・テュベール男子修道院におけるものだ。8世紀頃、修道僧たちがすぐれた嗅覚ハウンドを繁殖し、フランス国王に贈っていたという。サン・テュベールと呼ばれたその犬は、タルボットやサザン・ハウンド(ともに絶滅品種)、英国のブラッドハウンドなど、複数の嗅覚ハウンドの基礎となった。

　修道僧たちはサン・テュベールだけでなく、突然変異によって生まれたと考えられる「胴長短脚の嗅覚ハウンド」の作出及び繁殖にも積極的に関わっていたとされている。フランスには現在も、胴長短脚の嗅覚

ハウンドが多数いる。人気の高いバセット・ハウンドもそのような犬種の1つだ。バセット・ハウンドとブラッドハウンドの共通点は、長く垂れた耳と嗅覚の鋭い大きな鼻だが、実はその耳に秘密がある。耳の先端が地面にこすれてにおいを発散させ、臭跡を拾いやすくしてくれるのだ。

中世の英国とフランスでは、王侯貴族のあいだで、壮麗さや形式を重んじるフォーマルなスポーツとして狩猟が流行する。11世紀のイングランドでは、森林法によって、すべての森林は王族専用の猟場と定められていた。イングランド中の森が王族の狩り場であり、そこに棲むいかなる動物も、すべて王族のものだったのだ。イングランドの王たちは、広大な土地でアカシカ、イノシシ、ノウサギ、オオカミなどを狩るために、嗅覚ハウンドをはじめとする各種の猟犬を多数飼育していた。

英国で猟犬を用いてキツネ狩りが行われるようになったのは16世紀だと伝えられている。キツネ狩りは当初、害獣駆除を目的として農夫たちが行っていたもので、具体的にどのようなタイプの犬が使われていたかは明らかでない。キツネ狩りに使用された嗅覚ハウンドの犬種がはっきり特定できるのは1668年以降のことだ。17世紀に雄ジカ狩りが衰退期を迎えると、嗅覚ハウンドを伴ったキツネ狩りが脚光を浴び始め、それに伴ってフォックスハウンドという犬が生まれる。環境や地形に合わせてさまざまなタイプのフォックスハウンドが現れたが、どれもグレーハウンド、テリア、マスティフ系をもとに作られたと考えられている。近現代のフォックスハウンドの発展における貢献者の1人がヒューゴ・メイネル（1735～1808年）である。メイネルは、交配する犬を慎重に厳選して、スピードと運動能力の向上を図った。

米国で誕生したアメリカン・フォックスハウンドや各種のクーンハウンドはすべて、ヨーロッパからの入植者が持ち込んだ、英国・フランス・ドイツ・アイルランド原産のさまざまなハウンド・タイプの犬同士の異系交配を重ねて作出されたものである。ただし、クーンハウンドの1種であるプロット・ハウンドだけは例外で、他の犬の血はほとんど入っていない。記録によると、組織的に集団で猟を行う猟犬のグループ（これを「パック」と言う）が北米大陸に初めて渡ったのは1650年。裕福な英国紳士、ロバート・ブルックがメリーランド州に移住する際、所有していたイングリッシュ・フォックスハウンドたちを連れてきた。すると米国南部では瞬く間にキツネ狩りが人気の娯楽になり、英国のフォックスハウンドにほかのハウンド犬を掛け合わせてアメリカン・フォックスハウンドという犬種が誕生した。こうしてできた犬は、英国のフォックスハウンドよりも大型で、米国の多様な地形に適応できる運動能力を持つ、すぐれた猟犬だった。

スピード感のあるキツネ狩りと並行して、古い臭跡を辛抱強く追跡することができるコールドノーズのハウンド犬を使用する別のタイプの狩猟も発展していった。このような猟に使用される犬はクーンハウンドと総称された。ブルーティック・クーンハウンド、プロット・ハウンド、カタフーラ・レパード・ドッグなどだ。いずれも勇敢さ、持久力、鋭い嗅覚、そして従順さが特徴の犬たちである。クーンハウンドを使った猟では、場所にもよるが、アライグマが最も広く狩られていたようだ。そのほか、ハイイロギツネやリス、ピューマ、クマ、ボブキャットなどもターゲットになっていた。

狩猟の方法は次の通りだ。猟師はまず、犬のリードを外して自由に臭跡を探させる。獲物のにおいを拾うと、犬は直ちに追跡を始める。最終的に犬は獲物を木の上に追いつめて、木の根元で吠え続ける。この狩猟法はツリーイングと呼ばれる。犬の声には重要な意味がある。鳴き方の違いによって猟がどの"段階"にあるかを猟師に知らせるのだ。獲物を追うときは低く太いうなり声を出すが、木に追い上げた後は短くリズミカルな吠え方に変化する。猟師はその声を頼りに、犬のもとに向かうわけだ。

嗅覚ハウンドには、さまざまな体型や大きさのものがいる。これは、それぞれが狩猟を行う環境と獲物の種類に応じて進化を遂げてきたからだ。たとえば、スピードのあるフォックスハウンド系、胴長短脚のダックスフンド、辛抱強い性格の希少なオッターハウンド、落ち着きのあるブラッドハウンド、そして勇猛果敢なアメリカン・クーンハウンドなどである。

ハウンド犬は狩猟――かつては食糧調達や害獣駆除のためだったが、現在ではスポーツ、娯楽の色も濃くなっている――を目的に高度に進化してきた犬であるが、それ以外にも、鋭い嗅覚を生かして人間の役に立ってきた。今では捜索救助、追跡、違法薬物や危険物の探知、そのほかさまざまな仕事を行っている。グループで狩猟を行うことの多い嗅覚ハウンドは協調性にすぐれ、ほかの犬との付き合い方がうまい。概して親しみやすい性格で、訓練もしやすい犬なので、じゅうぶんな時間を取って一貫したしつけを行えば、最高の家族になること請け合いだ。

DETERMINED AND BRAVE｜気骨と胆力

BLOODHOUND
ブラッドハウンド

近世以前 ― ベルギー／イングランド ― 比較的多い

SIZE｜大きさ
雄 66cm／雌 61cm

APPEARANCE｜外見
威厳と知性を感じさせる堂々とした風貌。頭部は、こめかみからマズルにかけてやや先細りで、皮膚にわずかなたるみがある。目はダーク・ブラウンからヘーゼル。頭部の低い位置に付く、薄い小判型の長い耳には美しいひだが入り、先端が内側後方に巻いて垂れている。首は長い。ボディは力強く、特に肩は筋肉がよく発達している。前肢は長く骨太で、飛節の位置が低い。長く太い尾は尾付きが高く、先端に向かって細くなる。活動中や興奮したときには、三日月刀のような形に掲げられる。

COLOR｜毛色
ブラック＆タン、レバー＆タン（レッド＆タン）、あるいは単色のレッド。胸、足、尾の先端に入るわずかなホワイトは認められる。被毛は短い直毛で、雨風によく耐える。

APTITUDE｜適性
足跡追及犬、警察犬として。ショードッグ、家庭犬としても。

　1930年代の米国に、警察犬として勇名を馳せた1頭のブラッドハウンドがいた。ニック・カーターという名のその犬は600人を超える犯罪者を追跡し、逮捕に貢献したと言われる。ブラッドハウンドの臭跡追及能力に対する信頼性は高く、米国の裁判では、この犬の追跡結果が法的証拠として採用されるほどだ。ニック・カーターの武勇伝は、時を経てやや誇張されている可能性も否めないが、たとえそれを差し引いたとしても、ブラッドハウンドの類まれな嗅覚に疑いを挟む余地はない。

　ブラッドハウンドはもともと猟犬として作出された犬種だが、常に人間の足跡追及も行ってきた。現在も、特に米国では法執行機関で重用されている。ブラッドハウンドの嗅覚をもってすれば、どんな片田舎でも人間の足跡をたどることが可能だ。水面に漂う臭跡や、ずいぶん古い足跡でさえ拾い上げることができる。ブラッドハウンドが警察犬として活躍する米国では、1966年設立の全米警察ブラッドハウンド協会（NPBA = National Police Bloodhound Association）、98年設立の法執行機関ブラッドハウンド協会（LEBA = Law Enforcement Bloodhound Association）など、警察犬としてのブラッドハウンドに特化した団体も複数存在する。この犬は世界中で飼育されているが、最も頭数が多いのはやはり米国である。

　犬種名の由来には2つの説がある。血の臭跡をたどる能力から「血の追跡者（blood seeker）」という意味で名づけられたという説。もう1つは、「高貴な血を継ぐ純血種」という意味の「ブラデッド・ハウンド（Blooded Hound）」から転じたという説である。現代のブラッドハウンドは、8世紀にベルギーのサン・テュベール男子修道院で飼育されていたハウンド犬の流れを汲む犬だと考えられている。修道僧たちが繁殖した嗅覚ハウンドが、やがてサン・テュベール犬として知られるようになり、現代のブラッドハウンドの基礎になったというのだ。修道僧たちは、フランス国王のご機嫌をうかがうため、そして貴族や上流階級の人々への宣伝も兼ねて、手塩にかけて繁殖した純血種の犬を毎年数つがいずつ国王に献上していた。

　嗅覚ハウンド自体は、修道僧たちが繁殖活動を始めるよりはるか昔に、中央アジアや東南アジア、あるいは中東原産のマスティフ系の犬から生まれたと考えられている。ヨーロッパに広まったそれらの嗅覚ハウンドたちは、特定の役割を担う犬としてそれぞれ独自に発展の途をたどった。古く紀元前の時代には、ガリアと呼ばれる地域（現在のフランス、ベルギー、スイス、オランダ、ドイツの一部などにわたる地域）に居住していたケルト人が、すぐれた臭跡追及能力を備えたマスティフ系の大型犬を飼育していたとされている。この犬がサン・テュベール犬の基礎となり、さらには19世紀に絶滅したタルボット、白い被毛が特徴的なサザン・ハウンドなど、フランスとベルギー原産の各種嗅覚ハウンドも、ここから発展してきたと考えられている。

　修道僧たちの思惑通り、サン・テュベール犬はヨーロッパで急速に広まり、貴族が所有する多くの犬舎で飼育されるようになった。その追跡能力は驚異的で、歩調がゆったりとしていたため馬に乗って行う狩りには向かなかったが、徒歩で出かける猟ではすばらしい能力を発揮した。低くなめらかに響くうなるような独特の吠え声は、現代のブラッドハウンドにも受け継がれている。彼らの並外れた追跡能力は、たちまち人々に知られることとなった。

　サン・テュベール犬は、征服王ウィリアム1世（1027年〜87年）によってイングランドに持ち込まれたとされるが、それを証明する記録は残念ながら残っていない。とはいえ、その当時、何種類かのハウンド犬がイングランドに渡ったのは確かで、ノルマン・コンクエスト［訳注：1066年のウィリアム1世によるイングランド征服を指す］をモチーフとする刺繍画『バイユーのタペストリー』（11世紀）にも、具体的な犬種は不明ながら、ハウンド犬が描かれている。

　嗅覚ハウンドはこれまで、さまざまな名前で呼ばれていた。たとえばスコットランドでは、最初は「スルース・ハウンド（探偵犬）」、中世になると「ラ

DETERMINED AND BRAVE｜気骨と胆力

BLOODHOUND | ブラッドハウンド

イアム・ハウンド」と呼ばれていた。「ライアム」とは首につなぐリードのことだが、これは嗅覚ハウンドをリードにつないでイノシシやアカシカの臭跡をたどらせていたことによる。そして獲物の居所を突き止めたところで、動きがより俊敏なハウンド犬の群れに獲物を追いつめさせるのだ。

史実にやや尾ひれがついた可能性も否定できないが、次のような伝承がある。ロバート1世(1274〜1329年)がスコットランド王に即位した1306年、彼はイングランドとの戦いに敗れ、イングランド王エドワード1世(1239〜1307年)の軍に追われる身となった。ロバート1世が飼っていたドンナフードという名のブラッドハウンドを捕らえたイングランド軍は、犬に主人を追わせる。そしてドンナフードは、敵軍をロバート1世のもとへとまっすぐ導いた。だが、イングランド兵が待ち伏せ攻撃を仕掛けようとしたところで主人に振りかかる危険を察知したドンナフードは、すんでのところで逆に敵に襲いかかった。おかげでロバート1世は愛犬とともに逃げおおせることができたという。

ブラッドハウンドについて最も詳細に書かれた最古の文献は、イングランドの医師ジョン・キーズが1570年に著した『Of Englishe Dogges(イングランドの犬について)』だ。その描写は非常に詳しく、この犬の特徴が何世紀ものあいだほとんど変わることなく保持されてきたことがわかる。また、スコットランドとイングランドの境界沿いで、牛泥棒の追跡の役目を与えられていたという記述も興味深く、同地域で飼育されていたスルース・ハウンドとの密接な関係性も浮かび上がる。1575年に出版されたジョージ・ターバヴィルの『The Noble Art of Venerie or Hunting(狩猟の作法)』では、ブラッドハウンドについてさらに詳しく述べられている。これは、フランス人のジャック・デュ・フイユーが1561年に書いた狩猟術に関する書を参考にしてまとめたものだ。

どちらの書物もサン・テュベール犬に触れているが、広く異系交配が行われたために純血ではなくなったと指摘している。ここから、ブラッドハウンドはサン・テュベール犬から生まれた犬であると結論づけたくなるが、実のところはそう単純ではないようだ。純血の犬を保存しようという動きが始まったのはここ2、3世紀のあいだのことで、昔は単純にすぐれた能力を持つ犬同士を掛け合わせるのが常だった。優秀な犬を交配させていくうちに、やがて特定の仕事に適したすぐれた特性が固定化されていくが、それが純血を意味するわけではないのだ。こうした異系交配は広く行われていた。

米国へは、15世紀から16世紀にかけてスペインのコンキスタドールが"ブラッドハウンド"を持ち込んだとされている。しかし、ここで言うブラッドハウンドは、単に嗅覚ハウンドの能力を備えたマスティフ系の犬を意味していたと思われる。先住民を追跡し、威嚇するために使われたというが、性格の穏やかな犬種として知られるブラッドハウンドが、果たしてそのような役割を担うことができたのかどうか大いに疑問が残るのだ。また、1619年に聞かれたヴァージニア州議会でブラッドハウンドという犬種名が初めて具体的に登場する(先住民へのブラッドハウンド売却を禁じる法律が制定された)が、これもまた、嗅覚ハウンドを指す一般名称であった可能性が高い。

米国にこの犬種が輸入されるようになったのは、おそらく南北戦争(1861〜65年)後のことだと思われる。1885年には、AKCに初めてブラッドハウンドが登録されている。ただし、1889年までは登録頭数がさほど伸びず、わずか14頭にとどまっていた。それでも1888年にニューヨーク市で開催されたウェストミンスター展に、イングランド人ブリーダーのエドウィン・ブラフが出陳した3頭のブラッドハウンドは、大きな注目を集めている。

一方、18世紀後半のフランスでは、不適切な異系交配が原因でサン・テュベール犬の質が低下し、貴族たちの寵愛を失っていたことをうかがわせる文献がある。19世紀に入ると、フランスのサン・テュベール犬はほぼ絶滅に近い状態だった。しかもヨーロッパ大陸では、より俊敏なフォックスハウンドを使った狩猟の人気が高まりつつあったため、ブラッドハウンドは以前ほど必要とされなくなっていた。

だが、その頃英国では、ブラッドハウンドが新たな犬種として確立されていた。そしてヴィクトリア女王(1819年〜1901年)が好んだことからこの犬の人気が沸騰し、19世紀後半にはドッグショーにも出陳されるようになっていた。その人気ぶりは、サー・エドウィン・ランドシーア(1802〜73年)ら英国人画家の作品にたびたび描かれていることからもうかがえる。ヨーロッパでこの犬種が息を吹き返したのは、そうした英国産のブラッドハウンドがフランスに大量に輸入されたことがきっかけだった。ただし現在でも、ヨーロッパのほとんどの国がシアン・ド・サン・テュベールというフランス語の犬種名を採用している。

気立てのすばらしいブラッドハウンドは、一般家庭のペットとしても最高の犬種である。社交的で愛情にあふれ、子どもや他の犬に対しても辛抱強く、良好な関係を築くことができる。万が一、愛する主人が行方知れずになれば、ほぼ百発百中捜し当ててみせる力もある。ただし、興奮すると吠えたてる傾向があるので、根気強く服従訓練を行う必要がある。

DETERMINED AND BRAVE | 気骨と胆力

BLOODHOUND | ブラッドハウンド

BASSET HOUND
バセット・ハウンド

近世以前 − フランス/イングランド − 一般的

SIZE | 大きさ
雄雌とも　33〜38cm

APPEARANCE | 外見
体高が低く、がっしりとしてカリスマ性がある。スカルはドーム状で、ほどよい広さの額からマズルに向かって徐々に細くなる。額と目の横にはわずかに皺が入ることがある。上のフルーズ（分厚く垂れ下がった唇）は、下唇に大きくかぶさっている。目はひし形で、穏やかで優しく、真剣なまなざし。色はダーク・ブラウンからブラウン。ビロードのような毛に覆われた長い耳は低い位置に付き、内側に巻いている。首はかなり長く筋肉質で、しっかりアーチを描く。ボディは低い体高の割に深く、胴長で、胸骨が明瞭。前肢は短いが、骨格がしっかりとしている。正面から見ると、前肢の上部がやや内側を向いているため、前胸部が肘のあいだにきちんと収まっている。四肢にも皺が見られることがある。背は幅広で水平。尾は比較的長く、強靭で、先端に向かって細くなる。動いているときには、ゆるやかにカーブを描きながら高く掲げている。

COLOR | 毛色
一般的にブラック＆ホワイト＆タンのトライ・カラーか、レモン＆ホワイトのバイ・カラーだが、ハウンド犬に認められる色ならばすべて可。被毛はスムース・コートで、短くてまっすぐな毛が体に沿うように密に生えている。

APTITUDE | 適性
ウサギやノウサギの追跡用に。ショードッグ、家庭犬としても。

カリスマ性あふれるバセット・ハウンドは、親しみやすい知的な犬だ。長く垂れた耳と情感のこもった目が、ちょっぴりコミカルなスパイスになっている。多くの人々の心をつかむこの犬は、広告や映画、テレビ番組に起用されることも多い。なかでも有名なのは、英国の新聞に連載されている、雄のバセット・ハウンドが主人公の漫画『フレッド・バセット』だろう。穏やかな家庭犬としての印象が強いバセット・ハウンドだが、本来はウサギやノウサギなどの小獣を集団で狩るために作出された犬種で、狩猟能力の非常に高い犬である。

英国や米国で最も多く見られるバセット・ハウンドは、フランスのバセーと呼ばれるタイプの何種類かのハウンド犬を基礎として19世紀後半に誕生した。「バセー」とはフランス語で「低い、短い」という意味で、そこから体高の低いさまざまなタイプのハウンド犬を指す一般名称になった。英国でも見られるバセーは4タイプ。ブルー・ド・ガスコーニュ、グリフォン・バンデーン（小型のプチ・バセット・グリフォン・バンデーンと、大型のグラン・バセット・グリフォン・バンデーンがある）、バセー・フォーヴル・ド・ブルターニュ、そしてバセー・アルティジャン・ノルマンだ。英国と米国のバセット・ハウンドはすべて、アルティジャン・ノルマンとグリフォン・バンデーンが基礎となっている。

バセーの具体的な起源はわかっていないが、少なくとも8世紀までさかのぼると言われ、ベルギーのサン・テュベール男子修道院の修道僧たちによって作出されたという説が最も広く信じられている。聖ユベール（フランス語読みで「サン・テュベール」。656頃〜727年）は狩猟の守護聖人で、彼の修道院では猟犬の繁殖を行い、フランスの国王に毎年数つがいずつ贈っていた。そんななか、突然変異によって生まれた胴長短脚のハウンド犬をあえて繁殖して誕生したのが、バセーだと考えられている。14世紀になると、フランス美術のなかにもこのタイプの犬が登場し始める。また、中世の狩猟に関する重要な文献『Livre de Chasse（狩猟の書）』の著者であるガストン・フェビュス伯爵（1331〜91年）も、イノシシ狩りのために短脚のハウンド犬のパックを飼育していた。

短脚のハウンド犬には、狩猟を行ううえで有利な点がいくつかある。バセット・ハウンドの嗅覚はブラッドハウンドに次いで鋭いと言われるが、脚が短い分、鼻が地面に近くなり、臭跡をたどるのが容易になる。さらに、長い耳を地面に引きずることによってにおいが空中に舞い上がるため、より追跡がしやすくなる。だが、短脚には不利な点もある。脚の長い犬に比べたら、当然ながら足の速さではかなわない。そのためバセット・ハウンドは、馬に乗って行う狩りよりも徒歩で行う狩猟に適している。通常、この犬は数頭のパックで活動し、森の深い下生えに潜む小獣を追い出す。バセット・ハウンドを使ったこうした狩猟は、現在も依然としてフランスや英国、米国で行われている。

フランスでは、自身もバセット・ハウンドのパックを所有していたという皇帝ナポレオン3世（1808〜73年）の時代に、この犬は幅広い階層の人々の注目を集めるようになった。その火付け役は、高名な動物彫刻家の1人、エマニュエル・フレミエで、1853年にナポレオンの所有するバセット・ハウンドのブロンズ像を数点、サロン・ド・パリ（パリの芸術アカデミー公式展覧会）に出展したことがきっかけだった。そして1863年に初めて開かれたパリ・ドッグショーに出陳されて、その人気は国外にまで及ぶことになる。

英国にも、その後まもなくゴールウェイ卿によって2頭のアルティジャン・ノルマンが輸入された。しかし、英国の一般大衆の関心を集めるようになるのは、それから少したった1870年代のことだった。これは、オンズロー

DETERMINED AND BRAVE | 気骨と胆力

BASSET HOUND | バセット・ハウンド

DETERMINED AND BRAVE│気骨と胆力

卿、ジョージ・クレール卿、エヴェレット・ミレーが、フランスを代表する2つの犬舎からアルティジャン・ノルマンの輸入を始めたことが大きい。その犬たちは異なるタイプに分かれて発達していった。たとえば、レーン・ケネル出身の犬は「レーンズ」と呼ばれ、そのほとんどがレモン＆ホワイトのがっしりとした骨太な犬で、前肢の足首の関節が前方に折れ曲がるナックリング・オーバーという特徴を持っていた。一方、ル・クトー・ケネルでは、体高が低く重厚感のあるトライ・カラーの犬と、ビーグルの影響を感じさせる比較的軽快なバセット・ハウンドの2タイプが繁殖されていた。

そして1884年、オンズロー卿、クレール卿、ミレーの3人が中心となって、フランス・コントルーのル・クトー伯爵の協力のもと、バセット・ハウンド・クラブが設立される。するとほどなくして、アレクサンドラ王太子妃（のちのエドワード7世王妃）もクラブに加わり、援助を始めた。王太子妃は、サンドリンガム宮にバセット・ハウンドのための大規模な犬舎を所有するほどの愛犬家であった。今日、英国で飼育されているバセット・ハウンドのほとんどが、彼女の犬舎にルーツを持っている。

ところが、度重なる同系交配でバセット・ハウンドの質が低下し始める。そこでミレーはまず、1892年に自身が飼育するバセット・ハウンドの雄と雌を交配させる。そうして生まれた子犬のうち生き残った3頭を、別の何頭かの純血のバセット・ハウンドと再び掛け合わせ、その子をさらにバセーと交配させた。この試みにより、骨格がよりたくましく、特徴がしっかりと安定した質の高いバセット・ハウンドが誕生した。そして20世紀になろうかという頃には、フランス産のバセット・ハウンドが再び英国に輸入され、先の異系交配の試みと併せて、現代のバセット・ハウンドが犬種として確立する。この犬は英国では猟犬としても用いられ、その頃にはバセット・ハウンド狩猟クラブが3つも設立されていた。

米国にバセット・ハウンドが初上陸したのは1883年。そして翌年に開催されたウェストミンスター展に初めて出陳され、センセーションを巻き起こす。AKCがバセット・ハウンドをハウンド・グループのカテゴリーに入れて公認したのは、その翌年の1885年のことである。愛犬家団体の登場は1935年創設の米国バセット・ハウンド・クラブまで待たなければならなかったが、以降、バセット・ハウンドはAKCの登録犬数でトップ35に常にランクインしている。

バセット・ハウンドは子どもにも辛抱強く愛情を注ぐので、家族の一員として迎えるのに打ってつけの犬だ。しかし、誰にでも分け隔てなく愛嬌を振りまくのが玉に傷で、特に食べ物を目の前にちらつかされるとなびきやすいため、残念ながら番犬としてはあまり優秀とは言えない。

OTTERHOUND
オッターハウンド

近世以前 – 英国 – 希少

SIZE | 大きさ

雄 69cm／雌 61cm

APPEARANCE | 外見

もじゃもじゃの粗毛をまとった堂々たる体躯で、威厳を漂わせる。スカルはドーム状で、マズルは深くて力強い。幅広で形のよい頭部は、鼻以外の部分が粗い毛ですっかり覆われ、口ひげとあごひげが生えているように見える。知的で生き生きとした目は、毛色によって色が異なる。たっぷりとした毛で覆われたひだ飾りのような長い耳は、目尻の高さに付き、先端が内側に丸まるか折れ曲がって垂れている。首は長く筋肉質で、ボディは力強い。胸は深く、あばらがたくましく張っている。背は水平で、腰は短く強靭。後肢も筋肉質で、飛節がかなり低い。足は大きく丸みがあり、指のあいだに水かきを持つ。尾付きは高く、活動時には高く掲げられる。

COLOR | 毛色

ハウンド犬に認められるすべての色。白い部分のない単色、グリズル、サンディ、レッド、ウィートン、ブルーを含む。ただし、頭部、胸、足先、尾の先にはホワイトが入ってもよい。また、ホワイトにかすかなレモン、ブルーまたはバジャーが入るものもある。そのほかブラック＆タン、ブルー＆タン、ブラック＆クリーム、レバー、タン、レバー＆タン＆ホワイトも可。被毛はダブル・コート。上毛は長く、ごわごわとした粗毛だが、ワイアリー（針金状）ではない。下毛はやわらかく、外からもよく見える。上毛、下毛ともわずかに脂っぽく、防水性と断熱性がある。

APTITUDE | 適性

元来はカワウソ狩り用。現在は足跡追及、アジリティ、オビディエンス、ラリー・オビディエンスに。さらにはショードッグ、家庭犬としても。

　オッターハウンドは、すばらしい性格に毛むくじゃらの外見が絶妙にマッチした、とても愉快な犬だ。非常に希少な犬種で、少数ながらとても熱心な愛好家グループによって保存の努力が続けられている。主に英国で飼育されているが、そのほかヨーロッパの一部の国々や米国、カナダ、ニュージーランドでも飼われている。

　オッターハウンドはもともと、カワウソ狩りのために品種改良された犬だ。防水性のある脂っぽいダブル・コートと、指のあいだにある水かきのおかげで、泳ぎが非常にうまく、カワウソ狩りには抜群の適性を見せる。さらに生まれつき水が大好きなうえに、水陸問わず臭跡を拾うことができ、獲物の臭跡をたどりながら何時間でも泳ぎ続けることも可能だ。カワウソ狩りは、川魚を食い尽くしてしまうこの哺乳動物を駆除するために、数百年前から行われていた。その後、娯楽のための狩りとして行われるようにもなるが、ほかの狩りほど爆発的に流行することはなかった。やがて20世紀になるとカワウソの数が減少し、イングランドでは1978年にカワウソ猟は禁止される。これによって、この犬の頭数も激減したのだ。

　オッターハウンドの被毛は、少なくとも17世紀に入るまでは直毛だったと考えられている。だが、英国の詩人で作家のジャーヴェス・マーカム（1568～1637年）が、1611年にオッターハウンドを「灰色で毛むくじゃら」と描写していることから、このときにはすでに粗毛のオッターハウンドが現れていたことがわかる。個人でオッターハウンドのパックを所有し、猟に使っていた人がいることについては、1653年に出版されたアイザック・ウォルトンの『釣魚大全』（角川選書ほか）のなかで初めて言及されている。そこでは、イングランド南東部ハートフォードシャー州のラルフ・サドラーという人物が所有していたオッターハウンドのパックについて触れられている。

　英国でカワウソ狩りの人気が高まりを見せたのは18世紀のことだった。そこで19世紀に入ると、グリフォン・ニヴェルネ、グリフォン・ド・ブレス、グリフォン・バンデーンなどフランス産のハウンド犬が英国のオッターハウンドと交配された。19世紀の終わりには、グリフォン・ド・ブレスをタイリクオオカミと交配させていたフランス、コントルーのル・クトー伯爵の犬舎を介して、オオカミの血も導入されている。

　そのため、19世紀を通し、オッターハウンドはラフ・コートのフランス原産ハウンド犬に徐々に似たものになっていった。英国で最も有名なオッターハウンドの猟犬繁殖犬舎——スコットランド、ダンフリーシャーにある——も、そうした犬のなかから選りすぐりのものを集めて1889年に創設された。さらに、バクスターという名のブラッドハウンドとフリヴォールというグリフォン・ニヴェルネの血を入れたことが、この犬舎のその後の発展に大きな影響を与えた。この犬舎で最も重視されたのは作業能力であったため、品種改良のために異なるハウンド犬との異系交配が積極的に行われたのだ。

　その後、カワウソが減少し、イングランドでこの狩りが禁止されたことでオッターハウンドの数が激減したことは前述の通りだが、1980年にスコットランドでもカワウソ狩りが禁止されると、マスターズ・オブ・ザ・ダンフリーシャー・オッター・ハントとケンダル地区オッター・ハントという2つの猟人会が、ブリーダーとKCの協力を得て、残った犬の登録に取りかかった。そうして現在に至るまでオッターハウンドの保存の努力が続いている。

　米国にこの犬が初めて輸入されたのは20世紀に入ってからだった。ドッグショーに初めて出陳されたのは1907年。米国オッターハウンド・クラブが設立されたのは1960年のことである。

DETERMINED AND BRAVE | 気骨と胆力

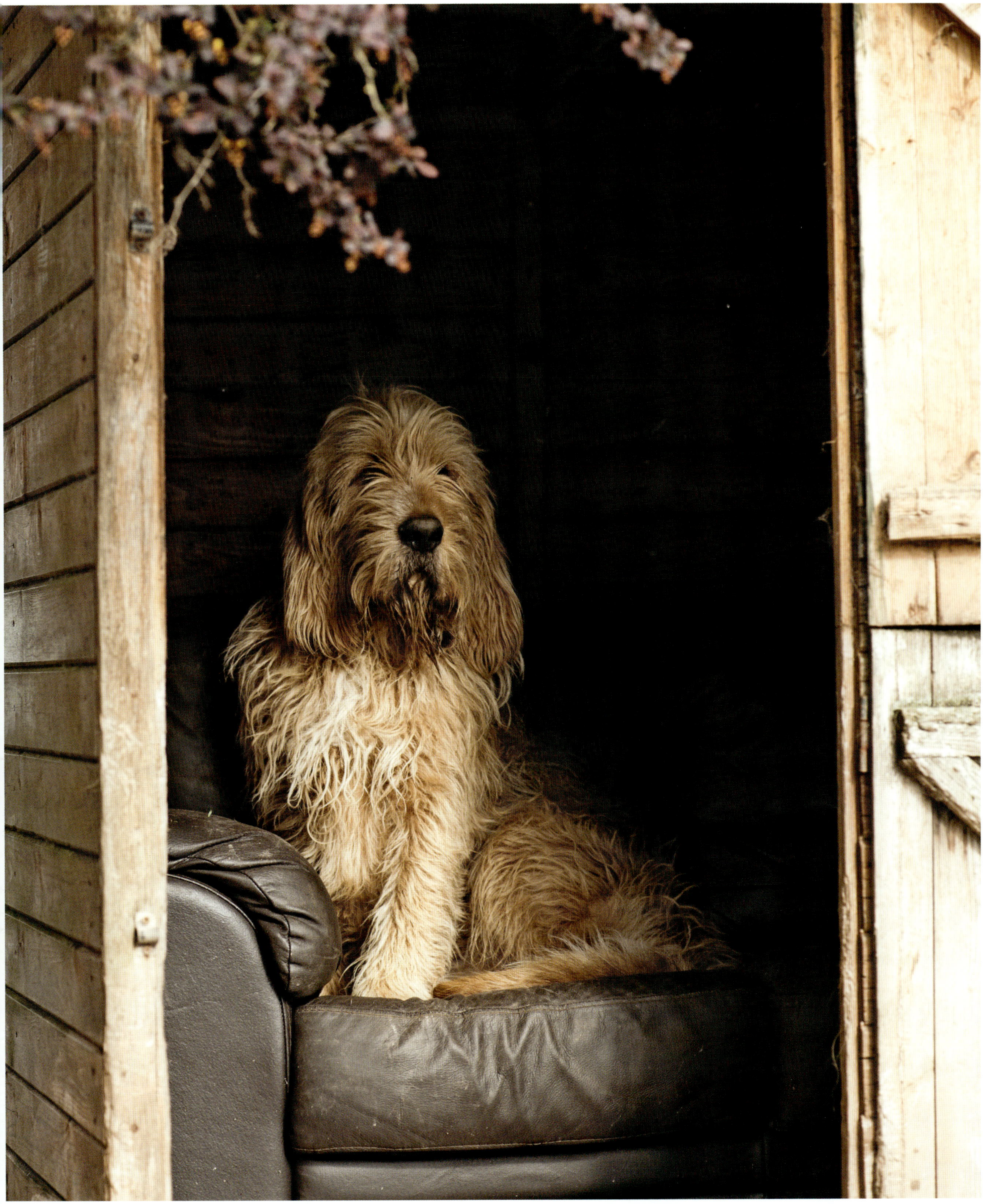

BEAGLE
ビーグル

近世以前 – イングランド – 一般的

SIZE | 大きさ

雄雌とも　33〜40.5cm

APPEARANCE | 外見

コンパクトなサイズながら、がっしりした体格。頭部は力強く、スカルはややドーム状。マズルがスニッピー（幅や厚みに欠ける弱々しいマズル）ではいけない。目はダーク・ブラウンまたはヘーゼルで、優しく訴えかけるようなまなざし。長い耳は低い位置に付き、先端が丸い。首はわずかにアーチを描く。トップラインは水平で直線的。胸は肘の下まで下りている。肋骨がしっかりと張り、腰は力強く、腹は過剰に巻き上がってはいない。尾付きは高く、陽気そうに高く掲げられているが、巻いて背負うことはない。尾の下側は特にたっぷりとした毛に覆われている。

COLOR | 毛色

トライ・カラー（ブラック&タン&ホワイト）、ブルー、ホワイト&タン、バジャー・パイド（地色の上に明確な斑）、ヘア（ノウサギ色）・パイド、レモン・パイド、レモン&ホワイト、レッド&ホワイト、タン&ホワイト、ブラック&ホワイト、ホワイトの単色。尾の先端にはホワイトが入る。被毛は、雨風に強い硬くて短い毛が密生している。

APTITUDE | 適性

ウサギの追跡、足跡追及、アジリティに。ショードッグ、家庭犬、さらにはセラピードッグとしても。

ビーグルは何世紀も昔に小型猟犬として作出された犬種で、現在もその分野で広く用いられている。嗅覚ハウンドの一種で、集団で行う小獣の猟の能力に長けている。通常、猟師が徒歩で行う狩りに同行し、独特の鳴き声を上げながら獲物を追う。さらに、ビーグルのなかにはセラピードッグとして活躍したり、法執行機関で足跡追及や違法薬物・爆発物の探知に用いられたりしているものもいる。そんなビーグルは、ペットとしても不動の地位を確立している。特に、米国での人気が高い。愛情深く、カリスマ性があり、陽気で愉快な犬として知られるが、時にペットとしては騒がしすぎることもある。

この犬種が誕生した頃の歩みは定かではないが、古代ギリシャには、すでにビーグルによく似た特徴を持つ小型ハウンドが存在していたようだ。ギリシャの著述家クセノポン（紀元前430頃〜同354年）の著作「狩猟について」（『クセノポン小品集』[京都大学学術出版会]に収録）にも、ノウサギ狩りに使用される非常に小さな猟犬がいるという記述がある。また、ヨーロッパ各地に遠征したローマ人も、この種の小型ハウンド犬を伴っていたようだ。イングランドにもたらされたそのような犬が、のちにビーグルという特定の犬種に発達していったのではないかと考えられている。

英国における嗅覚ハウンドの発展には、1066年のノルマンディー公ウィリアムによるイングランドの征服、すなわちノルマン・コンクエストを機にフランスから渡ったハウンド犬が多大な影響を及ぼした。中世にはすでに、異なるタイプの嗅覚ハウンドが何種類か誕生している。イングランド王エドワード2世（1284〜1327年）とヘンリー7世（1457〜1509年）が、小型の嗅覚ハウンドのパックをいくつも飼育していたことをうかがわせる記録もある。ビーグルという犬種名が初めて使われたのは15世紀。第2代ヨーク公エドワードの著書『The Master of the Game（狩猟の達人）』（1406〜13年）に、ビーグルという犬種名が初めて記述されている。

初期のビーグルは、何種類かのタイプに分かれていた。そのなかで一番小さいものはグローヴ・ビーグルまたはポケット・ビーグルと呼ばれ、長手袋の腕の部分や馬の鞍の横に下げた鞍袋にすっぽり入ってしまうほど小さかった。彼らは狩人とともに馬に乗って猟場に向かい、森林に放たれて下生えにもぐり込み、臭跡を拾った。エリザベス1世（1533〜1603年）もポケット・ビーグルのパックを所有していた。1575年にイタリアの画家フェデリコ・ツッカリ（1540頃〜1609年）に描かせた女王の肖像画にも、小さなビーグルの姿を見ることができる。現在でも米国では、大小2種類のビーグルが認められている。

数多くの犬を飼うことができる裕福な貴族たちに好まれたビーグルだが、18世紀にキツネ狩りが流行すると、ウサギやノウサギの猟に適したビーグルの人気は廃れていった。それでもこの犬種が存続したのは、フィリップ・ハニーウッド牧師をはじめとする少数の熱心な愛好家たちの努力のおかげだ。ちなみに、牧師が1830年代にイングランド東部エセックスに開いた犬舎で飼育されていた小型のビーグルは、ほとんどが白い犬だった。1890年にはイングランド・ビーグル・クラブが、翌91年にはマスターズ・オブ・ハリア・アンド・ビーグル協会が創設されている。両クラブの目的はともにビーグルの普及とその形質の保存であった。

米国では、南北戦争（1861〜65年）が始まる前、南部で小型のハウンドがキツネやノウサギ狩りに用いられていた。英国から初めて狩猟用ビーグルを輸入したのはイリノイ州のローレット将軍で、1860年代初頭のことだと言われている。そして1885年、AKCにビーグルが登録されるとともに犬籍原簿が作成され、88年には米国ナショナル・ビーグル・クラブが創設された。以来、ビーグルの人気は高まり、1917年のウェストミンスター展にエントリーした頭数を見ても、その人気ぶりがうかがえる。体高によって大小2タイプに分類されるようになったのも、米国においてである。

DETERMINED AND BRAVE | 気骨と胆力

BEAGLE｜ビーグル

DETERMINED AND BRAVE | 気骨と胆力

AMERICAN FOXHOUND
アメリカン・フォックスハウンド
近現代−米国−希少

SIZE｜大きさ
雄　56～63.5cm／雌　53～61cm

APPEARANCE｜外見
力強く、精悍で快活。全体的にバランスがとれている。頭部はかなり長く、わずかにドーム状。マズルも長いが、横から見ると正方形に近い。目はヘーゼルまたはブラウンで、優しい表情をしている。耳は適度に低い位置に付き、幅広で先端が丸く、頭部に沿って垂れている。首はたくましく、中ぐらいの長さ。背は筋肉がよく発達し、腰の幅が広い。胸は深いが、幅はあまり広すぎない。前肢はまっすぐ。後肢はたくましく、足が丸い。尾はほどよい高さに付き、陽気に掲げられるが、背の上に背負っていないのが望ましい。

COLOR｜毛色
ハウンド犬に認められるすべての色と模様。被毛は、硬く短い直毛が身体に沿うように密生している。

APTITUDE｜適性
キツネやコヨーテ狩りに。ショードッグとしても。

　アメリカン・フォックスハウンドは17世紀、イングリッシュ・フォックスハウンドの影響を受けて誕生した。集団でキツネやコヨーテ狩りを行う俊敏なハウンド犬として発達し、広大な土地を粘り強く、しかもかなりのスピードで走り回ることができる。ひとたび臭跡を拾い上げれば、キツネが穴に逃げ込むか、あるいは臭跡が途絶える地点まで、ペースを落とすことなく追跡を続ける。激しく吠えながら追跡を行うのは、ほかの嗅覚ハウンドと同じだ。アメリカン・フォックスハウンドは愛情深い性質で、すばらしいペットにもなる。ただし、しつけがやや難しく、運動をじゅうぶんさせてやらなければならない。また、群れで行動することに慣れているため、多頭飼育のほうが望ましい。

　記録によれば、ハウンド犬が初めて米国に渡ったのは1650年6月30日のことだという。イングランドの大地主であったロバート・ブルックが、家族と猟犬として飼っていたハウンドのパックを伴い米国に移住した。ブルックはメリーランドの南部、パタクセント川の西岸にドゥ・ラ・ブルック・マナーと呼ばれる屋敷を構えた。彼が連れてきたハウンド犬は、アメリカン・フォックスハウンドやその他の米国原産ハウンド犬の発展に大きな影響を与えたと考えられている。

　1700年代に入るまでに、メリーランドとヴァージニアの両植民地ではキツネ狩りの人気が高まり、やがて狩猟場は入植者たちの娯楽と社交の場となった。そうしたなか、ハウンド犬発展の立役者となったのは、フェアファックス家第6代当主のトーマス・フェアファックス（1693～1781年）である。彼は1747年にヴァージニア北部にフォックスハウンドの犬舎を構えた。個人が娯楽として狩りを行うために運営する犬舎は、これが初めてだったと考えられている。

　1789年に初代大統領に就任することになるジョージ・ワシントン（1732～99年）が、キツネ狩りと猟犬の繁殖に傾倒し始めたのもこの頃である。彼の日記には、イングリッシュ・フォックスハウンドにアイルランド・フランス・ドイツ産のハウンド犬を掛け合わせ、荒野が広がるヴァージニアという土地柄に合った、より強健で運動能力にすぐれ、スピードのあるハウンド犬を作出し、完璧なパックを構築したいという情熱がつづられている。ワシントンはマウントヴァーノンの農園に広大な犬舎を建設し、頻繁に狩りを行った。そして狩猟場で多くの支持者を獲得し、それを生かして政治の舞台で躍進していったのである。そうしたことから、ワシントンの飼っていたハウンド犬たちは、彼自身とアメリカン・フォックスハウンドの発展に大きな役割を果たしたと言える。

　キツネ狩りの人気は高まる一方で、1840年にヴァージニアで設立されたピードモント・フォックスハウンド・クラブを皮切りに、猟人会がいくつも創設された。ヴァージニアに続き、メリーランドやテネシーでも猟人会が設立され、それぞれのクラブが自らが所有する犬舎で最も優秀な犬だけを交配していった。地域ごとにすぐれた繁殖系統があり、そこからトリッグ、ウォーカー、グッドマン、ジュライなどの血統を含む、さまざまなタイプのアメリカン・フォックスハウンドが誕生する。それらの血統の犬たちは、それぞれ異なる特徴を持っていたが、皆アメリカン・フォックスハウンドという1つの犬種と見なされていた。

　犬の使用法には当初、大きく分けて4つのタイプ──フィールド・トライアル競技、狩猟家が1人で1頭の犬を伴って行うキツネ狩り、足跡追及、複数の犬を使うパックによる狩り──があった。しかし、しだいにパックによる狩猟が主流となっていく。今日でも、フォックスハウンドで狩りをするならパックで、と考えられている。そんなアメリカン・フォックスハウンドは1886年にAKCから犬種として認定を受けたものの、AKCへの登録はさほど積極的に行われておらず、国際キツネ狩り犬血統台帳、あるいは類似のフォックスハウンド専門の犬籍原簿に登録されるのが一般的である。

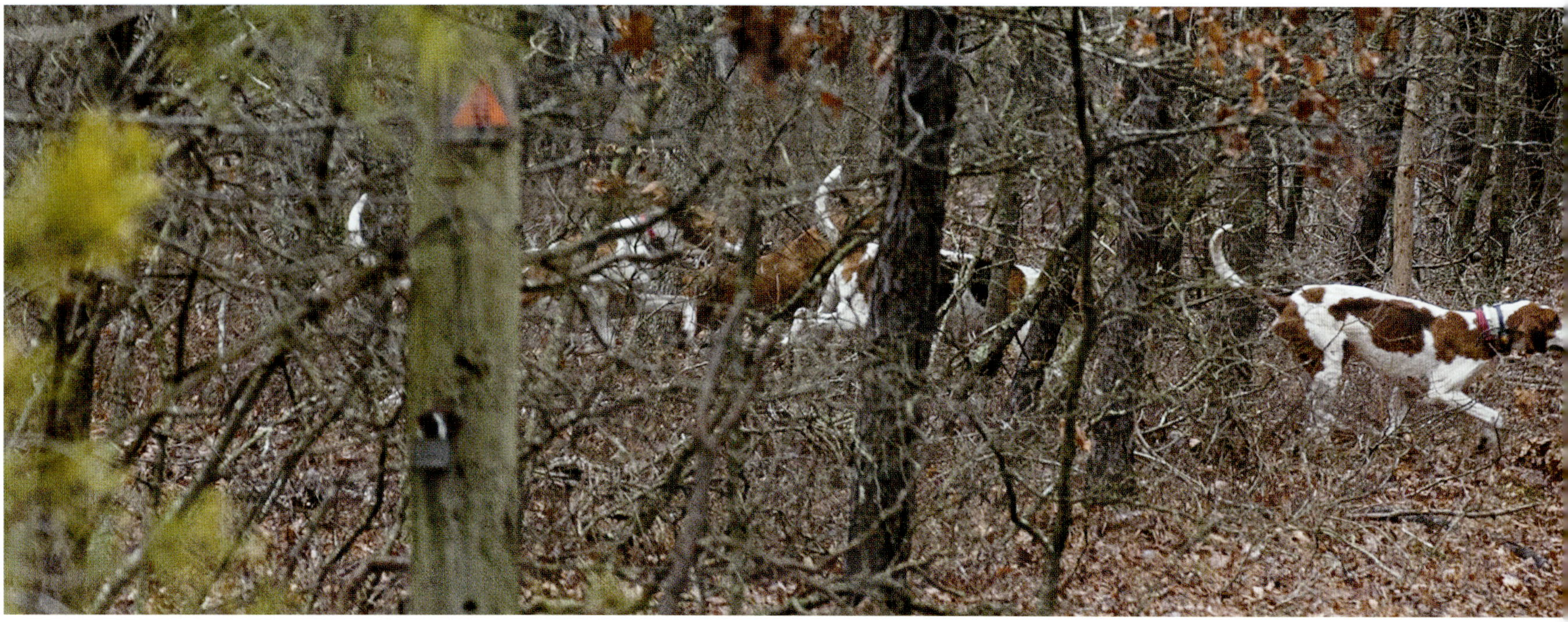
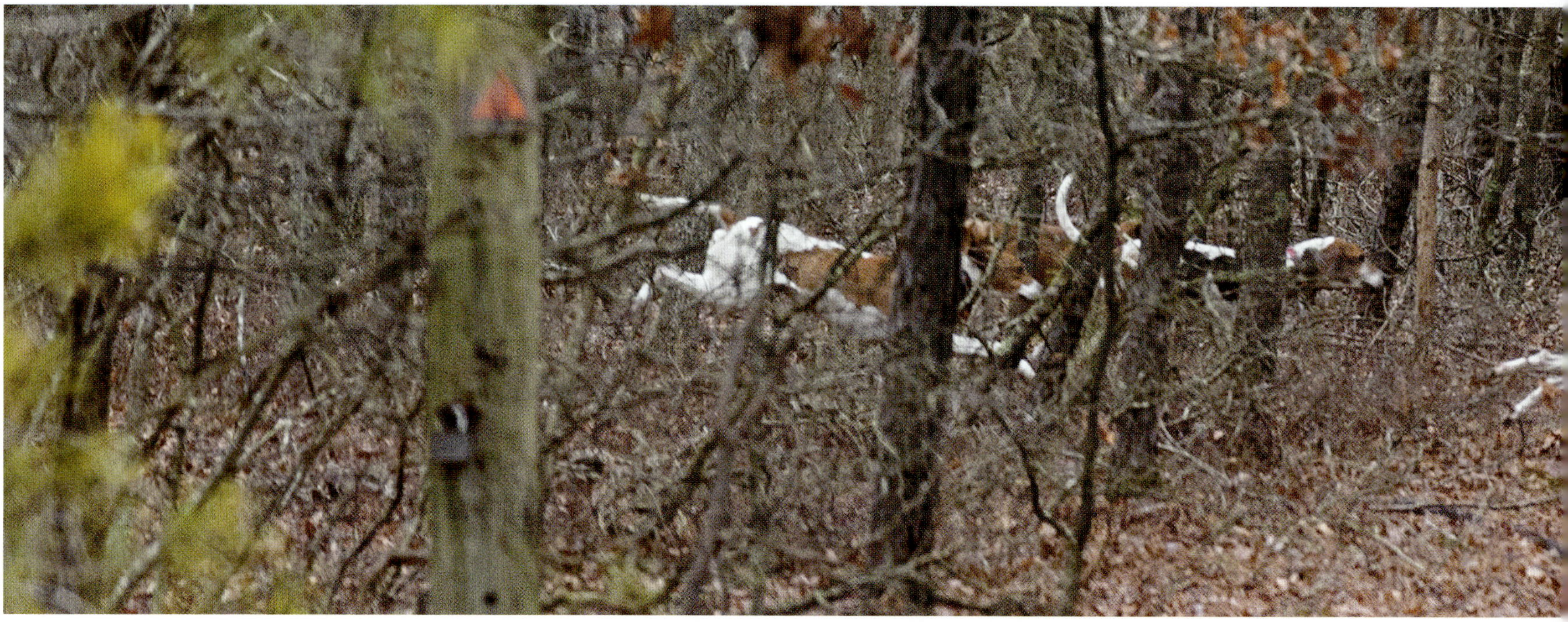
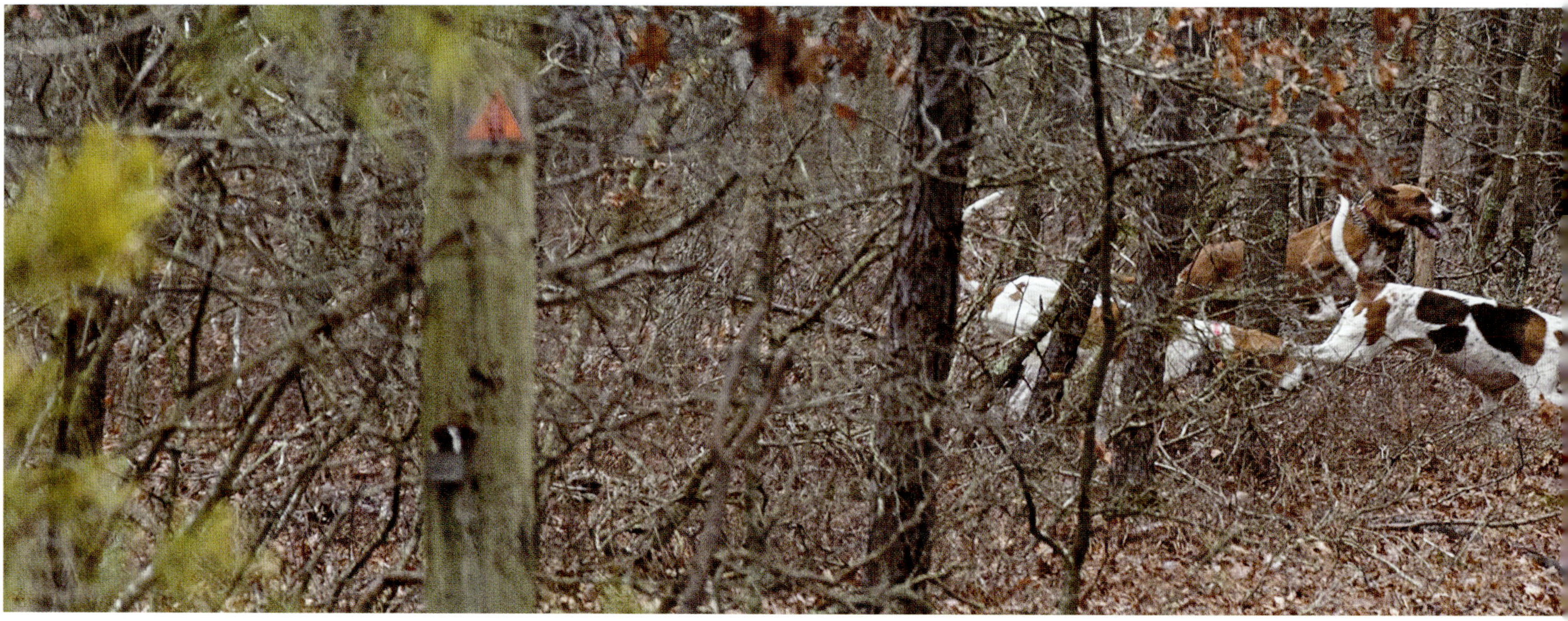

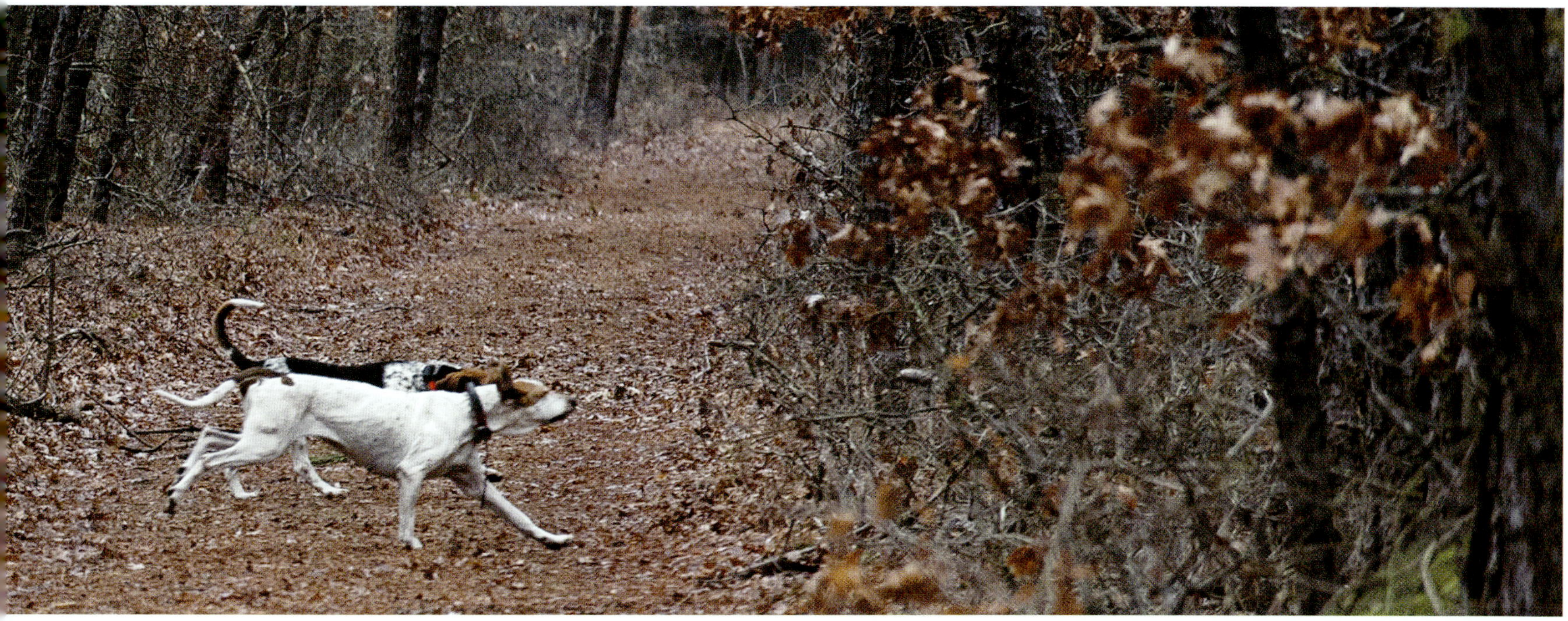
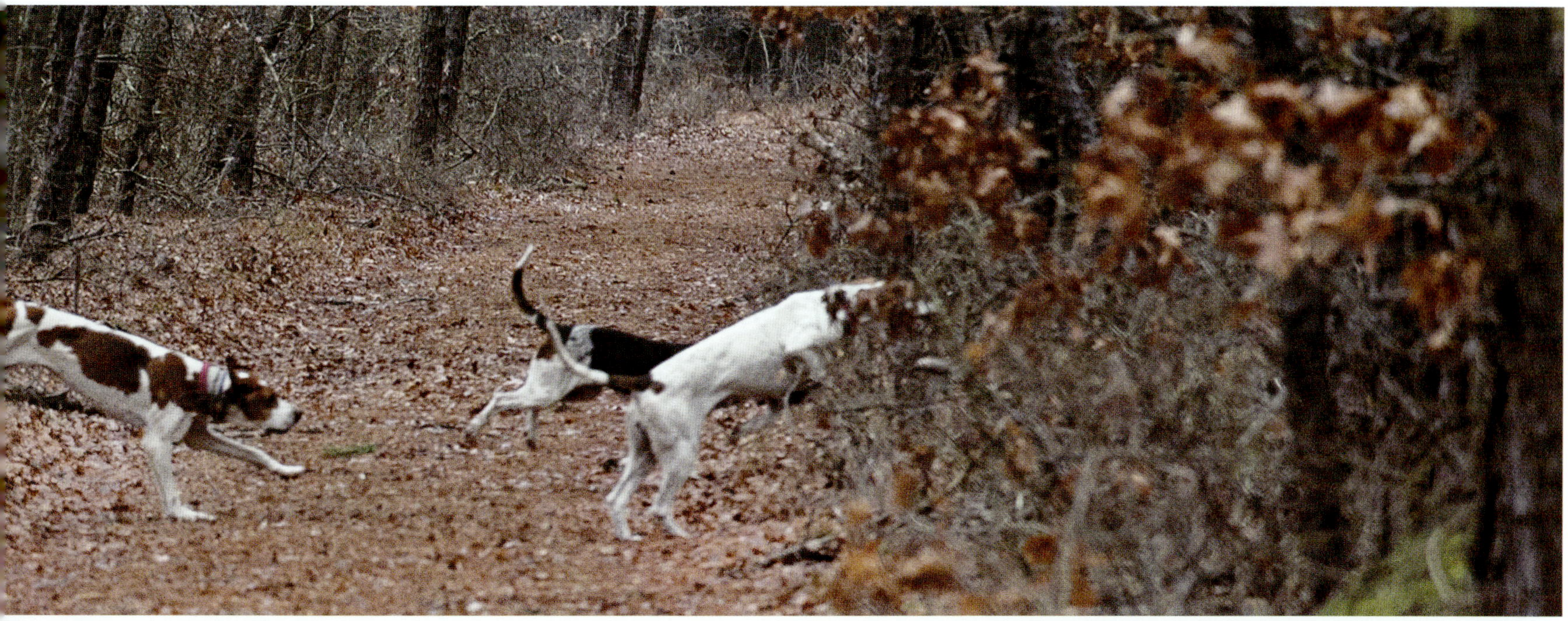
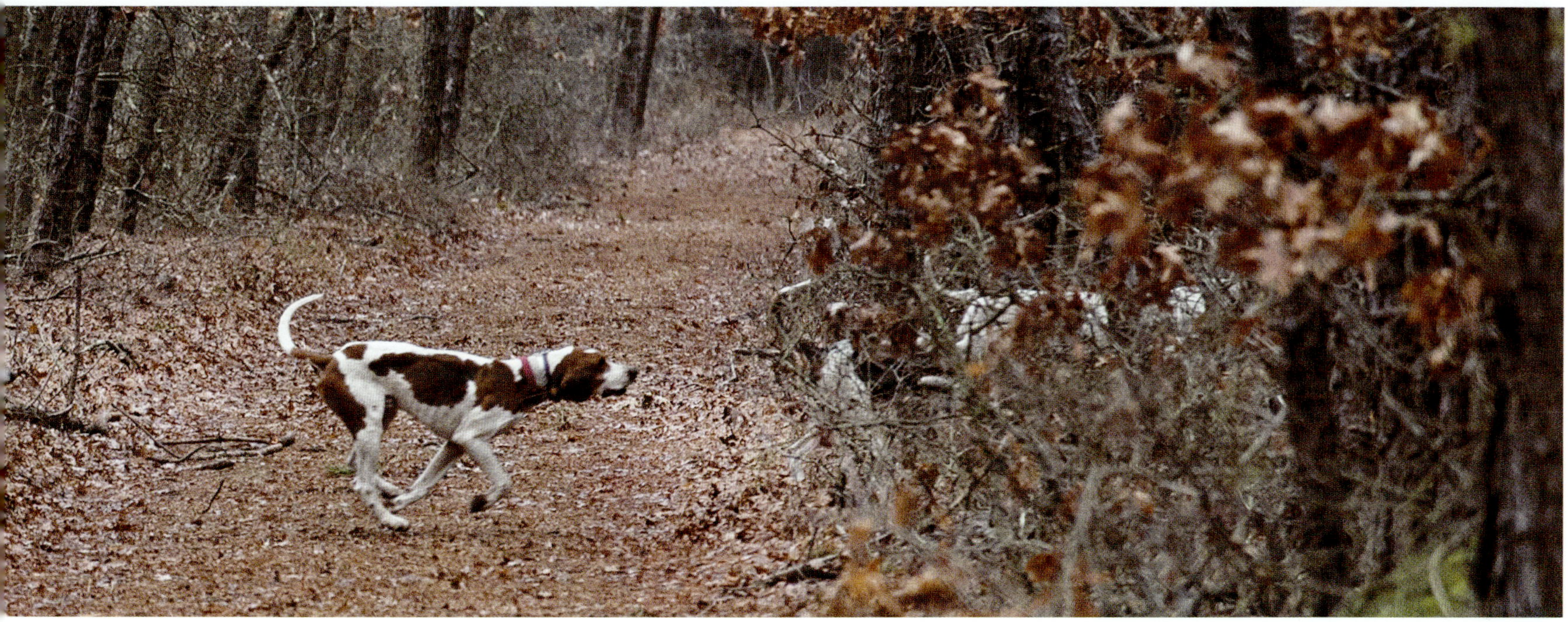

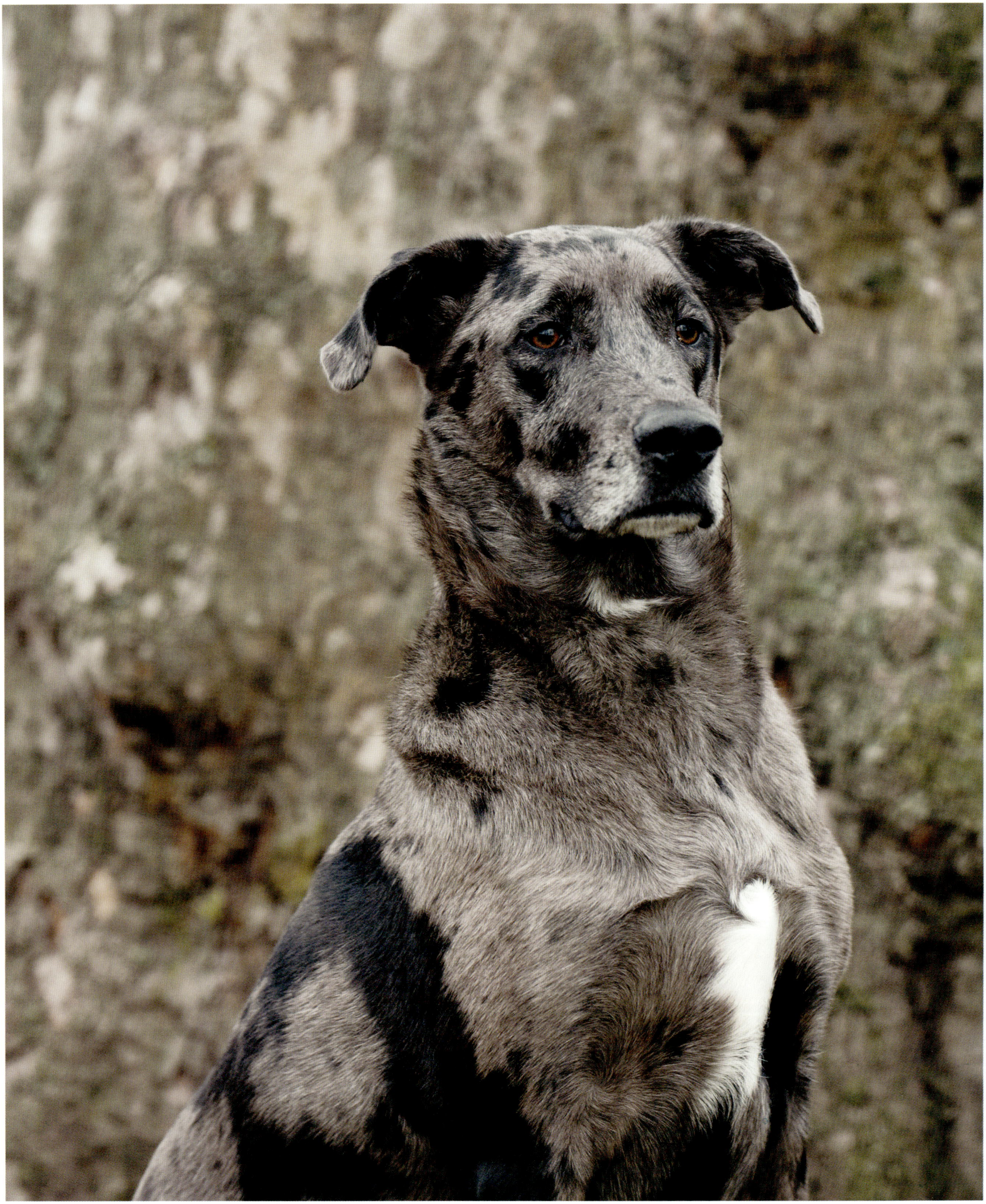

CATAHOULA LEOPARD DOG
カタフーラ・レパード・ドッグ

近世以前 – 米国 – 希少

SIZE｜大きさ
雄 61cm／雌 56cm

APPEARANCE｜外見
パワフルで運動能力にすぐれ、油断がない。頭部は幅広で、両目のあいだに浅い額溝がある場合もある。マズルは深く、力強い。目は丸く、左右のあいだが離れている。色はあらゆる色調が認められ、複数の色の斑も可。耳は三角形の垂れ耳で、長さは短いものから中ぐらいまで。首は長く筋肉質。体長は体高よりもやや長い。背も筋肉質で、幅がある。胸は深いが、幅は中ぐらいで、肋骨がよく張っている。四肢はいずれもまっすぐ。足は楕円形で、長い指のあいだに水かきがある。尾はかなり長めで、垂直に掲げるが、先端だけ前方にカーブしていることも。先天的に無尾のものもいるが、これは欠陥と見なされる。

COLOR｜毛色
単色から細かい斑やブリンドル、大きく不規則な斑があるものまでさまざま。ただし、全身が完全にホワイト、あるいはほぼホワイトのものは認められない。被毛は短毛から中程度の長さで、体表に沿うように生えている。毛質は直毛から粗毛まで多様。

APTITUDE｜適性
牛や豚の群れの誘導に。猟犬、家庭犬としても。

カタフーラ・レパード・ドッグの誕生の経緯についてはいろいろな説があるが、一般的には、16世紀の北米ルイジアナとスペインのコンキスタドール、エルナンド・デ・ソト（1496頃～1542年）が深く関わっていると見なされている。その当時、ルイジアナの先住民は、容姿こそオオカミにそっくりだが、遠吠えをせず、わんわん吠える「犬」を飼っていた。この地にデ・ソトは、グレーハウンドやマスティフ系の"戦闘用の犬"を連れてやってきた。これらの犬は、もともと先住民を攻撃するために連れてこられたものだった。

しかし1542年、デ・ソトは遠征途上のミシシッピ川のほとりで死亡し、彼の犬たちはそのまま現地に残された。捨て置かれたこのデ・ソトの犬たちと先住民の犬たちは交雑したはずだ。そうして誕生したのが、カタフーラ・レパード・ドッグだと考えられている。これらの犬はルイジアナ北中部のカタフーラ湖周辺で特に多く見られたことから、この名がついた。

先住民だけでなく、ルイジアナに入植した初期の開拓者たちも、狩猟やイノシシ駆除にこの犬を使った。この土地の犬が生まれつき狩猟やイノシシ駆除の才能に恵まれていることはすぐに評判になり、カタフーラ・レパード・ドッグは、今日に至るまで多方面にわたって牧場で働く犬として活躍を続けている。牛を扱う能力にも長けているが、そのやり方は独特だ。後方から追い込む伝統的な形式ではなく、先頭の牛を追って群れを操るのだ。また、狩りでは集団で獲物を取り囲み、ハンターがやってきて仕留めるまでその動きを封じておく。ここから、この犬が互いに連携して仕事をこなす能力を持ち、論理的な思考ができる賢い犬であることがうかがえる。

1700年代になると、フランスからの移民がルイジアナに到来する。それに伴い、フランス原産の牧羊犬ボースロンもこの地にやってきた。現代のカタフーラ・レパード・ドッグの基礎は、このフランスの犬が土着の犬と交雑することによってできあがった。カタフーラの最たる特徴は、その多用性にある。この犬種のように、牧畜犬としての仕事と猟犬としての仕事を両方こなせる犬は珍しい。しかも、さまざまな種類の獲物に対応することもできるし、獲物を木の上に追いつめて、ハンターが来るまで独特の吠え声を上げ続けるツリーイングも得意だ。すばらしい嗅覚を持つことでも知られ、娯楽としての狩猟に用いられるだけでなく、捜索救助犬や警察犬としても活用されている。さらに、縄張り意識が強いため、番犬としての力量も申し分ない。

カタフーラ・レパード・ドッグには、大きさや毛色の異なる3つのタイプがある。一番大きなものはプレストン・ライトの系統で、デ・ソトの犬の影響を最も色濃く残している。2つ目はフェアバンクスという人物が作出した、ブリンドルまたはイエローの系統。3つ目が、マクミリンの手になるヒョウのような斑のあるブルーの毛色で、「グラスアイ（ブルーの目）」を持つものが多く出る一番小柄な系統だ。

容姿にばらつきが出るのは、繁殖の際に作業能力や性格、知性を重視し、外見はあまり考慮されてなかったためだ。移民してまもない人々にとって、犬は貴重な働き手であり、ペットとして飼育する余裕などほとんどなかった。そのため、優秀な犬のみが繁殖に使われ、弱い犬は処分された。そのような背景のもと、カタフーラ・レパード・ドッグは非常に有能な作業犬として発達していったのだ。もちろん、ペットとして一緒に暮らしてもすばらしい犬だが、その際にはじゅうぶんに運動をさせてやるよう留意する必要がある。

そんなカタフーラ・レパード・ドッグは1979年にルイジアナの州犬に指定され、95年にはUKCに犬種として認定された。ただし、AKCの認定はまだ受けていない。

BLUETICK COONHOUND
ブルーティック・クーンハウンド
近現代 — 米国 — 比較的多い

SIZE | 大きさ
雄 56〜68.5cm／雌 53〜63.5cm

APPEARANCE | 外見
コンパクトながら、筋骨たくましく精悍。頭部はわずかにドーム状で、耳のあいだが離れている。マズルは深く、横から見ると正方形に近い。訴えかけるような表情の黒っぽいブラウンの大きな目も、左右のあいだが離れている。耳は付き位置が低く、かなり長め。筋肉質の首は中ぐらいの長さで、高く持ち上げられているが、垂直ではない。体長は体高と等しいか、やや長め。背は力強く、キ甲の部分が腰よりもわずかに高い。胸は深く、肋骨がよく張り、腹は適度に巻き上がっている。尾はかなり長く、太い付け根から徐々に細くなる。わずかにカーブしながら掲げられるが、背負うことはない。

COLOR | 毛色
ダークブルーの斑模様で、背、耳、脇腹にブラックの大きな斑がある。頭部と耳はほぼブラックで、目の上や頬、胸、尾の下側にタンが入ることもある。足先から四肢の低い位置にかけてレッドのティッキング（白地に別色の小斑が散らばる）が見られるものも。被毛は硬めのスムース・コートで、光沢がある。

APTITUDE | 適性
アライグマなどの追跡に。ショードッグ、家庭犬としても。

個性的な容姿を持つブルーティック・クーンハウンドは、米国南部で誕生した犬である。英国から植民地時代の米国に持ち込まれたイングリッシュ・フォックスハウンドと、その他のハウンド犬種との交配により、北米大陸の多様な地形や獲物に順応した独自の犬種として発達してきた。ダークブルーの小斑に大きなブラックの斑という独特の被毛は、イングリッシュ・フォックスハウンドを基礎としつつ、フランス原産のシカ狩りやイノシシ狩りの猟犬、グラン・ブルード・ガスコーニュの特徴を色濃く受け継いでいる。現在のブルーティック・クーンハウンドも、このフランスの猟犬に驚くほど外見が似ている。

グラン・ブルード・ガスコーニュは昔から、「冷たい（＝古い）」臭跡を感知することのできるコールドノーズの犬として知られていた。それに対し、イングリッシュ・フォックスハウンドはホットノーズで、新しい臭跡を速いペースで追うことができる。ブルーティック・クーンハウンドは両者の血を受け継ぎながらも、どちらかと言うとコールドノーズで、慎重かつ執拗に獲物の臭跡を追う。

さまざまな種類のハウンド犬のブリーダーとして知られていた米国初代大統領ジョージ・ワシントン（1732〜99年）も、ヴァージニア州マウントヴァーノンの農園に建設した犬舎にフランス産のハウンド犬を多数所有していた。そのうちの7頭は、フランスのラファイエット侯爵（1757〜1834年）から贈られたものだった。ワシントンは、その犬たちの吠え声を「モスクワの鐘」のようだと表現している。フランスのハウンド犬たちと同じく、ブルーティック・クーンハウンドも、特徴的な長く伸びた吠え声を出す。この吠え声は「ハウンドドッグ・ボール」と呼ばれ、高く評価されている。

また、この犬は狩りの段階によって声の高さを変えることもできる。特に、臭跡を追うのをやめ、獲物を木の上に追いつめたときの変化は、ハンターに獲物の居所を知らせるという重要な意味を持っている。これは、ブルーティック・クーンハウンドの能力のなかで最も重視される要素である。さらにスタミナが豊富であることでも知られ、どんなに困難な地形でも走り回って狩りを行うことができる。

ブルーティック・クーンハウンドは、ピューマやボブキャット、クマなどさまざまな獲物の猟に使うことができるが、その真骨頂は何と言ってもアライグマ狩りである。この犬は、ひとたび臭跡をつかめば、その姿を見つけるまで決然と追い続ける。そして木の上にまで追いつめると、自らも木に登ろうとする。クーンハウンドの多くがそうであるように、実際に木の上に登ってしまう犬もいる。

アライグマ狩りは日が暮れてから行われることが多いため、ブルーティック・クーンハウンドによる夜間のフィールド・トライアルも人気が高い。この競技では、アライグマを見つけ、ツリーイングするまでに1〜2時間の制限時間が設けられる。初級レベルの大会では、アライグマ以外の動物を木に追い上げても減点されるだけだが、上級レベルの大会になると、それだけで失格となってしまう。

イングリッシュ・フォックスハウンドから発達してきたクーンハウンドは、当初いくつかのタイプをまとめてイングリッシュ・クーンハウンドと総称されていたが、1946年、現在のブルーティック・クーンハウンドのブリーダーは、スピードの速いホットノーズにこだわるほかのイングリッシュ・クーンハウンドのブリーダーたちと袂を分かつ。この犬の特徴を、その独特な毛色も含め保存したいと考えたのだ。そして同年、ブリーダーたちはイリノイ州グリーンヴィルでブルーティック・ブリーダーズ協会（1959年に米国ブルーティック・ブリーダーズと改称）を設立すると同時に、犬種標準の作成に乗り出す。UKCがブルーティック・クーンハウンドをイングリッシュ・クーンハウンドとは別犬種として登録し始めたのも、この年である。2009年には、AKCにも犬種として認定された。

DETERMINED AND BRAVE | 気骨と胆力

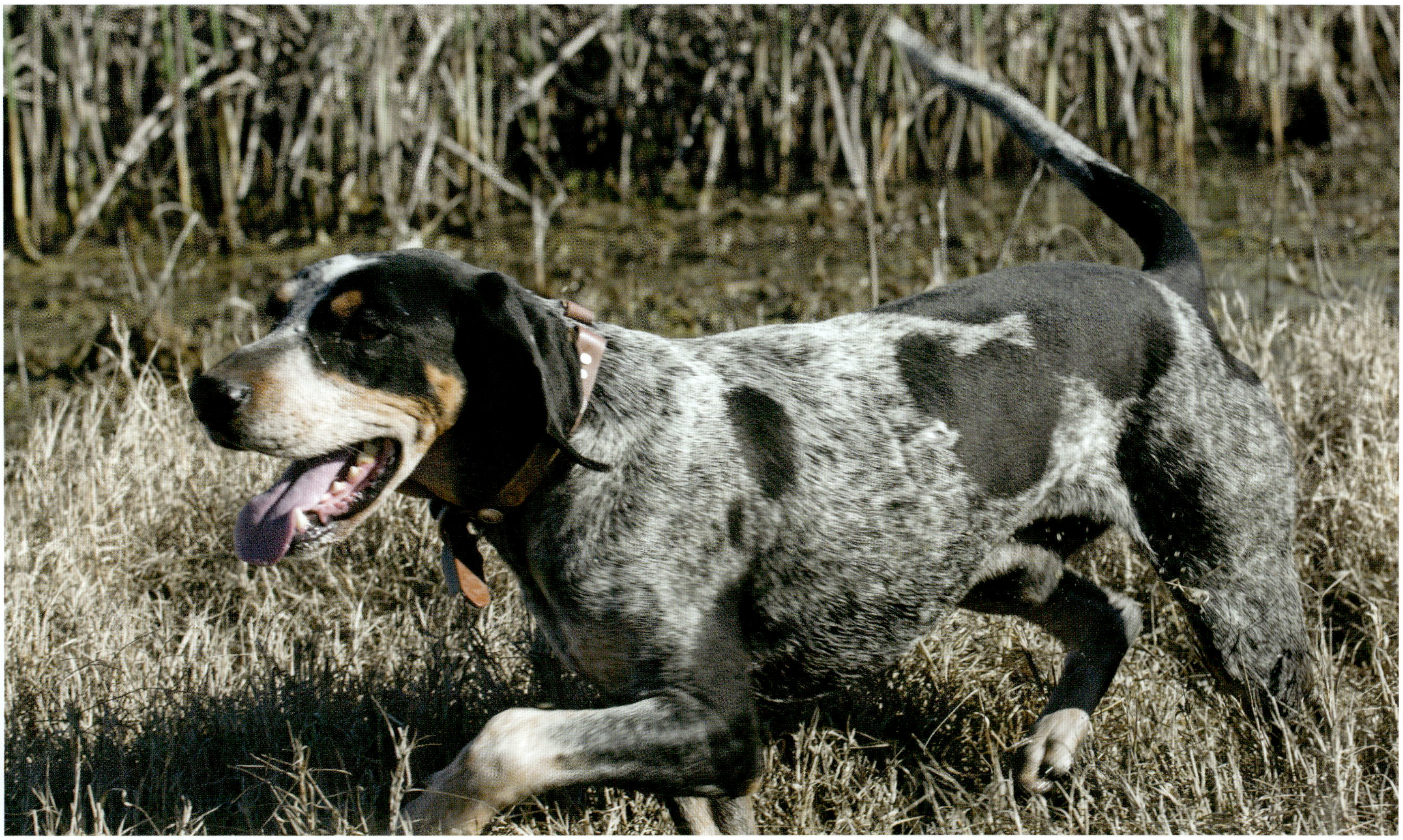

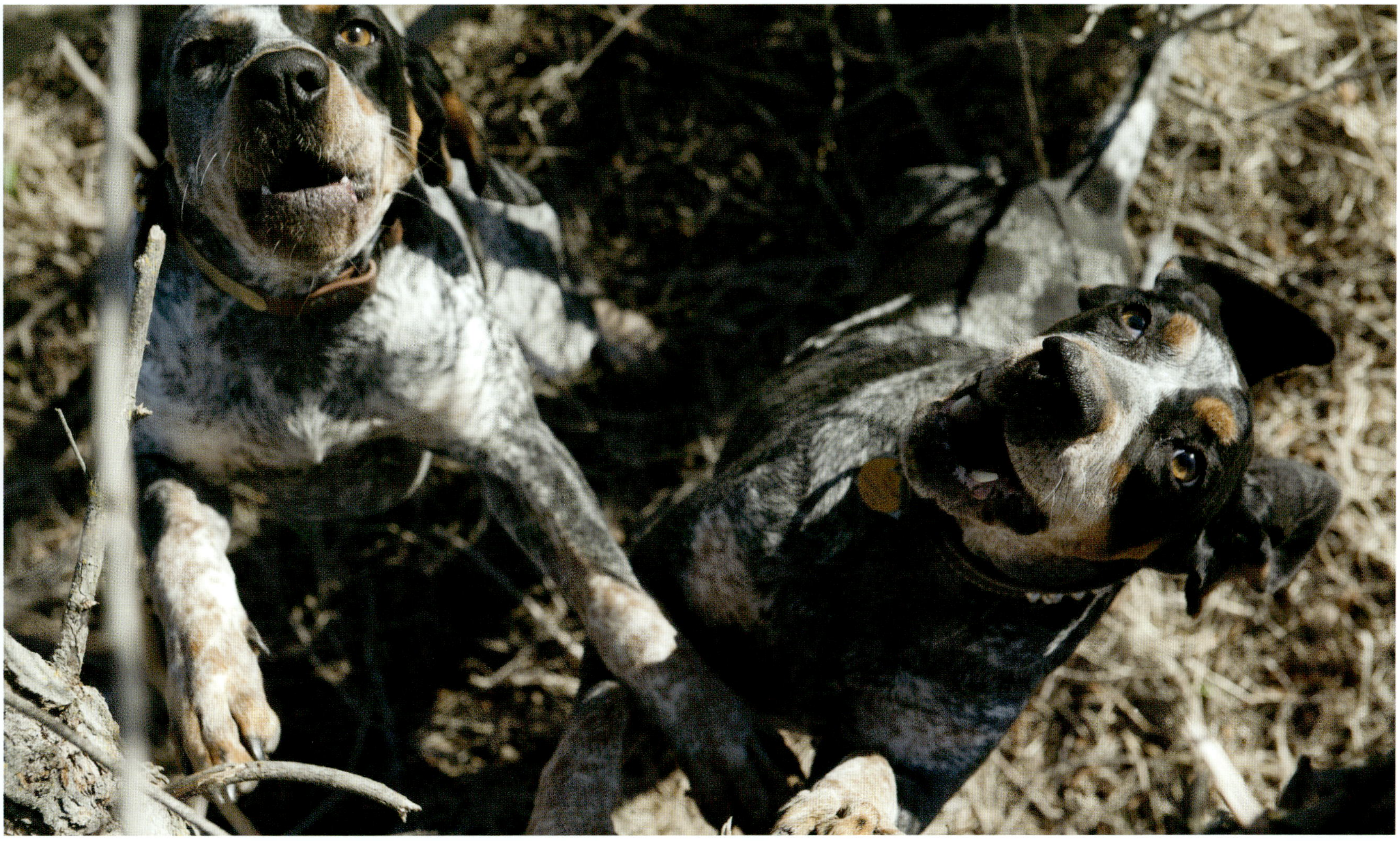

PLOT HOUND
プロット・ハウンド

近現代－米国－比較的多い

SIZE | 大きさ
雄 51〜63.5cm／雌 51〜58.5cm

APPEARANCE | 外見
勇ましく力強い。端正な頭部に、自信に満ちた表情。目はブラウンかヘーゼル。幅広の垂れ耳は非常に高い位置に付く。マズルは中ぐらいの長さで、がっしりとしている。背はキ甲の部分が腰よりも高い。胸は深く、肋骨がよく張り、ひばらはしっかりと巻き上がっている。前肢はまっすぐで、後肢は力がみなぎる。大腿は長く、筋肉がよく発達し、飛節から足裏までは短いが力強い。尾は非常に長く、ゆるやかに三日月形を描きながら高く掲げられる。

COLOR | 毛色
ブリンドル、バックスキン（灰色がかった黄色）、ブラックの単色。被毛は短毛から中ぐらいの長さで、光沢のある直毛。

APTITUDE | 適性
クマ狩り、イノシシ狩り、アライグマ狩り用として。

プロット・ハウンドは、精悍ですらりとした身体に独特の魅惑的なブリンドルの被毛をまとった、米国のクーンハウンドのなかでもひときわ輝きを放つ存在だ。優美でエレガントな容姿からは想像しがたいが、狩猟能力も非常にすぐれ、勇敢さと粘り強さを兼ね備えている。この犬は18世紀半ばから大型獣の猟犬として繁殖が続けられてきたが、よい伴侶犬にもなりうる。ただし、一般家庭にあってもじゅうぶんに運動させてやるよう留意する必要がある。

プロット・ハウンドは米国のノースカロライナで作出され、改良されてきた犬種である。その歴史は18世紀半ばまでさかのぼる。1750年、ヨハネス・プロットという少年が米国へ移住するため、弟とともにドイツを離れた。彼は血統不明の5頭の猟犬を連れていた。3頭がブリンドルで、残りの2頭はバックスキンだったと伝えられている。ドイツからの長旅の途中で弟は命を落としてしまうが、ヨハネスと犬たちはなんとかノースカロライナにたどり着く。

彼が伴っていた犬たちは、ドイツで古くから気の荒いイノシシを狩るために繁殖されてきた犬で、スタミナも豊富で度胸満点だった。クマや獰猛な大型肉食獣が頻繁に出没するノースカロライナの田舎で暮らすことになったヨハネスにとって、この犬たちはなくてはならない存在だった。そこで彼は、犬にクマなどの大型獣を狩らせるだけでなく、犬を繁殖させてパックを大きくしていった。その際、ほかの犬種やタイプの犬とは決して交配させなかったという。

ヨハネスの息子ヘンリーも、父と同じくハウンド犬の繁殖を行い、よりすぐれたクマ狩り用ハウンドを作出していった。ヘンリーの息子もまた、祖父と父の跡を継いで猟犬の繁殖を続けた。こうして生まれたプロット家の犬を、地元民の多くが買い求めた。プロット・ハウンドの発展の基礎を築いたのは、これらの犬たちだ。プロット家の犬たちは、基本的には純血が保たれていたが、遺伝子プールの拡大を目的として少しだけ他の系統との交配も行われている。

たとえば、1880年代末にジョージア州レイバーンのある狩猟家が、プロット家の雄犬と自身のレパード・スポッテッド・ベア・ドッグを掛け合わせて生まれた子犬を、再びプロット家に戻して交配させている。そうして生まれた子犬たちは、父祖犬のクマ狩りの能力をしっかりと受け継いでいたという。

このほかにも、何度か他の血統が入れられた記録が残っている。20世紀初頭には、ブレヴィンズ家で飼われていたプロット・ハウンドと交配したことがわかっている。この系統は、ブラックのサドルと頭部のタンが特徴的な、同じくクマ狩りにすぐれた犬だった。現代のプロット・ハウンドの確立に大きな役割を果たしたゴラ・ファーガソンが、1928年にプロット家のブリンドルの雌とブレヴィンズ家の犬の交配を行ったという。現在プロット・ハウンドとして登録されているほとんどの犬は、その交配によって生まれたボスとティージという2頭の雄の血を引いている。

プロット・ハウンドという犬種名が正式に与えられたのは1946年のことである。長きにわたるプロット家の尽力を称えるためだった。ただし、犬種の確立にはほかにも多くの人々が関わっている。特に功績が大きかったのはデール・ブランデンバーグだ。1940年代末にパイオニア・ケネルを設立し、チャンピオン犬を数多く輩出した人物である。犬種標準は1946年に作成され、UKCから正式な犬種として認定を受けた。1953年にはナショナル・プロット・ハウンド協会が設立され、89年にはノースカロライナの州犬に指定されている。現在は、AKCでも犬種として認められている。

恐れ知らずで驚異的な粘り強さを持つプロット・ハウンドは、クマ狩り用の猟犬としてよく知られるが、実はアライグマ狩りでも活躍している犬種である。この犬は本能的に獲物を木の上に追いつめる習性があり、その下で吠え続ける。また、どんなに険しい地形でも楽々と仕事をこなす犬でもある。

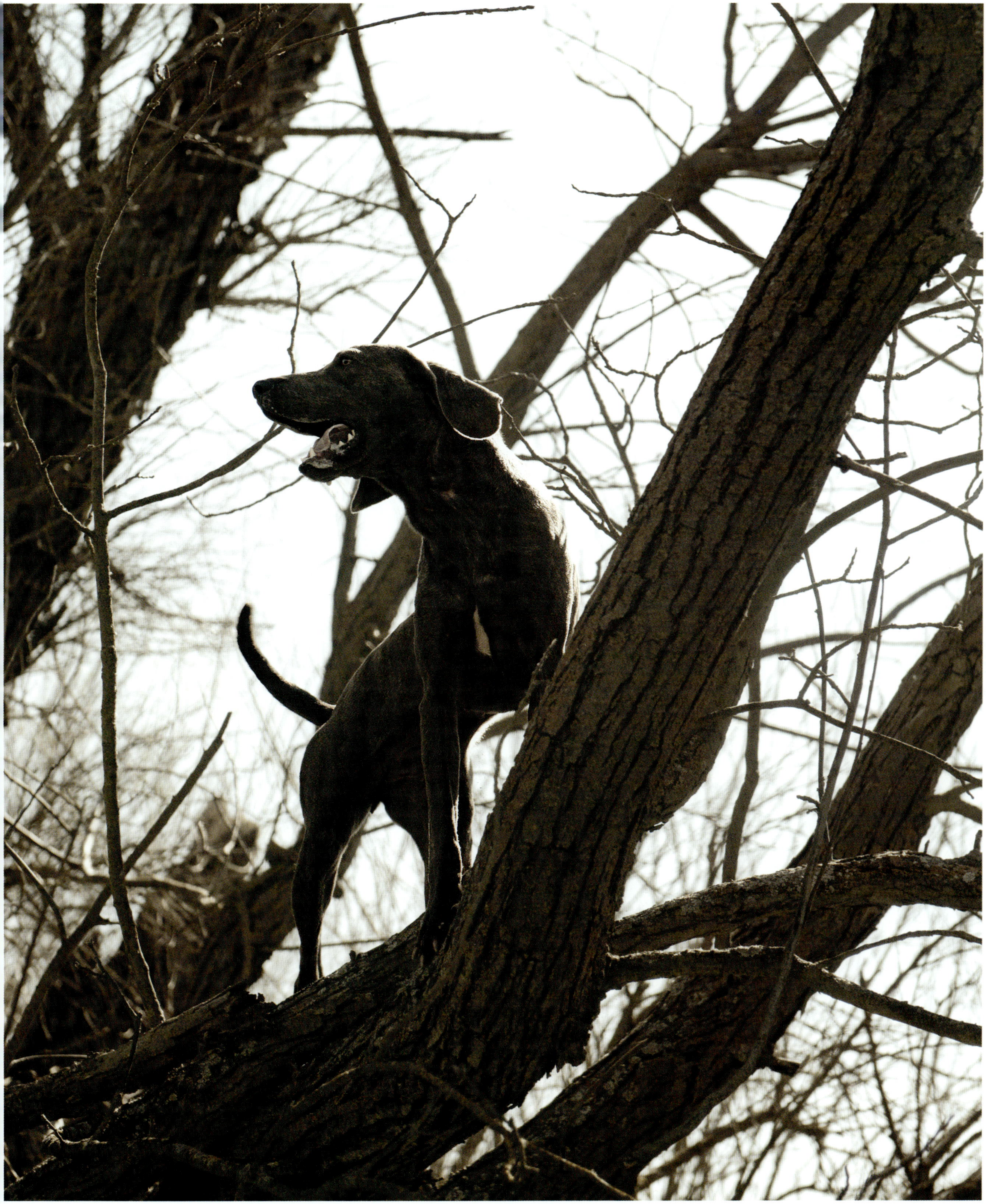

DETERMINED AND BRAVE | 気骨と胆力

DACHSHUND
ダックスフンド
近世以前 – ドイツ – 一般的

SIZE | 大きさ
スタンダード　9〜12kg
ミニチュア　4〜5kg

APPEARANCE | 外見
体高が低く、胴が長いが、たくましい筋肉をまとう。頭部は長く、鼻先に向かって細くなる。マズルはわずかにアーチを描き、力強いあごを持つ。アーモンド型の目は黒っぽいが、チョコレートの毛色を持つ犬の目は明るめ。丸みを帯びた耳は高い位置に付き、幅広で適度な長さ。首は長く、筋肉がよく発達している。前胸はがっしりとして力強く、胸骨がはっきりと見てとれる。長い肩甲骨は、上腕骨（肘から上の骨）と同じ長さ。低い体高に対して体長が長く、背は水平で、肋骨がよく張っている。骨太で短い前腕は、やや内側を向いている。後肢は筋肉質で、大腿が骨盤に直角に接続している。短い下腿は大腿と直角をなす。尾はトップラインからなめらかに続き、それほど高くは掲げられない。

COLOR | 毛色
あらゆる色が認められるが、ホワイトで許容されるのは胸の小さな斑のみ（ただし望ましくはない）。被毛はスムース、ロング、ワイアーの3タイプ。スムースヘアードは短く硬い直毛が密生し、ロングヘアードは長くやわらい直毛、あるいはわずかにウェーブがかかった毛が全身を覆う。ワイアーヘアードは、短く粗い直毛の上毛と密生した下毛からなる。

APTITUDE | 適性
アナグマやキツネなどの穴に棲む動物の狩り、足跡追及に。ショードッグ、家庭犬としても。

ダックスフンドはドイツ原産の犬種である。ドイツ語で「ダックス（Dachs）」はアナグマ、「フント（Hund）」は犬あるいは猟犬を意味し、その名の通り巣穴にこもるアナグマを狩る犬として発達してきた。体高は低いが、猟犬としての能力は高く、怖い者知らずの勇敢な犬だ。この犬の大きな特徴は、地上だけでなく地中でも狩りができることだ。獲物が地中に逃げ込めば、穴に潜り込んでいって捕らえることができるのだ。

そんなダックスフンドには、スタンダードとミニチュアの2種類のサイズがある。これは、それぞれ異なる目的のために使用されてきたことよる——スタンダードはアナグマ狩りやキツネ狩りに、ミニチュアはウサギやノウサギ、ネズミなどの齧歯類の狩りに用いられる。ドイツでは、スタンダードとミニチュアの分類は胸囲の大きさを基準に行われる（35cm以上がスタンダード）。これにより、獲物を追って侵入できる穴の大きさがわかるというわけだ。なおドイツでは、この犬を「テッケル」あるいは「ダッケル」と呼ぶ。いずれもダックスフンドを意味するが、特に作業犬として働いているものをテッケルと言う。

ダックスフンドの起源についてはっきりとしたことはわかっていないが、中世あるいはそれ以前から胴長短脚の犬はすでに存在した。短脚の力強い犬がドイツの森林でアナグマ狩りに用いられていたことが、16世紀の記録にも残っている。また、1685年にドイツ人のクリスチャン・パウリーニが犬について記した著書でも、ダックスフンドの地中でのすばらしい狩猟能力について触れられている。

カリスマ性あふれる勇敢なダックスフンドは、一般的にジャーマン・ピンシャー、フランス原産のハウンド犬、バセット・ハウンド、さらにはテリアの血が入っていると考えられている。確かなのは、穴を掘って地中に逃げ込んだ獲物を狩るという特殊な能力を備えるよう改良が重ねられたということだ。そのためダックスフンドは非常に鋭い嗅覚を持ち、前肢は地面を掘る動きを妨げないようにやや外側に向いている。また、すらりとしているがパワフルな体躯のおかげで、穴のなかへ難なく侵入することができる。初期のダックスフンドの被毛はスムースヘアードだけだったが、そうした品種改良の過程でロングヘアード、そして19世紀にはワイアーヘアードのものも誕生した。

19世紀になると、ダックスフンドは英国で人気が爆発した。ヴィクトリア女王（1819〜1901年）のお気に入りの犬ということで、この犬種の人気に火がついたのだ。女王とダックスフンドとの出会いは、1840年にドイツからヴァルトマンという名の雄犬が贈られたことがきっかけだった。エドウィン・ランドシーアとジョージ・モーリーが描いた女王の肖像画にも、ヴァルトマンの姿を見ることができる。1845年に夫君アルバート公の生誕地、ドイツ中東部のコーブルクを訪れた際には、デッケルという名のダックスフンドを連れ帰っている。デッケルはその後1859年に死ぬまで、常に女王のそばから離れなかった。また、1857年にウィンザー城犬舎のシビラとトランプのあいだに生まれたボーイ、さらには72年にバーデンからやってきたヴァルトマン6世というダックスフンドも女王のお気に入りだった。そうして英国では、1881年に世界初の犬種クラブ、英国ダックスフンド・クラブが創設された。

ダックスフンドは昔から、名士や映画スター、政治家、国家元首に愛されたが、とりわけ芸術家たちをとりこにしてきた。パブロ・ピカソも、ランプという名のダックスフンドをとてもかわいがっていた。また、アンディ・ウォーホルの愛犬アーチーとエイモスは、しばしば主人の絵のモデルを務め、デイヴィッド・ホックニーも、スタンリーとブージーという2頭のダックスフンドの肖像画を描き、著書に登場させている。

RHODESIAN RIDGEBACK
ローデシアン・リッジバック

近世以前 – 南アフリカ – 一般的

SIZE | 大きさ
雄 63〜69cm／雌 61〜66cm

APPEARANCE | 外見
精悍で力強い。背にリッジと呼ばれる特徴的な逆毛がある。頭部はかなり長く、平らで、両耳のあいだが広い。マズルは深くて長く、頑丈。生き生きとした表情の丸い目は、被毛の色と調和している。耳は中ぐらいの大きさで高い位置に付き、幅広の付け根から丸みのある先端に向かって先細になっている。首はかなり長くてたくましい。前胸は筋肉質で、前肢がまっすぐ伸びている。胸は深いが、幅が広すぎることはない。背はがっちりとして力強く、腰に向かってわずかに弧を描く。尾はカーブしながら先端に向かって細くなる。

COLOR | 毛色
淡いウィートンから赤みがかったウィートン。被毛はなめらかな短毛が密生している。肩の後ろから尾の付け根にかけては、背骨に沿ってリッジと呼ばれる逆毛がうね状に生えている。

APTITUDE | 適性
大型獣の狩りや警護、ルアー・コーシングに。ショードッグ、家庭犬としても。

リッジバックと呼ばれる犬種は世界に3種しかない。ローデシアン・リッジバックは、そのうちの1つである。リッジとは背中に生える逆毛のことで、この犬種の紋章である。この逆毛は背骨に沿って肩甲骨の後ろから尾の付け根にかけて続き、肩側の起点にはクラウンと呼ばれるつむじが2つある。

この非常に珍しい特徴を持つほかの2種は、ともにアジア原産だ。1つはタイ東部で発達してきたタイ・リッジバック・ドッグ。もう1つはベトナム最大の島、フーコック島のプー・クォック・リッジバック・ドッグである。ほかにこの特徴を持つ犬が存在しないことを考えると、この3種が共通の祖先を持つ可能性は高い。しかし、アジア原産の2種がローデシアン・リッジバックのふるさとである南アフリカに持ち込まれて土着の犬に影響を与えたのか、あるいはその逆だったのか、初期のリッジバックの歴史を知るための記録は残っていない。けれども、先史時代の文化の変遷に関する仮説から、アジアの犬が早い段階で南アフリカに渡ったと考えるのが妥当なようだ。

いずれにせよ、ローデシアン・リッジバックの基礎となったのは、南アフリカのコイコイ族の人々とともにいた犬である。何世紀もの時を経てこの土地の環境に順応した、背中に逆毛のある半野生の犬たちだ。この犬たちは自立心が強いうえに非常に強健な身体を持ち、極端な寒暖の差がある南アフリカの気候にも平気で耐えることができた。

1652年、ヨーロッパから最初の入植者がこの地にやってくる。まずオランダ人が喜望峰付近に植民地を拓くと、続いてドイツ人とフランスのユグノー派の人々がやってきた。彼らはマスティフ、グレート・デーン、グレーハウンド、ブラッドハウンドといった犬を連れてきていた。それらの犬とリッジのある土着の犬との交配は盛んに行われた。異なる気候に耐えうる猟犬を作出するためには、現地の犬との異系交配が最も手っ取り早い解決法だと考えられたのだ。どのような組み合わせで交配が行われたのかははっきりしていないが、やがて土着犬のスタミナと耐久力、ヨーロッパの犬の狩猟能力と警備能力を兼ね備えた犬が誕生する。

この犬たちのなかには視覚ハウンド・タイプと嗅覚ハウンド・タイプの両方が存在したが、現代のローデシアン・リッジバックはその両方を受け継ぎ、嗅覚、視覚ともに非常に秀でた猟犬として名を馳せている。これら初期の交雑種は、猟犬としてのすぐれた能力に加えて、飼い主の家族に対する深い忠誠心と高い護衛能力を示したため、番犬として、さらにはペットとしても大切にされたという。興味深いのは、南アフリカにもともと生息した犬が持っていたリッジが、異系交配によっても消えることなく発現し続けた点である。

現代のローデシアン・リッジバックの誕生に大きな役割を果たしたのは、キリスト教の宣教師であったチャールズ・ヘルム（1844〜1915年）の2頭の犬である。1875年、ヘルムは南アフリカからローデシア（現在のジンバブエ）に移る際、リッジバックを持つ土着犬との雑種、ローナとパウダーを連れていった。そしてブラワヨ（現在のジンバブエ第2の都市）からほど近い辻に、ホープ・ファウンテン伝道所を創設する。この伝道所には旅の者や大型獣の狩猟に訪れた多くの人々が立ち寄り、2頭の犬たちとも顔なじみになった。

あるとき、コーネリウス・フォン・ローエンという男が、猛獣狩りに出かける際にこの2頭を借りていく。その狩りで彼はヘルムの犬の能力にすっかり惚れ込み、大型獣の猟犬を作出するための計画的交配を直ちに開始する。大型獣にはライオンも含まれていた。フォン・ローエンが目指したのは、音を立てずに獲物を追跡する能力と、最高の勇敢さを持つ犬だった。どちらもライオン狩りには不可欠の資質である。さらに知性とスタミナ、1日中食べ物も水も口にせずに働き続ける能力、高度に磨き上げられた狩猟技術も求められる。

DETERMINED AND BRAVE | 気骨と胆力

169

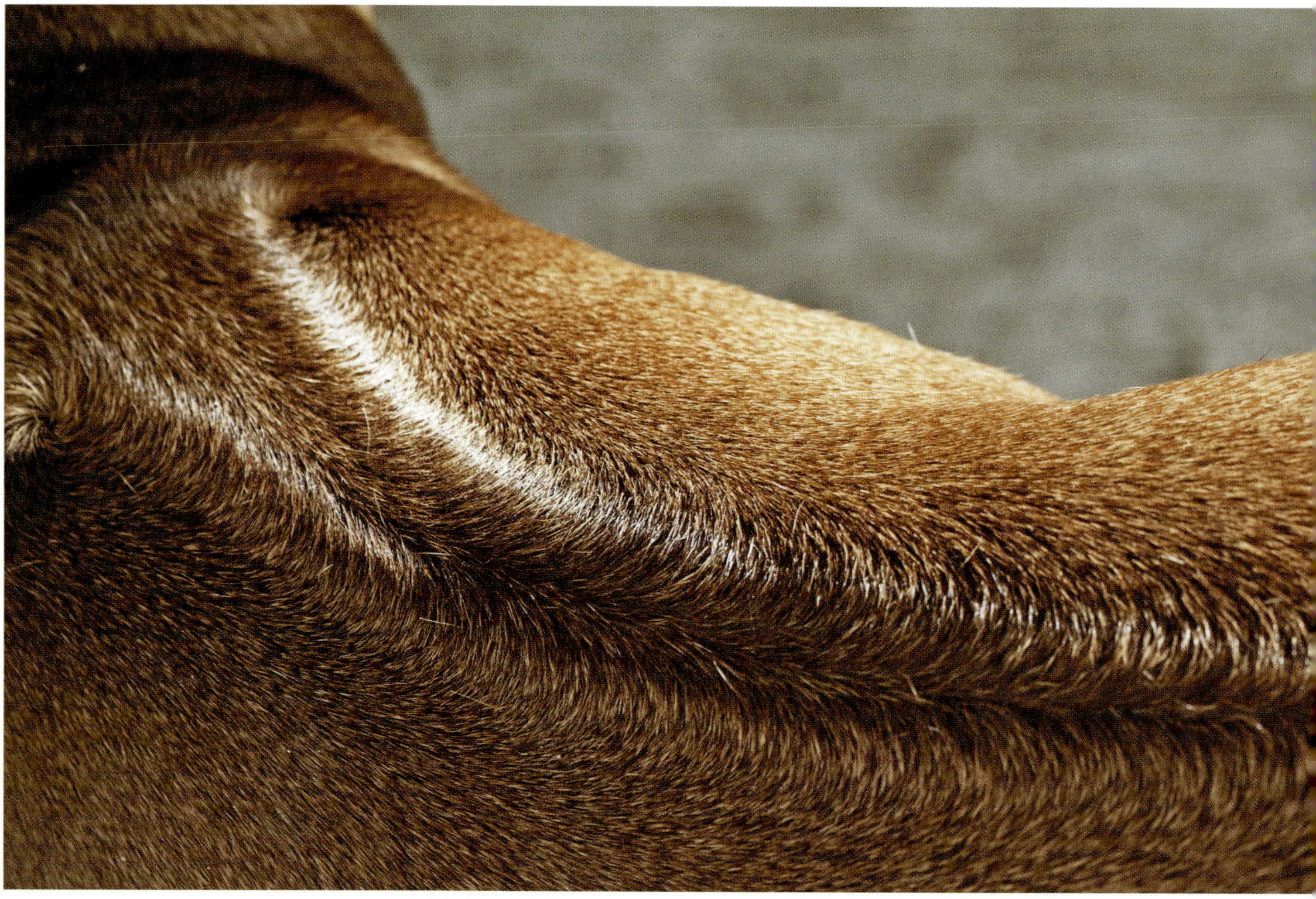

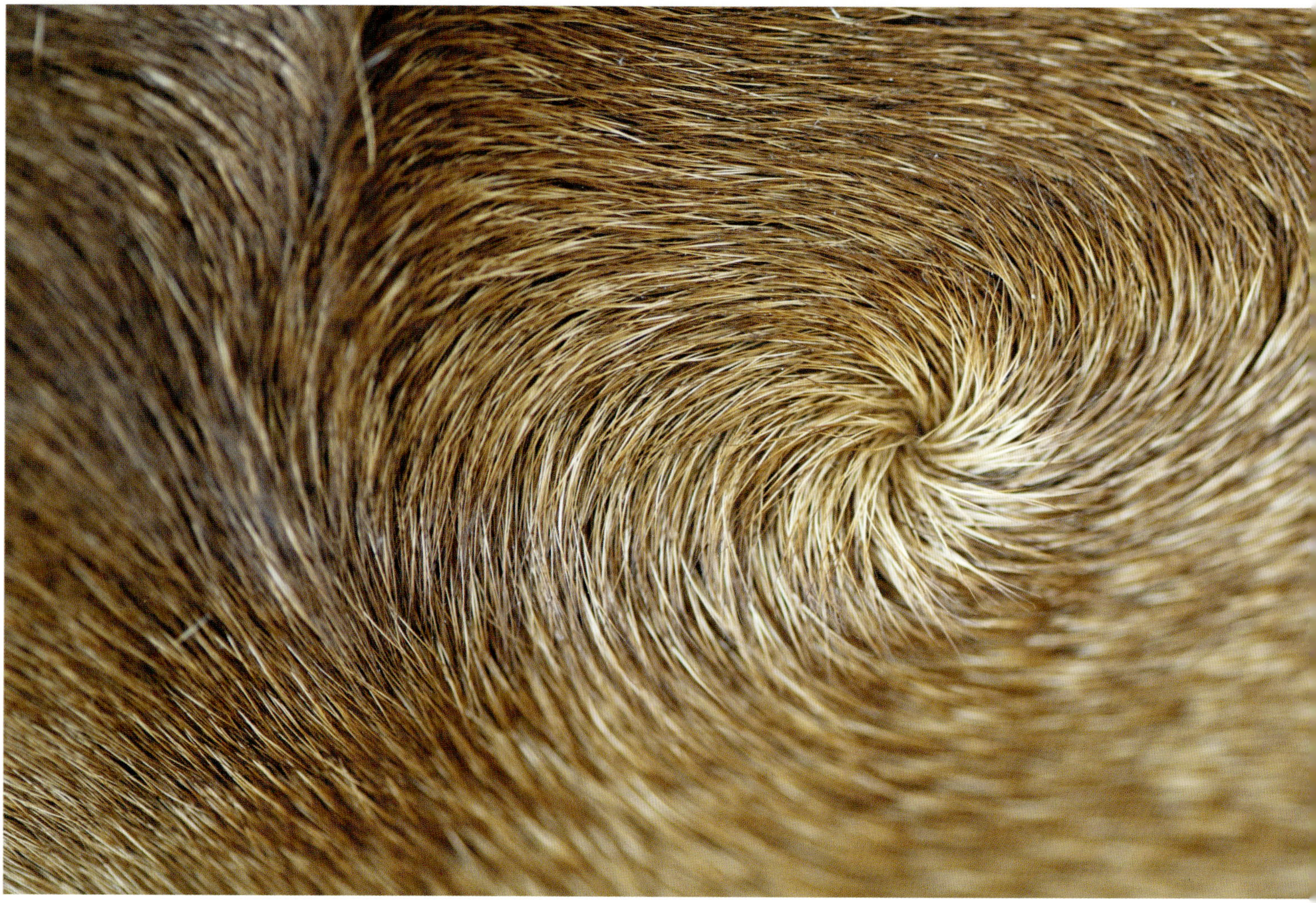

フォン・ローエンが交配に用いた犬種は具体的にはわかっていないが、彼の娘の話によると、南アフリカ原産の犬にエアデール・テリアなどのテリア、ラフ・コリー、グレーハウンド、ブルドッグ、ポインターなどを掛け合わせたようだ。また、彼の息子は、フォン・ローエン家の猟犬で最も優秀だったのは雌のコリーから生まれた犬だったと言っている。ライオン・ドッグとも呼ばれたフォン・ローエンの猟犬たちは、高い狩猟能力でその名をとどろかせ、ローデシアでは引きも切らず買い手が訪れたという。

ローデシアン・リッジバックの作出におけるもう1人の功労者は、ブラワヨ・ケネルクラブの創設にも大きく貢献したフランシス・バーンズだ。彼はフォン・ローエンからリッジのあるライオン・ドッグを1頭譲り受けた後、さらに数頭の犬を入手し、ブリーダーのB・W・ダーラムとともに、1922年にローデシアン・リッジバックと正式に命名されたこの犬のために犬種標準を起草する。そうして犬種クラブも発足し、1926年にローデシアン・リッジバックは南アフリカ・ケネルユニオンから正式に犬種として認定された。現在、ローデシアン・リッジバックは南アフリカで最も人気のある犬種の1つとなっている。

この犬が英国や米国に渡った時期は確かではないが、おそらく20世紀初頭のことだったと思われる。第二次世界大戦後には両国にかなり多くの犬が輸入され、英国では1952年に英国ローデシアン・リッジバック・クラブが創設されている。全体として見れば当時は頭数がまだ少なかったが、クラブ創設をきっかけに注目を集め、2011年の飼育頭数はおよそ1万1000頭にのぼっている。米国では、1955年にAKCが犬種として認定し、現在では常に登録数がトップ50にランクインしている。

ローデシアン・リッジバックは獰猛な大型獣を前にしてもひるむことのない勇敢な猟犬ではあるが、家庭犬としてもすばらしい気質を備え、小さい子どもとも相性がよい。そして飼い主に忠実で愛情深く、番犬としても頼もしい働きをする犬である。

RHODESIAN RIDGEBACK｜ローデシアン・リッジバック

CHAPTER 6
第6章
敏捷性と知性

　世界には、多種多様なガンドッグが存在する。古代に起源を持つ犬種もあれば、近現代に作出された犬種もある。ガンドッグとは、もともと銃猟でハンターの手助けをする作業犬として生み出された犬で、ほぼ例外なくすべての犬種がすばらしい気質を持ち合わせている。すなわち、鋭い知性と高度な服従性を備え、訓練のしやすさと愛情深い性格で知られる犬たちだ。現在、世界中で人気犬種ランキングにガンドッグが数多く名を連ねるのも、単なる偶然ではない。

　スポーティング・ドッグとも呼ばれるガンドッグは、2頭1組あるいは単独で1人のハンターに従うのが常である。多頭数のパックで猟に参加する嗅覚ハウンドとは、この点で大きく異なっている。その発展の歴史を振り返ると、小さな獣の猟に用いられたハンガリアン・ビズラ、ジャーマン・ショートヘアード・ポインターや、大型獣の狩りで活躍するワイマラナーなどの例もあるが、現代のガンドッグは主に鳥猟に用いられることが多い。

　ガンドッグは作業犬として作出された犬であったが、19世紀にドッグショーが開催されるようになると、ブリーダーたちはこぞってショーに出陳させるための犬の繁殖に力を注ぐようになった。そのような背景のもと、すべてではないにしろ、多くの犬種にはっきりとしたタイプの分化が見られるようになっていく。犬種標準にできるだけ近づけることを目標として交配が行われるショー・タイプと、外見よりも作業能力に重点を置いて繁殖されるフィールド・タイプだ。どちらのタイプもすばらしいペットになりうるが、フィールド・タイプの犬は運動をじゅうぶんさせてやるよう留意が必要である。

　現代のガンドッグは、大きく3つのグループに分けられる。フラッシング系、ポインター及びセター系、そしてレトリーバー系である。フラッシング系の代表はスパニエルで、銃を持つハンターと比較的近い距離で働く。この犬は地上を精力的に動き回り、下生えに潜む鳥をおどかして飛び立たせる「フラッシング」を行う。そして鳥が飛び立つと、その飛行軌道を見守り、銃で撃たれた場合の落下地点を読む。

　一方、ポインター及びセター系は2頭1組で猟に出ることが多く、ハンターからある程度離れて仕事をする。鳥を見つけると、その場で身じろぎもせず静止し、ハンターがやってくるのを待つ。そうしてハンターからの合図があったらでフラッシングを行い、スパニエルと同じように撃たれた鳥がどこに落ちるか注意深く観察して回収に向かう。

　3つ目のレトリーバー系は、その名の通り鳥の「回収」をする犬だ。ハンターのそばについて回り、撃たれた鳥の落下軌道を観察して回収に向かう。また、ハンターのホイッスルや手信号だけを頼りに鳥を探しにいく「ブラインド・レトリービング」をすることもある。

　このような仕事をするガンドッグには、落ち着きと服従性が求められる。また、自分の主人以外のハンターが連れている犬と行動をともにすることも多いので、互いを気遣い尊重できなければならない。ほかの犬が回収した獲物を横取りするようでは、ガンドッグとしては失格だ。

　猟銃を用いた鳥猟が盛んに行われるようになったのは18世紀に入ってからだった。それ以後、特に19世紀にラブラドール・レトリーバーやチェサピーク・ベイ・レトリーバー、ゴールデン・レトリーバー、ジャーマン・ショートヘアード・ポインターなど、多くのガンドッグが作出された。交配の手順や決まり事が定まり、1873年のKC、1884年のAKCをはじめ各国で愛犬家団体が続々と設立された時代である。そうして血統証明書が発行され、繁殖記録が残されるようになったほか、犬籍原簿が作成され、犬種標準も確立された。しかしそれより何世紀も昔から、さまざまなタイプの猟犬がすでに存在していた。視覚ハウンドと嗅覚ハウンド、古いタイプのポインター、それからセター系の祖先であるスパニエルなどだ。セ

ターは鳥や小獣の狩猟に用いられ、地面の臭跡を拾う嗅覚ハウンドに対し、空気中の臭跡を追うという特殊な作業をこなした。

　西暦17年の記録には早くも「ウォーター・スパニエル」という記述があり、その後の文献にも「ウォーター・スパニエル」「ランド・スパニエル」といった言葉が見られる。19世紀の英国の著述家ジョン・ウォルシュも、西暦43年に古代ローマ人がスパニエルを用いて狩りを行っていたと記している。さまざまなタイプの猟犬について最も詳細に書かれた最古の文献は、14世紀にフランスのガストン・フェビュス伯爵（1331～91年）が著した『Livre de Chasse（狩猟の書）』だが、それによると、スパニエルはスペインから来た犬で、鳥のフラッシングと水中でのレトリービングに長けていたという。

　イングリッシュ・セター、アイリッシュ・セター、ゴードン・セター、アイリッシュ・レッド・アンド・ホワイト・セターをはじめとするセターは、14世紀頃にスパニエルから発展した。これらの猟犬は鳥を見つけると、身をかがめてハンターに獲物の場所を知らせる。この姿勢をとることを「セッティング（セットする）」と言うため、セターという名がつけられた。一方、同じグループのガンドッグ、ポインターの起源はほとんどわかっていないが、セターと同じ頃にスペインで生まれ、その後ヨーロッパ大陸に広まったのではないか

と考えられている。ポインターは鳥獣を見つけると、「ポインティング」というポーズをとってハンターに知らせる。片方の前肢を上げ、尾を水平に保ったまま、ハンターがやってくるまでその場でじっと待ち続けるのだ。

　ジャーマン・ショートヘアード・ポインター、ワイマラナーなどの「近現代種」は、オールド・スパニッシュ・ポインター、フランス原産の各種ポインター、ハウンド犬などから作り出されたと考えられている。これらは、特徴的なハンガリアン・ビズラやスピノーネ・イタリアーノなど多くの犬種と並んで、ハンティング・ポインティング・レトリービング犬種（HPR犬種）と呼ばれている。その多くがこの200年のうちに誕生した犬種で、万能型ガンドッグとして陸上でも水中でも巧みに仕事をこなす、ハンターの優秀な相棒となっている。

　19世紀になると、フィールド・トライアルという競技が誕生する。猟犬の作業能力をテストする競技で、さまざまなガンドッグの愛犬家団体が実施していた。実猟を模して本番さながらに獲物を追わせる競技会には、猟犬としての能力を競争によってさらに向上させるという目的もあった。ドッグショーとフィールド・トライアルの両方でチャンピオンに輝く犬はめったにないが、もしこの困難な偉業を達成できれば最高の栄誉となることは間違いないだろう。

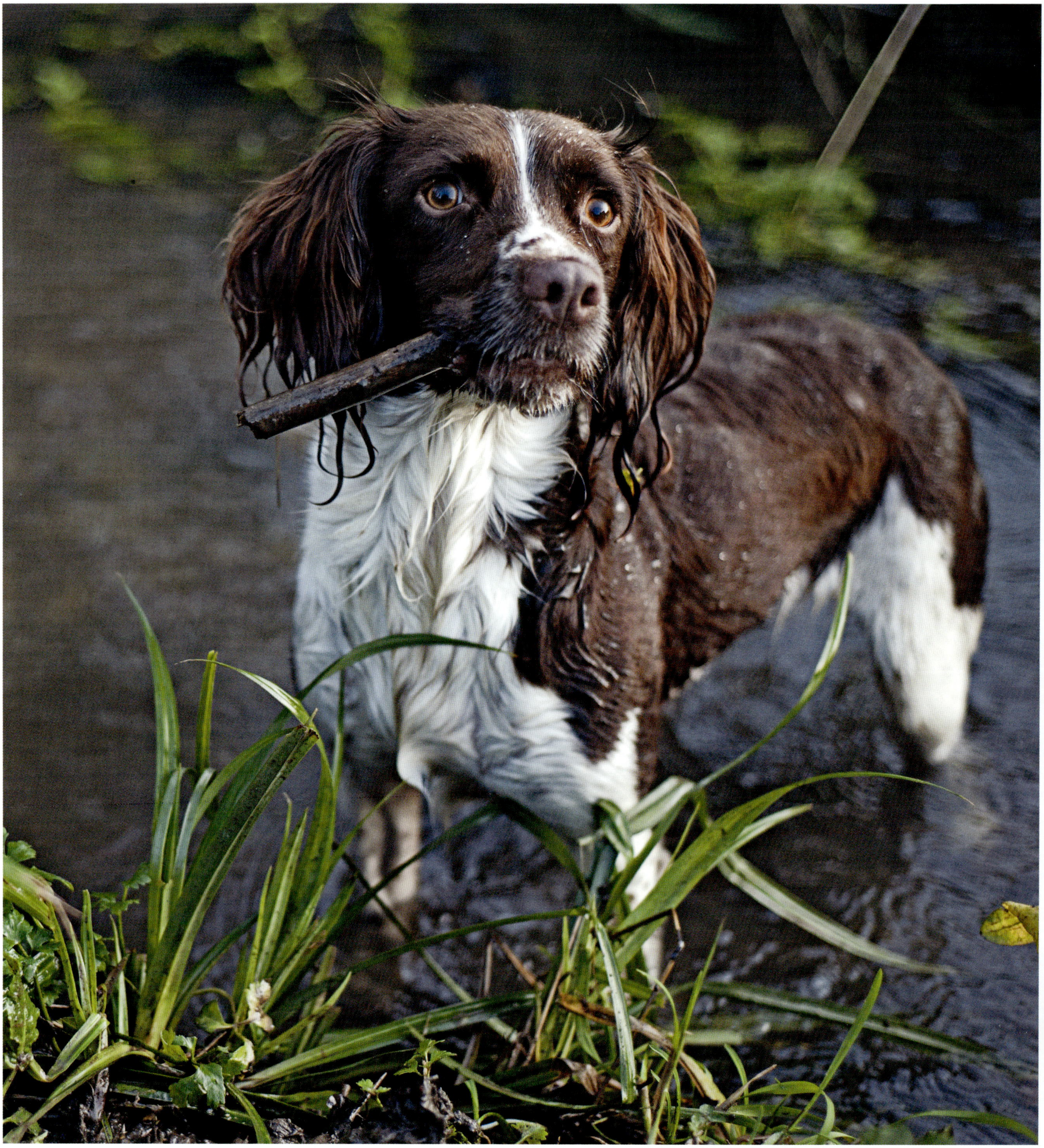

ENGLISH SPRINGER SPANIEL
イングリッシュ・スプリンガー・スパニエル

近世以前 — 英国 — 一般的

SIZE｜大きさ
雄 51cm／雌 48cm

APPEARANCE｜外見
均整のとれたコンパクトな体つき。スカルの長さは中ぐらいだが、とても幅が広く、わずかに丸みを帯びている。フルーズは四角形で、かなり深い。アーモンド型で中ぐらいの大きさの目は暗いヘーゼルで、注意深く優しい表情をしている。耳はロビュラー（木の葉形）。非常に長く幅広で、頭部に沿って垂れている。首もかなり長く、筋肉質で、わずかにアーチを描く。ボディは力強い。胸は深く、肋骨がよく張っている。腰も筋肉質で、やはりわずかにアーチを描いている。以前は慣習的に断尾が行われていたが、現在は自然のままで、たっぷりとしたフェザリングがある。尾付きは低く、背のラインより上に掲げられることはない。

COLOR｜毛色
レバー＆ホワイト、ブラック＆ホワイトで、タンの斑が入ることも。被毛は雨風に強い直毛で、耳や前脚、ボディ、後肢には適度なフェザリングがある。

APTITUDE｜適性
狩猟、銃猟のフラッシング、レトリービング、または薬物及び爆発物の探知、アジリティに。ショードッグ、家庭犬としても。

快活で、はつらつとしたイングリッシュ・スプリンガー・スパニエルは、知性と勇気あふれる犬である。ガンドッグとして非常に高い作業能力を誇り、1日中どんなに険しい地形の土地で活動し続けても疲れ知らずで、水に入ることもいとわない。仕事に対する一生懸命さが、この犬の最大の特徴だ。さらに気性も申し分ないイングリッシュ・スプリンガー・スパニエルは、活動的な家庭に最適なペットにもなる。

スプリンガーという名は、その働きぶりから来ている。この犬は、森の下生えのなかを動き回り、そのなかに潜む鳥をおどかして飛び立たせるフラッシングを得意とする。その際、鳥がバネ（スプリング）ではじかれたように見えるところから、この名がついたのだ。だが、得意なのはフラッシングだけではない。この犬は、ハンターが撃ち落とした鳥のレトリービングにも長けている。そんなすぐれた能力を持つイングリッシュ・スプリンガー・スパニエルが、鳥猟犬として高く評価されてきたのも当然だろう。

英国で正式に独立した犬種として認められ、この名を与えられたのは1902年のことだが、この系統の犬は非常に古くから存在していた。とはいえ古い時代の記録が残っているわけではなく、また名前に含まれるスパニエルという語の使い方があいまいだったため、この犬の起源を解明するのは容易ではない。一般には、「スパニエル」は古代ローマでスペインを意味した「ヒスパニア」が語源だとされている。そのため、このタイプの犬もスペインで発達してきた犬だと考えられている。

さらに時代をさかのぼると、スペインの犬たちのルーツは、中央アジア及び中国で誕生したイエイヌに行きつく。徐々に西に移動してスペインに到達したイエイヌたちを、地元の人々が猟犬として改良したのだ。この勇敢な犬たちは、古代ローマ人に伴われてヨーロッパ大陸からブリテン島にも渡ったと推測されている。また、西暦17年の文献に「ウォーター・スパニエル」について明確な言及があることから、この頃すでにランド・スパニエルとウォーター・スパニエルの2種類のスパニエルが存在したことがうかがえる。19世紀の英国人著述家ジョン・ウォルシュも、西暦43年に古代ローマ人が「ランド・スパニエル」にポインティングとフラッシングをさせてタカを狩っていたと書いている。

イングリッシュ・スプリンガー・スパニエルについては、10世紀にウェールズを統一した王ハウェル・ザーが成文化したとされるウェールズ法にも言及がある。そこでは、犬の特徴を記したうえで、「スプリンガー」の世話係に許される1日当たりの酒量が定められている。

スパニエルについての記録が多く見られるようになるのは14世紀以降のことだ。英国の詩人ジェフリー・チョーサー（1343頃～1400年）の作品にも登場するし、フランスのガストン・フェビュス伯爵（1331～91年）が中世の狩猟について記した『Livre de Chasse（狩猟の書）』でも言及されている。伯爵は、スパニエルはスペインから来た犬で、鷹狩りに用いられているほか、網を使った狩猟で活躍し、水中から鳥を回収することもできると書いている。銃による猟が行われるようになる以前、スパニエルを含むスポーティング・ドッグは、やぶに潜むヤマウズラやウズラ、キジなどの鳥に加えて、ノウサギやキツネといった小獣をフラッシングし、網に追い込むという役回りを与えられていた。当時の文書には、スパニエルに似た特性を持つ犬についての記述がたびたび見られ、16世紀になると絵画にもしばしば描かれている。これらの犬は「スプリンガー」と明確に記されてこそいないものの、現代のスプリンガーに驚くほど似ている。

スペイン産の猟犬はすべてまとめて「スパニエル」と呼ばれることが多かったが、16世紀に入ると「ランド」と「ウォーター」の2系統に区別され、さらに獲物の種類によって別の呼び名が与えられるようになった。たとえばイングランドの医師、ジョン・キーズは1570年に出版された著書『Of Englishe Dogges（イングランドの犬について）』で、スパニエルには「鳥をスプリンギングする（＝驚かせる）」ものと「ポインティングで鳥の場所を

示す」もの（オールド・スパニッシュ・ポインター）があると書いている。この記述や、ブラウン＆ホワイトあるいはブラック＆ホワイトで垂れ耳という特徴から推察するに、鷹狩りやスプリンギングに用いられていたそれらのスパニエルが、どうやら現代のスプリンガー・スパニエルの先祖犬であるようだ。

「スプリンギング・スパニエル」という名称が使われだすのは17世紀だ。それがさらに大きさによって2つのタイプに分類され、小型のものは「コッキング・スパニエル」と呼ばれた。ヤマシギ（英語名「ウッドコック」）などの小さな鳥のフラッシングに用いられたためだ。当時スパニエルは、ほかの猟犬同様、貴族や王室の犬舎で広く繁殖が行われていた。そして、しばしば繁殖先にちなんだ名で呼ばれた。スプリンガーもその例に漏れず、英国のノーフォーク公のもとで繁殖されていたので、ノーフォーク・スパニエルとも呼ばれていた。また、スパニエルは王室に家族として迎え入れられることも多く、なかでもイングランド王ジェームズ2世（1633～1701年）は、ノーフォーク公から入手したマンパーという名のスプリンガー・スパニエルを溺愛した。1682年に王が乗っていたグロスター号が沈没して多数の犠牲者を出したときには、「司祭と犬以外のすべての命を見捨てた」と激しい非難を受けたほどだ。

19世紀になると、大きさによってスパニエルを3系統に分類するようになる。最も大型なのがイングリッシュ・スパニエルあるいはフィールド・スパニエルと呼ばれる系統で、スプリンガー・スパニエル（ノーフォーク・スパニエル）、ウェルシュ・スパニエル、クランバー・スパニエル、サセックス・スパニエルなどが含まれた。それよりもやや小さい系統がコッキング・スパニエルまたはコッカー・スパニエルで、ヤマシギ（ウッドコック）猟用の犬である。最小の系統はコンフォーター・スパニエル（癒しのスパニエル）、またはトイ・スパニエルと呼ばれる愛玩犬で、実猟には用いられなかった。ただし、一腹の兄弟犬が大きさや被毛の色によって、スプリンガー、ウェルシュ、コッカーなどと呼び分けられることもあり、混乱も生じた。

19世紀当時、作業犬に関しては純粋な血統を維持しようという動きはほとんどなく、作業能力のすぐれた犬同士を交配するだけだった。ジョン・ウォルシュも1867年の著書『The Dogs of the British Isles（英国諸島の犬たち）』のなかで、「ノーフォーク・スパニエルは、イングリッシュ・セターをがっしりさせたような犬だ。全体的な容姿はよく似ているが、ノーフォークのほうが小型である。とても役に立つ犬種で、今やイングランド中で飼育されているが、血統が守られているとは言えない」と述べている。

そんななか、シュロップシャー州アクアレートのボウイ家は例外的だった。現代のイングリッシュ・スプリンガー・スパニエルの原型ができあがったのは、この一家の功績だ。彼らは1812年に同じタイプの犬同士に限った繁殖を開始し、1930年代までその努力は続けられた。また、1899年にはウィリアム・アークライトがスポーティング・スパニエル協会を設立し、ダービーシャー州にある自身の所有地で初のフィールド・トライアル大会を開催した。ボウイのように血統を純粋に保つことにこだわるブリーダーはすでに存在していたが、この団体の発足でさらにその意識が高まる。

そうして1902年、イングリッシュ・スプリンガー・スパニエルは犬種として公式にKCの認定を受け、翌年行われたドッグショーではF・ウィントン・スミス所有のビーチグローヴ・ウィルという名の犬に、この犬種で初めてチャンピオンチャレンジ・サティフィケート［訳注：ドッグショーで一定の成績を収めると発行される証明書。チャンピオン登録のために必要。略称CC］が発行され、06年には晴れてチャンピオンに昇格した。さらに1921年にはイングリッシュ・スプリンガー・スパニエル・クラブが設立され、ビーチグローヴ、リビングトン、アヴェンデール、ティッシントンなど、この犬種を繁殖する犬舎が多数誕生した。第二次世界大戦中には登録犬数が一時減少したが、戦後は飛躍的な成長を遂げ、現在では英国で最も人気のある犬種の1つになっている。

作業犬として作出された歴史を持つことから、フィールド・トライアルでは有力な優勝候補となるイングリッシュ・スプリンガー・スパニエルだが、ドッグショーで際立つ存在感を見せる犬もいる。また、家庭犬としての適性も高い。ただし、トライアルに出場する犬とショードッグでは、しばしばタイプに違いが見受けられることもある。

米国にスパニエル系の犬を持ち込んだのは、ヨーロッパからの入植者たちだ。1620年に英国の清教徒を乗せたメイフラワー号が米国に渡った際にも、2頭のスパニエルが同乗していたという記録が残っている。ただし、これらの犬がどのスパニエルであったかは不明である。米国ではさまざまなタイプのスパニエルが人気を博し、1881年には米国スパニエル・クラブが設立された。このクラブは現在、AKCの認定するコッカー・スパニエルのペアレント・クラブとなっている。

初めて「スプリンガー・スパニエル」として米国に輸入されたのは、1907年にアーネスト・ウェルズがニュー・ジャージー州のロバート・デューモント・フットのために輸入した犬だったが、AKCに初めて登録されたスプリンガー・スパニエルは、1910年のデネ・ルーシーという名の犬だった。そして1924年にはイングリッシュ・スプリンガー・スパニエル・フィールド・トライアル協会が創設され、32年に英国のスタンダードを参考に犬種標準が作成される。1940年代までは、フィールド・トライアルとドッグショーの両分野でチャンピオンを獲得する「デュアル・チャンピオン」も珍しくなかったが、第二次世界大戦以後、2つのタイプのあいだの相違はしだいに大きくなっていった。現在では、フィールド・タイプとショー・タイプの犬には顕著な違いが見られる。

AGILE AND WISE｜敏捷性と知性

ENGLISH SPRINGER SPANIEL｜イングリッシュ・スプリンガー・スパニエル

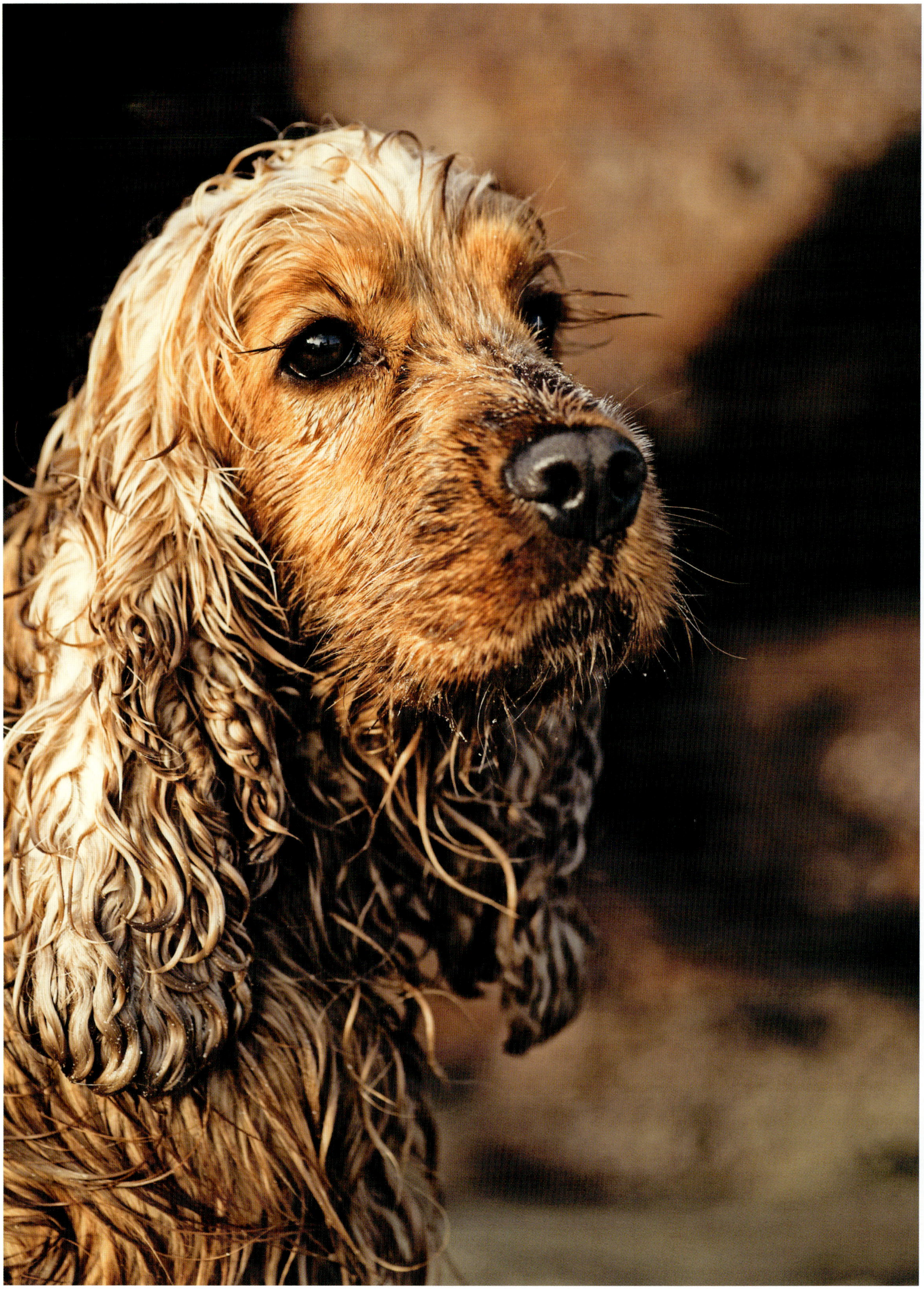

ENGLISH COCKER SPANIEL
イングリッシュ・コッカー・スパニエル

近世以前 – 英国 – 一般的

SIZE｜大きさ
体高：雄　39〜41cm／雌　38〜39cm
体重：雄雌とも　13〜14.5kg

APPEARANCE｜外見
陽気で活発なスポーティング・ドッグ。コンパクトにまとまった体つきで、優しく知的な印象を与える。スカルはよく発達し、輪郭がすっきりとしている。マズルは正方形。目はダーク・ブラウンからブラウン。耳はロビュラーで低い位置に付き、絹のような長い直毛で覆われている。首はほどよい長さで筋肉質。ボディはがっしりとしてコンパクト。胸が深く、トップラインは腰部の終わりまでは水平。そこから尾の付け根にかけてなだらかに傾斜する。尾の付け位置は背のラインよりもやや低く、水平に保持される。断尾の習慣が残っている国もあるが、断尾しない尾は中ぐらいの長さでわずかにカーブし、たっぷりとしたフェザリングが見られる。

COLOR｜毛色
ブラック、レッド、ゴールド、レバー（チョコレート）、ブラック＆タン、レバー＆タン。これらの毛色は胸だけにホワイトのマーキングが許される。またはブラック＆ホワイト、オレンジ＆ホワイト、レバー＆ホワイト、レモン＆ホワイトで、これらにはティッキングが入るものもある。あるいはブルー・ローン（地色にホワイトが細かく混じる）、オレンジ・ローン、レモン・ローン、レバー・ローン、ブルー・ローン＆タン、レバー・ローン＆タン。被毛は絹のような手触りで、皮膚に沿うように生えている。前肢、ボディ、飛節より上の後肢にはフェザリングがある。

APTITUDE｜適性
狩猟、銃猟、鳥猟のフラッシング、レトリービング、またはトライアル競技に。ショードッグ、家庭犬としても。

イングリッシュ・コッカー・スパニエルは陽気な犬だ。それは、尾を忙しく左右に振るスピードにも表れている。また、勤勉かつ精力的な犬でもあり、同じ流れを汲むスプリンガー・スパニエルと同様、疲れ知らずで1日中働き続けることができる。性格は愛情深く従順で、活動的な家庭ならすばらしいペットにもなる。

スパニエル系の犬がそれぞれ別の独立した犬種に分類されるようになったのは、20世紀になってからだ。それ以前は、大きくウォーター・スパニエルとランド・スパニエルの2つのグループに分けられていた。ランド・スパニエルのグループに属する犬は、向いている狩猟のタイプや繁殖家にちなんだ名がつけられ、さらにはサイズや色で分類された。大きなものはイングリッシュ・スパニエルあるいはフィールド・スパニエルと呼ばれ、小型の犬はコッキング・スパニエルあるいはコッカー・スパニエルと呼ばれた。名前にコッキング、コッカーとついているのは、ヤマシギ（英語名「ウッドコック」）などの小さな鳥のフラッシングに長けていたためである。

コッカー・スパニエルについての具体的な記述が現れるのは、18世紀末だ。英国の版画家トマス・ビュイックが、1790年の著書『A General History of Quadrupeds（四足動物誌）』（1790年）で「スプリンガー」と「コッカー」について言及している。ただしビュイックは、どうも同じタイプの犬をスプリンガー、コッカーと呼び分けてしまっているようだ。両犬種をはっきりと差別化したのは、博物画家シデナム・エドワーズの1801年の著書『Cynographia Britannica（ブリテン島犬種図鑑）』が最初だ。エドワーズは、ランド・スパニエルを「スプリンギング・ホーキング・スパニエル」と「コッキング・スパニエル」の2系統に分けている。

また、歴史家のジョン・アシュトンが1886年に著した『The Dawn of the XIXth Century（イングランド19世紀の夜明け）』のヤマシギ猟の描写を見ると、コッカーはフラッシングのみで使われているが、現在はレトリービングにも用いられている。猟銃の射程距離が伸び、より遠くの鳥も撃ち落とせるようになったことから、フラッシングをする犬にレトリービングの訓練もするようになったためである。

英国では1885年にスパニエル・クラブが創設され、猟犬に適したさまざまなタイプのスパニエルの繁殖を促進し、犬種標準を作成するための活動が進められた。そして1892年、KCがコッカー・スパニエルをフィールド・スパニエルやスプリンガー・スパニエルとは異なる独立した犬種として認定する。一方、米国におけるコッカーの犬種標準は、英国のスタンダードとは異なっていた。そのため両国の犬には顕著な違いが生じ、結果としてアメリカン・コッカーという独立した犬種が設けられ、1881年のアメリカン・スパニエル・クラブ創設に至っている。

ペットとして人気が高いコッカー・スパニエルだが、本来は非常に有能な猟犬である。そのため、フィールド・トライアルでも好成績を出すことができる。だが、これに挑戦しようと考える人の数はあまり多くない。かたや、ショードッグとしての人気はもっぱら上昇傾向が続いており、クラフツ展においてもBISに輝く頻度の最も高い犬種に成長した。

フィールド・タイプとショー・タイプでは、身体的な特徴だけでなく、体力や活動量の面でも大きな違いが見られる。フィールド・タイプもしくは作業犬としてのコッカーの繁殖はスタミナを重視し、どんな地形や天候でも働き続けられる強靭さを目指している。このタイプは一般家庭のペットとしてもすぐれているが、かなりの量の運動をさせてやる必要がある。一方、ショー・タイプのコッカーはフィールド・タイプに比べておとなしい。しかし、どちらのタイプも愛情深い性質に変わりはない。

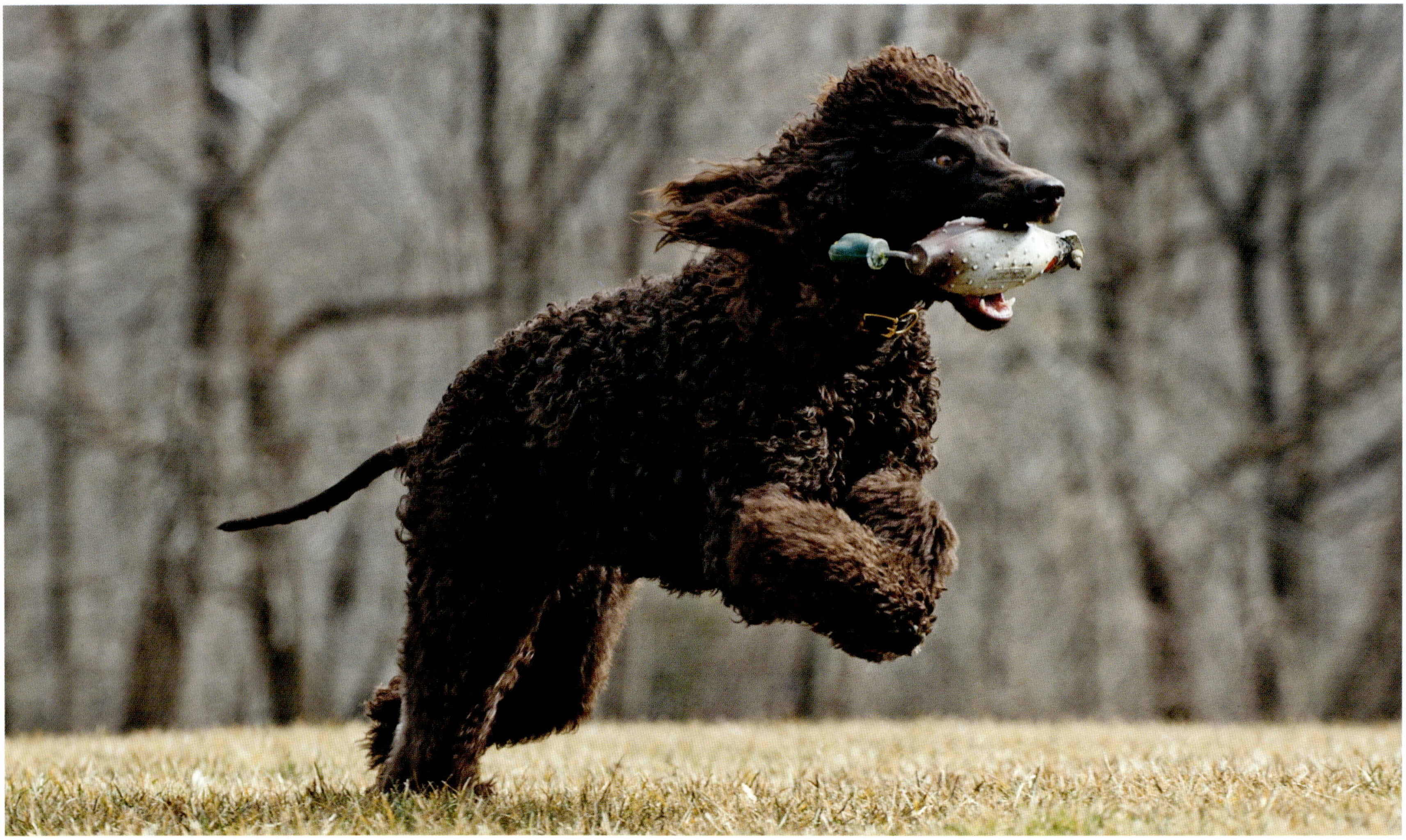
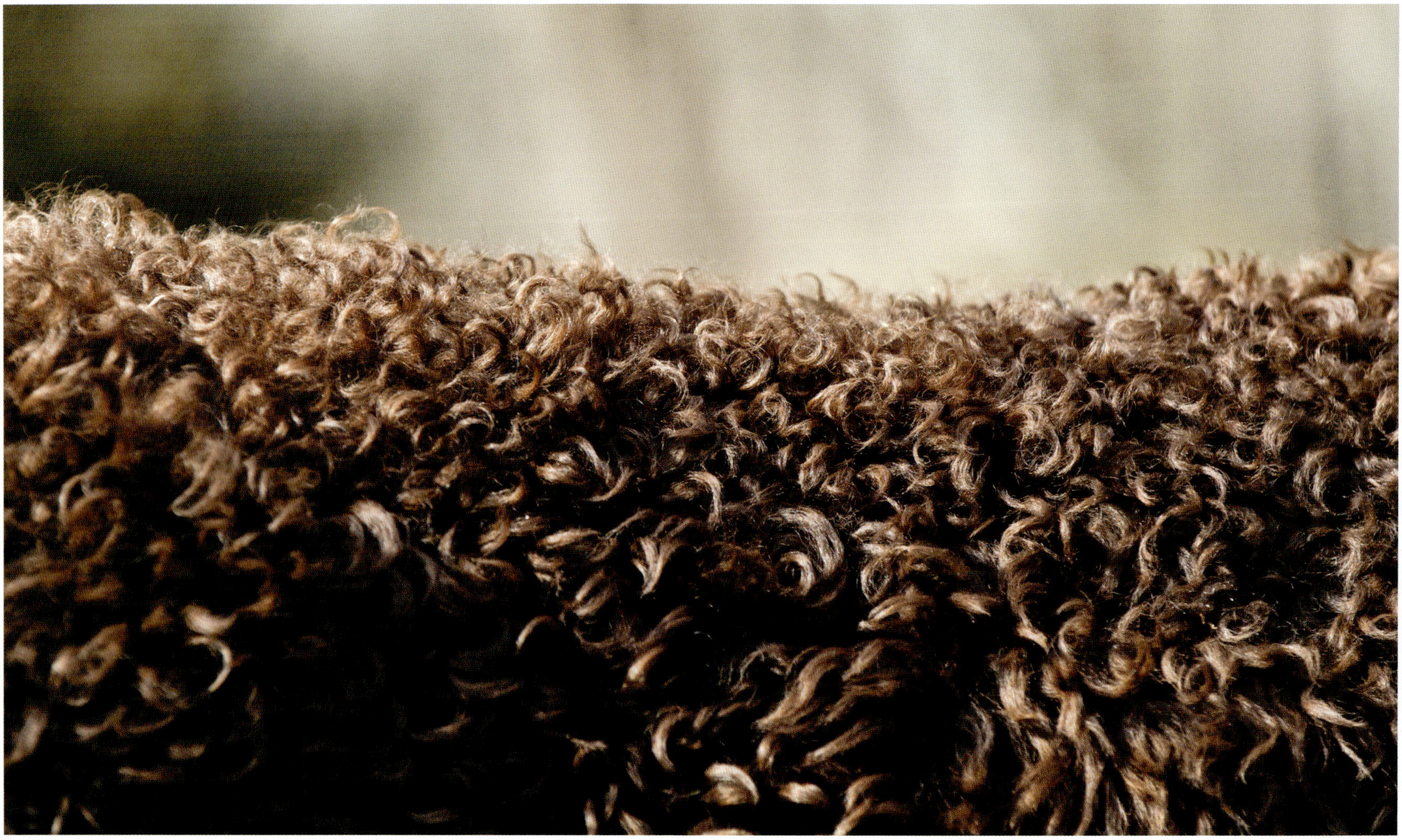

アイリッシュ・ウォーター・スパニエル

IRISH WATER SPANIEL

近現代―アイルランド―希少

SIZE｜大きさ
雄 53〜58cm／雌 51〜56cm

APPEARANCE｜外見
スマートで姿勢がよく、コンパクトな体つき。スカルは高いドーム状で、じゅうぶんな長さと幅がある。マズルは長く頭丈で、いくぶん正方形ぎみに見える。顔は巻き毛でなく、短い直毛で覆われている。比較的小さなアーモンド型の目はブラウンからダーク・ブラウンで、利口そうな目つきをしている。耳は長いロビュラーで、頭部の低い位置から頬に沿うように垂れている。首は力強くアーチを描く。背は短いが幅広で水平。腰も幅広で深い。足は大きく丸みを帯び、指の上部およびあいだに豊かな被毛がある。尾はまっすぐで短く、飛節まで達しない長さ。尾の根元から7.5〜10cmまでは短い巻き毛で覆われているが、それより先は肌がむき出しになるか、短く細い直毛で覆われている。

COLOR｜毛色
ピュース・レバーと呼ばれるパープルがかった濃いレバーで、なめらかな毛が下あごの奥から胸骨にかけてV字形の斑を形成する。ボディに密生するきつく縮れた硬い巻き毛は脂っぽく、耐水性にすぐれている。頭頂部にはトップノット（長くカールした房状の飾り毛）がある。

APTITUDE｜適性
狩猟、銃猟のレトリービング、アジリティに。ショードッグ、家庭犬としても。

アイリッシュ・ウォーター・スパニエルは、きつく縮れた耐水性の巻き毛と、ゆるやかにカールした長いトップノットが特徴の犬である。「ラットテール（ネズミのしっぽ）」と呼ばれる独特の尾の形状から、古くは「ウィップテール（鞭状のしっぽ）・ドッグ」または「ラットテール・ドッグ」と呼ばれていた。スパニエルのなかでは最大の犬種であり、現存する唯一のウォーター・スパニエルでもある。しかし、流行の浮き沈みが激しい犬の世界を反映するかのように、飼育頭数はすっかり減ってしまった。

アイリッシュ・ウォーター・スパニエルの繁殖の歴史は長い。もともとはガンドッグとして飼育され、いかなる地形もものともせず、特にぬかるんだ湿地や水辺などで本領を発揮する猟犬として活躍した。また、この犬は忍耐力とスタミナが並外れているだけでなく、仕事に対する熱意と賢さも併せ持つ。さらにひょうきんな一面もあり、一般家庭のすばらしいペットにもなりうるが、その際にはじゅうぶんな運動と服従訓練が求められる。

このエネルギッシュな犬が現在の姿になったのは、19世紀になってからだ。だが、そのルーツはもっと古い時代の犬にあり、1100年代にはすでによく似た犬がアイルランド東部のシャノンにいたと言われている。この犬について言及されている最も古い文献は、おそらく1607年に英国の牧師で作家のエドワード・トプセル（1572〜1625年）が出版した『Historie of the Foure-Footed Beastes（四足獣の歴史）』だと思われるが、そこでは犬の名前が「ウォーター・スパグネル」となっている。なお、この本の大部分はトプセル自身が認めている通り、スイスの自然学者コンラッド・ゲスナー（1513〜65年）が1551年から58年のあいだに著した『Historiae Animalium（動物誌）』をベースに書かれたものである。

アイリッシュ・ウォーター・スパニエルのもとになったのは、プードルや各種のレトリーバー、そしてスパニエル犬である。19世紀に入るまで、アイルランドにはノーザン・アイリッシュ・スパニエル、サザン・アイリッシュ・スパニエル、ツウィード・ウォーター・スパニエルという3種類のウォーター・スパニエルが存在していた。3種ともすでに絶滅してしまったが、それぞれ異なる特徴を持っていた。ノーザンは耳が短くレバーあるいはレバー＆ホワイトの巻き毛を持ち、サザンは耳の長いレバーの巻き毛の犬で四肢にフェザリングがあり、ツウィードは被毛が淡いブラウンからイエローだった。現代のアイリッシュ・ウォーター・スパニエルは、サザン系に最もよく似ていると言われるが、他の系統の血も混じっているはずだ。

現代のアイリッシュ・ウォーター・スパニエルを作出したのは、ジャスティン・マッカーシーという人物である。彼は1800年代半ばに、サザン系のウォーター・スパニエルの血を引くボースンという名の犬を基礎として、現代のアイリッシュ・ウォーター・スパニエルを生み出した。マッカーシーの犬の子孫は19世紀のドッグショーを席巻し、1890年にはアイルランドにアイリッシュ・ウォーター・スパニエル・クラブが創設された。

米国で犬種としてAKCに公認されたのは1884年だが、77年にはすでに4頭のアイリッシュ・ウォーター・スパニエルがウェストミンスター展に出陳されている。米国初の犬種クラブ、米国アイリッシュ・ウォーター・スパニエル・クラブが創設されたのは1937年。同年、このクラブは第1回ドッグショーとフィールド・トライアル競技会を開催している。

英国では、1908年にスポーティング・アイリッシュ・ウォーター・スパニエル・クラブが結成されたが、第一次世界大戦の勃発に伴い解散を余儀なくされる。しかし、1926年に英国アイリッシュ・ウォーター・スパニエル協会が創設され、現在に至るまで犬種の保存と普及のために尽力している。一方、時間はかかったもののスポーティング・アイリッシュ・ウォーター・スパニエル・クラブも1989年に再結成され、現在は主にガンドッグとしての犬種の普及活動を行っている。

ENGLISH SETTER
イングリッシュ・セター

近世以前 – 英国 – 希少

SIZE｜大きさ

雄 65〜69cm／雌 61〜65cm

APPEARANCE｜外見

優美で気品があると同時に精悍。長い頭部は適度に引き締まり、毅然とした様子で高く保たれる。マズルはほどよい深さ。卵形で表情の豊かな大きな目の色は、ヘーゼルからダーク・ブラウン。きれいなひだがある中ぐらいの長さの耳は、頭部の低い位置から頬に沿うように垂れている。長い首は筋肉質だがすっきりとしており、うなじ付近でややカーブしている。胸は深く、背は水平で短い。腰は幅広で、わずかにアーチを描く。尾は中ぐらいの長さで、背とほぼ同じ高さに付き、三日月刀のような形で保持される。尾の下側にはフェザリングがある。

COLOR｜毛色

ブラック＆ホワイト（ブルー・ベルトン）、オレンジ＆ホワイト（オレンジ・ベルトン）、レモン＆ホワイト（レモン・ベルトン）、レバー＆ホワイト（レバー・ベルトン）。またはトライ・カラー（ブルー・ベルトン＆タンあるいはレバー・ベルトン＆タン）。いずれの毛色もボディに大きな斑がなく、全身がベルトン（白地に不規則な小斑が散らばるか、地色にホワイトが細かく混じる毛色）であるものが好ましい。被毛は、ほどよい長さの絹のような毛が皮膚に沿って寝るように生えている。

APTITUDE｜適性

狩猟のセッティング、フラッシング、レトリービングに。ショードッグ、家庭犬としても。

イングリッシュ・セターは猟犬のなかでも古い歴史を持つ犬種で、英国における最もエレガントなガンドッグの1つだが、同国ではKCにより絶滅が危惧される在来種に指定されている。このことは、流行の浮き沈みが激しい犬の世界の現状を示しているが、それでもこの犬を求める人が少ないわけではなく、繁殖数が需要に追いつかない状況となっている。イングリッシュ・セターは優しく愛情深い性質とすぐれた作業能力を併せ持ち、一般家庭のペットとしても、狩猟の現場で活躍するガンドッグとしても申し分のない犬なので、それも当然のことと言えるだろう。

この犬種は、14世紀にスパニエル系から派生したと考えられている。もともとは「セッティング・スパニエル」あるいは「シッター・スパニエル」と呼ばれ、高木の生えていない荒野での鳥猟に用いられた。狩猟の際、この犬は嗅覚を駆使して獲物を見つけると、その鳥と向かい合うようにかがみ込み、身じろぎもせず待機する。この姿勢をとることを「セッティング（セットする）」と言うため、それらの名がついたのだ。セットするときに犬は片方の前肢を上げて、獲物の居所をハンターに指し示すこともある。そこへハンターが網を持って接近すると、犬は突如飛び上がって鳥をおどかし、網のなかへと追い込みにかかるというわけだ。

18世紀になると、このセッティング・スパニエルはセターと呼ばれるようになった。現在では、セターにはイングリッシュ・セターのほか、アイリッシュ・セター、アイリッシュ・レッド・アンド・ホワイト・セター、そしてゴードン・セターと4系統が存在する。

狩猟はもっぱら大規模な犬舎を所有する貴族の娯楽として発展し、セターの作出にはそれらの犬舎が大きく関わっていた。なかでも重要な系統と位置づけられるセターは、カーライル伯ジェームズ・ヘイによって17世紀に確立された。ヘイの犬たちの被毛には、ホワイトの地色にブラックの小斑が散らばっていた。当時、「マーブル・ブルー」と表現されたこの毛色は、現在では「ベルトン」と呼ばれる。

19世紀になると、セターはいくつかの系統に分化する。現代のイングリッシュ・セターの基礎は、エドワード・ラヴェラック（1800〜77年）の繁殖プログラムにより築かれた。ラヴェラックは、オールドモールという名の雌とポントという雄を軸に繁殖を進めた。オールドモールを入手したとき、彼は「完璧この上ないセター」と評したという。ラヴェラックは同系交配を含めて交配を繰り返し、形質の固定を目指した。そうして誕生したセターたちは、高い狩猟能力に加えてショードッグとしての端正な容姿も兼ね備え、ラヴェラック・セターと呼ばれた。その後、ドッグショーやフィールド・トライアルの発展に伴って、イングリッシュ・セターはフィールド・タイプとショー・タイプの2つの系統に分かれ、現在でもその両タイプが存在する。ショー・タイプのイングリッシュ・セターは、今でも「ラヴェラック」と呼ばれることが多い。

一方、フィールド系のイングリッシュ・セターは、リチャード・ルーエリン（1840〜1925年）により改良された系統がもとになっている。ルーエリンはラヴェラック系統の犬を繁殖の基本としたが、より理想に近い作業犬を作出するために異系交配も行った。こうして誕生したイングリッシュ・セターはしばしば「ルーエリン」と呼ばれ、KCやAKCの認定こそ受けてはいないものの、シカゴのフィールド系犬籍原簿では「ルーエリン」という独立犬種として登録されている。

イングリッシュ・セターが初めて米国に輸入されたのは1860年代のことで、84年にはAKCから犬種として認定された。米国では現在、飼育頭数は上昇傾向にある。一方、英国では、1890年にフィールド・トライアル・イングリッシュ・セター・クラブが、1951年にイングリッシュ・セター協会（ショー・タイプ）が創設され、普及活動を続けている。

AGILE AND WISE ｜ 敏捷性と知性

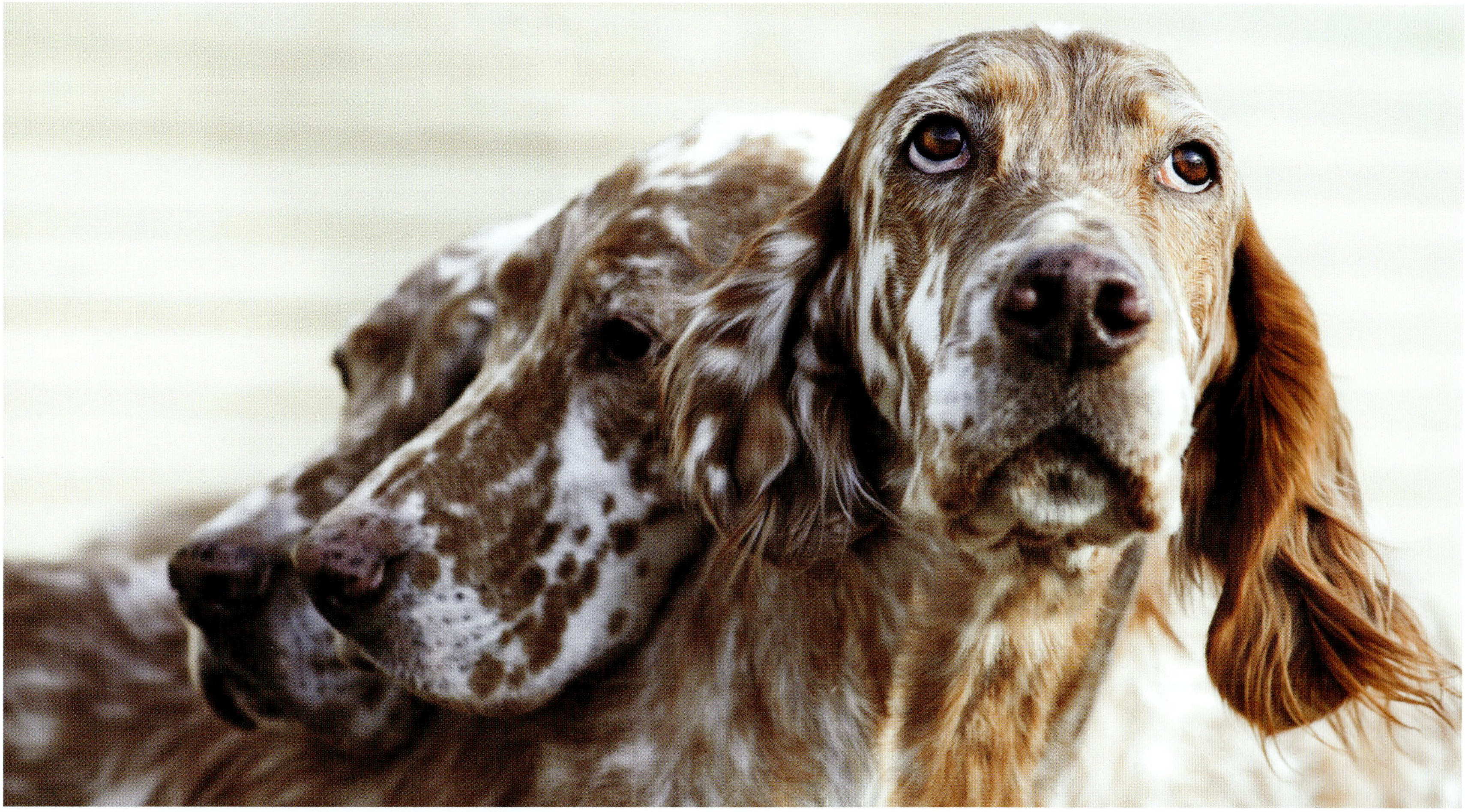

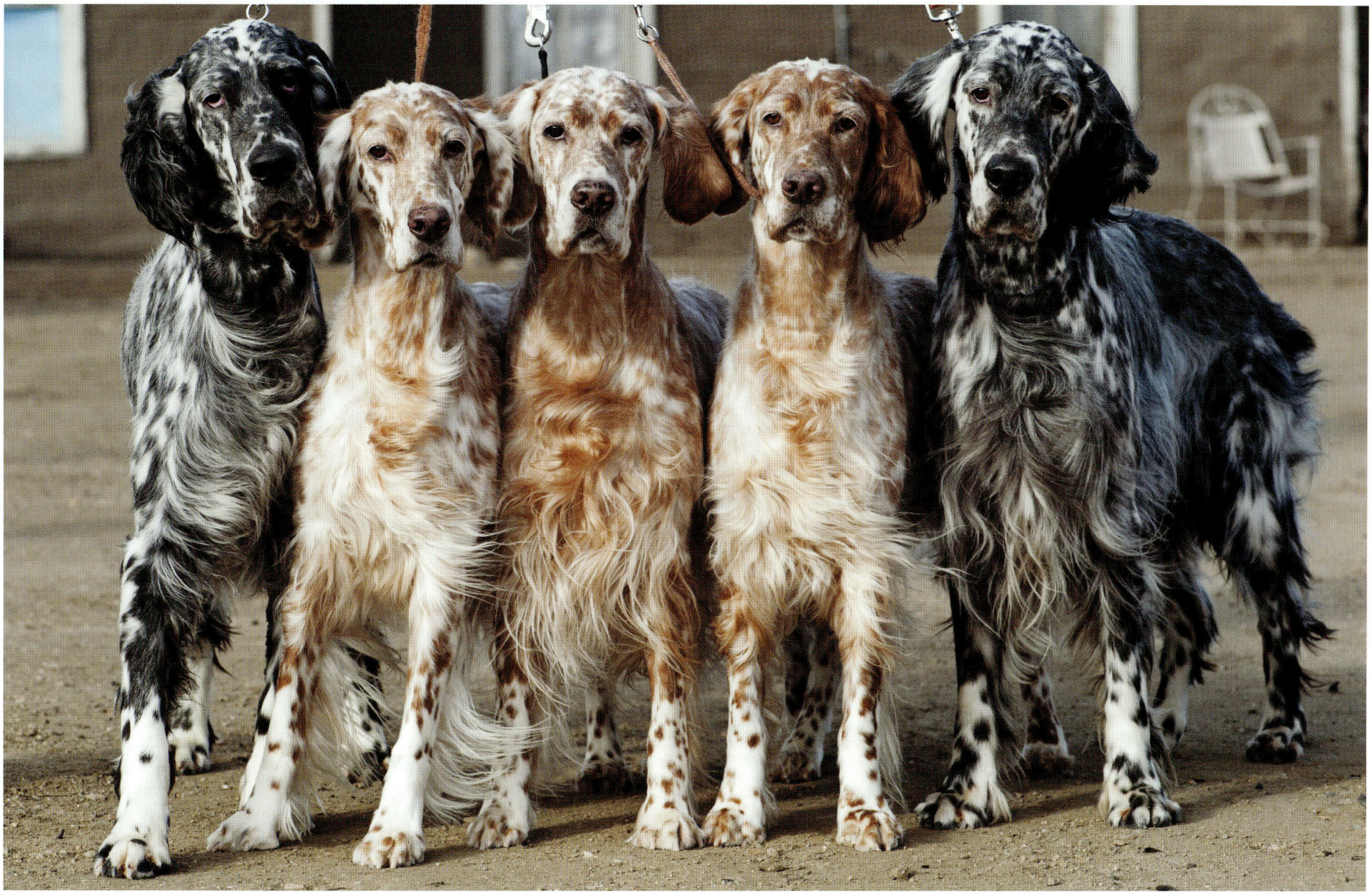

GORDON SETTER
ゴードン・セター

近世以前 – 英国 – 比較的多い

SIZE｜大きさ
体高：雄 66cm／雌 62cm
体重：雄 29.5kg／雌 25.5kg

APPEARANCE｜外見
筋肉質でスタイリッシュ。頭部は深いが幅広ではなく、マズルもかなり長い。薄い耳は低い位置に付き、頭部に沿って垂れている。黒っぽいブラウンの目は、知的な印象を与える。首は長く、アーチを描いている。胸は深く、ほどよい幅がある。背は適度な長さがあり、腰は幅広で、わずかに弧を描いている。尾はまっすぐか、やや三日月刀形で、飛節より下に達することはなく、水平あるいは背のラインより下に保持される。付け根付近から始まるフェザリングは、先端に向かうにつれて短くなる。

COLOR｜毛色
深みのある輝くようなブラックにチェスナット（栗色）の模様が入る。頭部、四肢の前側、耳の先端に生える細く短い巻き毛は、皮膚に沿うように寝ている。その他の部分の毛にはカールやウェーブはない。耳の上部と四肢の後ろ側にはフェザリングがあり、腹部はやわらかく光沢のあるほどよい長さの毛で覆われている。

APTITUDE｜適性
狩猟、鳥猟のセッティング、フラッシング、レトリービングに。ショードッグ、家庭犬としても。

ゴードン・セターは、イングリッシュ・セター、アイリッシュ・セター、アイリッシュ・レッド・アンド・ホワイト・セターとともにセター4犬種のうちの1つである。セターのなかでは最も大きく、また最も重量感のある犬で、その分、ほかのセターと比べるとスピードはないが、スタミナと狩猟能力に秀で、1日中休むことなく熱心に働き続けることができる。体格のせいか誤解される傾向にあるが、実はとても賢く、誠実で愛情深い犬である。そんなゴードン・セターは、ガンドッグとして何世紀にもわたり改良が重ねられてきた。単独で作業をしたときに最も力を発揮することから、しばしば「パーソナル・ガンドッグ」とも呼ばれる。

この犬種は、14世紀にスパニエル系の猟犬から派生したと言われ、もともと「セッティング・スパニエル」あるいは「シッター・スパニエル」と呼ばれていた。ほかのセターと同じく、鳥を見つけると、その場でかがみ込んで静止する「セッティング（セットする）」という姿勢をとるためだ。そうしてハンターが獲物の場所を特定し、網を仕掛け終わると、セターは飛び上がって鳥をおどかし、網のなかへと追い込みにかかる。

現代のゴードン・セターの基礎は、スコットランドの第4代ゴードン公爵（1743～1827年）によって築かれたとされている。しかし実のところ、ハイランド地方にあるゴードン城で公爵が繁殖を始める何年も前から、英国にはすでに数多くのブラック＆タンの猟犬がいた。英国の詩人で作家のジャーヴェス・マーカムの1621年の著書『Hunger's Prevention: Or, The Whole Art of Fowling by Water and Land（飢餓への備え──水陸禽類狩猟術）』でも、「ブラック＆ファローのセッティング・ドッグ」について言及されている。また、ブラック＆タンの猟犬を繁殖する犬舎も多数存在し、のちのレスター伯トマス・ウィリアム・コーク（1754～1842年）の犬舎もその1つだった。ゴードンの繁殖プログラムでは、このレスターの犬舎から取り寄せた犬も用いられたと言われている。ブラック＆タンのセターとブラッドハウンドの交配によりゴードン・セターが誕生したとする19世紀の文献も、複数存在する。

1873年にKCに公認された当時、この犬種はブラック＆タン・セターという名称で登録されていた。ゴードン・セターという名前が使われるようになったのは、1923年のことである。この犬種の発展に大きな影響を与えたブリーダーとしては、19世紀末のロバート・チャップマンと、20世紀前半のアイザック・シャープの名が挙げられる。チャップマンが繁殖し、「ヘザー」という冠名をつけた犬たちは、ドッグショーで常に好成績を収めた。一方、シャープはゴードン城の近くに犬舎を所有し、ヘザーの血統の犬を用いた繁殖プログラムを引き継いで世界的な名声を得た。

英国初の犬種クラブは1891年に設立されたが、第一次世界大戦の勃発により、やむなく解散となった。それでも1927年に英国ゴードン・セター・クラブが創設され、同クラブは現在もなお犬種の保存と普及のための努力を続けている。この犬の数は、2度の世界大戦の影響と、貴族の広大な私領が減ったことなどにより減少の一途をたどったが、第二次大戦後は再び息を吹き返し、今に至っている。

米国で初めて飼育されるようになったゴードン・セターのなかには、ゴードン城で繁殖され、1842年に輸入されたものも含まれている。セターは米国でも人気を呼んだが、当時は異なる系統のセター同士での交配もしばしば行われた。しかし1884年にAKCがゴードン・セターを犬種として認定すると、徐々にそうしたことは行われなくなった。そうして1924年には、米国ゴードン・セター・クラブが創設された。

ゴードン・セターは、ほかのセターほどフィールド・タイプとショー・タイプの違いが顕著ではなく、万能型のガンドッグとしてはもちろんのこと、最高のペットにもなりうる用途の広い犬種として、欧米諸国で高い人気を誇っている。

AGILE AND WISE｜敏捷性と知性

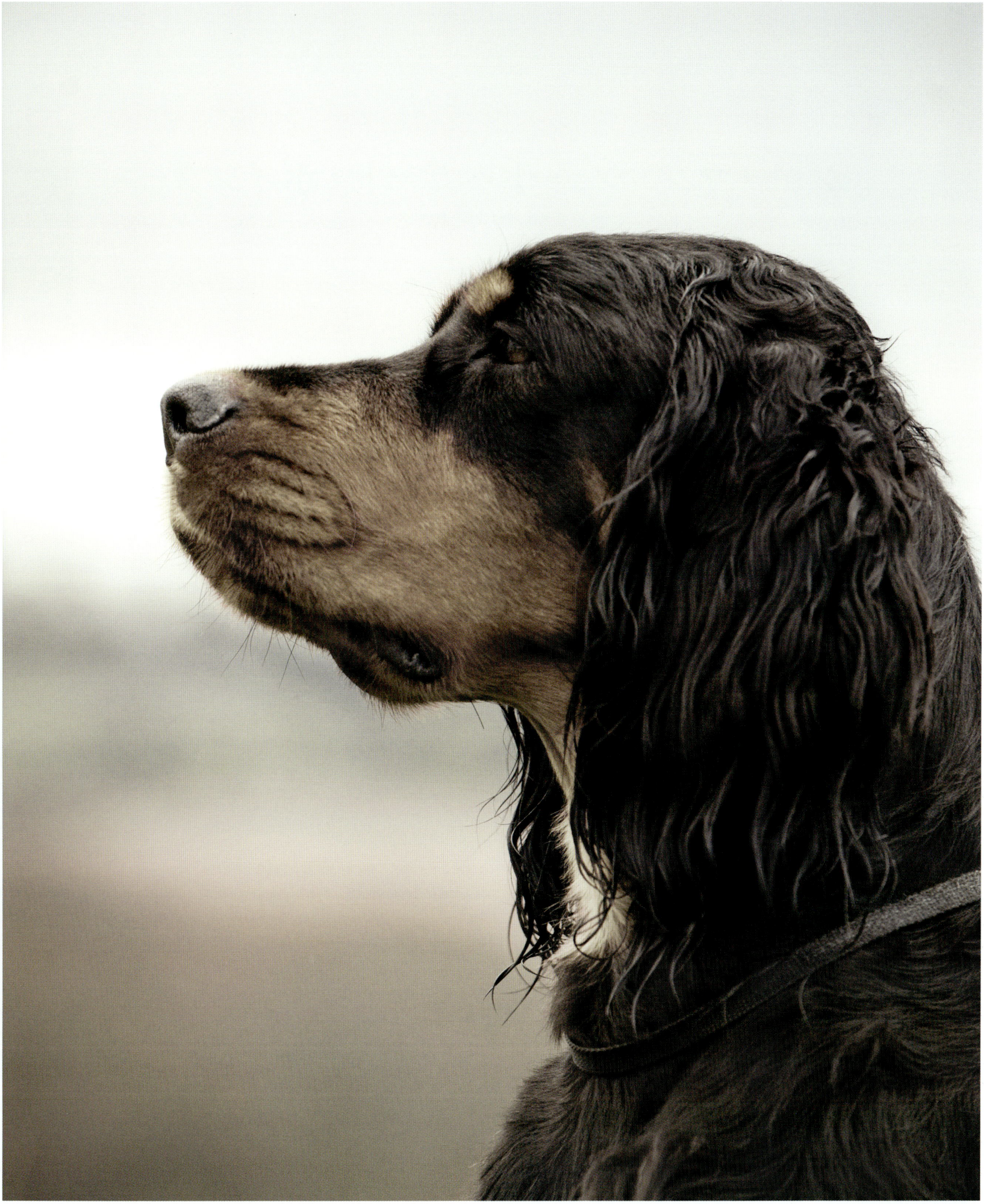

GERMAN SHORTHAIRED POINTER
ジャーマン・ショートヘアード・ポインター
近現代―ドイツ―一般的

SIZE｜大きさ

雄 58〜64cm/雌 53〜59cm

APPEARANCE｜外見

力強く精悍で、かつ高貴。頭部の輪郭が明瞭で、スカルはわずかに丸みを帯びている。あごは強靭。中ぐらいの大きさの目は、さまざまな色調のブラウンで、高い知性と陽気さを感じさせる。先端が丸く幅広の耳は高い位置に付き、頭部に沿うように垂れている。筋肉質の首はほどよい長さで、アーチを描く。前胸はたくましく、胸は幅広というより深い。背は短く、腰は幅広でわずかに弧を描いている。後肢も力強く、特に腿の筋肉が発達している。尾は、全体の5分の2ほどの長さを断尾する慣習が残っている国もあるが、断尾しない場合は中ぐらいの長さで、水平あるいは背のラインのすぐ下に保持される。

COLOR｜毛色

レバー、ブラックの単色。またはレバーにホワイトの斑、レバーにホワイトの斑と細かな小斑が散らばるもの、レバーにホワイトの細かな小斑が散らばるもの、そのほか上記のパターンのレバーがブラックに入れ替わったもの。ただし、トライ・カラーは認められない。被毛は、ごわごわと粗い短毛が皮膚に沿って密に生えている。

APTITUDE｜適性

獲物の追跡、レトリービング、ポインティング、またはアジリティ、オビディエンスに。ショードッグ、家庭犬としても。

ジャーマン・ショートヘアード・ポインター(GSP)は用途の広い万能型の狩猟犬で、銃猟界では「ワンダー・ドッグ」として高く評価されている。鳥から小獣まで、多種多様な獲物の猟で必要とされるさまざまな能力を持ち、水陸の別なく巧みに仕事をこなす。また「HPR犬種」、すなわち「ハンティング」「ポインティング」「レトリービング」に長けた犬の1つとして知られ、近年では銃猟だけでなく、フィールド・トライアルやポインティング実技の分野でも人気を集めている。エネルギッシュで賢く、しかも従順で愛情深いこの犬は、原産地のドイツでは「短い毛」という意味の「クルツハール」と呼ばれ、そのほかのヨーロッパの国々では「ドイチュ・クルツハール」と呼ばれている。

GSPの起源は1800年代のドイツにある。上流階級以外の人々にも初めて狩猟と銃猟が認められ、狩猟場として広大な土地を購入したり借りたりできるようになった時代である。そうした時代背景のもと、ドイツの狩猟家たちはさまざまな獲物の足跡追及やポインティング、フラッシング、レトリービングができる犬の作出に着手した。それには陸上でも水中でも獲物を回収することができ、キツネやヤマネコ、シカを前にしてもひるむことのない勇敢な犬でなければならない。と同時に、家族のよきペットになりうる性質を備える必要もあった。

GSPの作出以前、ドイツでは少数ながら、主としてスペイン産ポインター種の血を引くポインティング・ドッグが存在していた。1714年には、ゾンダースハウゼンにある有名な犬舎で3種のポインターが飼育されていたとの記録もある。GSPの誕生には、このスペイン産ポインターのほか、ドイツ産やフランス産のポインター、さまざまなドイツ産嗅覚ハウンド、フランス・ガスコーニュ地方産のハウンド犬、そしてイングランド産ポインターやイングリッシュ・フォックスハウンドが関わっていたと考えられている。

そのため、初期の遺伝子プールは多種多様で、「血統不明」のまま登録されている犬も多かった。だが1872年、血統登録のシステムが確立され、犬種第1号としてヘクトール1世という犬がドイツケネルクラブの犬籍原簿に登録された。ヘクトール1世はレバー＆ホワイトの被毛を持ち、ハウンド犬に似た、かなり重量感のある犬だったと記録されている。犬種の基礎犬として重要な役割を果たしたのは、ネロとトレフという名の2頭の犬だ。犬種の確立に貢献したブリーダーとしては、ドイツのゾルムス＝ブラウンフェルス伯アルブレヒトが挙げられる。彼はドイツのブラウンフェルスにヴォルフスミューレという大きな犬舎を所有し、ポインターやセターの繁殖や、さまざまな犬種の異系交配を行っていた。

GSPの愛犬家団体が創設されたのは1880年のこと。この団体は1891年にクルプ・クルツハールと名称を改め、現在はドイチュ・クルツハール連盟(DKV = Deutsch Kurzhaar Verband)として活動を続けている。DKVは外見審査と実技テストの両方にパスした犬以外の登録を認めてこなかったため、GSPは長年にわたる慎重な交配を経て、姿形も作業能力も最高の犬になった。現代のGSPの質の高さは、デュアル・チャンピオン――ドッグショーとフィールド・トライアルの両方で優勝すること――に輝いた犬の頭数からもうかがい知ることができる。

1887年に英国のドッグショーに初めて出陳された当初、GSPはさほど注目されなかった。しかし第二次世界大戦後、ドイツに駐留していた多くの英国軍人がこの犬を伴って帰国すると、たちまち脚光を浴びるようになる。そして1951年のジャーマン・ショートヘアード・ポインター・クラブの発足に続き、54年にはGSPのトライアル競技が英国で初めて開催された。KC主催のフィールド・トライアル・チャンピオンシップでは、1962年にGSPが初めて優勝を飾っている。現在GSPは世界的人気犬種で、この犬種のためのフィールド・トライアル大会も多数開催されている。

AGILE AND WISE｜敏捷性と知性

GERMAN SHORTHAIRED POINTER｜ジャーマン・ショートヘアード・ポインター

AGILE AND WISE | 敏捷性と知性

HUNGARIAN VIZSLA
ショートヘアード・ハンガリアン・ビズラ

近現代―ハンガリー―比較的多い

SIZE｜大きさ
体高：雄　57〜64cm／雌　53〜60cm
体重：雄雌とも　20〜30kg

APPEARANCE｜外見
屈強なボディにラセット・ゴールド（赤身のある金色）の独特な被毛をまとった高貴な姿。スカルは耳のあいだでほどよい幅があり、マズルよりやや長い。マズルは先細りだが、それでも先端がしっかりと正方形になっている。鼻の色はブラウン。目は中ぐらいの大きさで、被毛の色よりやや濃い色をしている。厚みのある耳は先の丸いV字形で、絹のような毛が生えている。付き位置は適度に低く、そこから頬に沿うように垂れる。首は適度な長さで力強く、アーチを描いている。背は短く水平で、非常に筋肉質。胸は深く、胸骨がはっきりと目立つ。腹は腰の下あたりでわずかに巻き上がっている。尾付きはかなり低めで、3分の1ほどの長さに断尾される場合もある。断尾しない尾はほどよい太さで飛節まで達し、活動中はわずかにカーブしながら水平に保持される。

COLOR｜毛色
ラセット・ゴールド。被毛は、縮れのないまっすぐで光沢のある短い毛が密生している。

APTITUDE｜適性
獲物の足跡追及、ポインティング、レトリービング、またはアジリティに。ショードッグ、家庭犬としても。

ハンガリアン・ビズラには不思議な魅力がある。個性が光るこの犬は、故国ハンガリーの波乱に満ちた歴史に翻弄され、20世紀には絶滅の危機に瀕した。血統証明書の原本もほとんど失われてしまったが、復活を遂げた現在はハンガリーの国犬に指定されている。

ハンガリアン・ビズラの歴史は、北アジアや西アジア、中央アジアからやってきた遊牧民族、マジャール人が伴っていた犬から始まる。マジャール人は、895年には中央ヨーロッパ東部に広がるハンガリーの平原に到達していた。そしてこの地で牧畜、狩猟、農耕を行って暮らしを立て始める。彼らの犬は、もとはヒマラヤ山脈とチベットの山岳地帯に生息していたマスティフ・タイプとハウンド犬の雑種だったと考えられ、すぐれた作業能力と知能を兼ね備えていた。特に、鋭い嗅覚で獲物となる鳥を発見する能力と、その鳥を猟師のもとに追い込む能力に長けていた。

マジャール人は、それらの能力をさらに伸ばすことを目的として犬の交配を繰り返した。記録によると、彼らの犬は「金色」の被毛をまとっていたという。「ビズラ」という語が登場する最も古い文献は1350年頃のものだから、その頃には、そうした交配によってハンガリアン・ビズラはすでに誕生していたと思われる。また、ビズラはハンガリーのドナウ川沿いにある村の名前を指していることから、そのあたりがこの犬種の生誕の地であったであろうと推察されている。

16世紀以降、貴族たちは娯楽としての狩猟に興じ、猟に用いる犬の品種改良を行ってきた。特筆すべきは、ハンガリアン・ビズラは猟犬として繁殖されていたにもかかわらず、今日に至るまでずっとペットとして認識されてきた点だ。この犬は昔から、犬舎ではなく人間と同じ屋根の下で生活してきたのだ。ハンガリアン・ビズラは、家族の一員として愛情と思いやりをかけてもらわないと、その能力を遺憾なく発揮することができないのかもしれない。

19世紀になると、ドイツ人やオーストリア人、英国人が自国産の猟犬と交配させるために、ハンガリアン・ビズラを自国へ持ち帰るようになっていた。その結果、故国ハンガリーでは、繁殖の中核をなす基礎犬の頭数が減少してしまう。そこで1917年にフベルトゥスという保護団体が創設され、3頭の雄と9頭の雌のビズラを用いて犬種の基礎犬保存のための取り組みが開始された。現在ハンガリーで登録されているハンガリアン・ビズラはすべて、この12頭の血を引いている。その3年後の1920年には、マジャール・ブリーディング協会が創設されるとともに、犬種標準も作成された。

しかし第二次世界大戦が勃発すると、再びハンガリアン・ビズラは絶滅の危機に追い込まれる。何千人もの人々が、侵攻するソ連軍に追われて国外へ逃れる一方で、ほとんどの犬が置き去りにされてしまったのだ。それでも犬を連れていくことのできた人たちも少数ながら存在した。そのおかげで、なんとか犬種としての息をつなぐことができたのである。1950年代になるとハンガリアン・ビズラは米国へも渡り、53年には米国マジャール・ビズラ・クラブが設立された。そして1960年にはAKCの認定も受け、それを契機に犬種名から「マジャール」という言葉が外された。

英国では、1953年にKCが2頭のハンガリアン・ビズラの登録を行っている。この国で初期に重要な役割を果たした犬は、1963年にフランスから輸入されたジョラム・ド・ラ・クレストという雄犬だ。ジョラムは種牡犬として7度の交配に用いられ、現在も彼の子孫が英国に多数存在する。初めての犬種クラブ、ハンガリアン・ビズラ・クラブは1968年に設立されたが、当初の会員数はわずか25人だった。しかし1971年に希少種の指定が外されたのをきっかけに愛好家が増え、現在では人気の犬種に成長している。

WEIMARANER
ワイマラナー
近現代ードイツー比較的多い

SIZE｜大きさ

雄　63.5〜68.5cm／雌　58.5〜63.5cm

APPEARANCE｜外見

個性的なグレーの被毛をまとい、貴族のような品のよさと力強さを併せ持つ。頭部はほどよい長さで、気品と知性を感じさせる。マズルは頭部と同じ長さ。アンバーかブルーグレーの目は、左右のあいだが離れている。耳はロビュラーで長く、高い位置に付き、頬の後部に接して口角の位置まで垂れている。体長は体高とほぼ等しい。トップラインは水平だが、尻はわずかに傾斜している。胸は深く、腹はわずかに巻き上がっている。かつては慣習的に断尾が行われていたが、断尾しない尾は先細で、飛節まで達する。リラックスしているときは垂れ下がり、活動中はトップラインまで上がるが、背の上に背負うことはない。

COLOR｜毛色

シルバー・グレーが最も望ましいが、マウス・グレーやノロジカ色（黄みがかったグレー）も認められる。頭部と耳はわずかに淡く、背に濃い色の筋が見られることもある。被毛は短くまっすぐで、金属のような光沢がある。長毛のバラエティは、毛の長さが2.5〜5cm。

APTITUDE｜適性

元来は大型獣の狩猟に。現在は獲物のポインティング、レトリービング、足跡追及、またはアジリティに。さらにはショードッグ、家庭犬としても。

独特な美しさを持つ現代のワイマラナーは、猟犬であると同時に愛すべき伴侶犬でもある。作業能力、性格、外見ともに申し分のないこの犬は、ドイツで品種改良を慎重に繰り返して生み出され、200年ほど前にはすでに現在のような姿になっていた。最大の特徴は、この犬種特有の美しい被毛の色である。シルバー・グレーからマウス・グレーのあいだの色調で、金属のような光沢があることから、「グレー・ゴースト（灰色の幽霊）」の異名もとる。

ワイマラナーは基本的に短毛の犬だが、長毛のバラエティも存在する。この長毛のバラエティはAKCでは認められていないが、KC及びヨーロッパ各国のケネルクラブは認めており、ドイツのワイマラナー・クラブのロゴには短毛種と長毛種の両方がデザインされている。長毛のワイマラナーが初めて生まれたのは英国で、1973年のことだった。間もなく2頭目がオーストリアでも生まれ、英国へ輸出された。以来、長毛のワイマラナーは英国のドッグショーやフィールド・トライアルでチャンピオンに輝いている。だが、希少なバラエティであることには変わりない。

ワイマラナーの起源については、はっきりしたことはわかっていない。17世紀の絵画に外見が酷似した犬が描かれているため、その頃に誕生したのではないかとも言われているが、それら初期の猟犬が品種改良を経て、現代のワイマラナーに発展していったのかもしれない。祖先犬の1つと考えられているのが、8世紀にベルギーの男子修道院で飼育されていた嗅覚ハウンドで、のちにブラッドハウンドに発展するサン・テュベール犬である。また、ワイマラナーとジャーマン・ショートヘアード・ポインターは、古いドイツのハウンド犬やポインター、フランス・ガスコーニュ地方のハウンド犬などを共通の祖先として発展してきたのではないかと考える研究者もいる。

いずれにせよ、現代のワイマラナーの歴史はザクセン＝ワイマール＝アイゼナハ大公の宮廷から始まったというのが定説だ。ワイマール大公国の君主カール・アウグスト（1757〜1828年）は大規模な猟犬用の犬舎を複数所有しており、それらの犬舎が、ワイマラナーという犬種の基礎を築いたと考えられているのだ。

ワイマラナーは、もともとはクマやオオカミ、ヤマネコ、シカなどの狩りに用いられ、「グレー・ハンティングドッグ（灰色の猟犬）」と呼ばれていた。非常に有能な大型獣の猟犬として広く知られるようになるが、19世紀後半になると狩猟の対象が鳥や小獣に変わっていったため、この犬も小獣の足跡追及やポインティング、レトリービングの能力を重視した交配が行われるようになっていく。ドイツの貴族が独占的にこの犬を所有して繁殖を行っていたため、犬種としてタイプが固定するまでにあまり時間はかからなかった。

そうして1896年に犬種標準が作成され、翌97年には現在のワイマラナー・クラブの前身となるシルバー・グレー・ワイマラナー・フォルシュテーフント純血種繁殖クラブが発足する。犬籍原簿への登録も同年に始まった。ただし、当時はクラブへの入会に制限があり、ワイマラナーの所有と繁殖も会員だけにしか認められていなかった。そのため、ワイマラナーが初めて英国へ渡ったのは1952年になってからだった。ドイツ駐留中にワイマラナーを用いて狩猟を行っていたR・H・ペティ少佐が、帰国の際に連れ帰ったのだ。それでも、その翌年には英国ワイマラナー・クラブが創設され、KCも犬種として認定している。以後、ワイマラナーは狩猟犬、銃猟犬として一躍人気犬種となった。特にフィールド・トライアル競技では、ポインター・セター部門に出場して注目を集めた。その後、英国ジャーマン・ショートヘアード・ポインター・クラブが運営するトライアルへも出場が認められるようになっている。

AGILE AND WISE｜敏捷性と知性

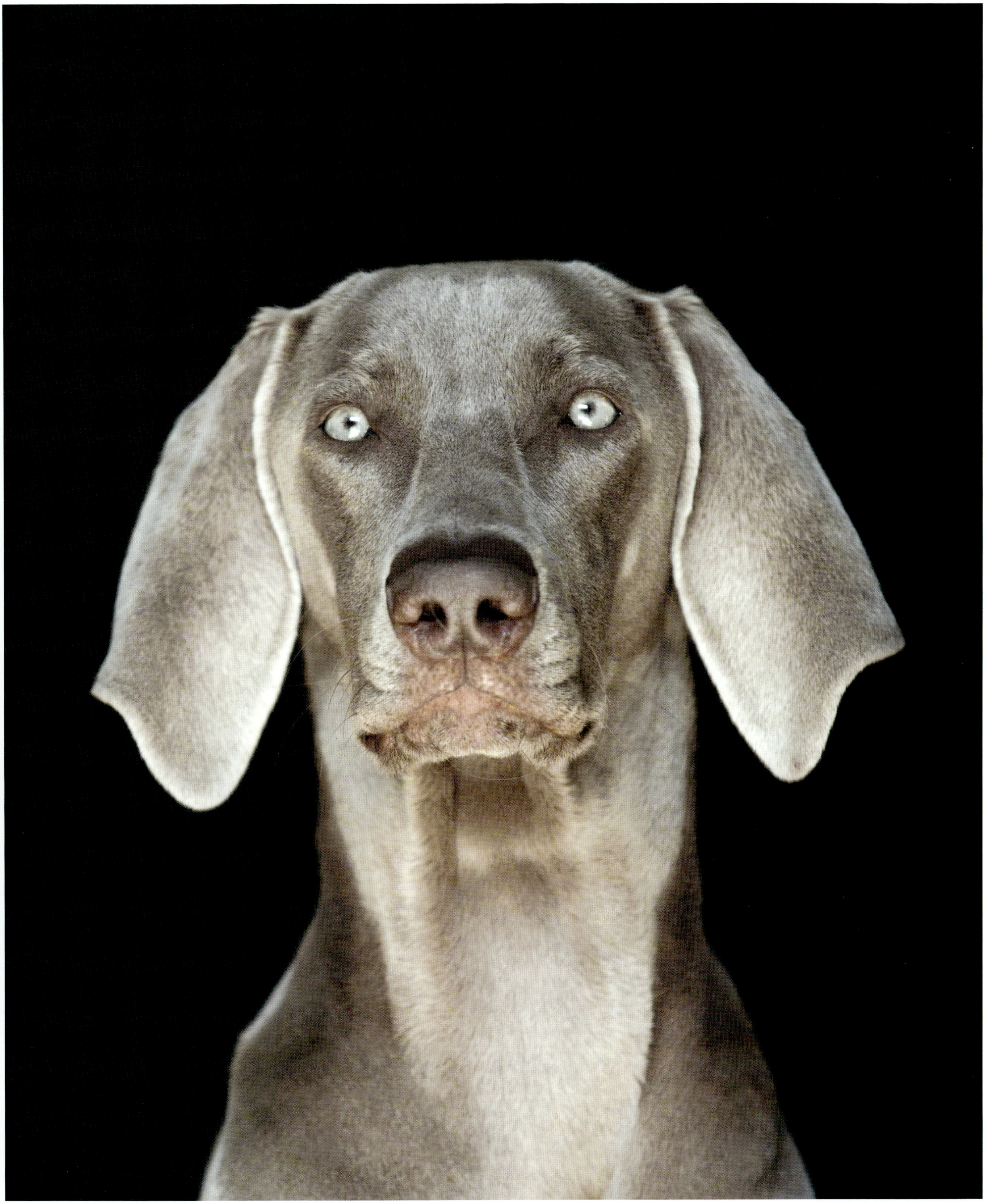

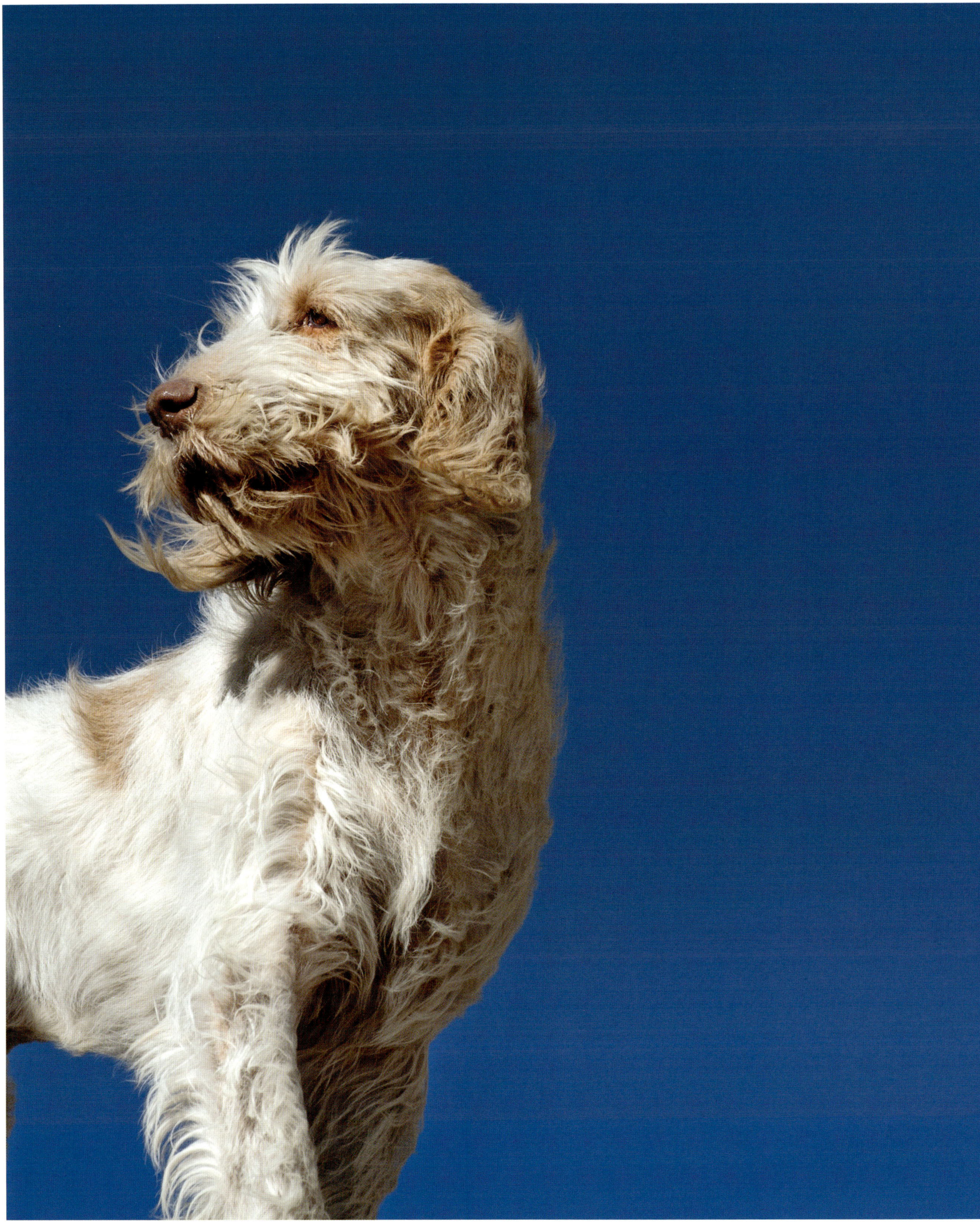

ITALIAN SPINONE
スピノーネ・イタリアーノ
近現代―イタリア―比較的多い

SIZE｜大きさ
体高：雄　60〜70cm／雌　58〜65cm
体重：雄　34〜39kg／雌　29〜34kg

APPEARANCE｜外見
頑丈で四角い輪郭の体躯と、ごわごわとした粗毛が特徴的。スカルは卵形で、マズルと同じ長さ。マズルは深く直線的だが、横から見るとわずかに弧を描き、正面から見ると正方形。ほぼ円形の目は、左右のあいだが離れている。目の色は被毛の色によって異なるが、いずれも優しげで人間のような豊かな表情を見せる。三角形の耳は厚い被毛に覆われ、低く垂れて頬にまでかかる。首は短く、筋肉質で力強い。胸は深く幅広で、腹の巻き上がりは最小限。肩先から臀部までの長さは体高と等しい。トップラインはキ甲から後方へゆるやかに傾斜し、わずかにアーチを描く幅広の腰のあたりで盛り上がる。尻も尾の付け根に向かってわずかに傾斜している。以前は慣習的に半分の長さに断尾されていたが、断尾しない尾は付け根が太く、水平以下に保持される。

COLOR｜毛色
ホワイトの単色、ホワイト＆オレンジ、オレンジ・ローン、ホワイトにブラウンの斑、ブラウン・ローン。唇、鼻、目の縁、爪、肉球の色は、被毛がホワイトなら肉色、ブラウン・ローンならブラウンというように毛の色によって異なる。被毛は長さ4〜6cmの粗毛で、身体に沿うように平らに密生する。眉、口の周り、あごの毛は太くて長いので、眉毛や口ひげ、あごひげが生えているように見える。

APTITUDE｜適性
狩猟、ポインティング、レトリービングに。ショードッグ、家庭犬としても。

スピノーネ・イタリアーノは、「ハンティング」「ポインティング」「レトリービング」に長けたHPR犬種に分類される万能型のガンドッグである。このグループの他の犬種同様、すばらしい気性で知られ、小獣や鳥を狩り、水陸の別なくレトリービングができる。歩調がゆったりとしており、また意図的にじっくりと獲物を追跡することから、時に「スロー・フット（のろまな足）」と呼ばれることもあるが、これは誤解を招く表現だ。確かに猟犬のなかではスローペースに分類されるが、実際は軽快なトロット（速足）で獲物を追うことができる。しかも厚くて丈夫な皮膚と密生する硬い被毛のおかげで、森の下生えや厳しい地形のなかで走り回るのも平気である。

スピノーネ・イタリアーノという名が使われるようになったのは19世紀のことで、スピノサスモモ（*prunus spinosa*。ヨーロッパ、西アジア、北アフリカに自生する棘のある植物）という灌木に由来する。小さな獲物がよく身を隠しているこの棘だらけの藪に、こともなげに飛び込んでいけることから名づけられた。そんなことができる犬はなかなかいない。さらにスピノーネ・イタリアーノは、嗅覚の鋭さでも他を圧倒する。そのため第二次世界大戦では、ドイツ軍部隊のあとを追うためにイタリア軍に徴用されていた。この犬は、イタリア製の靴墨とドイツ人が使っていた靴墨のにおいを嗅ぎ分けることができると言われていた。

スピノーネ・イタリアーノは一般に、先史時代あるいはローマ帝国の時代に誕生した犬種だとされているが、それを証明する記録は残っておらず、東ヨーロッパの犬から派生したと主張する研究者もいる。また、セターの血を汲むという説や、同じワイアーヘアーでイタリア原産の古い嗅覚ハウンド、セグージョ・イタリアーノから生まれたという説もある。ともあれ、スピノーネ・イタリアーノがポインターの血を受け継ぎ、暮らしていた土地の地理的条件に合わせて進化した犬であることに間違いはない。

このスピノーネ・イタリアーノは、20世紀前半に絶滅に近い状態へと追い込まれた。イタリアの猟師たちの関心が、より俊敏なスパニエルやセターなどに移ってしまったことに加え、第二次世界大戦によって壊滅的な被害をこうむったためだ。だが、この犬種の研究をしていたアドリアーノ・チェレソーリ博士が、1949年に現存するスピノーネ・イタリアーノの数を調査したところ、一部のブリーダーが、フレンチ・ワイアーヘアード・ポインティング・グリフォン、ブレ・グリフォン、ジャーマン・ワイアーヘアード・ポインターと交配させて、犬種保存のために努力を続けていることがわかった。それ以降、この犬種の復活を目指し、組織的な交配が行われている。なお、博士はこの犬種についての代表的な専門書『Lo Spinone Italiano（スピノーネ・イタリアーノについて）』を1951年に発表している。

1950年代になると、スピノーネ・イタリアーノは英国に初上陸した。英国生まれのイタリア系ピアニスト、アルベルト・センプリーニが輸入したのだ。しかし、この犬種に注目が集まったのは1980年代になってからだった。1981年にメアリー・ムーアとルース・タッターソールが4頭のスピノーネ・イタリアーノを輸入し、ほかの輸入犬との交配を行ったことが、英国におけるスピノーネ・イタリアーノの基盤を構築することとなった。

そうして1983年に英国スピノーネ・イタリアーノ・クラブが創設され、89年には、CCの発行されないオープン・ショーではあったが、初めてこの犬種のドッグショーが開催された。1994年にはKCからチャンピオンシップへの挑戦権を付与され、セントリング・ゼンゼロという名の犬が、見事フルチャンピオン（ワーキングテストにも合格したチャンピオン犬）第1号に輝いている。一方、米国では2000年にAKCに公認されたが、飼育頭数は伸び悩んでいる。

CHESAPEAKE BAY RETRIEVER
チェサピーク・ベイ・レトリーバー

近現代 – 米国 – 比較的多い

SIZE | 大きさ
雄 58〜66cm／雌 53〜61cm

APPEARANCE | 外見
力強く均整のとれた屈強な体躯と、ウェービーな被毛が特徴的。スカルは幅広で丸く、知的な印象を与える。マズルは先細で、スカルとほぼ同じ長さ。ほどよく大きな目は、イエローかアンバーの非常に明るい色で、左右のあいだが広く離れている。耳は比較的小さく、頭部の高い位置にしっかりと付いている。首は適度に長く、筋肉質。体長は中ぐらいで、トップラインは水平、あるいは後肢がキ甲よりわずかに高い。胸は深く幅広で、ひばらはかなり巻き上がっている。肩と後肢は力強く、足は水かきを持つ兎足。尾は中ぐらいの長さで、まっすぐか少しカーブしながら水平、あるいはトップラインよりわずかに高く掲げられるが、巻いて背負うことはない。

COLOR | 毛色
デッドグラス（枯草色）、セッジ（くすんだタン）、さまざまな色調のブラウン、アッシュ（灰色）。胸、腹、指、足の後ろ側（肉球のすぐ上）のホワイトの小斑は認められる。被毛は、自然な油分を含む粗く短い上毛と、細くて羊毛のような下毛が密生するダブル・コートで、非常に防水性が高い。首、肩、背、腰の毛にはウェーブがかかる傾向がある。

APTITUDE | 適性
狩猟、レトリービング（特に水鳥の回収）、またはアジリティ、オビディエンス競技に。さらにはショードッグとしても。

チェサピーク・ベイ・レトリーバーほど、獲物の水中回収能力が高い犬はほかにない。生まれながらに水が大好きで、凍てつくような冷水にも適応できるよう進化してきた。過去200年にわたりガンドッグとして活躍してきたが、現在はワーキング・トライアル［訳註：足跡追及や障害物競走など、警察犬の活動を模した競技］、オビディエンス競技、アジリティ競技の分野でもその才能を開花させている。また、とても愛情深く誠実な性格で、大切な人とテリトリーを全力で守ろうとするので、一般家庭のペットにも向いている。ただし高い知能と強い独立心も持ち合わせているため、早い段階でしつけを済ませておく必要がある。と同時に、じゅうぶんな運動をさせてやるよう留意する必要もある。

チェサピーク・ベイ・レトリーバーは、その起源に関する記録がほぼ完全に残っている数少ない犬種の1つである。その記録とは、米国の投資家ジョージ・ローが1845年にしたためた書簡（1852年に出版）で、1807年に遭遇した英国の貨物船の難破事故について書かれたものだ。貨物船はカナダ東海岸に位置するニューファンドランド島を出航し、英国南部のプール・ハーバーに帰港する途中、米国東海岸のチェサピーク湾で難破した。米国船のカントン号に乗っていてこの事故を目撃したローは、直ちに難破船の救助に向かい、そこで雄雌2匹の子犬を見つける。ローは手紙で、この子犬の種類をニューファンドランドと書いているが、実際はもう少し小型で現在は絶滅してしまったセント・ジョンズ・ウォーター・ドッグだったかもしれない。

いずれにせよ、2匹とも正真正銘、誉れ高いニューファンドランドの犬だと請け合う貨物船の船長から2匹の子犬を買い取ったローは、救助した貨物船の乗組員をヴァージニア州ノーフォークまで連れていった。そこで英国人たちを降ろし、自身は雄の子犬セイラーをメリーランド州ウエスト・リバーに住むジョン・マーサーに、雌の子犬カントンを同州スパローズ・ポイントに住むジェームズ・スチュワート博士に託して、再び船上の人となった。

セイラーについて書かれた記録には、「けっこうな大きさ」の力強く頑丈な体つきで、マズルは比較的長く、毛色はくすんだレッドで顔と胸にホワイトの斑が入り、明るい色の目をしていたと記されている。淡いアンバーの目は、現代のチェサピーク・ベイ・レトリーバーにも見られる特徴だ。また被毛については、油分でコーティングされた耐水性の分厚いダブル・コートで、水中での活動に適していたとされている。このセイラーは、巻き毛のレトリーバーやアイリッシュ・ウォーター・スパニエル、セター、ポインター、各種のレトリーバーなど、さまざまなタイプの犬と掛け合わされた。

メリーランド州西部にいたカントンもまた、その能力の高さが評判となり、やはりレトリーバーやその他の猟犬と交配された。メリーランド州の東西でそれぞれ誕生したセイラーとカントンの子孫たちは、当時ブームとなっていたカモ猟で活躍するとともに、1877年にボルチモアで開催された家禽愛好家協会主催のドッグショーに出陳された。2つの系統の犬たちは3つのタイプに分かれていたが、そのショーでは「チェサピーク・ベイ・ダッキング・ドッグ」という犬種としてひとくくりにされた。

そして翌1878年、この犬種はチェサピーク・ベイ・レトリーバーと改称されてAKCに認定される。分類はスポーティング・グループだった。1918年になると、犬種の普及を目指す米国チェサピーク・ベイ・レトリーバー・クラブも設立された。同クラブは1932年に第1回レトリーバー・トライアルを開催し、以来、チェサピーク・ベイ・レトリーバーはこの競技やフィールド・トライアルで優秀な成績を収め続けている。そんなチェサピーク・ベイ・レトリーバーを、メリーランド州は1964年に州犬に指定している。

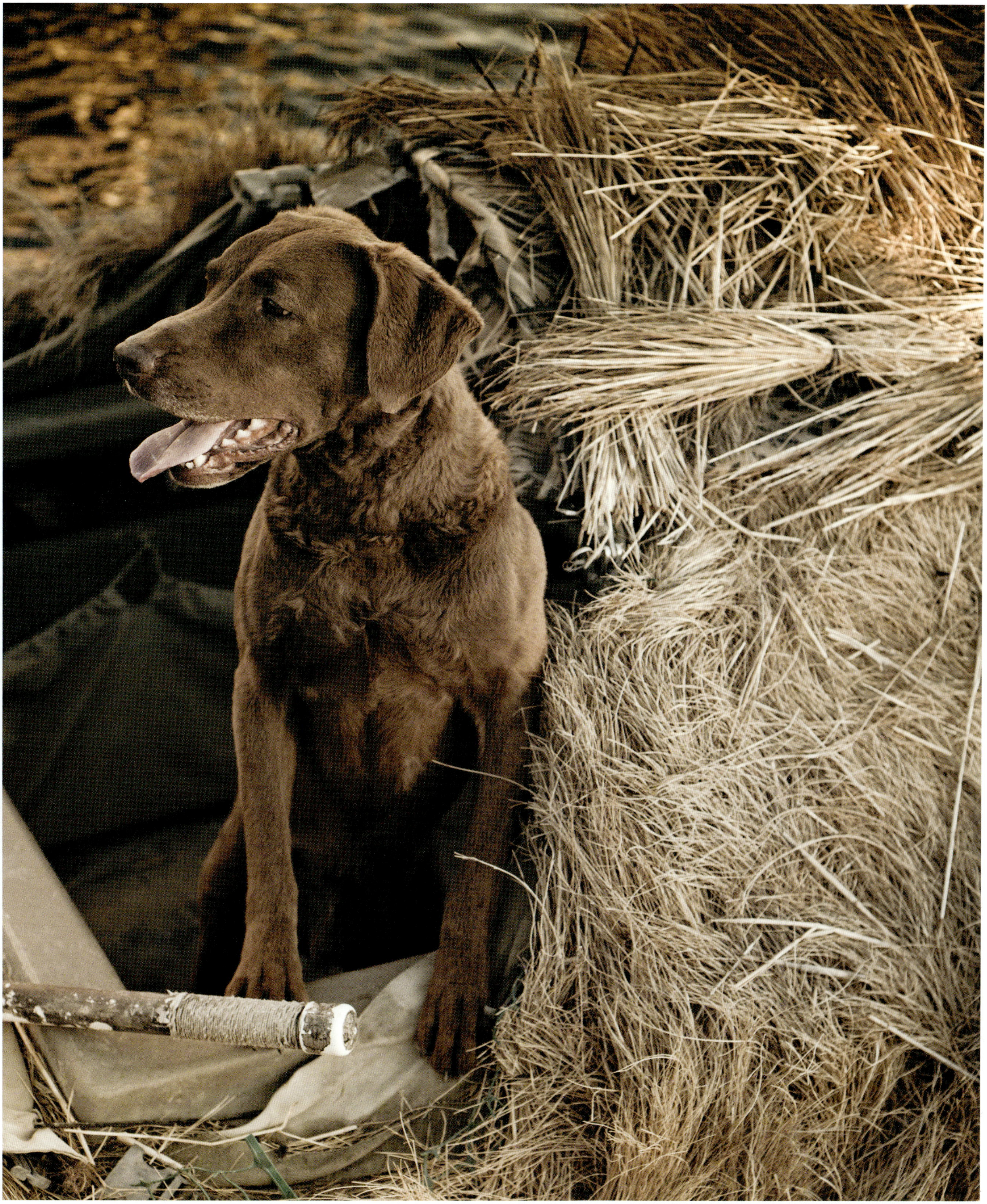

LABRADOR RETRIEVER
ラブラドール・レトリーバー

近現代-カナダ/英国-一般的

SIZE | 大きさ

雄 56〜57cm／雌 55〜56cm

APPEARANCE | 外見

力強く堂々とし、均整のとれた体つき。頭部は幅が広く、あごはほどよい長さ。中ぐらいの大きさでブラウンかヘーゼルの目は、表情が豊かで知的かつ優しげ。耳は頭部のかなり後方に付き、頭部に沿って垂れている。ボディはカプリング（胴体の最後の肋骨から寛骨まで）の短いショートカプルド。胸は深く幅広で、肋骨が樽形によく張っている。トップラインは水平で、腰部はやはり幅が広く力強い。尾は付け根が非常に太く、先端に向かって少しずつ細くなる。長さは中ぐらいで、陽気に高く掲げられる。この尾は厚い被毛に覆われて丸く見えるので、オッター・テイル（カワウソの尾）と呼ばれる。

COLOR | 毛色

全体がブラック、イエロー、またはレバー（チョコレート）。イエローは、淡いクリームからアカギツネ色まで色調はさまざま。胸にホワイトの小斑があっても許容される。被毛はダブル・コート。上毛は短く硬い毛が密に生え、ウェーブやフェザリングは見られない。下毛はやわらかく、防水性にすぐれている。

APTITUDE | 適性

狩猟、銃猟、水陸両方でのレトリービング、またはアジリティ、オビディエンス競技に。介助犬、警察犬、さらにはショードッグ、家庭犬としても。

「ラブ」あるは「ラブラドール」という愛称で親しまれるラブラドール・レトリーバーは、現代繁殖史において最も輝かしいサクセスストーリーを歩んだ犬種と言えるだろう。世界の人気犬種ランキングでも首位を守り続ける万能型のこの犬は、作業犬からペットへの切り替えも難なくこなす。あふれる知性と優しい性格も手伝って、この犬種の前に成功の道が切り開かれたのだ。

ラブラドール・レトリーバーの起源は、カナダのニューファンドランド島にいたセント・ジョンズ・ドッグにあると考えられている。15世紀以降、英国やアイルランド、ポルトガルからやってきた漁師や移民たちが連れてきたさまざまな作業犬と、土着のベオサック族が飼っていた大型の黒い原始的な犬が交雑した結果、生まれた犬とされている。この犬からは、長毛でより大型のニューファンドランドも派生している。セント・ジョンズ・ドッグは従順な性格と高い知性、そしてすばらしいレトリービング本能に恵まれた中型犬で、漁網を引いたり、小型船を牽引したり、漁船に綱を渡したりといった仕事が与えられていた。この犬はもともと水が大好きで、防水性の被毛が発達していた。これらは現代のラブラドールにも見られる特徴だ。

1600年代後半、ニューファンドランド島とイングランドのプール・ハーバーとのあいだで水産業を基盤とする交易が盛んになり、1800年代に入ると、プール・ハーバーにやってきた島の漁師たちは、水産物だけでなく彼らの犬も売り始めた。だが、これらの犬たちはそのすばらしい能力と性格ゆえ、非常に高価だった。したがって当時、買い求めることができたのは第5代バクルー公とその弟ジョン・スコット卿、第2代マームズベリ伯といった上流階級の人たちに限られていた。

そしてバクルーとマームズベリの両家はその後代々、犬種作出に大きな役割を果たしていくことになり、ラブラドールの基礎犬を誕生させた。基礎犬となったのは、1880年代に生まれた雄のバクルー・エイヴォン、バクルー・ネッド、マームズベリ・トランプ、そして雌のマームズベリ・ジュノであったとされている。こうした犬を使って英国でラブラドール・レトリーバーの繁殖が始まった頃、ニューファンドランド島ではセント・ジョンズ・ドッグが絶滅の危機に瀕していた。犬に重税が課され、所有が厳しく制限されたためだ。

ニューファンドランド島の犬が「ラブラドール」と呼ばれるようになったのには、英国人の勘違いがあった。彼らは、カナダ北東部のラブラドール半島だけでなく、それに向かい合うニューファンドランド島もいっしょくたにまとめて「ラブラドール」と呼んでいたのだ。1857年に第3代マームズベリ伯がしたためた手紙でも、この犬を「ラブラドール」の犬としている。犬種名として「ラブラドール」が初めて使われたのはこのときだ。

初期のラブラドールの被毛の大半がブラックだったが、時おり胸にホワイトの小さな斑がある犬が生まれることもあった。この斑はメダリオン（メダル）と呼ばれ、セント・ジョンズ・ドッグの影響が表れたものだ。ニューファンドランド島のセント・ジョンズ・ドッグにはイエローもしくはチョコレートの被毛もあったが、これは劣性遺伝による、ごく珍しい毛色だった。ラブラドールの草創期を支えたブリーダーたちは、この劣性遺伝子を発現させようと苦心したものと思われる。その努力が実を結び、イエロー・ラブが初めてKCに登録されたのは、19世紀も終わりを迎えようかという頃だった。

一方、チョコレートのラブラドールが人気を呼んだのは1960年代になってからである。きっかけとなったのは、クックリッジ・タンゴという名の犬が、チョコレートのラブラドールとして初めて英国でチャンピオンシップを獲得したことだった。ちなみに英国では、ラブラドール自体は1903年に

AGILE AND WISE | 敏捷性と知性

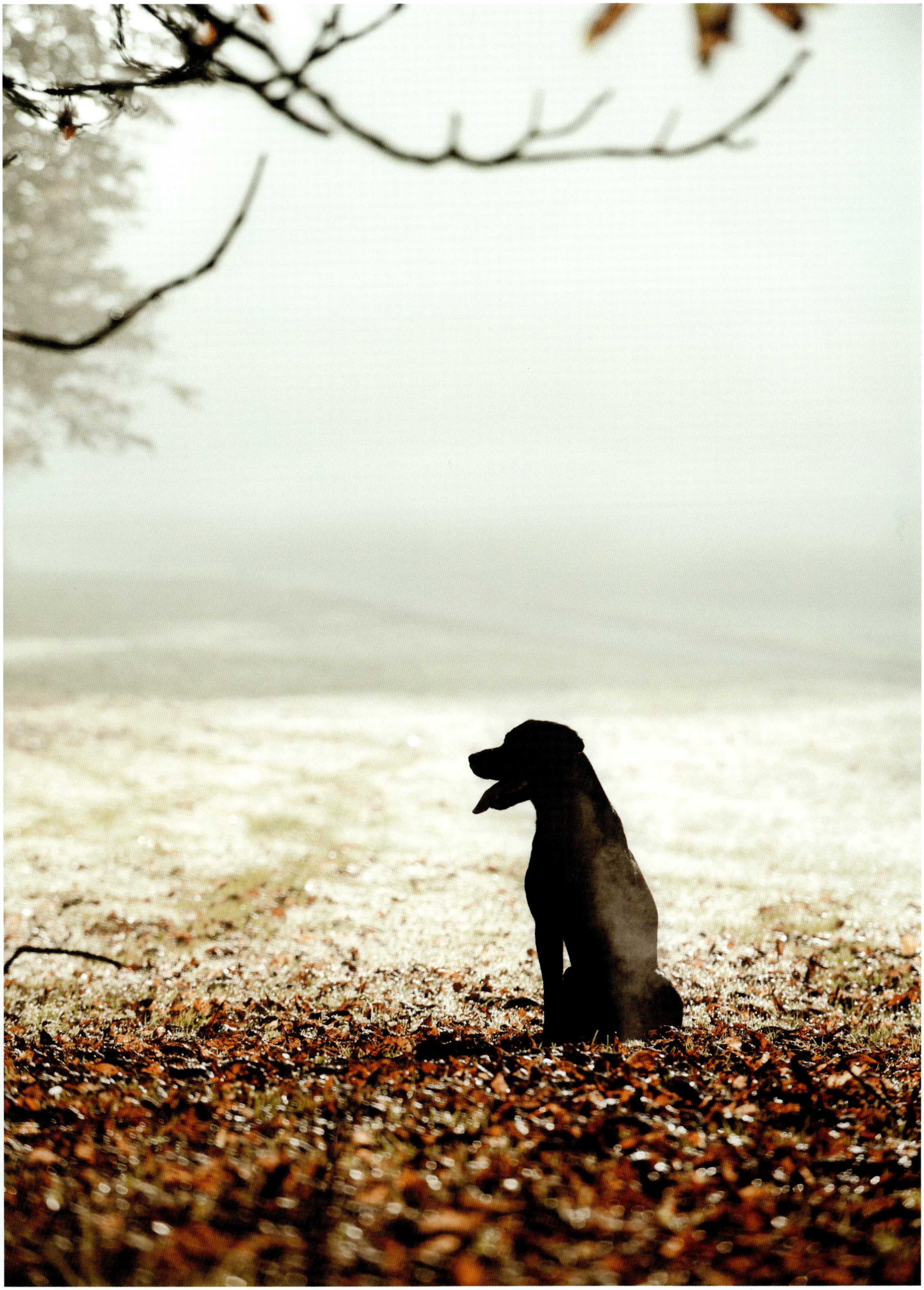

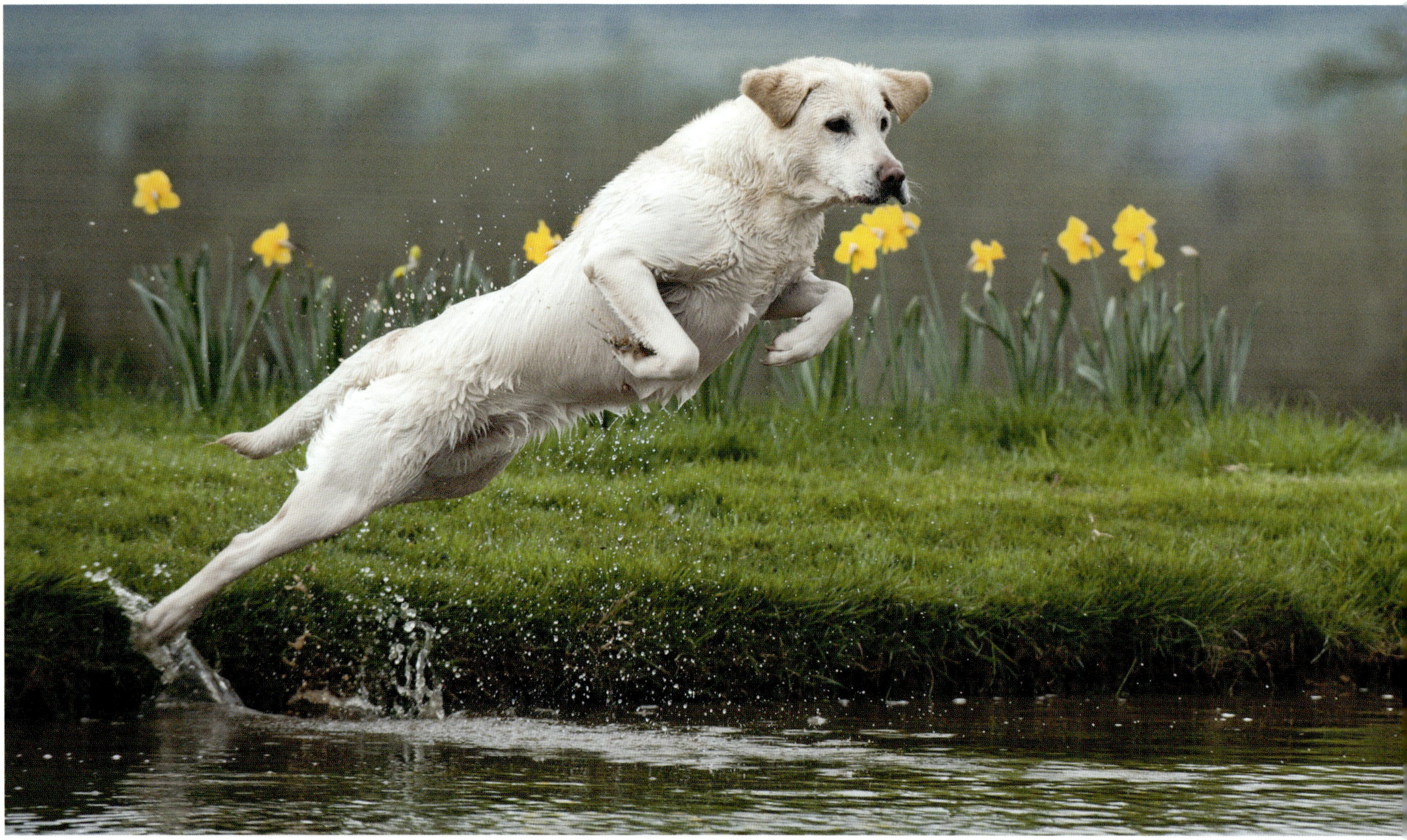

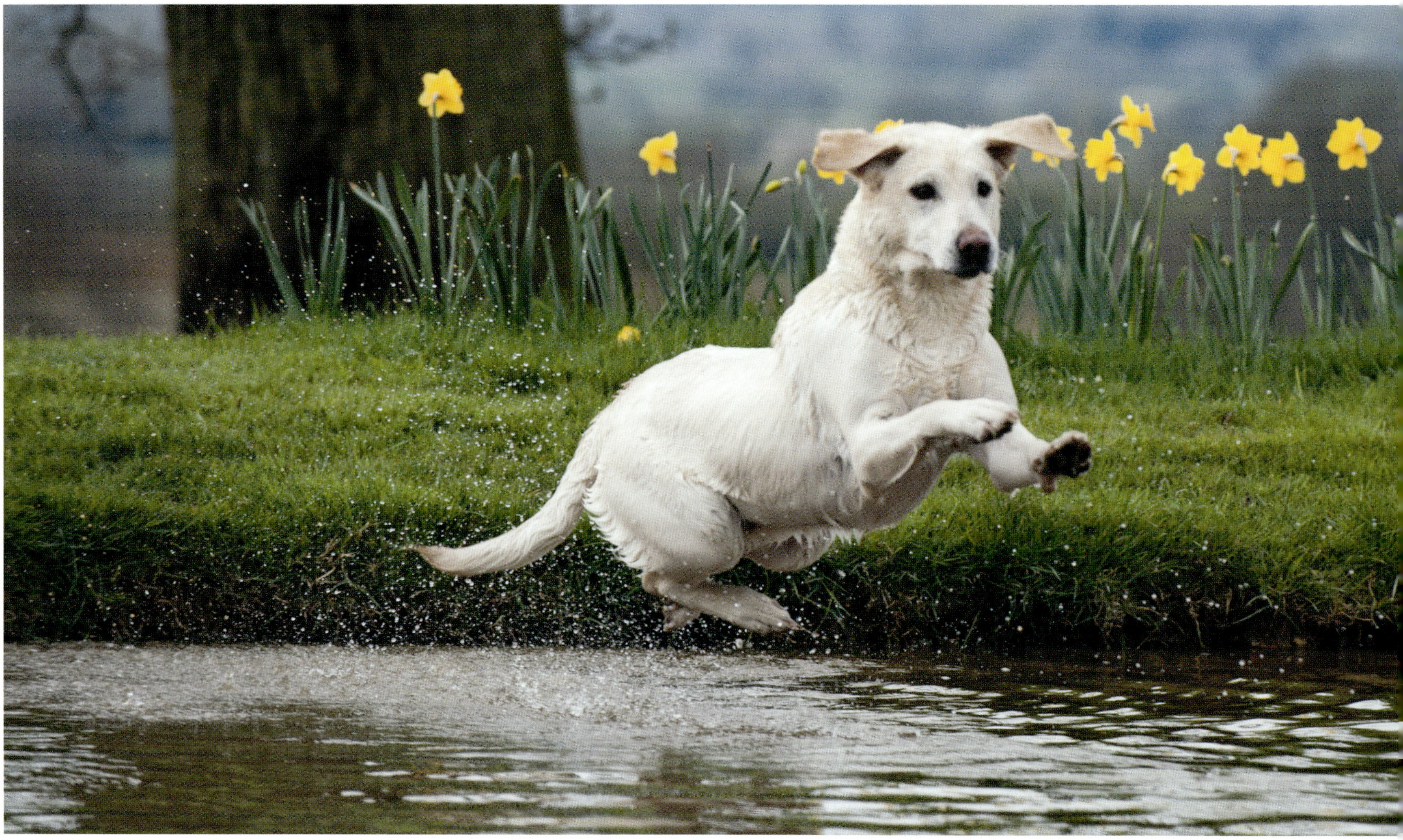

KCから犬種として認定を受け、1916年にはラブラドール・レトリーバー・クラブが創設されている。

　20世紀に入ると、米国でもラブラドールの人気は徐々に高まっていった。これには鳥猟の流行が追い風となっている。ラブラドールの才能はすぐに知れ渡る。特に防水性の短毛は、長毛種と違って毛についた水が凍りつくことがないので、水辺で猟をする犬にとっては大きな利点だった。そうして1917年に犬種としてAKCに認定され、ブロックルハースト・フロスとブロックルハースト・ネルという名のラブラドールが初めて登録された。しかし、それ以降の登録数は伸び悩み、1927年までに登録されたのはわずか23頭だった。だが翌1928年、『AKCマガジン』誌に掲載された「ラブラドールをよろしく」という記事がきっかけとなり、人気が爆発する。1931年にはラブラドール・レトリーバー・クラブが創設され、同年12月、ニューヨーク州チェスターにあるグレンミア・コート・エステートで、このクラブ主催のフィールド・トライアル競技会が初めて開催された。

　この大会でアメリカン・ブレッド・ステークス賞を勝ち獲ったのは、米国の外交官であり政治家であったW・アヴェレル・ハリマン（1891～1986年）の犬だった。彼はアーデン・ケネルという犬舎を所有する、ラブラドールの熱心なブリーダーでもあった。アーデン・ケネルはラブラドール界を代表する犬舎となり、1938年にはブリンド・オブ・アーデンという名のラブラドールが、犬として初めて『ライフ』誌の表紙を飾った。ブリンドは初代アメリカン・フィールド・チャンピオンとなった犬で、妹のデコイ・オブ・アーデンも雌で初めて同チャンピオンのタイトルを獲得している。全米チャンピオンに3度輝いたシェド・オブ・アーデンも、この犬舎の出身である。

　米国で初めて登録されたイエローのラブラドールは、1929年に英国から輸入されたキンクレーヴン・ロウズビーという名前の雄犬だった。チョコレート（レバー）のラブが登録されたのは1932年。同じく英国生まれのダイヴァー・オブ・チルトンフォリアットという犬だった。米国生まれのチョコレート・ラブとしては、1940年に初めてケンノウェイズ・ファッジという名の犬が登録されている。第二次世界大戦後、米国ではラブラドールの人気は不動のものとなり、1991年には国内人気犬種ランキングで1位に輝いた。以後20年間にわたり、ラブラドールは首位の座をキープし続けている。

　ラブラドールには現在、体型によって2つのタイプが見られるが、AKCもKCもラブラドール・グループとしてひとくくりにまとめている。回収犬、銃猟犬として繁殖されるフィールド系は脚が長く、軽快なボディを持ち、ショー系よりも運動能力がすぐれている。とはいえ、どちらのタイプもラブラドールの愛すべき気質や知性、魅力を備えており、一般家庭のペットとして最高の犬であることに変わりはない。

LABRADOR RETRIEVER ｜ ラブラドール・レトリーバー

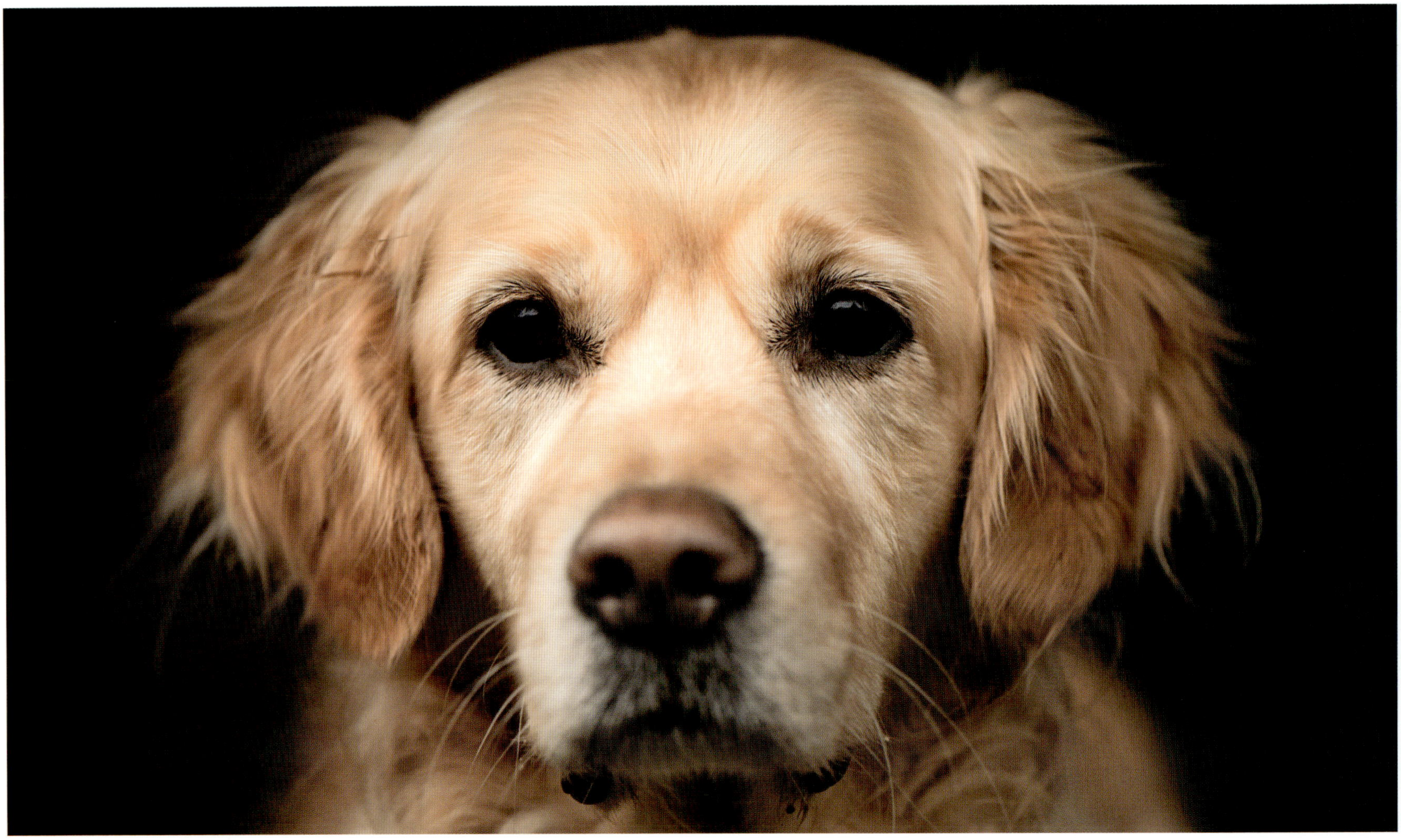

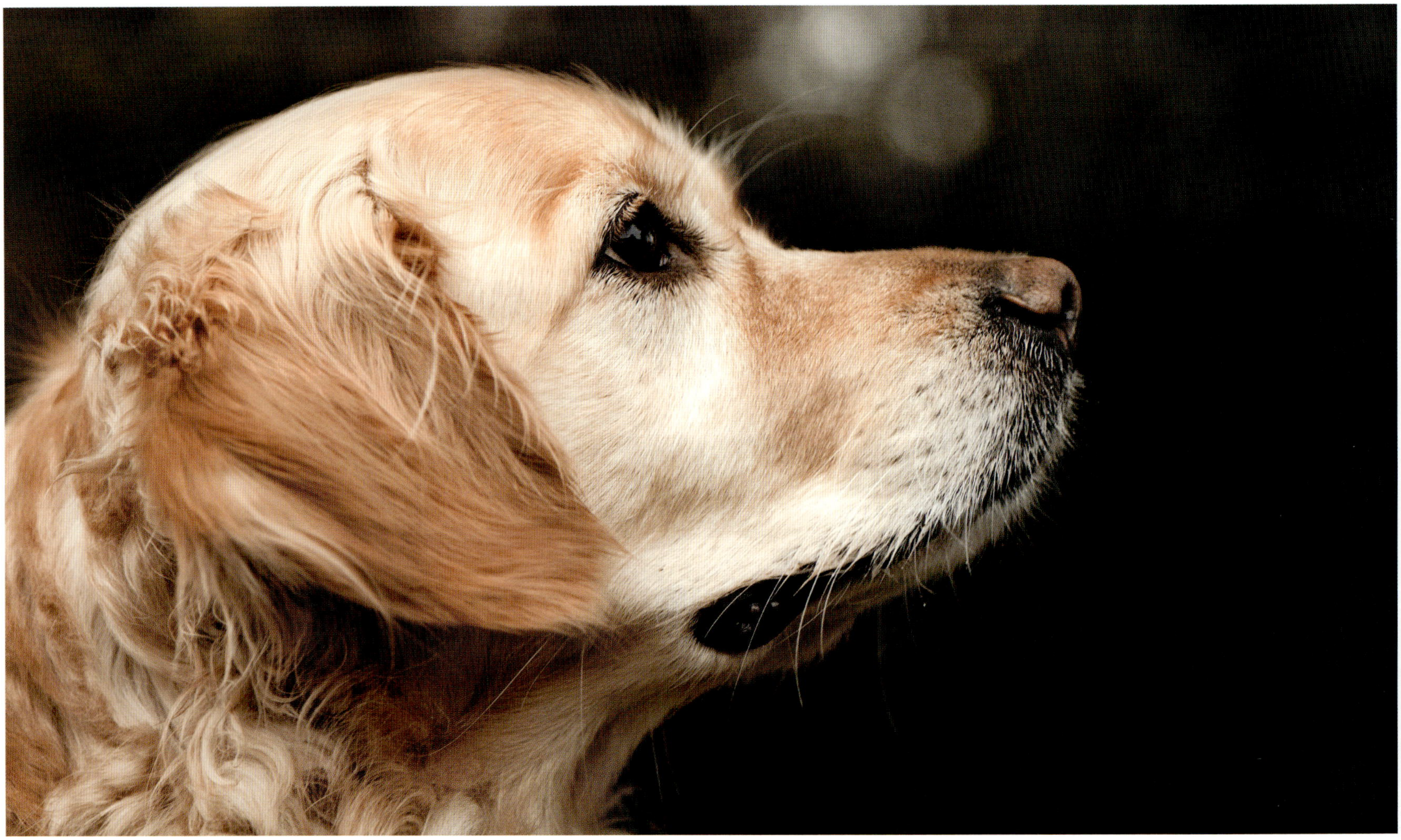

GOLDEN RETRIEVER
ゴールデン・レトリーバー

近現代-英国-一般的

SIZE｜大きさ
雄　56〜61cm／雌　51〜56cm

APPEARANCE｜外見
力強く自信にあふれているが、優しい性格を持つ。金色の被毛が特徴的。スカルは幅が広い。マズルも幅広で深く、力強い。友好的な黒っぽいブラウンの目は、あいだが離れている。耳はほどよい大きさで、目とほぼ同じ高さに付く。首はじゅうぶんな長さで筋肉質。ボディはショートカプルドで、身体全体のバランスがよい。トップラインは水平。胸は深い。足は丸みのある猫足。尾は飛節に達する長さで、背と同じ高さに保持される。

COLOR｜毛色
さまざまな色調のゴールドあるいはクリーム。胸に白い毛が混じるのは許容される。被毛はダブル・コートで、上毛は真っすぐな毛が皮膚にぺたりと沿うように生えるタイプと、ウェーブのかかったタイプがある。いずれも豊かなフェザリングがあり、耐水性の下毛が密生する。

APTITUDE｜適性
狩猟、銃猟、レトリービング、またはアジリティ、オビディエンス競技に。ショードッグ、家庭犬、さらには補助犬としても。

　ゴールデン・レトリーバーは世界中で高い人気を誇る万能犬で、すばらしい性格を持つ犬として知られている。もともとガンドッグとして繁殖されてきた犬だが、そのすばらしい気質が幅広い分野での活躍も可能にしている。行方不明者の捜索、救助活動、足跡追及に加えて、薬物や爆発物の探知などの仕事もこなすし、盲導犬、聴導犬といった補助犬として働く犬もいる。また、アジリティ競技やオビディエンス競技でもすぐれた才能を発揮するし、もちろんペットとしても広く愛されている。従順な性格で、訓練がしやすいことが人気の秘密である。

　ゴールデン・レトリーバーを作出したのは、スコットランドのダッドリー・マーシュバンクス卿（1820〜94年。のちのツウィードマウス男爵）だと言われている。ツウィードマウス卿は大きな犬舎をいくつも所有し、さまざまな獣猟犬や鳥猟犬の繁殖を行っていた。卿は1854年にネス湖の近くにあるギサチャン・エステートと呼ばれる広大な地所を購入すると、犬舎の規模を拡大してさらに繁殖に力を入れた。そうして生まれたのが、当時イエロー・レトリーバーと呼ばれていたゴールデン・レトリーバーである。

　犬種確立の基礎となったのは、1864年に購入したヌースという名のイエローの雄犬だ。当時、ツウィードマウス卿は何種かのレトリーバーに加えて、淡い色調が特徴の忍耐強いガンドッグで、水中でのレトリービングが得意なツウィード・ウォーター・スパニエルを所有していた。卿は、1867年にベルという名の雌のツウィード・ウォーター・スパニエル譲り受けると、翌年ヌースと交配させた。生まれた4頭の子犬たちは皆、イエローの被毛を持っていた。その子どもたちをさらにツウィード・ウォーター・スパニエル、レッド・セター（アイリッシュ・セター）、ウェービーコーテッド・レトリーバー、ブラッドハウンドと異系交配して、ツウィードマウス卿は現代のゴールデン・レトリーバーの基礎を確立したのだ。

　ゴールデン・レトリーバーが初めて英国のドッグショーに登場したのは1908年のことだ。ハーコート子爵所有の犬がクラフツ展に出陳された。しかし当時はまだ、フラットコーテッド・レトリーバーの1系統という位置づけだった。ゴールデンが独立した犬種としてKCに公式に認められたのは1913年になってからで、そのときGRC（Golden Retriever Club ＝ゴールデン・レトリーバー・クラブ。1911年創設）もKCに会員クラブとして認定された。

　犬種標準は1911年に作成されていたが、その当時は濃いゴールドの毛色が好まれたため、クリームのものは除外されていた。のちにスタンダードの改訂があり、現在ではクリームが認められ、レッド及びマホガニーが除外されている。この犬種の人気が爆発するきっかけとなったのは、1931年にGRCが初めて開催したフィールド・トライアル競技会だ。その舞台において、ゴールデン・レトリーバーはその能力を存分に披露し、人々の心をわしづかみにしたのである。

　1930年代になると、ゴールデン・レトリーバーはカナダ、南北アメリカ、ケニア、インド、フランス、オランダ、ベルギーなどに向けて輸出されるようになった。米国では、1925年にすでにロンバーデール・ブロンディンという名のゴールデン・レトリーバーがAKCに登録されていたが、そのときの犬種名はただの「レトリーバー」だった。米国で独立した犬種として認められたのは1936年になってからで、その2年後の38年に米国ゴールデン・レトリーバー・クラブが法人組織として設立された。

　米国におけるクラブ創設と犬種確立を支えた1人が、S・マガフィン大佐である。大佐にこの犬種を紹介したのは、カナダのクリストファー・バートンという人物だった。大佐は、ゴールデン・レトリーバーを銃猟に用いていたバートンから、スピードウェル・プルートという名の犬を譲り受けた。プルートはその後、米国とカナダの両国でチャンピオンに輝き、種牡犬として多くの子を残した。現在、米国で飼育されるゴールデン・レトリーバーの多くが、マガフィン大佐がコロラド州に設立したギルノック・ケネルにルーツを持っている。

CHAPTER 7

第7章
粘り強さと気迫

　テリアと呼ばれる犬のほとんどはスコットランド、イングランド、アイルランド、ウェールズで作出された。王室の犬となるほどの栄誉にあずかったのはほんの数種類で、多くは労働者の犬として害獣駆除やキツネ狩り、アナグマ狩りに用いられる作業犬だった。彼らは穴にもぐり込んでこれらの動物を追うこともあった。「テリア（terrier）」の語源はラテン語の「terra（大地）」。この能力ゆえにつけられた名前である。

　テリアという犬の存在を示す最も古い記録は、1801年の『Sports and Pastimes（スポーツと娯楽）』という本で紹介された14世紀の版画である。そこには、巣穴からキツネを引き出そうとする犬と、鋤を手にした3人の男が描かれている。テリアという言葉が初めて使われているのは、1570年にイングランドの医師ジョン・キーズが書いた『Of Englishe Dogges（イングランドの犬について）』においてである。キーズはその著書のなかで、「テラー」はキツネとアナグマを狩る犬であると述べている。

　テリアの起源についてはさまざまな臆測がなされているが、いずれも確固たる証拠がない。テリア系のさまざまな犬種が確立されたのはここ200年のあいだのことで、それ以前は各地に存在していたテリア系の犬は、ひとくくりにまとめてただ「テリア」と呼ばれていたようだ。それぞれの容姿の特徴について詳細な情報が記されるようになったのは、18世紀以降のことである。

　昔も今もテリアは狩猟犬だ。徒歩でも、馬に乗って行う猟でも用いられてきた。1686年に『Gentleman's Recreation（紳士の娯楽）』を著した英国の出版業者リチャード・ブロームは、2頭1組のテリアを巣穴にもぐらせてキツネを追い出す、と書いている。当時の英国で人気の娯楽だったキツネ狩りは、フォックスハウンドとテリアを組み合わせて使った。ハウンドが追跡していたキツネが巣穴へ逃げ込んだらテリアの出番だ。テリアが穴にもぐってキツネを地上へ追い出し、再びハウンド犬に追わせるのだ。狭い穴のなかでキツネやアナグマと対決するには、かなりの度胸が必要である。また、穴を掘る能力がすぐれていることはもちろん、明瞭な吠え声を上げることも求められた。地上でも地中でも、ハンターに自分の居所を伝えるために吠え声は非常に大切な要素だった。

　テリアは徐々に、このような狩猟法に求められる能力を高めていった——狭いスペースでも身動きがとりやすいように、幅が狭く、柔軟性のある胸を発達させた。ハウンド犬と同じスピードで走れるように、歩幅もある程度広くなった（と言ってもたいていの場合、テリアたちはキツネの巣穴まで人や馬に運んでもらっていたのだが）。皮膚は丈夫に、あごは強力になった。さらに被毛が厚く密生し、針金状の硬い毛を持つものも現れた。身体は小さいものの、なかなか手強いタフガイなのだ。

　なかには、ネズミの駆除に非常に秀でたテリアもいた。このテリアはキツネ狩り用のテリアとは異なり、獲物を殺したいという本能がとても強く、また狩りの際に声を出さない。19世紀には、この優秀なネズミ駆除犬にネズミを襲わせるベイティングが娯楽として流行した。ネズミを大量に入れた囲いのなかに犬を放し、制限時間内にどれだけ殺すことができるかを競うのだ。この娯楽で特に人気を集めたのは、マンチェスター・テリアであった。この犬はもともと農家の犬だったが、ネズミ駆除の能力が広く知られるようになった19世紀には、工業地帯や船着き場、炭鉱でも飼育されるようになったほか、パブで活躍した犬もいた。

　タイプが異なるテリアについて、その特徴を詳細に記した古書の1つが、英国の大地主で文筆家でもあったピーター・ベックフォードが1781年に著した『Thoughts on Hunting（狩猟の思想）』である。その著書のなかで彼は、ブラック、ホワイト、レッドのテリアについて触れている。その約20年後には、自身もテリアを所有するウィリアム・ダニエル牧師が、『Rural Sports（田園地帯のスポーツ）』（1802年頃）のなかで2種類のテリアについて記している。ブラックあるいはイエローのふさふさしたラフ・コートをまとった胴長短脚の犬と、赤茶色あるいはブラックの短いスムース・コートで四肢にタンが入った美しい体型の犬についてである。後者はブラック・アンド・タン・テリアと呼ばれ、よく似た姿のマンチェスター・テリアの祖先犬だと考えられているが、ほかにもエアデール・テリア、フォックス・テリアなど、近現代の多くのテリア種の基礎になったとされている。

　同じ頃、これと同じようなブラック＆タンのテリアについて、博物画家のシデナム・エドワーズが『Cynographia Britannica（ブリテン島犬種図鑑）』（1801年）のなかで、スムース・コートと針金のように硬いラフ・コート、短脚と長脚といったバラエティが存在すると述べている。それからおよそ50年後の1851年には、ジョン・H・ウォルシュが『British Rural Sports（英国田園地帯のスポーツ）』のなかで、ダンディ・ディンモント・テリア（架空の人物

の名前にちなんで名づけられた唯一の犬種)、ブラック・アンド・タン・テリア、スカイ・テリア、ブル・テリア、さらにはトイ・サイズのテリアやラフ・コートを持つテリアなど、さまざまなテリアについて紹介している。

そして1859年、イングランド北東部のニューカッスル・アポン・タインで初めてドッグショーが開催される。特定の犬種を専門とする繁殖や記録の保存、血統書の発行、犬種クラブ、犬種標準といったものが本当の意味で始まったのはこのときからであると言ってよい。したがってテリアも、長きにわたって猟師や農民の相棒として歩んできた歴史ある犬ではあるが、近現代種の歴史が始まったのは19世紀ということになっている。

米国では当初、テリアはネズミなどの害獣駆除犬として用いられていた。馬に乗って行う狩りでフォックスハウンドと一緒に使われることはほとんどなく、時おり徒歩での狩猟に同行する程度だった。だが、1777年にある重大な歴史的現場にテリアが登場したという記録も残されている。米国独立戦争が激しさを増していたこの年、ジョージ・ワシントン(1732〜99年)率いる大陸軍と、ウィリアム・ハウ(1729〜1814年)率いる英国軍が、ペンシルベニアのジャーマンタウンで戦火を交えていた。この戦いのさなか、小さなテリア(記録では「フォックス・テリア」とされている)が両軍営のあいだできまよっていた。大陸軍の兵士がこの犬を保護して首輪を見ると、プレートにハウ将軍の名が刻まれていた。兵士はワシントンのもとへ犬を連れていき、部隊の士気を高めるために、この犬を軍のマスコットにしてはどうかと提案した。

しかし、自身も愛犬のスイート・リップスに会いたくて寂しい思いをしていたワシントンは、人と犬との絆についてよくわかっていた。そんな彼が、この兵士の言葉にうなずくことはなかった。伝えられるところによれば、停戦命令が下された後、この小さなテリアは身体をきれいにしてもらい、じゅうぶんな餌を与えられてからハウ将軍のもとへ送り届けられたという。犬には「ジョージ・ワシントンからハウ将軍へ敬意を込めて」というメモ書きが添えられていたそうだ。

19世紀半ばになると、テリアは米国でもネズミ駆除の能力が広く知られるところとなり、英国で行われていたラット・ベイティングに似たネズミ殺し競技に使われるようになった。その頃、カリフォルニア・ゴールドラッシュ(1848〜55年)により新興都市として急成長を遂げたサンフランシスコには、大量のネズミがはびこっていた。そのため、ネズミ駆除に秀でたテリアの需要が急激に高まり、高値で取引されるようになった。テリアを道に放ってネズミを追わせると、縦横無尽に街を走り回る犬を見物するために黒山の人だかりができたという。だが、テリアの大半はあくまで家畜として扱われ、ペットとして愛情を注がれることはなかった。しかし1870年代以降、英国から純血のテリア種が輸入されるようになると、犬種クラブの発足や1884年のAKC創設が追い風となって、その地位を確立することとなった。

かつては単なる粘り強い猟犬という枠内に収まっていたテリアだが、現在はもっぱら一般家庭の伴侶犬という役割を担っている。また、アジリティをはじめ、知性と運動能力を試す競技やトライアルでも優秀な成績を収めている。しかしその一方で、現在も多くの愛犬家団体がテリアの使役犬としての気質と能力を保存するための努力を続け、万能犬としての作業性をより高めるための取り組みを行っている。

TENACIOUS AND SPIRITED | 粘り強さと気迫

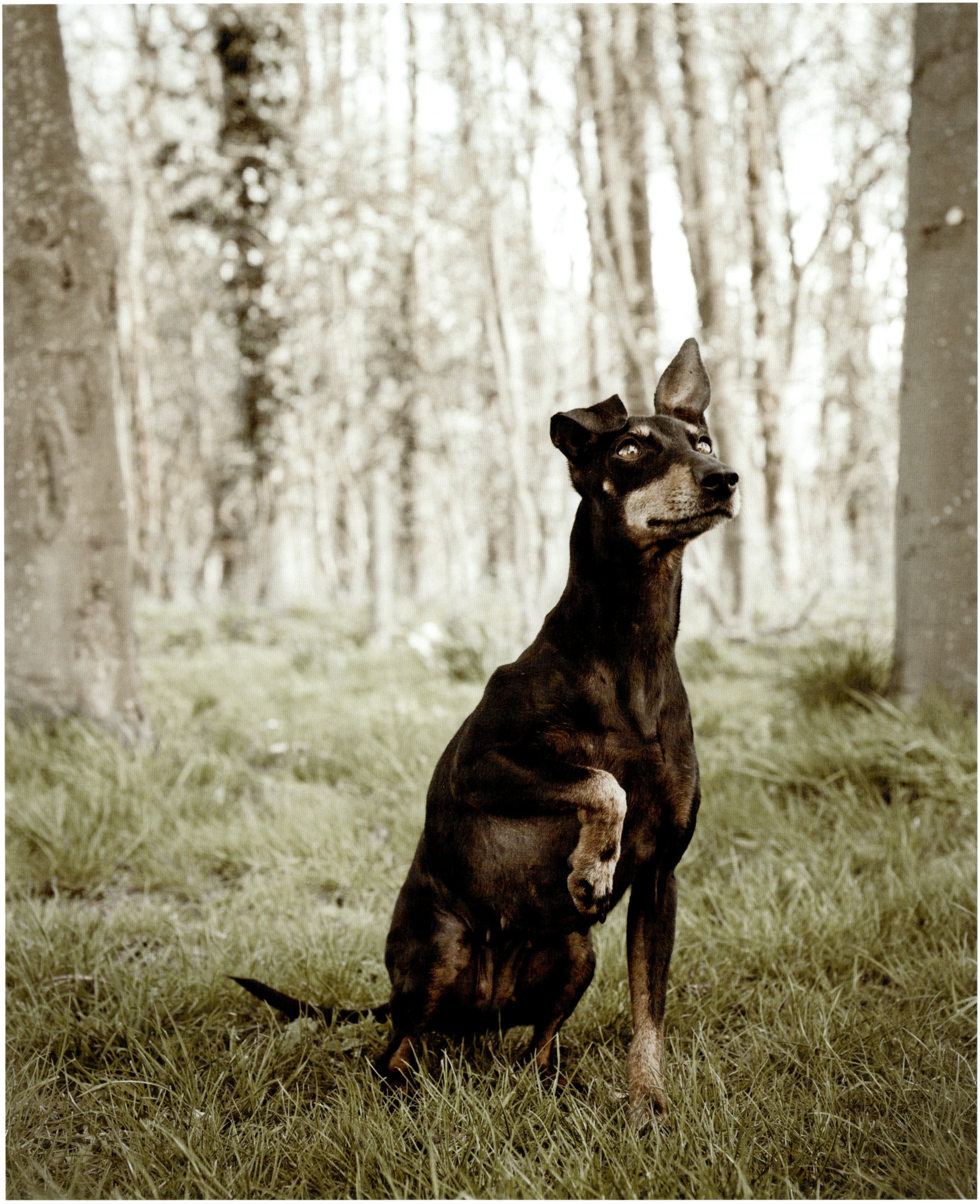

MANCHESTER TERRIER
マンチェスター・テリア

近世以前／近現代－イングランド－希少

SIZE｜大きさ
雄 41cm／雌 38cm

APPEARANCE｜外見
つややかでエレガント。頭部はくさび形で細長く、活動的な印象を与える。アーモンド型の目はやや小さめで黒っぽい。頭部のトップラインの上に付いたV字形の耳は前方に折れ、頭に沿うようにして目の上に垂れている。首は長く、わずかにアーチを描く。胴は短く、肋骨がよく張っている。腰はわずかに弧を描き、腹は巻き上がっている。尾は短く、太い付け根から先細りになり、背のラインより高く掲げられることはない。

COLOR｜毛色
漆黒に濃いマホガニーのタン。被毛は美しい光沢のあるなめらかな短毛。

APTITUDE｜適性
ネズミや小型害獣の駆除、アジリティに。ショードッグ、家庭犬としても。

　マンチェスター・テリアはエレガントな容貌のなかに、不屈の精神とあふれんばかりの知性を秘めている。これらはテリアらしさの真髄とも言うべき特徴だ。米国ではサイズによってスタンダード・タイプとトイ・タイプに分けているが、英国ではこの2つのタイプを異なる犬種と見なし、スタンダード・タイプをマンチェスター・テリア、トイ・タイプをイングリッシュ・トイ・テリア（トイ・マンチェスター・テリア）としている。いずれも、英国原産のブラック・アンド・タン・テリアを起源としている。

　ブラック・アンド・タン・テリアは16世紀に誕生した犬で、医師であるジョン・キーズ博士が1570年に著した『De Canibus Britannicus（英国の犬）』のなかで初めて言及されている。初期の頃はどっしりとした体型で、現代のマンチェスター・テリアよりも無骨な姿の犬として記録されているが、それでも両者には共通点が多い。マンチェスター・テリアは現在では主にペットとして愛好されているが、ネズミ捕りの犬と呼ばれたブラック・アンド・タン・テリアの血は色濃く残り、今でもすぐれた害獣駆除能力を持っている。

　この個性的なテリアは、19世紀に広く飼育されるようになった。まだブラック・アンド・タン・テリアと呼ばれていたその時代、ネズミ捕りの能力を高く買われてイングランド中部から北部にかけての港や炭鉱、農村で重宝された。その頃、特に数が多かったのはランカシャー州だったが、やがてマンチェスターで活躍するようになる。その町の名を取ってマンチェスター・テリアと呼ばれるようになったのは、1890年代のことだ。

　19世紀まで英国国内には大量のネズミがはびこっていた。そうしたなか、犬を使ったプロのネズミ駆除師が現れる。なかでも有名なのがジャック・ブラックで、王室お抱えのネズミ駆除師としてヴィクトリア女王（1819～1901年）に仕えた。ブラックのネズミ駆除犬で最も優秀だったのは、ブラック・アンド・タン・テリアのビリーという雄犬だった。彼はビリーを数多くの雌と交配したため、当時のロンドンにはビリーの血を引くブラック・アンド・タン・テリアが数多くいたという。

　19世紀の半ばになると、ブラック・アンド・タン・テリアの交配にはウィペットの血が導入されるようになる。これが、現代のマンチェスター・テリアへと発展する足掛かりとなった。テリアには珍しい背のゆるやかなアーチは、ウィペットの影響によるものだと考えられる。また、イタリアン・グレーハウンドやダックスフンドも交配に用いられたという説もある。その洗練された容姿から、マンチェスター・テリアは労働階級のみならず、上流階級の人々にも愛されるようになり、しばしば「紳士のテリア」と呼ばれた。一方、小型のマンチェスター・テリアは多くの女性に支持された。そうして最終的に、マンチェスター・テリアは2つのタイプに分かれて定着することになった。当初、一部の熱心なブリーダーがサイズの小ささを強調するあまり、犬の健康を損なうまでになったが、のちに行きすぎた小型化は修正され、現在に至っている。

　マンチェスター・テリアは昔は断耳されるのが普通で、米国では現在もスタンダード・タイプの犬では断耳が行われている。一方、英国では1897年にKCが断耳を禁止した。だが、それが思わぬ事態を招いてしまう。長い垂れ耳が不恰好だということで多く人々の不評を買い、飼育頭数が激減するという事態に発展してしまったのだ。そこでブリーダーたちは、形のよいボタン耳（耳孔を覆うように前に折れて垂れる耳）を発現させるべく、並々ならぬ情熱と努力を注いだ。

　そうしたなか、最も重要な役割を果たしたのがC・S・ディーン大佐で、彼は1908年に初の犬種クラブ、ブラック・アンド・タン・テリア・クラブを発足させた。同クラブは1937年に創設された英国マンチェスター・テリア・クラブと合併するが、第二次世界大戦後にはほぼ絶滅状態にまで陥っていたこの犬種が存続できたのは、これらのクラブ会員のおかげである。彼らの献身的な努力のおかげでボタン耳が英国のスタンダードとなっただけでなく、頭数も上向きになり、現在では熱心な愛好者の支持を得て人気のテリア種となっている。

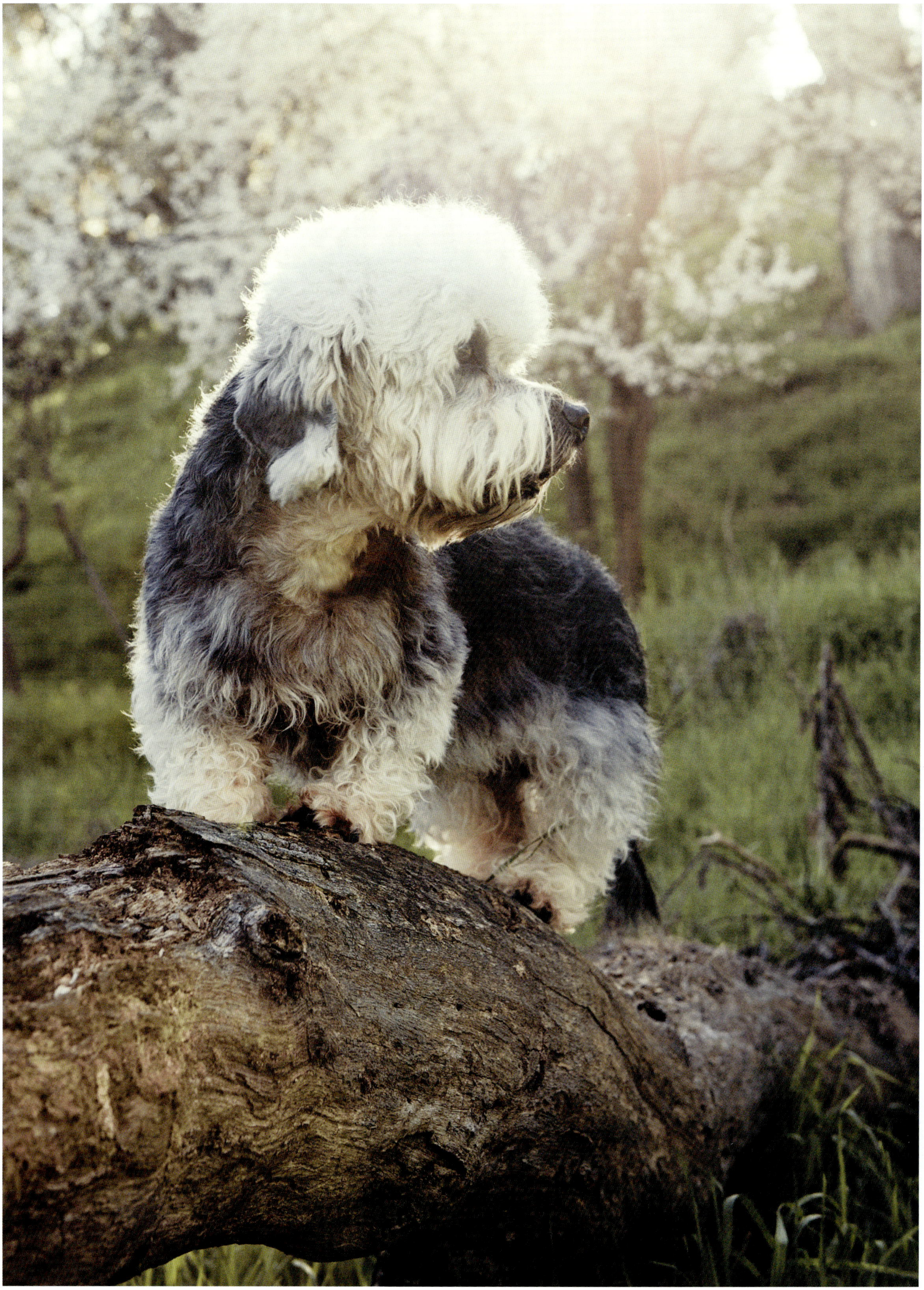

DANDIE DINMONT TERRIER
ダンディ・ディンモント・テリア
近現代 – スコットランドとイングランドの境界 – 希少

SIZE｜大きさ
体高：雄雌とも　20〜28cm
体重：雄雌とも　8〜11kg

APPEARANCE｜外見
頭部に絹のような長いトップノットがあり、胴体が長く体高が低い。前頭部はドーム状で、マズルは力強い。きらきらと輝く大きな丸い目は離れて付いている。色は濃いヘーゼルで、賢そうな表情を浮かべる。耳の長さは7.5〜10cmほどで、スカルのかなり後方の低い位置に付き、頬に沿って垂れている。首は非常に筋肉質。胸もたくましく発達している。前肢は短いが、筋肉も骨もよく発達し、左右のあいだがかなり離れている。後肢は前肢よりもやや長い。長いボディも力強い。トップラインは肩のあたりからアーチを描きながら腰に向かってなだらかに盛り上がり、そこから尾の付け根に向けて少し下がる。尾の長さは20〜25cmで、付け根が太く、三日月刀のようにカーブしながら先細りになっている。

COLOR｜毛色
ペッパー（ブルーがかったブラックからシルバー・グレーのあいだの色調で、トップノットはシルバー・ホワイト）か、マスタード（赤みがかったブラウンから淡いフォーンまでの色調で、トップノットはクリーミー・ホワイト）。どちらの場合も、前肢のフェザリングは脚の前側の被毛よりも色が薄い。尾の下側の毛は上側よりも色が明るいが、ボディの色よりは濃くなければならない。被毛はダブル・コート。上毛の長さは5cmほどで、硬くぱりぱりした手触り。下毛はやわらかい糸のような毛が密に生えている。

APTITUDE｜適性
狩猟、害獣駆除に。ショードッグ、家庭犬としても。

とても愛らしいダンディ・ディンモント・テリアの故郷は、スコットランドとイングランドの境界付近にある。この犬が誕生した時期は、少なくとも17世紀にまでさかのぼると言われるが、その起源についてはいまだに論争が繰り広げられている。一説には、オッターハウンドと土着のテリア種、あるいはテリアとダックスフンドの雑種を掛け合わせてこの胴長短脚の犬が生まれたと言われているが、この説はどうも疑わしい。

確かなのは、小さいながら勇敢なこの犬が、カワウソ狩りだけでなく、ありとあらゆる種類の害獣駆除に利用されていたということである。時には、アナグマやウサギやネズミなどの巣穴にもぐって狩りをすることもあった。自分よりはるかに大きなアナグマに立ち向かおうというのだから、相当な気骨の持ち主と言える。この勇敢で有益な犬を飼育していたのは、主に農民や密猟者、移動型民族たちで、この犬を巡るさまざまな逸話が今でも語り継がれている。

その1つが、放浪の音楽家、オールド・ウィル"パイパー（笛吹き）"アレン（1704〜79年）にまつわるエピソードだ。アレンはテリアのパックを所有していて、イングランドのノーサンバーランドでカワウソをよく狩っていた。やがて、そのうちの1頭がすばらしいカワウソ狩りの能力を持っていると評判になり、ノーサンバーランド公がその犬を譲ってほしいと申し入れる。しかしアレンは、どんなに大金を積まれても手放そうとしなかったという。

当時は正式な犬種名がなく、現在のダンディ・ディンモント・テリアという名が使われるようになったのは、19世紀初頭のことだ。それまでは、被毛の色からマスタード・テリア、ペッパー・テリアなどと呼ばれていた。この新しい犬種名を生んだ功労者はスコットランドの作家、サー・ウォルター・スコット（1771〜1832年）だ。彼が1815年に発表した小説『Guy Mannering（ガイ・マナリング）』のなかに、6頭のテリアを飼うダンディ・ディンモントという農場主が登場する。そのキャラクターは、スコットの近所で実際に農業を営むジェームズ・デヴィッドソンという人物にそっくりで、飼っていたテリアの種類も同じであった。この小説がヒットして以降、デヴィッドソンが所有していたテリア種を、ダンディ・ディンモント・テリアと呼ぶようになったのである。

犬種が確立するうえで忘れてはならないのは、オールド・ペッパーという名の犬だ。この犬は、1839年に第5代バクルー公の所領内で罠にかかっているところを発見された。オールド・ペッパーの出自は不明であったが、その子のオールド・ジンジャーが、現在登録されているダンディ・ディンモント・テリアの基礎となったと言われているのだ。そうして1875年には世界で2番目に古い犬種クラブ、ダンディ・ディンモント・テリア・クラブが創設され、翌76年には犬種標準が作成された。一方、米国では1886年にスコットランドから輸入された犬が初めてAKCに登録され、その翌年に米国ダンディ・ディンモント・テリア・クラブが創設された。

しかし、この犬種も第二次世界大戦の影響は免れず、英国でも米国でも飼育頭数が激減した。それでも戦争が終わると、熱心な愛好家たちの尽力により少しずつ回復していった。特に重要な役割を果たしたのが、イングランドのオールド・ウィンザーにあるベルミードという犬舎で、ここでは1990年代までダンディ・ディンモント・テリアの繁殖が続けられた。ちなみにベルミードは現在、保護された犬猫を預かる施設、バタシー・ドッグズ&キャッツ・ホーム（ロンドンにある英国最古の犬猫保護施設）の活動の一端を担っている。全体として見れば、ダンディ・ディンモント・テリアの飼育頭数はまだまだ少ないものの、ブリーダーや愛好家たちの献身的な活動が続けられている。

BEDLINGTON TERRIER
ベドリントン・テリア

近現代－イングランド－希少

SIZE｜大きさ
体高：雄雌とも　41cm
体重：雄雌とも　8〜10kg

APPEARANCE｜外見
優美で気立てがよく、しなやか。頭頂の長いトップノットが際立つ。頭部は深く、幅は狭いが丸みを帯びている。比較的小さくきらきらした目は三角形を理想とし、琥珀色に近い明るい色からヘーゼルまで、被毛の色に合わせて色味が異なる。ハシバミの実のような形の耳は細い毛で覆われ、手触りはベルベットのよう。先端にはシルクのような飾り毛もある。耳の付き位置は低く、頬に平らに垂れている。首は長く先細りで、高く掲げられている。ボディは筋肉質で柔軟性がある。胸は深く、あばらが平らで、腹は明瞭に巻き上がっている。背は腰から後肢の上部にかけて自然なアーチを描く。尾付きは低く、付け根が太く先細りで、優雅にカーブしている。

COLOR｜毛色
ブルー、サンディ、レバー。またはそれらの色を基本としてタンの斑が入る。被毛は厚く、皮膚から立ち上がるように生えているが、針金のように硬い毛ではない。自然に縮れる傾向があり、特に頭部と顔の毛はそれが顕著。耳先には特徴的な飾り毛がある。

APTITUDE｜適性
あらゆる害獣の駆除に。ショードッグ、家庭犬としても。

　ベドリントン・テリアの特徴は何と言っても、そのユニークな風貌だ。綿ぼこりのような被毛といい、頭の形といい、子羊にそっくりなのだ。また、数あるテリア種のなかでも特に「レーシー」だと言われる。つまり、四肢が長くほっそりしているということだ。体つきも比較的軽やかで、外見の印象に違わず足が非常に速い。加えて頭もよく、非常にエネルギッシュで無尽蔵のスタミナを持つため、もともと害獣を狩るための猟犬として飼育されてきた。一方で、性格は穏やかで感受性が鋭く、ユーモラスな一面もあることから、現在ではペットとしても高い評価を得ている。

　イングランド北東部のノーサンバーランドで誕生したこの犬が文献に現れるようになるのは、18世紀になってからだ。当時、移動型民族や密猟者たちの手によって、すぐれた狩猟能力を持つテリアが作り出されていた。そうしたなかから、スピードがあってどんな猟獣や害獣でも捕まえることができるものや、小型でウサギなどを追って巣穴にもぐり込むことができるものが現れた。広大な私領を持つ貴族たちも、テリアを用いてネズミやウサギ、アナグマ、時にはカワウソの駆除を行わせていた。ベドリントンもそんなテリアの1つだったのかもしれないが、はっきりした起源についてはわかっていない。

　たとえば、1910年にロバート・レイトンは著書『Dogs and All About Them（犬とそのすべてについて）』のなかで、ベドリントン・テリアはオッターハウンドとダンディ・ディンモント・テリアとの雑種ではないかと推察しているが、それを決定づける証拠はない。優雅にアーチした背の形状からウィペットの血を引いているのではないかと言う人もいれば、共通した特徴が多く、発達した地域も広く重なるダンディ・ディンモント・テリアと関係していると主張する人もいる。しかし有力なのは、ラフ・コーテッド・スコッチ・テリアから発展したとする説だ。

　ともあれ、羊毛のような独特の被毛を持つ現代のベドリントン・テリアとシルエットの似た犬が誕生したのは、ノーサンバーランドのロスベリー地区だ。ロスベリー近郊の炭鉱の町ベドリントンにちなんでベドリントン・テリアと呼ばれたこの小さな犬たちは、ノーサンバーランド州内で人気を呼んだ。

　正式に犬種名としてベドリントン・テリアと命名したのは、ブリーダーのジョセフ・エインズリーで、1820年代のことであった。エインズリーは、フェーベという雌と雄のパイパーを交配させ、犬種の確立にも貢献した。この2頭はともに、トレヴェリアンという大地主が所有していた1782年生まれのオールド・フリントという名の犬の子孫であった。また、トーマス・J・ピケットの所有するタインデールとタインサイドという名の2頭も、犬種の基礎を築くうえで大きな役割を果たした。そのほか、スコットランドからノーサンバーランドにラフ・コーテッド・スコッチ・テリアを取り寄せ、地元の犬との異系交配を行ったカウニー家の功績も大きい。

　1874年に初めて発行されたKCの犬籍原簿には、30頭のベドリントン・テリアが名を連ねていた。だが、その後設立された犬種クラブはいずれも長続きせず、1893年に設立されたナショナル・ベドリントン・テリア・クラブがようやくKCから98年に会員クラブとして認められ、現在に至るまで精力的に活動を行い、世界的にも有名なクラブとなっている。

　一方、米国のAKCが初めてベドリントン・テリアの登録を行ったのは1886年のことだった。犬種クラブの登場は1936年創設の米国ベドリントン・テリア・クラブまで待たなければならなかったが、同クラブはのちに犬種のペアレント・クラブに認定されている。そして1960年代には、ベドリントン・テリアはファッショナブルな犬として人気を集めるようになった。だが、しだいに人気は下降し、それに伴い登録頭数も減少していった。その結果、現在では米国、英国ともに登録頭数は少数に留まっている。

209

BORDER TERRIER
ボーダー・テリア

近現代－イングランドとスコットランドの境界－一般的

SIZE｜大きさ
雄　6〜7kg／雌　5〜6.5kg

APPEARANCE｜外見
恐れ知らずで活発に動き回り、不屈の精神を持つ。カワウソの頭を思わせる特徴的な頭部は、左右の目と耳のあいだが離れている。短いマズルは色が濃く、少しひげが生えている。目は黒っぽく、鋭いまなざし。耳は小さなV字形で、頬にかぶさるように前方に折れている。力強くしなやかなボディは比較的幅が狭く、かなり長い。尾は適度に短く、太い付け根から先細りになり、警戒したときは元気に高く掲げられる。

COLOR｜毛色
レッド、グリズル＆タン、ブルー＆タン、ウィートン。被毛はダブル・コート。針金のように硬くまっすぐな上毛と、厚い皮膚に密着するように生えた短い下毛からなる。

APTITUDE｜適性
キツネ狩り、あらゆる害獣の駆除、アジリティに。ショードッグ、家庭犬としても。

　ボーダー・テリアは犬種としては歴史が浅いが、真の作業犬として確固たる地位を築いている。小柄で気取りのない職人気質の素朴な犬で、カワウソに似た特徴的な頭部を持つ。性格は従順でおおらか。そして冒険好きで、愛情深く誠実。訓練もしやすく、飼い主の家族と密な関係を築くことで本領を発揮する。また、心身ともにきわめて屈強で、「タフガイ」という表現がぴたりと当てはまる。高い持久力と、小型犬にしては長い脚も含めて、すぐれた作業犬を作出するために努力が重ねられてきたことがよくわかる犬である。

　ボーダー・テリアはもともと、イングランド北東部のノーサンバーランドとスコットランドの境界付近でキツネ狩り用に作出された犬種であったが、そのほかのあらゆる害獣の駆除にも広く用いられた。その地域に広がる原野では牧羊が盛んに行われていたが、害獣も多く、特に羊が出産の時期を迎える頃には被害が後を絶たなかった。羊をキツネから守るために、当初はハウンド犬によるキツネ狩りが行われたが、キツネが巣穴に逃げ込んでしまうと、もはやどうすることもできない。そこでハウンド犬のパックにキツネを追わせ、巣穴へ入ったところでテリアを送り込むという狩猟法が編み出される。

　ハウンド犬とともにキツネ狩りを行うには、足の速いハウンド犬や猟師が乗る馬のペースに歩調を合わせられなければならない。また、果敢に巣穴へもぐり込み、ハウンド犬が再び追いかけられるよう、地上へとキツネを追い出す能力も求められる。さらに、巣穴に入れるほどコンパクトだが、キツネとじゅうぶんに渡り合える体躯の持ち主でなければならない。ボーダー・テリアは、それらの条件を十二分に満たしていた。全体の大きさの割に幅が狭いので、小さな穴にももぐり込むことができたし、小型犬にしては脚が長いので、猟師の馬にきびきびとついていくこともできた。さらに、硬い針金のようなダブル・コートと、ややたるんだ厚くて丈夫な皮膚が、相手の反撃から身を守ってくれる。そんなボーダー・テリアは、単独で猟を行うほかのテリアと違って、そうした狩猟法に順応し、ほかの犬とパックで行動することにも慣れていったのだった。

　ボーダー・テリアの歴史は非常に古く、古代にまでさかのぼることができると言われるが、これは厳密には正しくない。特定の犬種として歩み始めたのは19世紀のことである。それより以前、イングランド北部とスコットランドには、ラフ・コートまたはスムース・コートで体型もばらばらのテリアが何種類も存在していた。これらの犬たちは、作業能力の向上のためだけに交配が行われ、その結果、地域ごとに異なる特徴を示すテリアがそれぞれ誕生した。そうした過程でボーダー・テリアも生まれたものと思われる。

　この犬の祖先についてははっきりしていないが、発祥地がおおまかに一致するベドリントン・テリアとダンディ・ディンモント・テリアが関係していると考えられている。実際、まれなケースではあるが、ボーダー・テリアにもベドリントン・テリアとダンディ・ディンモント・テリアのようなトップノットが現れることがある。ボーダー・テリアはもともと、繁殖が行われた地域にちなんで「コーケットデール・テリア」「リードウォーター・テリア」などと呼ばれていた。現在の「ボーダー」という名がついたのは、1880年代になってからのことだ。

　ボーダー・テリアの誕生に重要な役割を果たしたのは、ジョン・ロブソンとその一族である。ロブソンは1857年にノーサンバーランド・ボーダー猟友会という団体を興した人物で、地元の狩猟仲間であるジョン・ドッドとともに、スコットランドとの境界をなすチェヴィオト丘陵のカーターフェル山一帯でよく狩りをしていた。彼らはその狩りで、ハウンド犬と小さなテリアを組み合わせて使用することを試み、やがてその狩猟法はほかの猟友会のメンバーのあいだにも広まっていった。

　ロブソン家では代々、狩猟用テリアを繁殖していたが、ロブソンとドッドのそれぞれの孫であるジェイコブ・ロブソンとジョン・ドッドの代になって、自分たちの猟友会で使っているテリアを独立した犬種として公認させる

TENACIOUS AND SPIRITED｜粘り強さと気迫

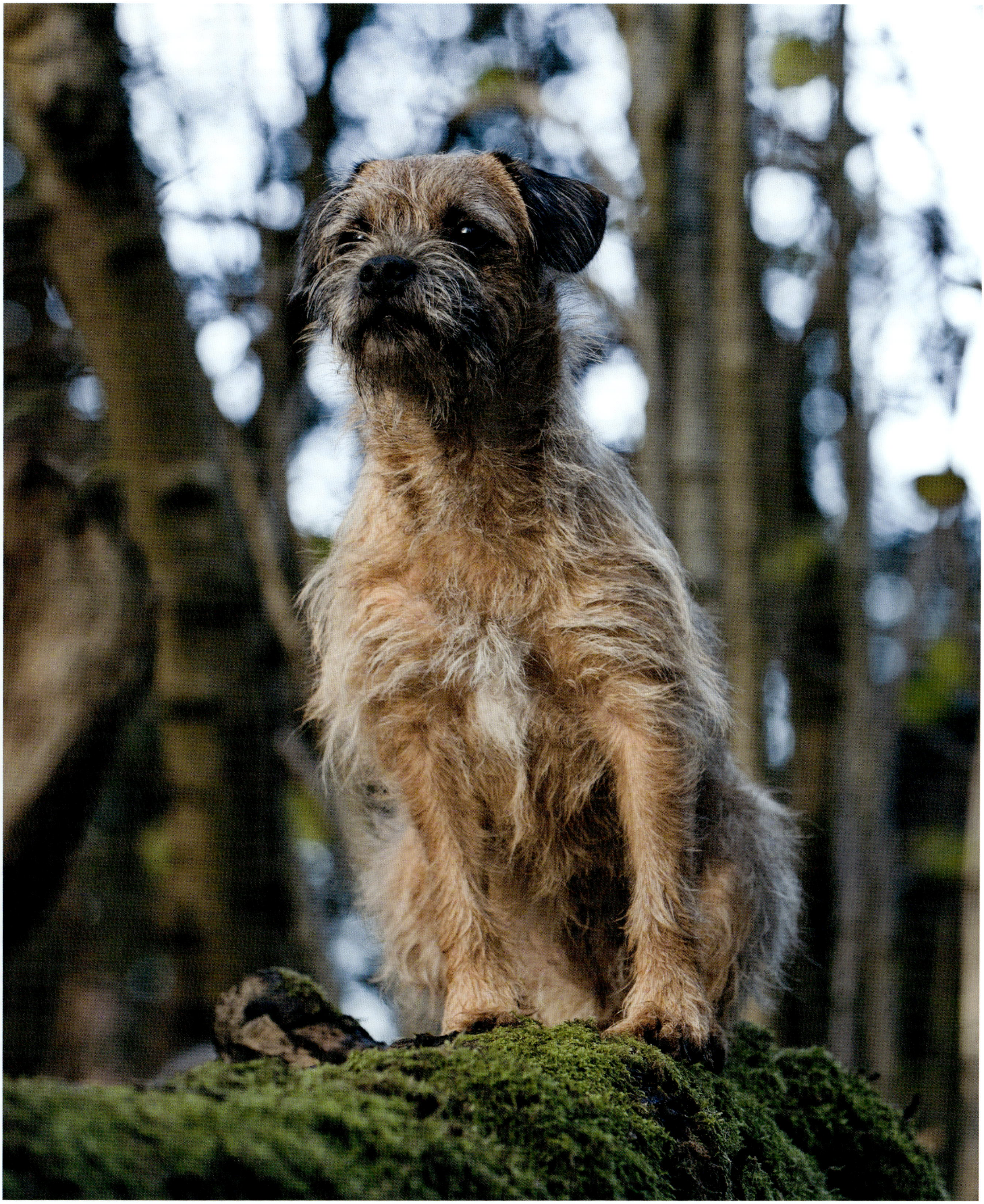

TENACIOUS AND SPIRITED | 粘り強さと気迫

べくKCに働きかける。そうして1914年、ジェイコブが育てたザ・モス・トルーパーがKCに初めて登録されるが、ボーダー・テリアという犬種の公認申請自体は却下されてしまい、トルーパーは「その他の犬」として登録されるに留まった。それでも彼らはあきらめなかった。その念願が叶ったのは1920年。ついにボーダー・テリアは犬種として正式に認定された。犬種標準もジェイコブとジョンが作成し、それに伴いボーダー・テリア・クラブも創設された。

同クラブは、1920年以来ずっと"地中"ですぐれた働きを見せる犬に対して作業犬認定証を発行している。こうした取り組みは英国以外の犬種クラブでも行われ、それぞれ作業能力のレベルを維持するために努力を続けている。そのおかげでボーダー・テリアは現在、作業能力を競う各種競技会で活躍するだけでなく、ドッグショーの常連にもなり、人々の注目を集めている。

一方、米国では1930年に初めてボーダー・テリアがAKCに登録され、37年には英国から輸入されたピクシー・オブラドノック・オブ・ダイハードという名の犬が、この犬種として初めてチャンピオンに輝いている。ダイハードの系統は米国におけるこの犬種の基礎となり、1942年にダイハード・ダンディ（雄）が米国生まれのボーダー・テリアとして初めてチャンピオンを獲得した。その6年後には、メリット・ポープ博士のフィラベグ・レッド・ミスが米国産ボーダーの雌として初めてチャンピオンになっている。

ポープは1949年に創設された米国ボーダー・テリア・クラブの初代会長を務めた人物で、同クラブも創設以来、作業犬及び狩猟犬認定証の発行を行うとともに、1959年にはレディーズ・ケネル協会と共同でボーダー・テリア限定のドッグショーを開催している。ポープはまた、自身のフィラベグ・ケネルを通しても、米国における犬種の発展に多大な貢献をした。初期に重要な役割を果たした犬舎としてはもう1つ、マージョリー・ヴァン・デア・ヴィーアとマージェリー・ハーベイが所有するダルクェスト・ケネルも忘れてはならない。ヴァン・デア・ヴィーアは、米国ボーダー・テリア・クラブ創設から34年にわたり事務局長を務めた人物でもある。

こうした人たちの尽力により、米国では1948年にボーダー・テリアの犬種標準がAKCに提出され、今では熱心な愛好者たちの支持を得て広く飼育されている。

AIREDALE TERRIER
エアデール・テリア
近現代－イングランド－比較的多い

SIZE｜大きさ
雄　58〜61cm／雌　56〜59cm

APPEARANCE｜外見
筋肉質でかなりコビー（短胴でずんぐりしているが、引き締まった体型）。スカルは長く平らで、マズルとほぼ同じ長さ。黒っぽく小さな目は知的な印象を与える。耳はV字形で、スカルより上の位置で折れている。短く、直線的な背は力強く、筋肉のよく発達した腰と同じ高さ。胸は深く狭い。尾付きは高く、やはり力強い尾を持つ。かつては慣習的に断尾が行われていたが、断尾しない場合は陽気に高く掲げられる。

COLOR｜毛色
ボディのサドルが首の上部、尾の上面と同じブラックまたはグリズルで、そのほかの部分はタン。耳は濃いタンであることが多く、首周りとスカルの側面は暗い色になることもある。前肢のあいだにはホワイトの毛がわずかに混じってもよい。被毛はダブル・コート。上毛は針金のように硬い粗毛で、下毛は比較的やわらかい短毛。

APTITUDE｜適性
小獣猟、鳥猟、フラッシング、レトリービング、足跡追及に。警察犬、軍用犬、さらにはショードッグ、家庭犬としても。

　エアデール・テリアは数あるテリア種のなかでも最も体高が高く、カリスマ性あふれる犬で、しばしば「キング・オブ・テリア」と称される。19世紀に作出されてから今日に至るまで、非常に幅広い用途に使われてきた。古くから害獣の駆除や農作業、ハンティングとレトリービング、足跡追及の分野で活躍し、警察犬、軍用犬、番犬としても広く利用されてきたほか、ペットとしても人間のよき友であり続けている。また、アジリティやオビディエンス競技でも、その能力を遺憾なく発揮する。エアデール・テリアは怖い者知らずで、どんな仕事にも真摯に取り組む、すばらしい犬なのだ。

　この犬種のルーツは、イングランド北部のヨークシャー地方にあるエアデール（エア渓谷）という地域にあり、それが名前の由来になっている。もともと害獣や小獣を狩る猟犬として、労働階級の人々に飼われてきた。この犬は、テリアとしては珍しくレトリービングを行う。これは猟犬として大きな付加価値であり、当然ながら密猟者たちにも大人気の犬となった。

　そんなエアデール・テリアが、どのような交配から生まれてきたのかを示す記録は残されていないが、一般的には現代のウェルシュ・テリアやオッターハウンドの基礎犬でもあったブラック・アンド・タン・ラフ・テリアと、ブル・テリアやアイリッシュ・テリアを掛け合わせたものだと考えられている。そうした交配によって生まれたのは、嗅覚が鋭く、水が好きで、テリア特有の粘り強さもしっかりと備えた脚の長いテリアだった。これらの犬は当時、「ワーキング・テリア」「ビングリー・テリア」「ウォーターサイド・テリア」などと呼ばれていた。

　ウォーターサイド・テリアという呼び名は、当時ヨークシャー地方で盛んだった川岸で開催されるネズミ狩り競技からつけられたものだ。これは犬にネズミが潜む"生きた穴"を探させる競技で、犬たちは時に岸から岸へと泳いで川辺のネズミの巣穴を探した。"生きた穴"を犬が見つけたら、今度はネズミを外に追い出すためにフェレット［訳注：イタチ科の動物。家畜化してネズミ狩りやウサギ狩りに使われることがある］が巣穴に送り込まれる。そうしてネズミが穴から逃げ出したら、再び犬の出番だ。ネズミを追跡して捕獲するのだ。得点は"生きた穴"を見つけたときと、捕獲して殺したときに加算される。この競技は1950年代まで盛んに行われた。

　1800年代後半にこの犬が米国に渡ると、ほかの猟犬とともにコヨーテやボブキャット、アライグマなどの猟に用いられるようになった。その能力の高さが評判を呼び、米国はもちろん、英国でもこの犬の人気が爆発した。それを受けて1879年に英国の愛好家グループが「エアデール・テリア」という新しい犬種名を考え出し、86年にKCがこれを公認した。ただし、英国初の犬種クラブ、ナショナル・エアデール協会が創設されたのは、それからの約40年後の1928年のことである。

　米国のドッグショーに初めて出陳されたのは1881年。ヨークシャー地方ブラッドフォードのC・H・メイソンが持ち込んだブルースという犬が披露された。この犬は人々の注目を集め、7年後の1888年には米国エアデール・テリア・クラブが創設される。クラブは同年、AKCの会員クラブとしても認められた。

　その当時、エアデール・テリアはショードッグやペットとしての人気が高かったが、その狩猟能力も相変わらず高い評価を得ていた。そうしたなか、猟犬としての能力をさらに高めたいと考えたブリーダーたちは、犬種標準よりも身体が大きいフィールド系の繁殖を進めていく。その代表がオハイオ州のウォルター・リンゴが確立したオーラング系統である。このエアデール・テリアは、すぐれた猟犬として人々の関心を集めた。だが、サイズの大型化を重視したあまり、犬種標準の要件をいろいろと満たさなくなってしまっていた。

　エアデール・テリアは、戦時下でもめざましい活躍を見せた。軍用犬としての成功は、19世紀の終わりに英国で初めて軍用犬訓練所を設立

TENACIOUS AND SPIRITED｜粘り強さと気迫

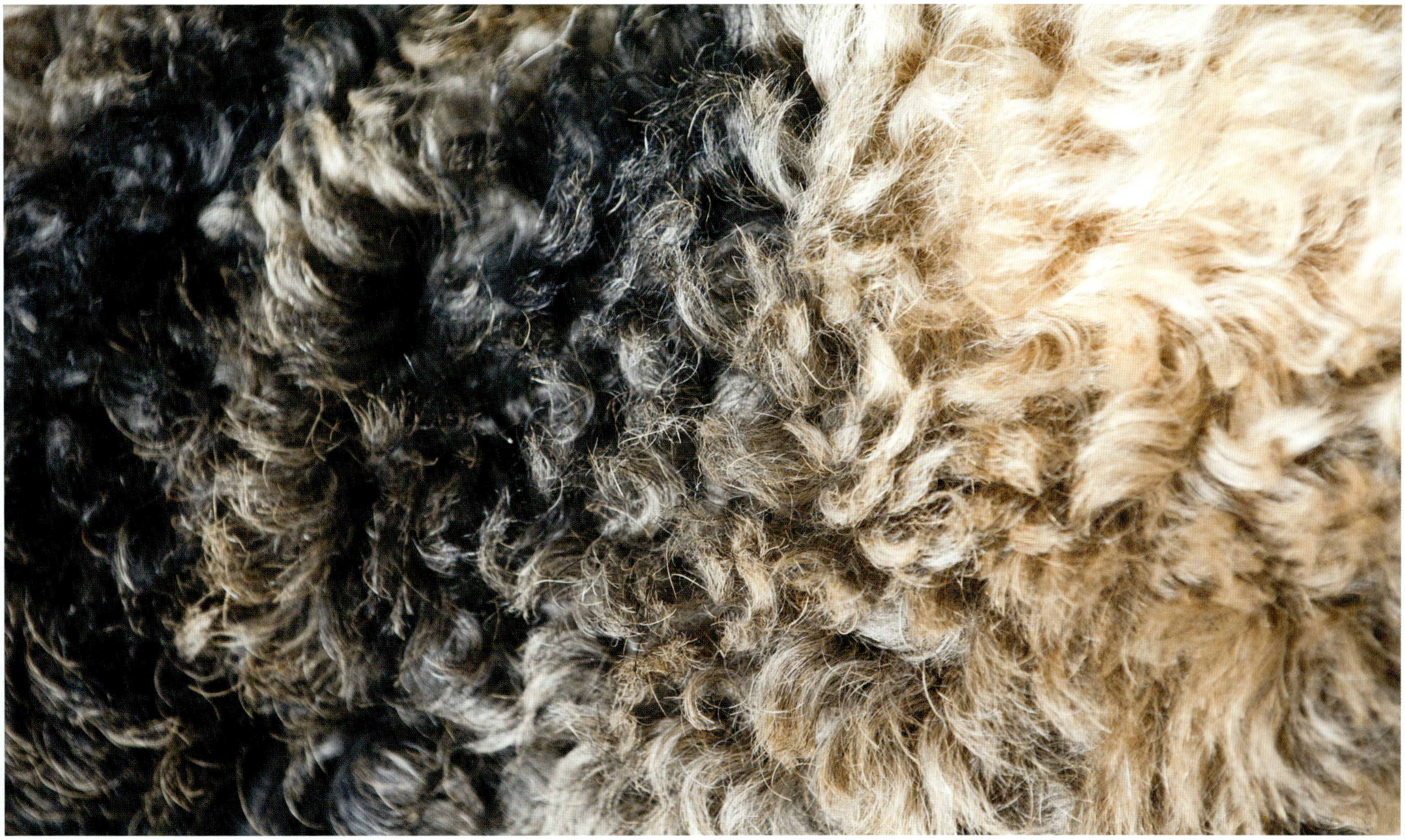
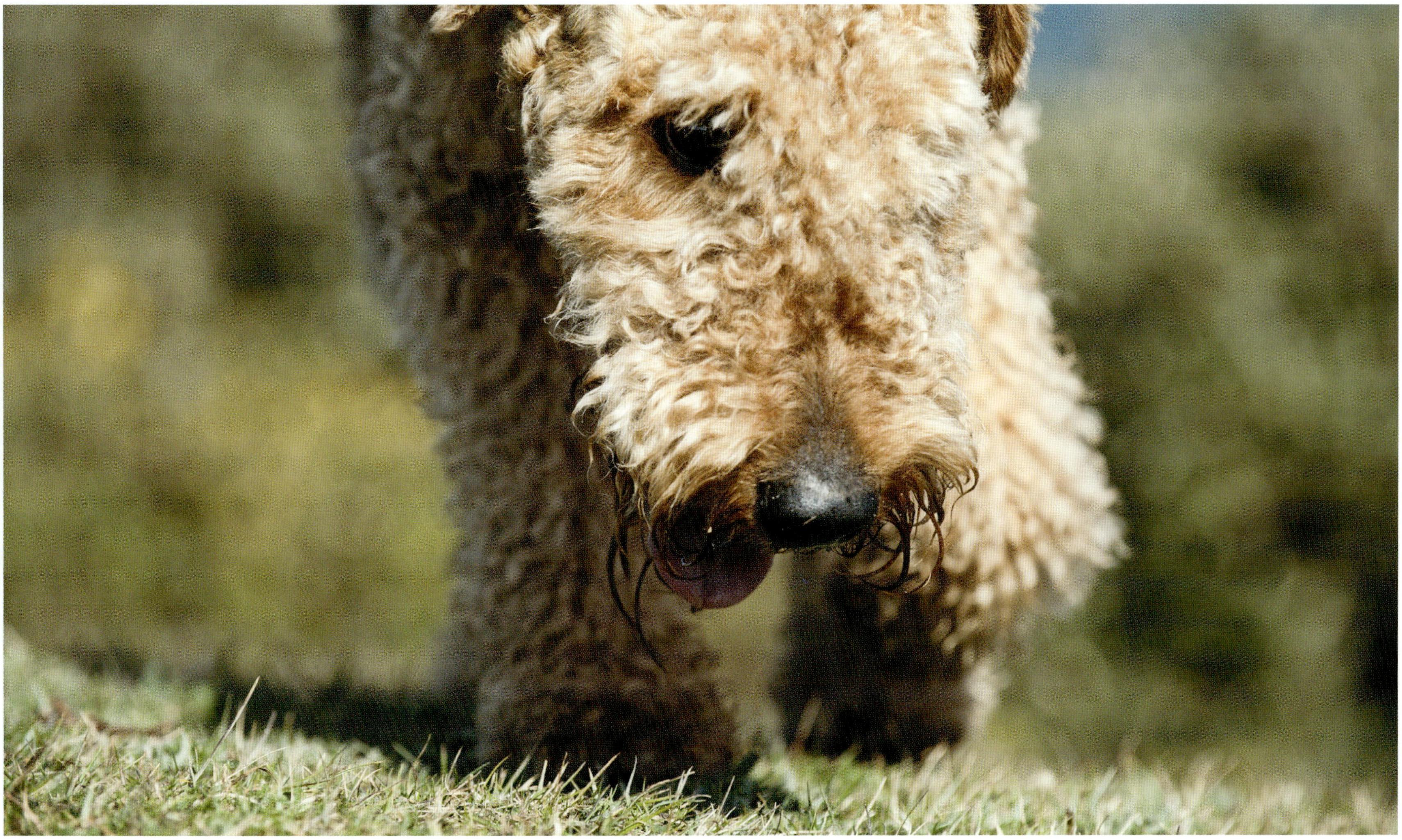

TENACIOUS AND SPIRITED | 粘り強さと気迫

したE・H・リチャードソン中佐に負うところが大きい。中佐は、さまざまな種類の純血種と雑種の犬を軍用犬として訓練し、幅広い仕事をこなせるよう仕込んだ。1904年、それを聞きつけたロンドンのロシア大使館が中佐に接触し、日露戦争（1904〜05年）で用いるための軍用犬の手配を依頼する。このとき中佐はエアデール・テリアをサンクトペテルブルクに送り、これがロシアに渡った初のエアデール・テリアとなった。1920年代にもエアデール・テリアはロシア軍に再導入され、赤軍［訳注：労働者・農民赤軍。のちのソビエト連邦陸軍］軍用犬特殊部隊が編制された。

エアデール・テリアはドイツでも2度の世界大戦で軍用犬として採用され、母国英国の軍隊でも多数導入された。戦時中の記録を見れば、エアデール・テリアがいかに勇敢だったかがわかる。彼らは、爆弾探知や伝令、捜索救助、哨戒、補給物資の運搬、死傷者の搬送、歩哨や警備、さらにはネズミ駆除など、実にさまざまな仕事をこなした。

また警察犬としても、1900年代初頭から活躍している。ドッグパトロールを最初に導入したのは英国のノースイースタン鉄道警察で、犬たちは夜間巡回を行い、「窃盗犯、浮浪者、戸外で寝ている者」などの取り締まりを行った。その後、英国のほとんどすべての警察部隊がこれにならった。1915年には、米国のボルチモア警察が警ら犬としてエアデール・テリアを輸入したという記録も残っている。

エアデール・テリア、あるいはエアデール・テリアの雑種犬は、セオドア・ルーズベルト（1858〜1919年）やウッドロウ・ウィルソン（1856〜1924年）、カルビン・クーリッジ（1872〜1933年）といった歴代の米国大統領からも愛された。なかでも有名なのが第29代大統領ウォレン・ハーディング（1865〜1923年）の飼い犬、ラディー・ボーイだ。しばしば大統領とともに閣僚会議に出席したラディー・ボーイのために、特別席まで用意されていたという。政権が危うくなると、ハーディングは、ラディー・ボーイがタイガーという犬と文通するという設定で架空の書簡集を発表し、大衆の好感度を上げようと試みたほどだ。また、クーリッジが譲り受けたラディー・ボーイの片親違いの兄弟犬も、1923年のクーリッジの第30代大統領就任により、ホワイトハウスで暮らす"ファースト・ドッグ"となっている。

これらの"ファースト・ドッグ"は一般の人々にも広く知られるところとなり、これがこの犬種に対する注目をさらに集めることにつながった。エアデール・テリアは現在も世界中で人気の犬種で、最近は米国でエアデール・テリアのためのアジリティ競技が盛んに行われている。

AIREDALE TERRIER｜エアデール・テリア

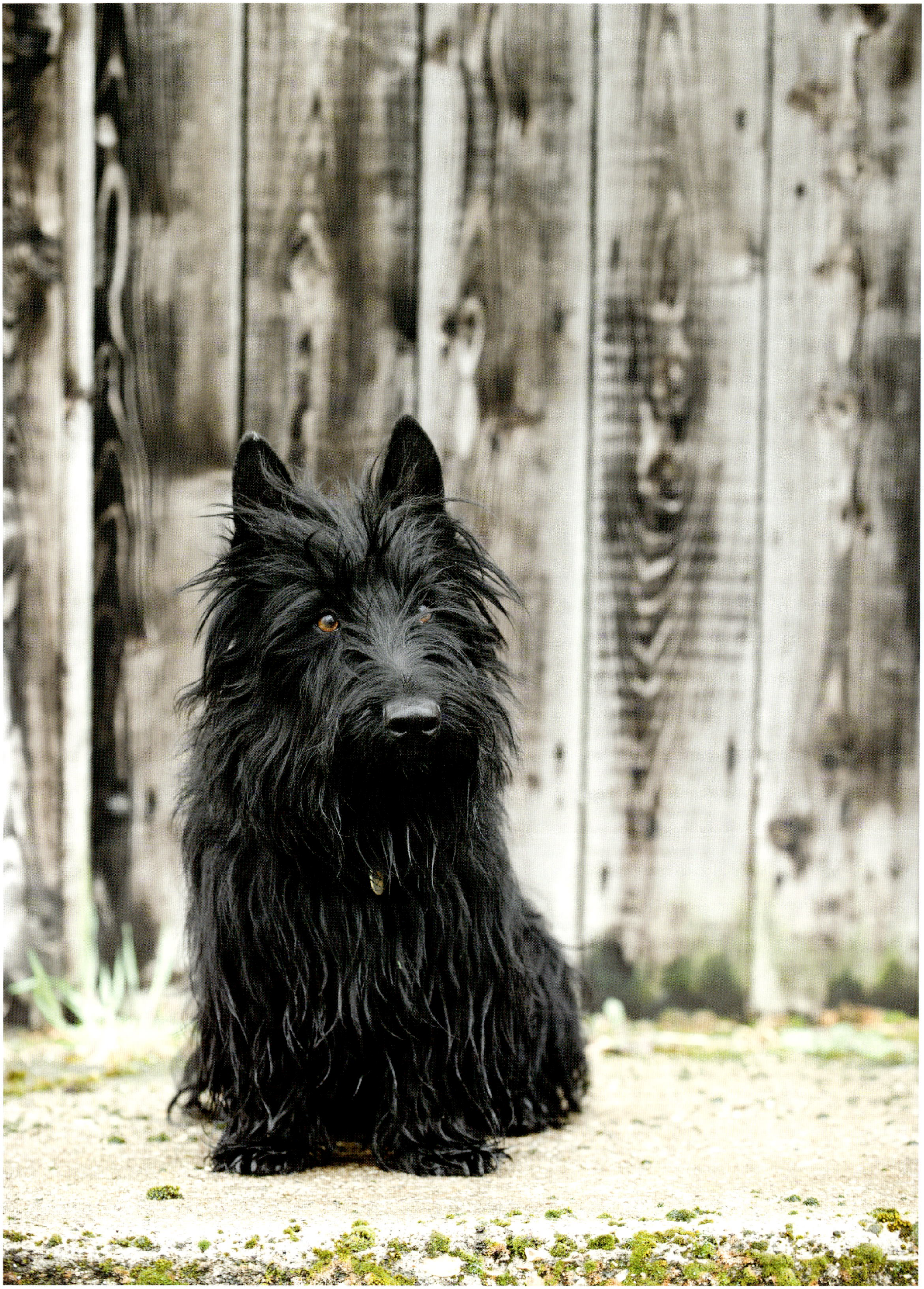

SCOTTISH TERRIER
スコティッシュ・テリア

近現代 – スコットランド – 一般的

SIZE | 大きさ
体高：雄雌とも　25〜28cm
体重：雄雌とも　8.5〜10.5kg

APPEARANCE | 外見
四肢が短くコンパクトな体つきだが、力強く、性格も大胆。頭部は長いが、ボディとのバランスがとれている。スカルはほぼ平ら。耳は先の尖った立ち耳で、頭頂に付いている。アーモンド型の目は黒に近いブラウンで、左右のあいだがかなり離れている。ほどよい長さの首は筋肉質。トップラインはまっすぐで、背は比較的長く、がっしりしている。身体が小さい割には後肢が非常にたくましく、尻が広くて大腿は厚みがある。胸はかなり幅が広く、前肢のあいだに下がっている。尾はちょうどよい長さで、付け根が太く先細り。直立するか、わずかにカーブしながら立っている。

COLOR | 毛色
ブラック、ウィートン、あるいは濃い色調であればあらゆるブリンドルが認められる。被毛はダブル・コートで、雨風に強い。上毛は針金状で硬く、下毛はやわらかい短毛で、いずれも密に生えている。

APTITUDE | 適性
ネズミなどの害獣駆除に。ショードッグ、家庭犬としても。

スコッティという愛称で親しまれるスコティッシュ・テリアは、数あるテリア種のなかでも特に個性の光る犬種である。祖先の犬から華やかに進化した近現代のスコッティは、雨風に強い針金のようにごわごわしたワイアリー・コートで、四肢と身体の下半分、そしてあごひげと眉毛を長く残し、そのほかの部分は短くトリミングが施される。

このような独特のトリミングのスタイルは、こざっぱりとした印象を与えるとともに、狩りを行う際には身体を保護する役割を果たしてくれる。このスタイルは、現代のスコティッシュ・テリアがより長い被毛を持つようになっていたことから、1993年に書き換えられた米国の犬種標準で積極的に推奨されるようになった。グルーミングやトリミングによって犬の容姿を整えることに否定的なブリーダーが多かった20世紀初頭の状況を考えると、これは非常に興味深い変化と言える。

スコッティは四肢が短いどっしりとした体つきの小型犬でありながら、非常に力強く、驚異的な俊敏さを誇る。もともと猟犬として作出された犬で、スコットランドのハイランド地方において猟場管理人の相棒としてキツネやアナグマ、イタチ、オコジョ、カワウソ、ネズミといった害獣の駆除に用いられていた。犬種誕生当時と比べると、容姿はずいぶん様変わりしたが、粘り強い性格や好んで穴を掘る性質、そしてネズミ駆除の才能はいまだ健在である。スコッティはほかのテリア種と同じく非常に勇敢な犬で、どんな冒険にも嬉々として向き合う。現在はペットとして飼育されることが多く、賢くカリスマ性のある犬として愛されているが、そうした性質を内に秘めているため、訓練とじゅうぶんな運動は欠かせない。

スコッティが生まれる以前から、優秀な害獣駆除犬として快活な小型テリアはスコットランドの猟場管理人や農民によって飼育されていた。やがて、これらの犬は直立耳や長い垂れ耳、胴の長いものや短いもの、さまざまな尾の形状や被毛の色といった異なる性質を示す系統に枝分かれしていく。そして、それぞれの地域が地理的に孤立し、よその地域との交流が容易でなかった時代、それらの性質は固定化し、独特な姿に進化していった。それでもテリア種の本質である粘り強さや持久力、狩猟本能や勇敢さは共通して留めていたし、作業能力のすぐれた犬の繁殖を目指すという基本は変わらなかった。スコットランドのテリアは、ロス司教ジョン・レズリー（1527〜96年）が書いた1436年から1561年のスコットランド史のなかですでに、「害獣駆除に用いられた背の低い犬」として登場している。

現代のスコッティは19世紀の終わり頃に作出された犬だが、その祖先犬の歴史ははるか昔にさかのぼる。記録はほとんど残されていないが、おそらくは8〜9世紀にかけてブリテン島北部に浮かぶヘブリディーズ諸島、スカイ島及びその他の島々に定住していた古代ケルト人、あるいはスカンディナビア人によってスコットランドに持ち込まれた犬であったと推測されている。それから時を経て、ハイランド地方やローランド地方、そして広域にわたる海岸地方などのスコットランドの荒地で、スコッティやケアーン・テリア、スカイ・テリア、ウエスト・ハイランド・ホワイト・テリアなど複数の犬種が誕生した。これらの犬は皆、祖先は共通するものの、生まれ育った環境によってそれぞれ異なる形質を身につけてきた。このなかではスコッティの誕生が最も早かったとする説もあるが、それを裏付ける記録もまた残されていない。

スコティッシュ・テリア発祥の地は、通説では、ラノク湖の西岸に広がるムーアランドを含むスコットランド中央のハイランド地方、ブラックマウントの山岳地帯周辺とされている。この地にいた初期のテリアの姿を描いたスケッチを見ると、確かに現代のスコッティとの共通点がいくつか見てとれる。しかし19世紀になると、スコットランド北東部アバディーン地方で数多くのテリアが飼われていたことから、これらの犬はアバディーン・テリアと呼ばれることが多かった。

その頃、スコッティの現代史に大きな功績を残した人物が何人かいる。イングランドのティークリッパー［訳注：紅茶を輸送する蒸気船］で船長を務めていたW・マッキーもその1人だ。マッキーは1870年代の終わりにスコットランドを旅し、いろいろなテリアについて細かな記録を残した。彼は日記に、「それぞれの地域の猟場管理人は皆、自身が所有するテリアこそがスコッチ・テリアで、テリア種のなかで最もすぐれた犬だという自負があるようだ」とつづっている。そしてマッキーは、自身も"スコッチ"テリアを多数イングランドに持ち帰り、交配して1つの犬種を作出するための繁殖プロジェクトに着手する。ちょうどドッグショーが開かれるようになった時期で、その少し前の1873年にはKCも設立されている。

だが当時、スコティッシュ・テリアの定義についてはさまざまに見解が分かれていた。事態が収束に向かったのは1880年。同年にJ・B・モリソンがスコティッシュ・テリアの犬種標準を書き上げたおかげだった。そうしてこの犬種に注目が集まるなか、マッキーの犬たちはドッグショーで大成功を収めた。1885年にはすでに、ダンディ（雄）とグレンゴゴ（雌）というチャンピオン犬を誕生させている。このダンディはスコッティの基礎犬となり、多くの子を残した。

もう1人、スコッティの歴史に重要な役割を果たした人物として、J・H・ラドローの名前も挙げないわけにはいかない。1883年のイングランド・スコティッシュ・テリア・クラブの創設メンバーの1人でもあるラドローは、ブラックのスコッティとして初めてチャンピオンに輝いたアリステア、そして犬種の基礎を築いた種牡犬ランブラーなどのチャンピオン犬を多数世に送り出した。現代のすべてのスコッティがその血を受け継いでいるボナコードを所有していたのも彼である。ボナコードは、アリステアと、ショードッグとして名を馳せたチャンピオン犬キルディーの祖父に当たる犬だ。さらに、純血種のスコッティを数多く生んだことから「スコッティの母」と呼ばれる雌のスプリンターⅡも、ラドローが所有していた犬である。

米国に輸入された初期の代表的なスコッティとしては、1883年にジョン・ネイラーが持ち込んだ雄のタム・グレンと雌のボニー・ベルが挙げられる。ネイラーはその後も、米国におけるスコッティの発展に大きく貢献したグレンライアンやウィンストンなどを英国から輸入している。ウィンストンは英国のチャンピオン犬アリステアの子で、米国において犬種の礎を築いた犬だ。また、1884年にスコティッシュ・テリアとして初めて米国で登録されたのが、グレンライアンの子のデイクである。その当時、AKCはまだ設立に向けて調整を進めている段階にあり、デイクの登録を行ったのはアメリカン・ケネル・レジスターという団体だった。AKCがスコティッシュ・テリアの登録を受け付け始めたのは、翌1885年のことである。

その年、米国初の犬種クラブ、アメリカン・スコティッシュ・テリア・クラブも設立されたが、数年後には解散となった。しかし1900年、ユーイング博士らが中心となって、現在の犬種ペアレント・クラブである米国スコティッシュ・テリア・クラブが設立された。ニューヨークの伝統的な衣料品店ブルックス・ブラザーズの社長で、同クラブの会長も務めたフランシス・G・ロイドは、ウェールスコットという冠名をつけたスコッティを多数飼育し、1900年代初頭から20年に亡くなるまでのあいだ、毎年のようにチャンピオン犬を輩出した。

1930年代には、スコッティは英米両国で人気が爆発し、カウリーが所有するオルボーン、ロバート・チャップマン所有のヘザー・ケネルという英国の2大犬舎から、米国に向けて多数の犬が輸出された。チャップマンは多くの犬を繁殖し、英国のゴードン・セターの歴史においても重要な役割を担ったブリーダーである。英国で、顔と四肢の毛がより長く、ボディが短いショー系スコッティが作出され始めたのはこの頃である。当時、米国ではショー系スコッティが人気を呼び、かなりの高値で取り引きされたためだ。

20世紀半ばで最も有名な米国産スコッティと言えば、フランクリン・D・ルーズベルト大統領（1882～1945年）の愛犬、ファラだろう。1940年に生まれたファラは、ルーズベルトのいとこのマーガレット・サックリングから贈られて以来、大統領の忠実な伴侶であり続けた。夜には大統領の寝室で眠り、朝になるとトレイに載せられた朝食用の骨が毎日ファラのもとへと運ばれたという。ルーズベルトの行く先々に同行したファラは、瞬く間に国民の心をつかんだ。ファラへのファンレターは後を絶たず、そのあまりの人気ぶりに専属秘書がついたほどだった。大統領が他界してから7年後の1952年に亡くなったファラは、ニューヨークのハイド・パーク・ローズ・ガーデンに眠るルーズベルトの足元に埋葬された。

20世紀には米国でも英国でもスコティッシュ・テリアの犬種標準の改訂が繰り返され、最終的に現在のような直立耳とぴんと立った尾、身体の下半分とあご、そして眉を覆う豊かな被毛という姿の犬ができあがった。粘り強さから「ダイハード」という別名も持つスコッティは、作業犬だった先祖たちと姿形こそ違うものになってしまったが、知的ですばらしい性格は変わらず、現在も私たちの愉快な友であり続けている。

SCOTTISH TERRIER | スコティッシュ・テリア

222

TENACIOUS AND SPIRITED ｜ 粘り強さと気迫

WEST HIGHLAND WHITE TERRIER
ウエスト・ハイランド・ホワイト・テリア

近現代 – スコットランド – 一般的

SIZE | 大きさ
雄 28cm／雌 25cm

APPEARANCE | 外見
小型ながら力強い体つき。頭部は厚い被毛に覆われ、首の軸に直角かほぼ直角をなして掲げられる。スカルはややドーム状で、あごは平らで力強い。離れた目は黒っぽく、生き生きとした表情を浮かべ、眉毛がふさふさと生えている。小さく、先の尖った立ち耳も離れて付いている。首は筋肉質。ボディはコンパクトで、トップラインが水平。胸は深いが、幅はそれほど広くない。四肢は比較的短く骨太で、後肢の筋肉がよく発達している。足は丸く、前足のほうが後足よりも大きい。尾の長さは13～15cmで、意気揚々とまっすぐに掲げられる。

COLOR | 毛色
ホワイト。被毛はダブル・コート。上毛は硬くて粗い5cmほどの長毛で、下毛はやわらかくて密な短毛。

APTITUDE | 適性
キツネ狩り、アナグマ狩り、害獣駆除に。ショードッグ、家庭犬としても。

ウェスティという愛称を持つウエスト・ハイランド・ホワイト・テリアの歴史は比較的浅く、作出されたのは19世紀末である。100年余りの短い歳月で、ウェスティはその社交的で愛くるしい性質により、人気の犬種へと成長した。一方で独立心が強く、時には頑固すぎる一面を見せることもある。地面を掘り返すのも大好きで、またよく吠える。したがって侵入者があれば、すばらしい"警報装置"の役割を果たすだろう。だが何と言っても最大の特徴は、その闘志だ。ウェスティは冒険を好み、どんなに厳しい地形でも、熱い情熱を持って1日中走り続けることができるのだ。

エネルギッシュで勇敢な、いかにもテリアらしい性質は、犬種として誕生した当時から変わっていない。ウェスティはもともとスコットランドのハイランド地方で、キツネやアナグマといった攻撃的な動物を狩るために作出された犬で、あらゆる害獣に対処することができる。スコットランドでは、17世紀にはすでにさまざまな身体特性を示す多種多様なテリアが誕生していたが、いずれも忍耐強く無骨で、恐れを知らない優秀な猟犬であることは共通していた。やがて、これらの犬から異なる系統のテリアが誕生し、狩猟と害獣駆除を目的として、各地方でそれぞれに発達していった。ハイランド地方西部の多くの家庭では、昔から白い犬が飼育されていたことがわかっている。19～20世紀にかけて、白い犬は兄弟犬よりも虚弱で劣っているとされていたことを考えると、これは非常に興味深い。

ウェスティは、ダントルーン城とスコットランド西海岸に位置する広大なポルタロッホ・エステートの第16代当主、エドワード・マルコム大佐（1837～1930年）により作出された犬だと一般的には考えられている。ただし、この地方では小型の白いテリアは多くの家庭で飼育されていたので、ウェスティの誕生がマルコム大佐の繁殖プログラムのみによるものだとは言えない。大佐が犬種確立の立役者として知られるようになったのは、ウェスティに関する記事を多く書き残していたためだ。残念ながら、その繁殖プログラムの記録は残されていないが、スカイ・テリアとケアーン・テリアが交配に用いられていたものと思われる。

ウェスティの誕生には、大佐が狩りをしているときに起きたある事故がきっかけとなったという説もある。自身が所有するブラウンのテリアが、キツネかノウサギと見間違えられて射殺されるという痛ましい事故が発生したために、大佐はホワイトの被毛を持つ犬の作出を目指したというのだ。しかし、同じような話がウェールズ産のシールハム・テリアやハイランド地方で生まれたほかの犬についても語られていることから、真偽のほどは疑わしい。

マルコム大佐のテリアは、その所領地にちなんでポルタロッホ・テリアと呼ばれていた。今日のウェスティは地面に穴を掘るのが大好きだが、この能力は、大佐をはじめとする当時のブリーダーがウェスティに求めたものではない。ウェスティはあくまでキツネやアナグマといった攻撃的な動物を狩るために作出された猟犬で、彼らはハイランドの土地に屹立する岩々を登ったり、飛び越えたり、あるいは狭い隙間をくぐり抜けたりしながら獲物を追った。胸郭が深く狭いため、岩のあいだなど侵入しにくい場所にもするりと身を滑り込ませることができたのだ。

そのほか、アーガイル公爵家でも、代々ウェスティとよく似た外見の白いテリアが繁殖されていた。特に第8代アーガイル公ジョージ・ジョン・ダグラス・キャンベル（1823～1900年）の犬は、公爵家所有のローズニース城にちなんでローズニース・テリアと呼ばれた（ただし、テリアのローズニースは「Roseneath」、城は「Rosneath」とつづりが異なる）。ポルタロッホ・テリアとローズニース・テリアの交配が行われたどうかは定かでないが、マルコム家とアーガイル公爵家に交流があったことは明らかだ。また、四肢の短いホワイトのテリアを指してポルタロッホ、ローズニースという2つの名称が区別なく用いられていたようだ。さらにもう1つ、同じような白いテリアの系統がある。スコットランド東部ファイフのフラクスマン博士が飼っていた白いテリアで、これはピッテンウィーム・テリアとして知られていた。

マルコム大佐は1905年、数人の仲間とホワイト・ウエスト・ハイランド・テリア・クラブをグラスゴーに設立した。大佐は、この犬がポルタロッホ・テリアと呼ばれることを嫌っていた。「このようなテリアはスカイやアーガイルの町及びその周辺に古くから存在していたのであって、犬種作出者として自身の名前が出ることには違和感がある」と大佐は述べている。そんな思いを抱いていた大佐は、この白いテリアの犬種名を、ホワイト・ウエスト・ハイランド・テリアというもっと無難な名にしようと動き出す。そうして1906年、2つ目の犬種クラブ、ウエスト・ハイランド・ホワイト・テリア・クラブ・オブ・イングランドが誕生すると同時に、KCも犬種名をウエスト・ハイランド・ホワイト・テリアに改名することに同意した。なお、1924年までは、血統記録のなかにケアーン・テリアやスコティッシュ・テリアが含まれている犬も、ウェスティとしてKCに登録されていた。

晴れて現在の犬種名になった翌1907年には、クラフツ展に初出陳された。そして、その翌年からはKCからCCが発行されるようになる。最初のCCを手にしたのは、スコットランド西部フォート・ウィリアムの治安判事で初代市長も務めたコリン・ヤングの所有するモーヴァンだった。

ヤングの繁殖プログラムと、またそのプログラムにより生み出された犬たちは、ウェスティの発展において最も大きな役割を果たしたと言ってよいだろう。ヤングは、雄雌それぞれ初めてチャンピオンに輝いたウェスティ同士を交配し、1907年からの10年間で16頭ものチャンピオン犬を輩出した。彼の犬に与えられたCCは43枚にものぼる。なかでもモーヴァンはCCを12回も獲得したが、唯一マルコム大佐がジャッジを務めるクラスではCCを逃している。1976年のクラフツ展では、ウェスティの犬種チャンピオンになったダイアンサス・ボタンズがBISにも選ばれた。現在、ウェスティのチャンピオンタイトル最多獲得記録を持っているのは、1990年のクラフツ展でBISに選ばれたオラク・ムーンパイロットだ。この犬は48枚ものCCを授与されている。

初めて米国に渡ったウェスティは、1907～08年頃にロバート・ゴーレットにより輸入されたチャンピオン犬のキルティーとランパス・グレンモーアだ。この犬は米国では当初、アーガイル公爵家由来のローズニース・テリアと呼ばれ、1908年に設立された国内初の犬種クラブもやはりローズニース・テリア・クラブという名称がつけられた。だが、同年のAKCによる犬種認定を経て、翌1909年には米国ウエスト・ハイランド・ホワイト・テリア・クラブと改称された。ウェストミンスター展でウェスティが初めてBISに輝いたのは1942年。コンスタンス・ウィナントが出陳したウルヴィー・パターン・オブ・エドガーストーンが、この栄誉を手にした。20年後の1962年にも、バーバラ・ウスターが出陳したエルフィンブルック・サイモンがBISに選ばれている。

TENACIOUS AND SPIRITED | 粘り強さと気迫

WEST HIGHLAND WHITE TERRIER | ウエスト・ハイランド・ホワイト・テリア

IRISH TERRIER
アイリッシュ・テリア
近現代－アイルランド－希少

SIZE｜大きさ
雄 48cm／雌 46cm

APPEARANCE｜外見
俊敏で運動能力が高く、レーシー。頭部は細長く、スカルは平ら。あごは力強く、鼻が黒い。やはり黒っぽく比較的小さな目は、生き生きとして知的な表情を浮かべる。V字形の小さな耳は、スカルの頂点より上で前方に折れている。耳の色はボディの毛よりも濃い。首は堂々と掲げられ、その両側にはフリルのような毛がわずかに見られる。胸は深いが、幅は広すぎない。ほどよい長さのボディは頑丈でまっすぐ。腰は筋肉がよく発達し、わずかに弧を描く。後肢は力強く、飛節の位置が低い。尾付きはかなり高い。かつては慣習的に4分の3ほどを残して断尾されていたが、断尾されなければ高く掲げられている。

COLOR｜毛色
明るいレッド、イエロー・レッド、レッド・ウィートンの単色が望ましい。胸に現れるホワイトの小斑は許容される。被毛は針金のように硬くごわごわした粗毛で、見た目は波状。

APTITUDE｜適性
あらゆる害獣の駆除、アジリティに。ショードッグ、家庭犬としても。

アイリッシュ・テリアは古くから「貧しき者の歩哨、農夫の友、紳士のお気に入り」と形容されてきた。この犬種の魅力ばかりでなく、多用性を示すのにぴったりの表現である。ほかのテリア種と同じく、この犬はもともと農場や貴族の領地、一般家庭においてネズミなどの害獣駆除に利用されてきた。アイリッシュ・テリアは命知らずとも言われる勇敢さで知られ、獲物の種類を選ばず真っ向から立ち向かう。番犬としても有能で、家族や愛する者に非常には忠実だ。

使役犬であったにもかかわらず、アイリッシュ・テリアは少数頭で飼育され、古くから人間と親しく触れ合い、家族の一員として家のなかで生活してきた。現在も人間になつきやすく愛らしい性質なのは、そのためだろう。また、2度の世界大戦では軍用犬としても広く用いられた。英国で初めて軍用犬訓練所を設立したE・H・リチャードソン中佐も、アイリッシュ・テリアを積極的に採用し、「非常に賢く誠実で素直な犬である。戦争を生き抜いた兵士たちの多くは、このテリアの甚大なる貢献によって命を救われた」と語っている。

アイルランドでは数百年前から、この犬の名前が文献に登場する。けれども当時のアイリッシュ・テリアという名称は、スポーティング系のテリア全体を指していたようで、近代に入っても犬種内でタイプのばらつきが顕著に見られた。こうしたタイプの相違は、作業能力を高めることをだけを目的として交配が行われた結果生じたものだ。だが、19世紀末の犬種標準の確立がきっかけとなり、形質の固定化が進んだ。その結果現在では、アイリッシュ・テリアの毛色はレッドからウィートンの色調のものに限られている。

もともとアイリッシュ・テリアには断耳が行われていたが、1879年にダブリンで創設された最初の犬種クラブ、アイリッシュ・テリア・クラブがそれに異を唱え、ブリーダーのあいだで大きな論争が巻き起こった。そして最終的に、1889年以降に生まれたすべてのアイリッシュ・テリアの断耳が禁じられることとなる。さらに、KCの基準に基づいて審査されるドッグショーでも断耳されていないことがエントリーの条件となった。英国諸島における全犬種の断耳が禁止されることになったのも、アイリッシュ・テリアクラブのこうした運動の影響が大きい。

この犬種の発展には多くの人々が関わってきたが、なかでも『Stock Keeper（飼育者）』誌の編集者ジョージ・クレールと、アイリッシュ・テリア・クラブで27年間にわたって事務局長を務めたR・B・キャレー博士の貢献が大きい。

また代表的なブリーダーとしては、ベルファストで活動していたウィリアム・グレアムが挙げられる。グレアムが所有する雌のチャンピオン犬エリンは、かごに入れられ捨てられていたところをグレアムによって保護された犬だった。エリンが初めてショーにお目見えするのは1879年。アレクサンドラ・パレス［訳注：ロンドン北部にある展示場兼宮殿］で行われたショーだった。同年、ダブリンのウォーターハウスが所有する雄のキリニー・ボーイが、ベルファストで開催されたショーでチャンピオンとなっている。この2頭のあいだに生まれた子犬たちは、この犬種の発展に大きな役割を果たした。そのため、キリニー・ボーイとエリンは、現代のアイリッシュ・テリアの基礎を作った父母犬とされている。

もう1頭のチャンピオン犬、雌のスパッズは名のあるアイリッシュ・テリアとして初めて米国に渡った。アイリッシュ・テリアはすぐに注目を集め、1929年には米国における人気犬種ランキングで13位に入った。英国でも米国と同じくらいの人気ぶりで、1911年にアイリッシュ・テリア協会が設立されている。現在は全盛期に比べるとすっかり頭数が減り、米国でも英国でも希少になってしまったが、それでもこの魅力的な犬を支持する熱心な愛好家たちは世界中に存在している。

TENACIOUS AND SPIRITED｜粘り強さと気迫

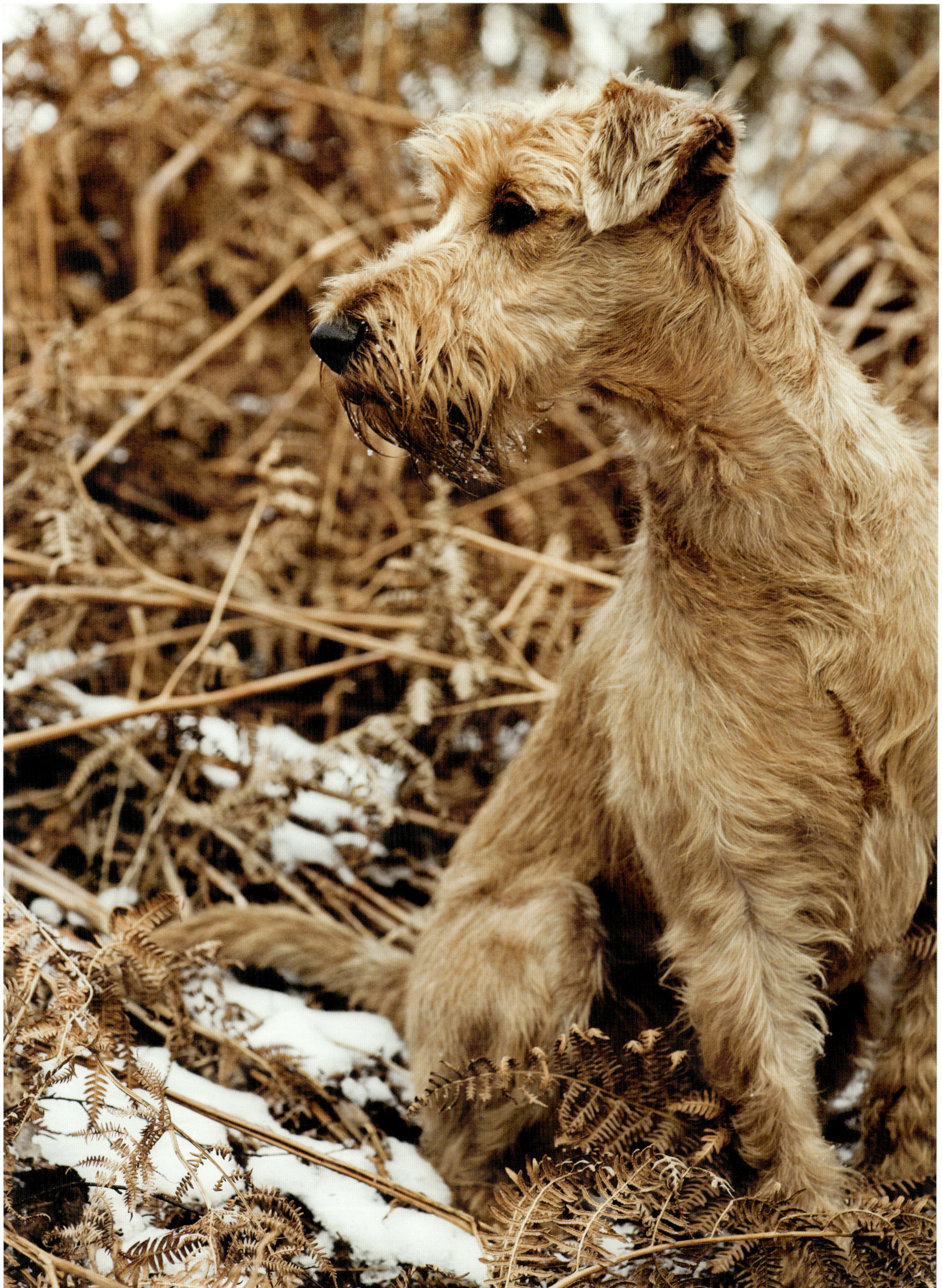

SOFT-COATED WHEATEN TERRIER
アイリッシュ・ソフト・コーテッド・ウィートン・テリア
近現代－アイルランド－比較的多い

SIZE | 大きさ
体高：雄　46〜49cm／雌　雄よりもやや低い
体重：雄　16〜20.5kg／雌　雄よりもやや軽い

APPEARANCE | 外見
コンパクトな体つきながら、力強く頑健。ゆるくカールした、あるいはウェーブのかかったやわらかなウィートンの被毛が特徴的。ほどよい長さのスカルは平らで、適度な幅がある。スカルを覆う長毛は目にかぶさるように垂れる。マズルは正方形で、鼻が大きくて黒い。目は中ぐらいの大きさで、色は透明感のある明るいヘーゼル。飾り毛に覆われたV字形の耳は、小さいものから中ぐらいの大きさのものまであり、スカルの頂点と同じ高さで折れている。首は長く、わずかにアーチを描く。体長は体高と同じかやや短い。ボディはコンパクト。背は水平で頑丈。腰は短いが力強く、尾付きが高い。かつては慣習的に断尾されていたが、断尾されなければ陽気に掲げられる。その際、前方に向かって弧を描くことはあるが、背負うことはない。

COLOR | 毛色
鮮明な美しいウィートン。被毛はシルクのようになめらかで、ゆるくウェーブがかかるかカールしていて、流れるように自然に垂れている。全身豊かな被毛に覆われているが、特に頭部と脚は豊富。

APTITUDE | 適性
あらゆる害獣の駆除、家畜の誘導、アジリティに。番犬、家庭犬としても。

ウィートンという愛称を持つアイリッシュ・ソフトコーテッド・ウィートン・テリア（アイリッシュSCWT）が犬種として認められたのは20世紀になってからだが、その起源は何百年も昔にさかのぼる。通説では、もともと農場で作業を行っていた血統不明の使役犬が長い年月をかけて発展し、そこからこの犬種が誕生したとされている。その過程のずいぶんと早い段階で、上流階級と農家で飼育される犬のタイプが分かれていたようだ。

アイリッシュSCWTはテリアらしい忍耐力、知性、勇敢さをすべて備えた優秀な作業犬でありながら、ほかのテリアよりも性格が穏やかなため、家畜に関わる仕事にも適している。2012年1月には、リンダ・ハラスが所有するモリーという名のアメリカン・タイプのアイリッシュSCWTが、フロリダ中部地区オーストラリアン・キャトル・ドッグ愛好家フィールド・トライアルで優勝し、この犬種として初めてAKCの牧畜犬タイトルを獲得している。多用性に富んだ犬で、農場では幅広い仕事をこなし、また訓練すればレトリービングもできるようになる。

アイルランド原産の四肢の長いテリアは、アイリッシュSCWTとケリー・ブルー・テリア、アイリッシュ・テリアの3種。これらが共通のルーツを持つことは明らかだ。ちなみにアイルランド原産のテリアにはもう1種、短脚のグレン・オブ・イマール・テリアもいる。

この四肢の長いテリア3種は初期の歴史において互いに関係が深く、ドッグショーが行われるようになった19世紀には、いずれも「アイリッシュ・テリア」というクラスのなかで出陳されていた。3種のうち犬種として認められるのが最も遅かったのがアイリッシュSCWTで、アイリッシュ・ケネルクラブに公認されたのは1937年になってからだった。しかし翌1938年の聖パトリックの祝日（3月17日）には、アイリッシュ・ケネルクラブのチャンピオンシップ・ショーにもデビューを果たす。これは、長らくクリアできなかった要件――ネズミ、ウサギ、アナグマを捕らえるフィールド・トライアルで一定の成績を収めること――を満たしたことにより実現したことだった。同じ年には、アイルランドで犬種クラブも発足している。

この犬がイングランドに初めて渡ったのは1942年。A・K・ヴァーディが輸入したチアフル・ピーターとサンドラという名の2頭だった。翌年、この犬が犬種として認定されたのは、ヴァーディがKCに働きかけたおかげだ。さらに彼女は数多くのアイリッシュSCWTに賞を獲得させるなど、イングランドにおける犬種確立に大きく貢献した。1955年にはビンヒース・ケネルのオーナーであったリード夫人が中心となり、ソフトコーテッド・ウィートン・テリア・クラブが設立される。KCは翌年、同クラブを正式な会員クラブとして認定し、1975年にはこの犬種のチャンピオンシップ・ステータスを認めた。アイリッシュSCWT初のBOBとなったのは、ベティ・バージェスが繁殖したフィンチウッド・アイリッシュ・ミストという名の犬である。

しかし1950年代以後、アイルランドで誕生した原型とは異なる、被毛の厚いSCWTが繁殖されるようになっていく。特に米国ではこのタイプが人気で、被毛はどんどん分厚くなっていった。新しいタイプのSCWTの出現に、本来の姿のアイリッシュSCWTを繁殖していたアイルランドのブリーダーたちは動揺したが、現在は、一部のブリーダーがアイルランドで作出されたSCWTに原点回帰しようと、熱心に活動を続けている。それでも国によってスタンダードにばらつきがあり、イングランドとアイルランドでは、すっきりとした輪郭を保持するため多少のトリミングは許容されるものの、被毛が自然に見えることに重きが置かれている一方で、米国ではトリミングを含め、被毛の形を美しく整えることがより重要視される。

その米国では、1946年に初めて7頭の子犬が輸入された。AKCが犬種登録を始めたのは1973年だが、以来、飼育頭数は伸び続けている。

TENACIOUS AND SPIRITED | 粘り強さと気迫

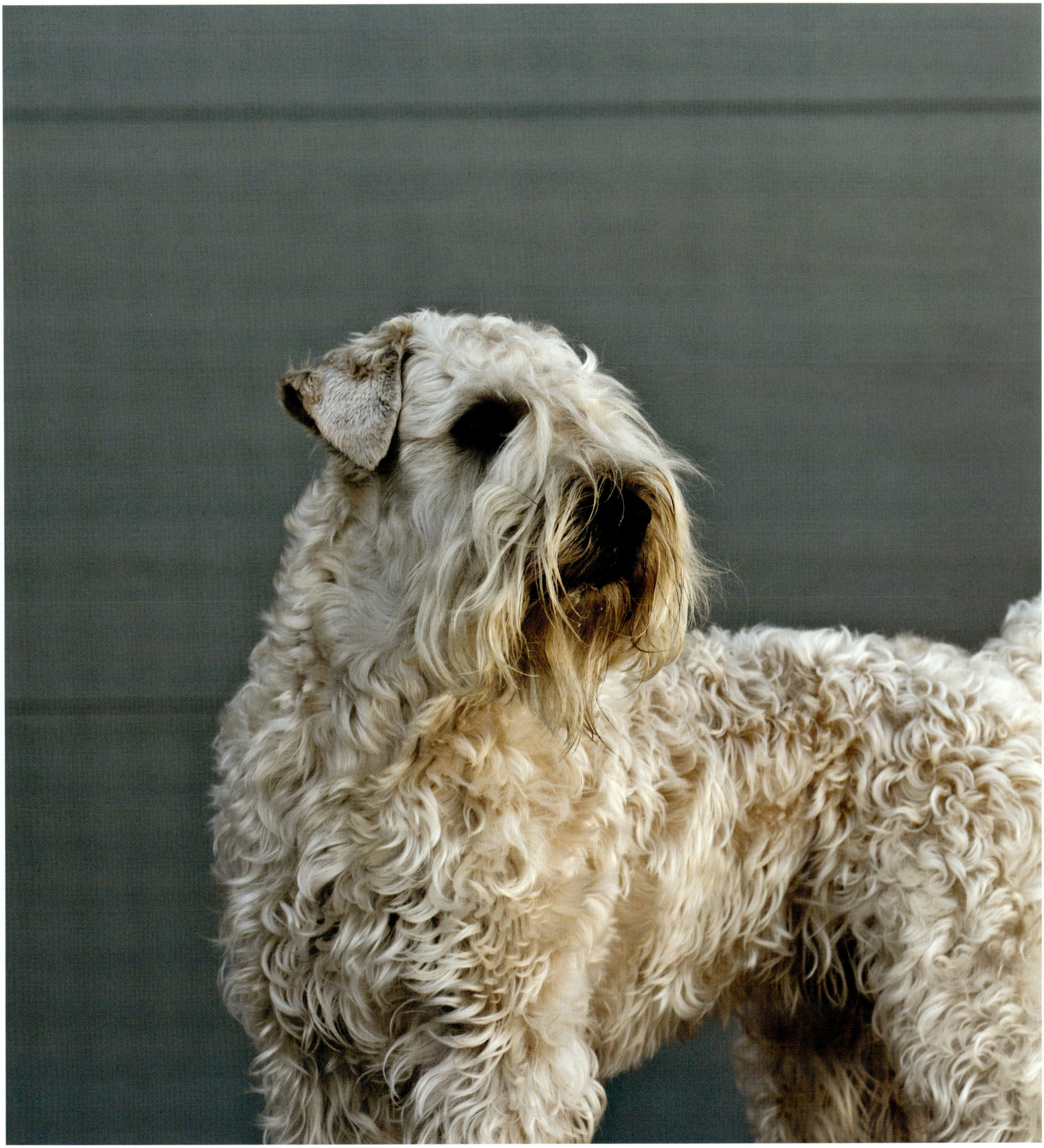

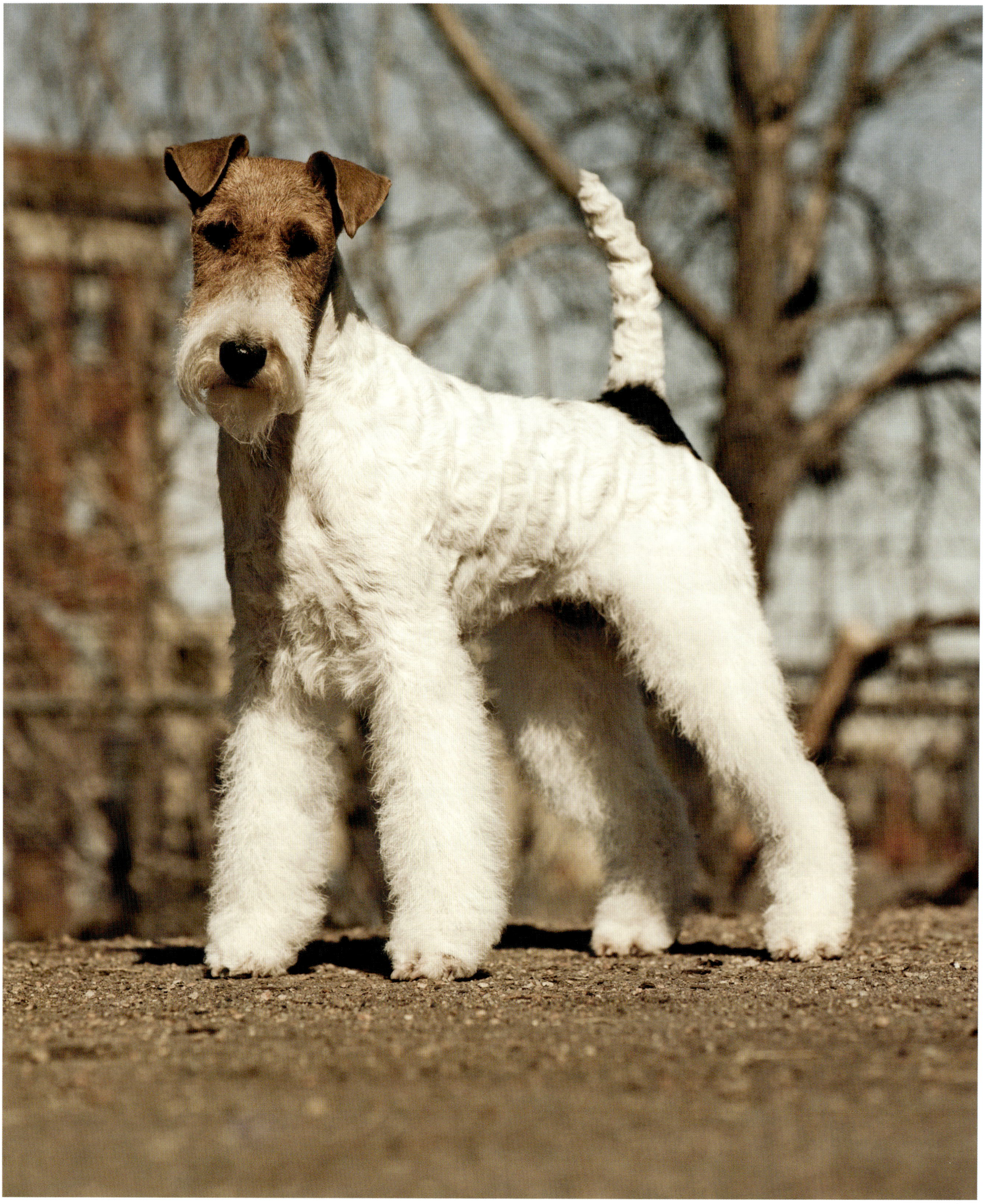

WIRE FOX TERRIER
ワイアー・フォックス・テリア
近現代－イングランド－比較的多い

SIZE｜大きさ
体高：雄　39cm以下／雌　雄よりもやや低い
体重：雄　8kg／雌　雄よりもやや軽い

APPEARANCE｜外見
生き生きとしてほがらかで活動的。体つきは非常にバランスがよい。スカルの頂点はほんのわずか傾斜し、目に向かって幅がやや狭まっていく。顔も目からマズルにかけて徐々に先細りになる。適度な大きさでほぼ円形の目は黒っぽく、聡明そうな表情を浮かべる。小さなV字形の耳は、スカルの頂点よりもかなり高い位置から前方に折れている。首はとても長い。肩は首から肩端に向かって傾斜し、そのまままっすぐな前肢に続く。背は短く水平。腰は筋肉質で、わずかに弧を描く。後肢は筋肉がよく発達して強靭。足は丸くコンパクト。尾付きは高い。かつては慣習的に断尾されていたが、断尾されなければかなり長い尾を垂直に掲げる。

COLOR｜毛色
ホワイトが優勢でなければならない。これにブラック、ブラック＆タン、タンの模様が入る。被毛はダブル・コート。上毛は非常に硬いワイアーヘアーで、下毛は上毛よりもやわらかくて短い。

APTITUDE｜適性
あらゆる害獣の駆除に。

ワイアー・フォックス・テリアは20世紀の終わりまで、スムース・フォックス・テリアと1つの犬種と見なされていたが、現在はそれぞれが独立した犬種として認められている。2つの犬種の起源についてはいまだ見解が分かれ、ともに同じルーツを持つという見方と、まったく起源が異なるという意見とが対立している。長きにわたってワイアー・フォックス・テリアとスムース・フォックス・テリアの交配が行われてきたが、現在ではこの2犬種の交配は推奨されていない。

ショー系としていち早く人気を集めたのはスムースだが、現在米国では、ワイアー・フォックス・テリアのほうがショーでの入賞が多くなった。英国でも、ワイアーはウェストミンスター展BIS受賞13回という輝かしい記録を保持している。どちらの犬種も非常に精力的で賢く、強いカリスマ性を放つ。アジリティ、オビディエンス競技で力を発揮し、飼い主に忠実な愛情深い犬としても知られる。また、両犬種ともに地中にもぐりたがり、小型の害獣駆除を得意とする、テリアらしさをしっかり維持した犬である。

ワイアー・フォックス・テリアは19世紀に作業犬として作出された。地中にもぐる能力を生かしてアナグマやカワウソ、ウサギなどの害獣の駆除にも使われたが、特に当時流行していたキツネ狩りで、穴に隠れたキツネを追いかけるのが第一の仕事だった。この犬は、どんな害獣の巣穴にも勇敢に侵入するが、地上でもすばらしい俊足ぶりを発揮する。また、キツネが逃げ込んだ巣穴のそばで吠え、正確にその位置をハンターに伝えることができる点も、狩りには非常に有効であった。

ワイアー・フォックス・テリアは、スムース・コート及びラフ・コートのブラック・アンド・タン・テリア、ブル・テリア、グレーハウンド、ビーグルなどを交配させて作出されたと考えられているが、初期の記録は残っておらず、あくまで臆測の域を出ない。ブリーダーのロードン・ブリッグス・リーが1897年に書いた『A History and Description of the Modern Dogs of Great Britain and Ireland（英国及びアイルランドにおける現代犬の歴史と犬種）』によると、初期のワイアー・フォックス・テリアはブルー・グリズル、レッド、フォーン、ペッパー＆ソルト、ブラック＆タンなど被毛の色はさまざまだったようだ。これは非常に興味深い。ホワイトを基調としてブラック、タン、あるいはブラック＆タンのマーキングが入るものが主流となったのは19世紀末以降だ。今では、これらの毛色以外の個体のドッグショーへの出陳は認められていない。現在のホワイトを基調とする毛色は、過去にこの色調の発現と全体的な外見の改良を目指して、スムース・フォックス・テリアとの交配が行われたためだと言われている。

19世紀初頭の絵画に、針金のようなワイアーヘアーを含め現代のワイアー・フォックス・テリアに姿形は酷似しているが、毛色がブラック＆タンのテリアがキツネ狩りをする様子が描かれたものがある。ここから、この犬種の誕生にオールド・ブラック・アンド・タン・テリアが関係していたことが想像できる。ワイアー・フォックス・テリアとスムース・フォックス・テリアを区別した最初の記述があるのは、獣医のデラベア・ブレインの著書『Encyclopedia of Rural Sports（田園地帯における娯楽百科事典）』（1840年）だ。ブレインは主にイングランド北部とスコットランドの境界周辺で繁殖されていた2種のテリアについて触れている。そのほか、勇敢さを加えるためブルドッグとブル・テリアの血統をテリアの繁殖に用いたという記録もある。当時の挿絵にも特徴的な頭部の形状と目の周りに斑を持つテリアが描かれていることから、ブル・テリアの影響がうかがえる。

ワイアー・フォックス・テリアの繁殖が最も盛んだったのは、イングランド中部のミッドランド、北部のダラムとヨークシャーであったが、それ以外の地域でも広く繁殖は行われていた。たとえば、ジャック・ラッセル・テリアの作出で知られるジョン・ラッセル牧師（1795～1883年）も、イングランド南西部のデヴォン在住だったが、この犬を飼育していたという。また、ロ

ビン・フッドという筆名で『The Field Magazine（フィールド・マガジン）』誌に寄稿していたあるジャーナリストは、リチャード・サットン卿がクォーンというイングランド中部の村である狩猟会を主催した際に使われた猟犬のパックに、ワイアー・コートのテリアが1頭含まれていたと記述している。頭部が長くもじゃもじゃした被毛で、「ライオンのように獰猛」だが「子羊のように従順」と評されたこの犬は、種牡犬としてミッドランドにおけるワイアー・フォックス・テリアの発展に大きく貢献したと言われている。

ドッグショーに初めてフォックス・テリアのクラスが設けられたのは、1862年にロンドン北部にあるイズリントン農業会館で開催された第2回北部イングランド猟犬等展示会においてだ。エントリーした20頭のフォックス・テリアのなかで頂点に輝いたのは、「まさに作業犬」という高い評価を得たトリマーという名の犬だった。また、同年にバーミンガムのナショナル・エキシビション・センター［訳注：のちにクラフツ展が開催されることになる会場］で行われたショーでは、スムース・コートのテリアのクラスが設けられた。これがきっかけとなり、スムース・フォックス・テリアはショードッグとしてたいへんな人気を集めたが、一方のワイアー・フォックス・テリアはその後20年間、ドッグショーの舞台に上がることはほとんどなかった。

1876年になると、当時最も高い人気を誇ったテリア種の「育成・奨励・発展」を目指し、英国フォックス・テリア・クラブが創設される。このクラブでは、ワイアーとスムースの両方を扱っていた。同年に作成された犬種標準は、体重について多少の見直しが行われた以外、現在に至るまでほとんど修正が加えられていない。2つのタイプのフォックス・テリアは、しばらく同じクラスで同じ基準で審査されていたが、1883年開催のグランド・チャレンジ・カップにおいて、ブリッグスという名のワイアーと、スパイスというスムースが首位タイとなったことが契機となり、以後、両犬種が独立したクラスで審査されるようになった（このときはスムースのスパイスが最終的にタイトルを獲った）。そして1913年にワイアー・フォックス・テリア協会が、32年にスムース・フォックス・テリア協会が創設された。

米国にスムース・フォックス・テリアが渡ったのは1879年のことで、その数年後にはワイアー・フォックス・テリアも輸入された。そして1885年にAFTC（American Fox Terrier Club = 米国フォックス・テリア・クラブ）が発足し、英国の犬種標準を基本として独自のスタンダードを作成すると、同年にAKCはフォックス・テリアを犬種として公式に認定した。ただし、スムースとワイアーがそれぞれ独立した犬種として区別されるようになったのは、それから1世紀後の1985年のことだった。

20世紀に人気を集めたフォックス・テリアだったが、一大ブームが去った現在は、英米での飼育頭数はそれほど多くない。ちなみにスムースとワイアーでは、後者のほうが若干人気が高い。

TENACIOUS AND SPIRITED ｜ 粘り強さと気迫

WIRE FOX TERRIER | ワイアー・フォックス・テリア

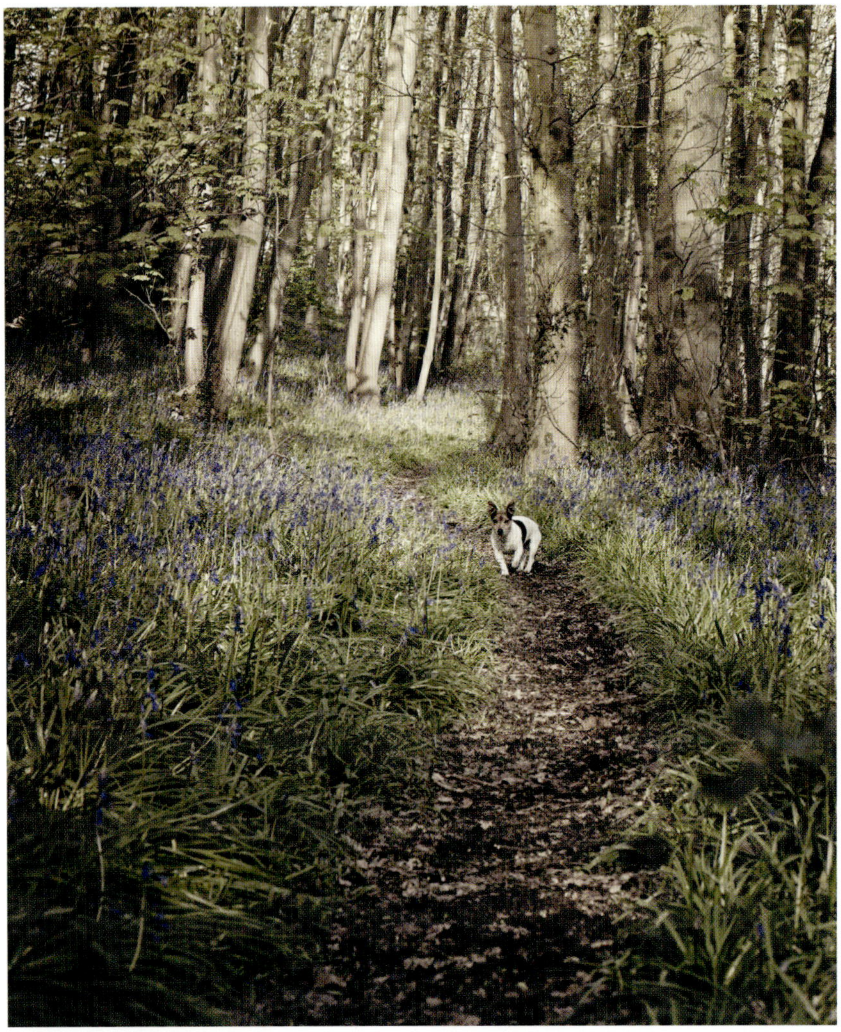
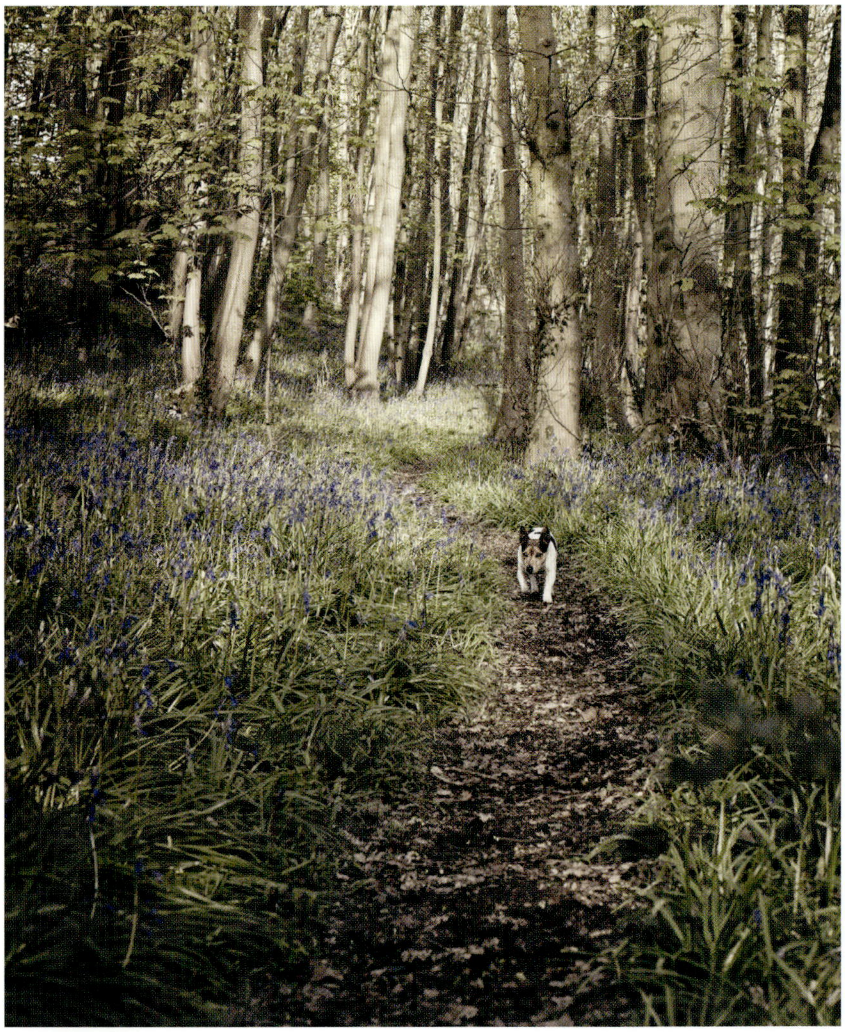
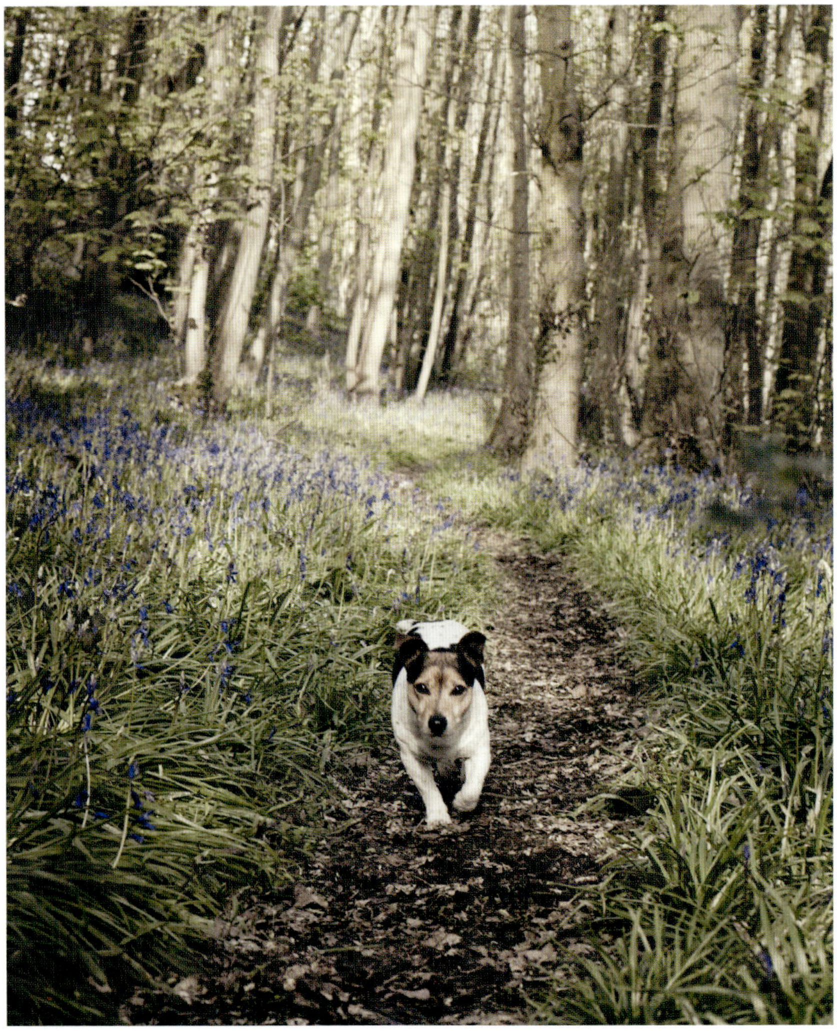
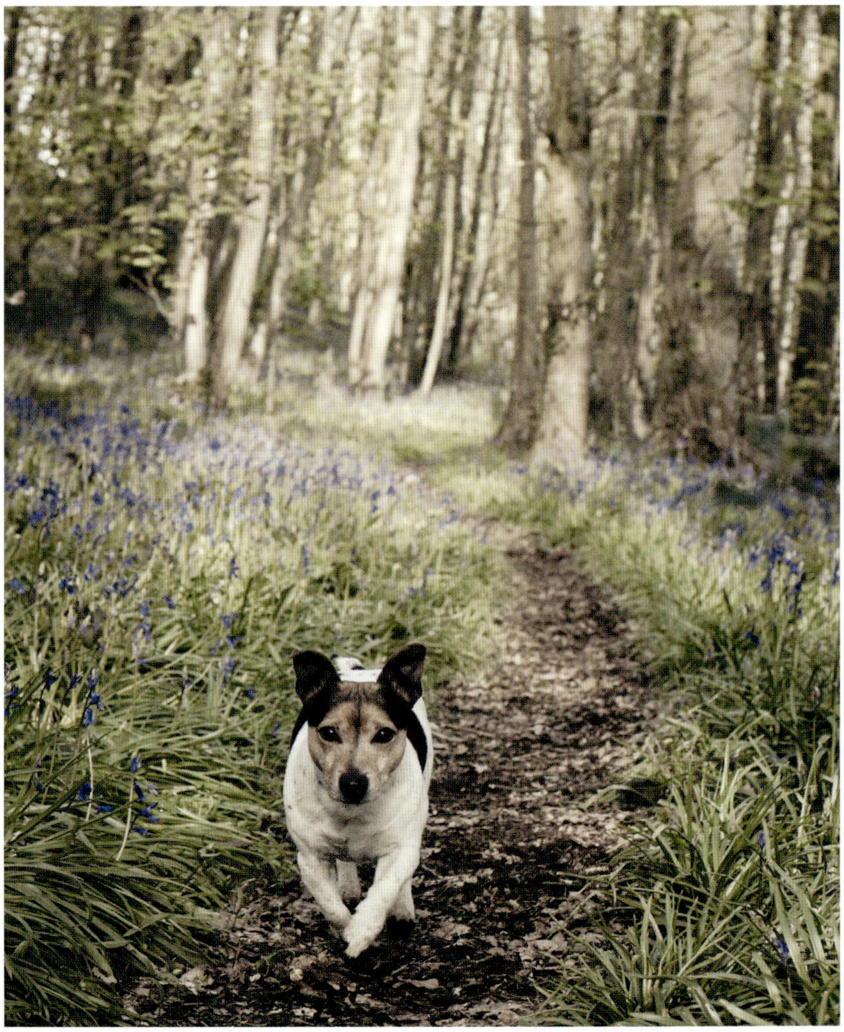

PARSON RUSSELL TERRIER/JACK RUSSELL
パーソン・ラッセル・テリア／ジャック・ラッセル・テリア
近現代－英国－一般的

SIZE | 大きさ
雄 36cm／雌 33cm

APPEARANCE | 外見
作業犬らしく鋭敏かつ頑健で自信にあふれ、皮膚にたるみがある。スカルは平らで両耳のあいだが広く、頭部はくさび形。あごは力強く、かなり大きな歯を持つ。目はアーモンド型で黒っぽい。V字形の耳は、スカルの頂点よりも下で前方にきちんと折れている。首はほどよい長さで、胸は適度な深さがある。体長は体高よりもやや長い。背はまっすぐで頑丈だが、柔軟。やはり力強い腰は、わずかに弧を描く。後肢は筋肉がたくましい。尾付きはほどよい高さ。かつては慣習的に断尾が行われていたが、断尾されなければ適度な長さで、活動中は高く掲げられる。

COLOR | 毛色
ホワイトの単色か、それにブラック、レモンまたはタンの斑、あるいはそのいずれかの組み合わせの模様が入る。頭部及び尾の付け根のみに色が入ることが望ましいが、ボディに多少の色が入るのは許容される。被毛はダブル・コートで、さらっとした剛毛のラフ、針金のような毛が立っているブロークン、皮膚にぴたりと沿って毛の生えるスムースの3タイプがある。いずれも自然な粗剛毛が密に生え、たっぷりと下毛があって雨風に強い。腹部底面にも被毛が見られる。

APTITUDE | 適性
キツネ狩り、アジリティに。ショードッグ、家庭犬としても。

驚くべき知能を誇る快活なパーソン・ラッセル・テリアは、およそ200年前の英国で作出された犬である。当初はアカギツネが巣穴に逃げ込むのを防ぎ、また巣穴に逃げ込めば力強く地面を掘り進んで地上へ引き出す役目を負っていた。そのため、地中の狭いスペースにも入り込める狭く柔軟な胸、豊富なスタミナ、精悍な体つきと大きな歩幅を手に入れた。そしてひとたびキツネを見つければ、ハンターに居場所を知らせるため地上、地中を問わず忍耐強く吠え続ける。パーソン・ラッセル・テリアはすばらしいペットにもなるが、これらの特徴が現在まで受け継がれているため、地面を掘ったり、やかましく吠えたてたりすることもある。したがって、たっぷりと運動と遊びをさせてやる必要がある。

パーソン・ラッセル・テリアは19世紀、イングランドに住むジョン・ラッセル（1795〜1883年）により作出された。犬種名は、ラッセルが教区牧師（パーソン）だったことに由来している。彼は1795年、やはり聖職者で、大のキツネ狩り好きだった父親のもとに生まれ、狩猟と猟犬を身近に感じながら成長した。この頃、ヒューゴ・メイネル（1735〜1808年）がより動きが速い機敏なハウンド犬を作出したおかげで、英国ではキツネ狩りが全盛期を迎えようとしていた。メイネルの作出した犬によってスピード感がぐっと上がったキツネ狩りに、英国の人々はいよいよ夢中になったのだ。

まとめてフォックス・テリアと呼ばれていたさまざまなテリアは、キツネ狩りではハウンド犬とともに狩りに出て、キツネが逃げ込んだ巣穴の場所をハンターに示し、キツネを巣穴から地上へと追い出して再びハウンド犬に追跡させるという役目を担っていた。ラッセル牧師の回顧録によると、1819年に彼はトランプという名の雌のテリアを買い求めた。この犬が、ラッセルのフォックス・テリアの系統を生み出す母となる。

1826年に南イングランドのデヴォンに拠点を移してからも、ラッセル牧師は狩猟と猟犬の繁殖を続けた。この頃すでに彼は、フォックスハウンドとフォックス・テリアを多数飼育し、狩りで使う猟犬のパックをすべて自前でまかなえるようになっていた。そんな彼を、人々は「狩猟好きの牧師様」と呼んでいた。彼のフォックス・テリアは、驚くべき忍耐強さと優秀さで知られていたが、ほとんどが白っぽい被毛を持っていた。この毛色のおかげでラッセル牧師のテリアたちは、アカギツネと見間違えられてハウンドに襲われることがなかった。

1859年にドッグショーが始まると、ラッセル牧師はテリアとハウンド犬のクラスの審査員としても活躍した。さらに彼は、1873年に誕生したKCの創立メンバーとしても尽力している。ところがドッグショー人気が高まると、ショーのために繁殖されるショー系と、ラッセル牧師の犬のように狩猟のために繁殖されるフィールド系の犬に違いが生じるようになった。そうした状況のなか、1876年にフォックス・テリア・クラブが設立される（このクラブは、現在も英国におけるスムースとワイアーヘアーのフォックス・テリアのペアレント・クラブとして活動を続けている）。

純粋な作業犬としてのフォックス・テリアを守りたいと考えていたラッセル牧師は、その志半ばで1883年に亡くなるが、彼の遺志は友人のアーサー・ハイネマンに受け継がれた。ハイネマンは1894年、テリア本来の姿を保存するためにデヴォン・サマセット・バジャー・クラブ（のちのパーソン・ジャック・ラッセル・テリア・クラブ。一度解散し1983年に復活）を設立する。彼は犬種標準も書き上げ、理想体高を雄36cm、雌33cmと定めた。この基準は、のちのサイズに関する議論においてきわめて重要な指標となる。

1900年代初頭から60年代にかけては、スムース・フォックス・テリアがドッグショーや一般家庭で人気の犬種となっていたが、現在では残念ながらKCにより「希少種」に分類されるに至っている。一方、無骨な作

業犬タイプのラッセル・テリアは、あまりショーなどで見かけることはなかったが、農村や狩猟家のあいだでは広く飼育されていた。やがてホワイトの被毛を持つ小型のテリアは、すべてジャック・ラッセルと呼ばれるようになり、できるだけ脚の短い犬を作ることを目指して繁殖が行われ始める。そして第二次世界大戦後からペットとしての人気が高まり、ジャック・ラッセルという総称が定着した。

その一方で、原型である四肢の長いタイプは存続の危機に瀕した。そこで1970年代になると、犬種を保護するために複数のクラブが創設され、サイズの多様性を考慮して体高の基準は25〜38cmと幅広く設定された。1974年に設立された英国ジャック・ラッセル・テリア・クラブでは、現在も多様な大きさの犬を認めている。しかし、このサイズ設定に、当初のパーソン・ジャック・テリアの理想体高――35cm前後――にならってきた人々は不服だった。そのため、彼らは1983年にパーソン・ジャック・ラッセル・テリア・クラブを復活させ、もともとの姿の犬を犬種として認定するようKCに働きかけた。その甲斐あって1990年にパーソン・ジャック・ラッセル・テリアの犬種標準がKCに認められ、その後99年にパーソン・ラッセル・テリアと犬種名が改められた。

米国では、1876年にJRTCA (Jack Russell Terrier Club of America＝米国ジャック・ラッセル・テリア・クラブ) が設立された。JRTCAは脚の長い作業犬タイプを守っていくために、ハイネマンが作成した犬種標準を採用し、AKCの認定を受けることにも反対の姿勢を示していた。この犬種の使役犬としてのルーツにこだわりを持つJRTCAは、この犬をドッグショーとは無縁の存在にしておきたかったのだ。

しかし1985年、一部のブリーダーたちがJRTBA (Jack Russell Terrier Breeders Association＝ジャック・ラッセル・テリア繁殖家協会) を設立する。この団体に所属していたのは、JRTCAと同じ使役タイプの犬の姿を目指しながらもAKCに加盟して活動していこうと考える人たちだった。最終的にAKCはジャック・ラッセルを2000年に犬種として認定するが、03年に犬種名をパーソン・ラッセル・テリアと改めた。それに合わせてJRTBAもPRTAA (Parson Russell Terrier Association of America＝米国パーソン・ラッセル・テリア協会) と改称された。

現在でもPRTAAとJRTCAとのあいだには軋轢が残る。しかし皮肉なことに、短脚のジャック・ラッセルのほうが人々に人気のようだ。英国でも、この犬種保存を目的としたイングランド・ラスラーズ・テリア・クラブが1996年に発足し、その3年後にイングランド・ジャック・ラッセル・テリア・クラブ同盟と改称して活動を続けている。AKCでは現在、この短脚のラッセル・テリアをテリア・グループやスポーティング・グループではなく、「その他」のグループに分類している。

TENACIOUS AND SPIRITED｜粘り強さと気迫

PARSON RUSSELL TERRIER/JACK RUSSELL ｜ パーソン・ラッセル・テリア／ジャック・ラッセル・テリア

CHAPTER 8

第8章
献 身 と 忠 誠

　考古学的な資料や古代の芸術作品では、その当時のさまざまな犬の姿を見ることができる。何でもこなすスピッツ・タイプ、視覚ハウンド、マスティフ系、マウンテン・ドッグ、そして多種多様なハウンド犬などは、古くからそれぞれ異なる重要な役割を担ってきた。作業犬、猟犬、番犬として活躍するものもいれば、そりや荷車を引く犬として役立つものもいた。なかには、その日の仕事を終えると主人とともに家に帰り、炉辺で家族との団らんを楽しむものもいた。

　だが、さらに犬の歴史をひも解いていくと、これらの犬とは外見も用途もまったく異なる犬の存在が浮かび上がってくる。暖炉の前で人に寄り添いくつろぐだけでなく、飼い主の寝床にもぐり込むような犬たちだ。それは人々に癒しとやすらぎ、友情と喜びを与えることを役割とする小さな犬たちであった。古代の記録から、このようなタイプの犬は少なくとも2500年前からアジアと地中海沿岸で飼育されていたことがわかっている。けれども、その起源はもっと古い時代までさかのぼるようだ。

　こうした犬たちは、労役を提供するわけではない動物を飼うぜいたくが許される宮廷や富裕層の人々のなぐさみとして、より小さく、より人なつこい性質に品種改良されていった。いや、労役を提供しない、と言ってしまうのはこの犬たちに申し訳ない。彼らもまた、ネズミよけから主人の身辺警護など、さまざまな仕事をこなしていたのだから。

　紀元前500年頃の古代ギリシャや古代ローマの絵画には、現代のマルチーズによく似た小型犬の姿が描かれている。彼らについては、古代文学でもしばしば言及されている。たとえば紀元前370年頃には、アリストテレス（紀元前384〜同322年）がこの犬を「メリタ・カテッリ（Melitaei Catelli）」と呼び、小さなイタチに似ていると書いている。1世紀初頭には、ギリシャの歴史家ストラボン（紀元前63年頃〜西暦24年）が、その犬が地中海のマルタ島で誕生した犬であるとし、当時身分の高い女性たちがこの犬をかわいがっていたと述べている。また、マルチーズがチベタン・テリアと関係があるとする史料もある。

　こうした愛玩犬の繁殖が盛んに行われるようになったのは、古代チベットと中国でのことだ。その伝統は19世紀末まで連綿と受け継がれてきた。儒家の始祖である中国の孔子（紀元前552頃〜同479年）も、短脚で長い尾と耳を持ち、マズルの短い「短吻犬（たんふんけん）」についての文章を残している。

この犬は「ハパ（哈吧）」あるいは「卓下の犬」とも呼ばれていた。この場合の「卓」とは床に座って使う机のことで、高さは20〜25cmほどのものである。このことから、その犬がいかに小さかったかがわかる。

　一方チベットでは、小型犬は仏教僧院で繁殖されていた。各地域にはその犬の由来にまつわる神話や宗教的な伝説が残っており、犬たちは特に仏教の重要なシンボルである獅子と深い結びつきがあると考えられていた。そのためチベットでは、犬を獅子に似た姿にするべく交配が繰り返された。こうして生み出された各種の犬は「獅子犬（ライオン・ドッグ）」と総称され、歴代のダライ・ラマから中国の皇帝へも献上された。チベットのこの"聖なる犬"は中国に渡ると宮廷でたいへんな寵愛を受け、大量に繁殖されることとなった。

　こうした小型の愛玩犬にはシー・ズー、ラサ・アプソ、ペキニーズ、パグなどが含まれる。これらの犬たちは皇帝の衣服の袖のなかに入ってしまうほど小さかったため、中国では「袖犬」と呼ばれるようになった。彼らは袖のなかに潜み、うっかり誰かが皇帝に近づきすぎると激しく吠え、"警報装置"としての役目も果たした。犬たちは甘やかされ、ぜいたくな暮らしを許されたが、それに対して彼らは常に皇帝のそばにいて忠誠と愛で応えると同時に、宮廷からネズミを追い出し、儀式では見事な行進で花を添える役割を果たした。

　そのため彼らは、鈴とリボンをつけ、皇帝の前を歩きながら吠え声を上げて皇帝のお出ましを周囲の者に知らせる訓練を受けた。さらに、皇帝の衣服の裾をくわえる裳裾（もすそ）持ちをする犬もいたという。これらの犬たちは宮廷内で大切に守られ、一般大衆の手に渡ることはなかったが、贈り物として下賜されたり、ひそかに持ち出されて富裕層向けに密売されたりすることもあったという。漢代（紀元前206〜西暦220年）に交易ルートとしてシルクロードが開かれ、物品の取引が積極的に行われるようになると、中国原産の犬たちもまた中央アジアやヨーロッパに広がっていった。

　小型の愛玩犬はヨーロッパの王族のあいだにも広まり、ペットとしてだけでなく贈り物に用いられるようにもなった。特に人気を博したのはトイ・スパニエルだった。王子や王女には、ペットとして必ずと言ってよいほど犬が与えられたと言われている（王家の子どもたちには、ペット以外に友だちはほとんどいなかった）。特に英国王室では、王位継承者は犬を中心としたペッ

DEVOTED AND LOYAL ｜ 献身と忠誠

トに囲まれて養育された。王家の人々にとって、愛情深く献身的な犬は安心感を与えてくれる、信頼できる存在であったことだろう。不運にも死刑に処せられた英国の王族のなかには、愛犬に伴われて処刑場に向かった人たちもいた。

　小型の愛玩犬を飼っていたのは王族だけではない。ヨーロッパの貴族や富裕層の人々も、それらの犬と深い関わりを持ち、犬たちは夜になると、ベッドに入って主人の身体を温めた。また貴婦人たちは、そのような犬には病を癒す効果があると信じ、犬を抱いて手足を温めた。そのため、彼らは「コンフォーター（comforter＝癒すもの、掛けぶとんの意）」と呼ばれることもあった。当時の人々は、犬の体温が関節痛や消化不良を治し、不安感や神経症を和らげると考えていたのだ。さらには、犬がノミを自分の身体に引き寄せるので、抱いているとノミに刺されない、などという俗説もあった。

　小型犬を愛したのは主に貴婦人たちだったが、男性のあいだでも人気が高かった。たとえばイングランド王のチャールズ1世（1600〜49年）と2世（1630〜85年）は、小型犬のなかでも特にスパニエルを溺愛したことで知られている。さらに王侯貴族以外でも、小型犬と深い関わりを持った人々がいた。彼らの愛人や娼婦たちである。特にフレンチ・ブルドッグは彼女たちのあいだで人気で、アクセサリーの一種としても欠かせない存在となっていた。

　これら小型犬の歴史は、気まぐれな流行にしばしば左右されてきた。最近では映画や広告などの影響も大きい。ハリウッドの名士たちにとって、小型の愛玩犬は昔から"必須アイテム"だった。しかし、人気の急騰が必ずしも犬種にとってプラスになるとは限らない。過剰な需要により、目先の利益を得るために節度のない交配が行われたり、台牝にむやみに多くの子を産ませたり、劣悪な血統を繁殖に用いたりといったことが起こりがちだからだ。また、できるだけ小さな犬を、できるだけ顔のつぶれた犬を、できるだけスカルがドーム状の犬を……というように人々が好む犬の特徴を誇張するあまり、深刻な健康問題が起こっている犬種もある。

　昔から愛玩犬として繁殖されてきた犬がいる一方で、ペットとしては歴史の浅い犬種もある。たとえば、スタンダード・プードルは元来は猟で撃たれた鳥を水中から回収する犬として用いられ、ミニチュア・プードルはトリュフ犬としてすぐれた能力を発揮していた。どちらのタイプもサーカスで活躍したこともあったが、現在は主に家庭犬として愛されている。また、ダルメシアンはもともと四輪馬車の先導や護衛を行う犬として評価され、米国では消防馬車の通行のための交通整理を行ったり、消防署の警備にあたったりしていた。エレガントな容姿を持つヨークシャー・テリアも、実は北イングランド一帯の工場でネズミ駆除犬として用いられていた。

　ペットとしての犬は、計り知れない癒しとユーモア、楽しみとなぐさめを人間に与え、人間と深い信頼の絆で結ばれてきた。そして現在も、私たちの生活を豊かにしてくれる存在であり続けている。どんな犬種もペットとして飼育することは可能であるが、なかにはコンパニオンドッグとしての役回りに特に適した犬が存在する。最後に、そんな犬たちを見ていこう。

SHIH TZU
シー・ズー

近世以前−チベット／中国−一般的

SIZE｜大きさ
体高：雄雌とも　27cm以内
体重：雄雌とも　4.5〜7.5kg

APPEARANCE｜外見
小型ながら頑丈な体躯で、堂々としたたたずまい。身体全体を覆う豊かな長毛が特徴的。頭部は幅広で丸く、口ひげと頬ひげをたくわえている。黒っぽい色をした丸くて大きな目は、左右のあいだが広く、親しげだが油断のない表情を浮かべている。マズルは短くて四角い。下あごは、やや突出している場合がある。大きな耳も豊かな被毛で覆われ、頭頂のすぐ下に付く。首は美しいアーチを描き、頭部を高く掲げている。トップラインは水平。体長は体高よりもやや短い。四肢は骨太で、気取った足どりで歩く。尾には長い飾り毛がたっぷりと生えている。尾付きは高く、背にかかるようにカーブしている。

COLOR｜毛色
あらゆる色が認められる。被毛はダブル・コート。密生する長い上毛にはわずかなウェーブがあってもよい。下毛はほどよく生える。鼻梁から放射状に生える被毛は菊の花にたとえられる。

APTITUDE｜適性
ショードッグ、家庭犬として。

シー・ズーは快活で遊ぶことが大好きな賢い犬である。中国の清朝（1644〜1912年）の皇帝たちの寵愛を受け、重要な贈り物としても用いられた。その長い歴史にふさわしい威厳と自信を漂わせるシー・ズーだが、最大の特徴は何と言っても、陽気な顔立ちと大胆な性格だろう。膝に乗せられるほど小さな愛玩犬であるが、不穏を察知するとためらうことなく警戒の声を発する。その激しさは驚くほどだ。

外向的な性格のこの犬が持つ長い歴史には、いまだに謎に包まれた部分も多く、議論が持ち上がることもしばしばである。一般的には、チベットの荒野で暮らす人々が番犬に利用していた大型のチベタン・マスティフの補助的な役割を担っていた小型犬が、その始祖だとされている。チベットで飼育されていたこの長毛の小型犬は、侵入者の気配を感じると激しく吠えたててマスティフに知らせた。当然、家族や友人と、招かれざる客を見分ける能力もあった。この小型犬は、その容貌から「チベットの獅子犬（ライオン・ドッグ）」と呼ばれ、シー・ズーという犬種名も、中国語で「ライオンのような犬」を意味する「獅子狗（シー・ズー・コウ）」から来ている。

シー・ズーは、古代チベットの仏教僧院と深い関係があったと言われる。仏教では獅子が重要なシンボルであり、幸運を運ぶ吉兆でもあった。学問の神である文殊菩薩（もんじゅぼさつ）が、大獅子に変身することができる小型の獅子犬を常に伴い、その背に乗って長距離を移動したという言い伝えもある。ライオンはチベットや中国には生息していないが、かなり古い時代に渡来して人々の目には触れていたらしい。その姿を模して僧侶たちがこの小型犬を作出したと言われている。

諸外国から地理的にも孤立していたチベットであったが、最も小さな獅子犬、つまりシー・ズーは、ダライ・ラマから皇帝への贈り物として中国へと渡り、同国の宮廷内で発展するに至った。チベットの"聖なる犬"のなかでも最小種であったシー・ズーは、清の皇帝の寵愛を受けて大量に繁殖された。宮廷では、ほかにもペキニーズやパグといった小型犬が飼育されていた。これらとシー・ズーとのあいだで異系交配も行われたことだろう。こうしてシー・ズーは、チベットに残ってラサ・アプソという犬種を生んだ「ライオン・ドッグ」とは別の系統へと発展していく。

シー・ズーは中国の宮廷で「卓下の犬」と呼ばれたり、身分の高い人々が着ていた衣服の幅の広い袖のなかに入ることができたことから「袖犬」と呼ばれたりした。また、寺院の入り口に置かれる獅子に似た狛犬（こまいぬ）（Foo Dog＝仏犬）ともつながりがある。宮廷内で皇帝のお気に召す美しい犬を繁殖し、飼育するのは宦官（かんがん）の仕事であった。当時は短い鼻が好まれたため、その特徴を発現させるべく、かなり濃密な近親交配が進められたことは間違いない。

近代的なシー・ズーの歴史は、当時最大の権力を誇った西太后（1835〜1908年）の手によって19世紀に幕を開ける。西太后はたいへんな愛犬家で、宮廷に犬舎を設けてパグやペキニーズ、シー・ズーの繁殖を行わせていた。交配の際には、血統や被毛の色にも細心の注意を払ったと言われている。定かではないが、宮廷内でこの3種の犬が異系交配されていた可能性は高い。西太后の存命中、彼女の犬たちは高い名声を得た。しかし彼女がこの世を去ると、宮廷の犬舎は消滅し、飼育されていた犬たちは個人に売却されるか、贈り物として誰かの手に渡ったという。

当時、シー・ズーとラサ・アプソは、「ラサ・ライオン・ドッグ」「ラサ・テリア」「ライオン・ドッグ」、あるいは「獅子狗」と呼ばれて1つの犬種としてくくられることが多く、犬種別の記録は残っていない。いずれにせよ、彼らが置かれる状況は辛亥革命（1911〜1912年）が勃発し、清朝が倒れて中華民国が誕生すると、ますます脆弱なものになった。

1923年には中国ケネルクラブが、34年には北京ケネルクラブが誕生したが、「シー・ズー・ライオン・ドッグ」の犬種標準が作成されたのは

DEVOTED AND LOYAL｜献身と忠誠

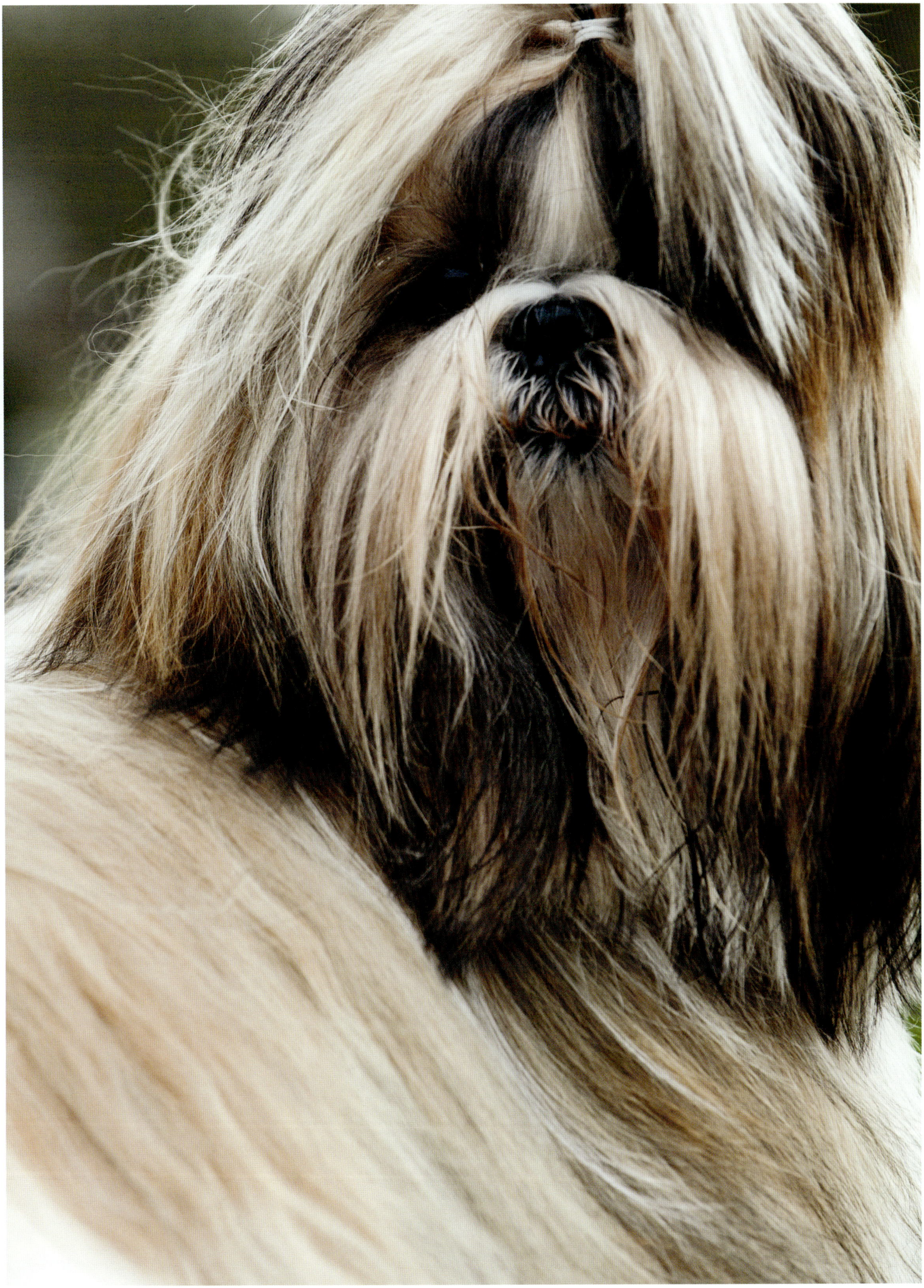

DEVOTED AND LOYAL │ 献身と忠誠

1938年になってからだった。だが、それまでにシー・ズーの何頭かは国外へと持ち出されていた。たとえば1928年、西洋におけるシー・ズーの犬種確立に尽力した英国のレディ・ブラウンリッグが、中国を訪れた際に雄のヒボウと雌のシューサという2頭のシー・ズーを連れて帰っている。また、1933年にはアイルランドのハッチンス夫人がランフーサという名のシー・ズーを入手している。この3頭の犬とブラウンリッグ所有の犬舎タイシャン・ケネルは、犬種の発展に大きな役割を果たした。

KCも当初はシー・ズーとラサ・アプソの区別をつけなかったが、それぞれの愛好家たちの尽力により、最終的には別犬種として認定された。1934年にはチベタン・ライオン・ドッグ・クラブ（翌年、シー・ズー・クラブに改称）が創設され、犬種標準も作成されている。そして1939年までに、100頭を超えるシー・ズーが登録された。シー・ズーの発展に大きく貢献することになるゲイ・ウィドリントンが、この犬種と初めて関わりを持つようになったのもこの年である。ラカン・ケネルを設立した彼女は、新たなシー・ズーの血統を採用しつつ厳正かつ慎重な繁殖プログラムを遂行し、健全なサイズの遺伝子プールの保持と遺伝性疾患の防止に努めた。

犬種が英国で定着する一方で、中国では1948年から52年まで続いた国共内戦の時代に繁殖が中断され、また多くの犬が殺されたことから、内戦が終わる頃には国内からシー・ズーはすっかり姿を消してしまっていた。幸いなことに8頭がすでに英国に、3頭がノルウェーに渡っていたため絶滅はなんとか免れたが、英国でも第二次世界大戦の勃発により、数年間にわたって繁殖プログラムが停止してしまう。そのため、終戦を迎える頃には英国及びヨーロッパにおけるシー・ズーの頭数も激減。ブリーダーたちは犬種再確立のために奔走することとなる。

そうしたなか、1952年にペキニーズのブリーダーであるフリーダ・エヴァンスがペキニーズの血を入れて、遺伝子プールが小さいために生じた欠陥の改善を試みた。エヴァンスは、ペキニーズとの交配で生まれた子を純血のシー・ズーと何度か交配させ、ペキニーズの特性の発現を抑制していく。しかし、このプログラムは議論の的となった。純血種としてシー・ズーという犬種を認定させた人々の努力を無駄にする行為だとして、多くの人々の反感を買ったのだ。結局、KCはペキニーズの血が入ってから4代後、AKCでは7代を経た犬のみを登録することにした。現在、米国と英国で飼育されるシー・ズーのほとんどは、ペキニーズの血が確実に流れていると言われている。

米国には、1930年代に何頭かのシー・ズーが渡ったとされているが、じゅうぶんな頭数が輸入されるようになったのは50年代に入ってからだった。そのきっかけを作ったのは、英国の空軍基地に駐留していた米国軍兵士たちだ。米国で初めてシー・ズーの犬舎を作ったのは、1954年に英国から2頭のシー・ズーを輸入したモーリーン・マードックとその甥である。その翌年には、AKCがシー・ズーを「その他の犬」グループに分類している。1957年には米国シー・ズー・クラブが発足し、60年までに合わせて3つの犬種クラブが設立された。このことからも、シー・ズーがどれだけ早く人々の心をとらえたかがうかがえるだろう。1961年までに米国で登録されたシー・ズーの数は100頭を超えた。短い期間でこれだけの人気を呼んだのは驚くべきことだが、その後もさらに増え続け、1964年には400頭以上が登録されるまでになった。

米国シー・ズー・クラブは1963年にテキサス・シー・ズー協会と合併し、犬種の全記録の管理を行う米国シー・ズー・クラブとして再出発した。そして1969年、シー・ズーはAKCに認定された116番目の犬種となり、トイ・グループに分類し直された。その後、シー・ズーは米国各地で行われたショーでチャンピオンの称号を次々と獲得し、その人気はさらに高まっていった。現在、米国では人気犬種トップ10の常連となり、英国でも多くの主要な犬舎でシー・ズーの繁殖が行われるようになった1960年代以降、高い人気を誇っている。

LHASA APSO
ラサ・アプソ
近世以前 – チベット – 一般的

SIZE｜大きさ
雄　25cm／雌　雄よりもやや小さい

APPEARANCE｜外見
厚い被毛をまとった頑強な身体は自信に満ち、気取った印象を与える。スカルはほどよく狭く、平らに近い形状。頭部は豊富な被毛で覆われ、立派な頬ひげとあごひげをたくわえている。額も平らで、マズルは4cmほどあるが、決してスクエアではない。中ぐらいの大きさの卵形の目は黒みがかり、垂れ耳がやはり豊かな毛で覆われている。首は力強く、アーチを描く。体長は体高よりも長い。トップラインは水平で、肋骨がじゅうぶんに張っている。四肢の被毛も豊富で、足は丸い猫足。尾付きは高く、背の上に背負うように保持される。

COLOR｜毛色
ゴールデン、サンディ、ハニー、濃いグリズル、スレート、スモーク、パーティ・カラー、ブラック、ホワイトあるいはブラウン。被毛はダブル・コート。上毛はまっすぐな長毛が豊富に生え、下毛はほどよい長さの毛が密生している。

APTITUDE｜適性
ショードッグ、番犬、家庭犬として。

ラサ・アプソは何百年も前のチベットで生まれた犬で、地理的に隔絶していた同地において、ほかの犬種からの影響をほとんど受けずに発展した。仏教の僧院で繁殖・飼育されていたことから、近隣の村落では"聖なる犬"として崇拝されていた。チベットの人々は、犬は「雪獅子（スノーライオン）」の化身であると信じていた。神話に登場し、チベットの国章にも描かれている神獣である。「山中の雪獅子が、山を下りると犬に姿を変える」と昔から言い伝えられている。

また、ラサ・アプソは、お供えの食べ物を求めて僧院まで下りてきた、ヒマラヤ山脈のオオカミから進化したという伝承もある。確かに、小型ながら厳しい環境を生き抜くにふさわしい特質を備えた犬で、体つきが頑強でたくましく、ボディは保温性の高い長い毛でびっしり覆われている。さらに、顔の長い毛は寒さや風、雪の照り返しから目を守ってくれる。

この犬は、強い保護本能と鋭い聴覚を持っている。加えて非常に知能が高く、遊び好きな一面もある。そんなラサ・アプソは、チベットでは古くから室内で飼われ、番犬として屋外で飼育されていた大型のチベタン・マスティフの補助的役割を果たしていた。ラサ・アプソは、家族やその友人と、知らない人間、さらには知らない人間のうちで脅威になりうる者の区別をすばやく判断することができる。また、親しい人や愛する者に接するときには優しく忠実で陽気だが、初めて見る人間に対してはなかなか打ち解けない。そうした性格を持つがゆえに、侵入者に悪意があると感じるや否や激しく吠えたて、マスティフに知らせるという役目を担っていたのだ。

ラサ・アプソの「ラサ」は、繁殖が盛んに行われていたチベット中央部の古都ラサに由来すると言われている。一方、「アプソ」は現地名から取ったという説のほか、チベットの言葉で「口ひげ」を意味する「ara」と「豊富な被毛」という意味の「sog-sog」をつなげて略したものだという説もある。

チベットでは犬は幸運の動物とされ、非常に価値の高い贈り物であり、金などでやりとりしてはいけないものとされていた。そのため、この犬を贈られることはたいへんな名誉とされ、歴代のダライ・ラマも外国の要人にラサ・アプソを贈ってきた。チベット国外でこの犬の姿が見られるようになったのは、そうしたダライ・ラマの外交政策によるもので、17世紀以降には特に中国の皇帝に頻繁に贈られた。

ラサ・アプソが初めて英国に渡ったのは1854年のことだと言われている。当初は東洋産の種々の小型犬の区別がつけられず、特にラサ・アプソとチベタン・テリアは1つのグループとしてくくられ、「ラサ・テリア」「チベタン」「ブータン」「ブーテル」などと呼ばれていた。ラサ・アプソの初めての犬種基準は、1897年にアンリ・ド・ビラント伯爵（1860～1943年）が著した『The Dogs of All Nations（世界の犬）』で見ることができる。ただし、このときの犬種名は「ラサ・テリア」であった。1901年には、ライオネル・ジェイコブ卿（1853～1934年）がそれに改訂を加えた。やがて、1943年に英国でチベット犬種協会が設立されると、チベット原産の犬の犬種が明確に区別化されるようになった。

第二次世界大戦まで、英国のラサ・アプソは非常に数が少なかった。しかし戦後になると、インドや米国からの輸入により国内における遺伝子プールが飛躍的に拡大し、飼育頭数も増加した。1956年には、英国初の犬種クラブであるラサ・アプソ・クラブも創設されている。その3年後の1959年には犬種名がチベタン・アプソと改められるが、70年にまたもとのラサ・アプソに戻された。そうして1984年、サクソンスプリングス・ハッケンサックという名のチャンピオン犬がクラフツ展で最高の栄誉であるBISに選ばれる。2012年3月にもゼンタール・エリザベスという犬がこのタイトルを獲得し、エントリーしていた2000頭余りの犬たちの頂点に立っている。

DEVOTED AND LOYAL｜献身と忠誠

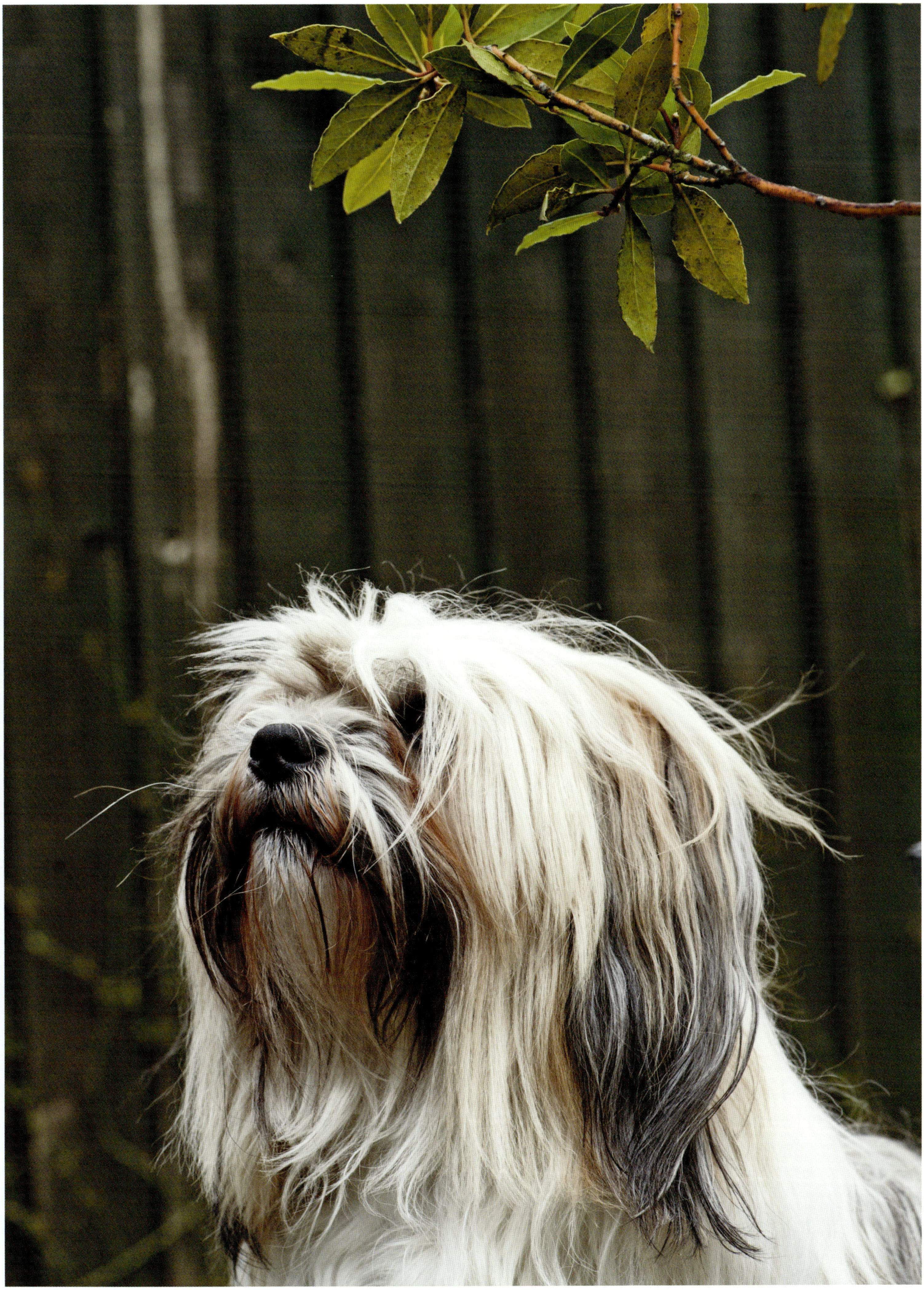

PEKINGESE
ペキニーズ

近世以前 – 中国 – 一般的

SIZE｜大きさ
雄　5kg以下／雌　5.4kg

APPEARANCE｜外見
ライオンのような風貌で、王侯のような威厳を漂わせる。スカルはきわめて大きく幅広。両耳のあいだが平らで、両目の間隔が広い。ハート形の耳には豊かなフェザリングがあり、頭部に沿って保持される。黒っぽい目は丸く、ほどよい大きさで、超然とした印象を与える。マズルは比較的短く幅広で、鼻梁に逆V字形の皺がわずかに入る。鼻も幅広で、色はブラック。下あごが頑丈で、首は短く太い。ボディも比較的短く、ウエストがよく締まっている。背は水平。前肢もやや短く骨太。後肢は非常に筋肉質で、前肢に比べて軽やか。足は大きく平らで、前足が少し外に向く。尾付きは高く、しっかりと掲げられ、背に向けてわずかにカーブしながら左右どちらかに垂れる。

COLOR｜毛色
アルビノ（遺伝子異常による色素欠乏）とレバー以外のあらゆる色が認められる。被毛はダブル・コート。上毛は長くて粗い直毛で、豊かなメーン（たてがみ）が肩回りをケープのように覆っている。下毛はやわらかく分厚い。耳、四肢の後部、尾、指にはフェザリングがある。

APTITUDE｜適性
ショードッグ、家庭犬として。

長い歴史を背景に威厳と霊的な魅力を漂わせるペキニーズは、風変わりな神話や伝説が数多く語られる犬である。現代のペキニーズの容姿は古代の祖先犬からずいぶん様変わりしたが、超然として気品あふれる性格はそのままに留めている。非常に誠実な性格で、愛する人には献身的に尽くすが、独立心が強いため、時に頑固な一面を見せることもある。

ペキニーズの起源は、紀元前500年頃の中国にあると考えられている。当時の中国にマズルの短い犬が存在していたことを示す記録が残っており、儒教の祖である孔子（紀元前551～同479年）も、短脚で長い尾と耳を持つ「短吻犬」がいたと述べている。この犬は「ハパ（哈巴）」あるいは「卓下の犬」などとも呼ばれた。この場合の「卓」とは床に座って使用する机のことで、高さわずか20～25cmほどのものだった。このことから、その犬がどれだけ小さかったかがうかがえる。

紀元前200年頃には中国と西洋諸国を結ぶ交易路が開かれ、ローマやエジプト、中東、チベット、中国のあいだで盛んに貿易が行われるようになっていた。中国で誕生した顔が平らな小型犬たちは、この頃ローマからやってきたマルチーズの影響を受けていると考えられている。それらの小型犬は主にペットとして飼育されていたが、実は意外に獰猛な性格で、番犬としても非常に有能であった。ただし、愛玩用の動物を飼うような余裕があるのは富裕層の家庭に限られていた。

それらの犬たちは、ミニチュアの獅子（ライオン）のような容姿を発現させるために特別に品種改良されていった。紀元前5世紀頃に興った仏教では、発祥の地インドに生息する動物たちが霊的なシンボルとされ、特に獅子は重要なシンボルの1つであった。宗教的伝説のなかにもたびたび登場し、たとえば手なずけた獅子の背にブッダが乗って空へと飛び立ったとか、ブッダの指先から何百もの小さな獅子の群れが放たれ、あたかも1頭の獅子のように寄り集まって、邪悪なものからブッダを守ったと言い伝えられている。

仏教は、西暦400年頃までには中国へ、さらにチベットへと伝来し、それと一緒に獅子もまた霊的シンボルとして伝えられた。しかし中国やチベットにはライオンは生息せず、その代わりとなる動物を生み出す必要があった。漢の明帝（28～75年）は「ハパ・ドッグ」を多数所有していたが、あるとき臣下の1人がふと、「この犬は獅子に似ていませんか」と言った。それを聞いた明帝は、さらに獅子らしく犬の毛を整えさせ、偉大な仏教のシンボルとして常に身近に置いたという言い伝えがある。それが「獅子犬」（ライオン・ドッグ）の繁殖の始まりだという。

その特徴的な姿は、絵画や彫刻などの宗教芸術にもたびたび登場している。また、寺院を守るために獅子に似た狛犬がその入り口に置かれたり、それらをモチーフにした小さな魔除けが用いられたりするようにもなった。この頃、獅子犬にまつわる民間伝承も多数生まれた。そのなかの1つに、次のような話がある。あるとき、神聖な獅子がブッダのもとへとやってきて、小さな雌猿に恋をしたと打ち明けた。ところが猿は、獅子の巨大な身体を見てひどく怯えたという。そこで獅子は、愛する者と一緒になれるよう身体を小さくしてほしいとブッダに懇願した。ブッダはその願いを聞き入れ、魂と勇敢さはそのままに、獅子の身体を小さくしてやった。そうして獅子はめでたく雌猿と結ばれ、2頭のあいだに生まれた子が獅子犬になったというのだ。

獅子犬は唐（618～907年）の時代になると、さらにもてはやされるようになった。唐の皇帝たちは獅子犬を溺愛し、繁殖と維持にも金を惜しまず、ぜいたくな暮らしを犬たちに与えた。当時の宮廷では異なるタイプの小型犬が大量に飼育され、異種交配も行われた。その頃の繁殖の目的は純血種を守ることではなく、皇帝からの最大の要求である「最も獅子

PEKINGESE｜ペキニーズ

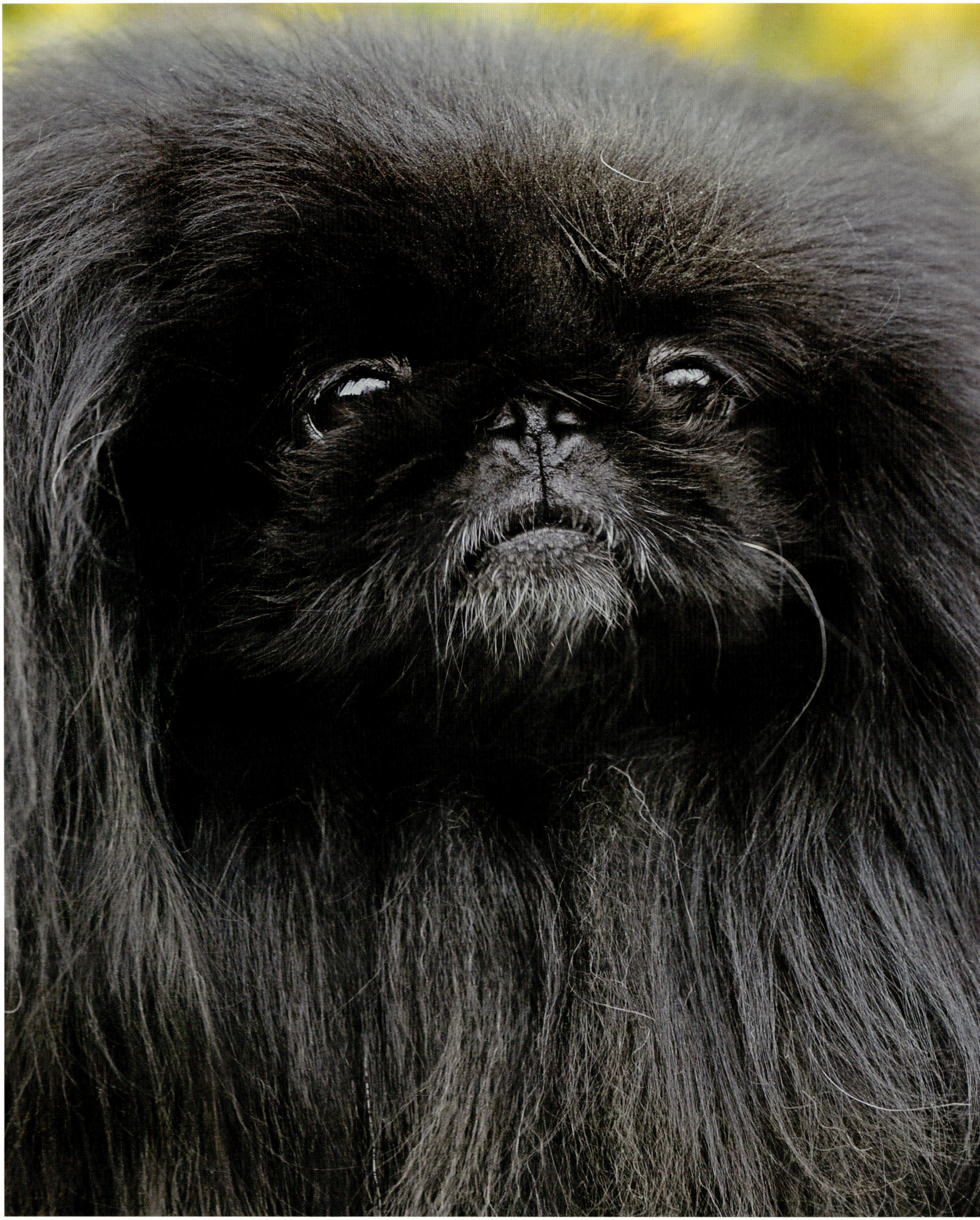

らしい犬を作出する」ことにあったためだ。なかでも額に入る白い斑はブッダのシンボルであるとされ、この斑を発現させることが最重要事項とされた。被毛の色にもこだわり、ライオンに近いフォーンとレッドのものが最も価値が高いとされたが、ホワイトの被毛も人気があった。

犬の世話をするのは宦官が中心で、最も美しい犬の担当者に褒美が与えられる品評会も実施された。最優秀賞を獲得した犬は肖像画を描かれる栄誉に浴し、なかには官位や称号を授けられるものもいた。たとえば、漢の第12代皇帝の霊帝(西暦156〜189年)が所有した犬の1頭は、文官として最高の位を与えられている。やがて彼らは祭典行事にも不可欠な存在となり、短く鋭い吠え声を上げて皇帝の来場を知らせるようしつけられた犬もいた。そして獅子犬は宮廷でのみ飼育される特別な犬として、その地位を不動ものものにした。獅子犬の取引を行って捕らえられた者は死刑に処せられたが、それでも犬は秘密裡に持ち出されては売りに出されたと言われている。

1406年から14年の歳月をかけて北京に紫禁城を建設した明の時代は、仏教の低迷により獅子犬の人気にもやや陰りが見られたが、清朝(1644〜1912年)になると人気が再燃して盛んに繁殖が行われ、巨大な城のなかを犬たちが闊歩するようになった。この頃、ヨーロッパ諸国との犬の取引も始まった。特に舌斑(ぜっぱん)という舌に黒い斑の入った犬は、西洋人のあいだでもてはやされた。しかし19世紀半ばまで、ヨーロッパではペキニーズの頭数はごくわずかに留まっていた。

英国国内でペキニーズの基礎犬となったのは、第二次アヘン戦争(アロー戦争)中の1860年に英国軍とフランス軍の部隊が北京の円明園(清朝の離宮)を略奪した際に、皇帝と家族に置き去りにされていた5頭だ。この犬たちは英国軍に保護され、そのうち最も小さかった犬は、ジョン・ハート・ダン隊長からヴィクトリア女王(1819〜1901年)に献上された。このライオン・ドッグは週刊新聞『イラストレイテド・ロンドン・ニュース』に写真を掲載され、英国で最初のペキニーズとして話題を呼んだ。

この頃、ペキニーズを含む宮廷の獅子犬たちは、中国の一般家庭でも飼育されるようになっていた。1865年から毎月6日間にわたって犬の販売会が行われるようになり、宮廷で飼育するのにふさわしくないと判断された犬たちが売りに出されたためだ。こうした犬の一部は国外へも持ち出され、新しい地で犬種確立に貢献した。例外は1896年にダグラス・マリーが宮廷からこっそり持ち出した2頭だが、この2頭の名前も、その後の多くのペキニーズの血統証明書のなかに父祖犬として記されている。

義和団の乱の影響で西安に逃れていた西太后(1835〜1908年)が1902年に紫禁城に戻ると、宮廷犬は再び諸外国の要人に贈られるようになった。そのなかには、米国大統領セオドア・ルーズベルトの娘、アリス・ルーズベルトや米国のモルガン財閥の創始者であるジョン・モルガンも含まれている。アリスとモルガンの手に渡ったこの2頭は、米国における血統の基礎を築くこととなった。

1860年代に初めて英国に渡った頃のペキニーズは、ペキニーズ・スパニエルと呼ばれ、1977年までジャパニーズ・スパニエルと呼ばれていた日本の狆(チン)と同じグループに分類されていた。そのため、ジャパニーズ・スパニエル・クラブは両方の犬種の登録を行うことになり、名称をジャパニーズ・アンド・ペキニーズ・スパニエル・クラブと改めた。しかし1904年になるとペキニーズ・クラブが創設され、犬種標準も作られた。

米国で犬種クラブが誕生したのもこの頃で、1909年に米国ペキニーズ・クラブが創設された。これを機に、この犬種の人気は急速に高まっていった。ちなみに米国では当時、ドッグショーは資産家や名士が後援する上流階級のイベントであった。クラブ発足に合わせ、英国の犬種標準をもとに米国におけるスタンダードも書き上げられた。ただし、この犬種標準は犬の大きさと体重が問題となり、その後数回にわたって改訂が行われた。一部に6.5kgという設定では大きすぎると考える人がいたのだ。

英国でそのような考えを持つ人々は、1908年に、より軽量で小型の原型に近い体格を維持するという趣旨のもと北京宮廷犬協会を設立し、独自の犬種標準を作成した。英国では、この協会とペキニーズ・クラブが現在もそれぞれ犬種の普及活動を続けているが、問題の犬種標準については1つにまとめられ、理想体重は4kgと設定された。かたや米国では、理想体重を5kg以下としている。

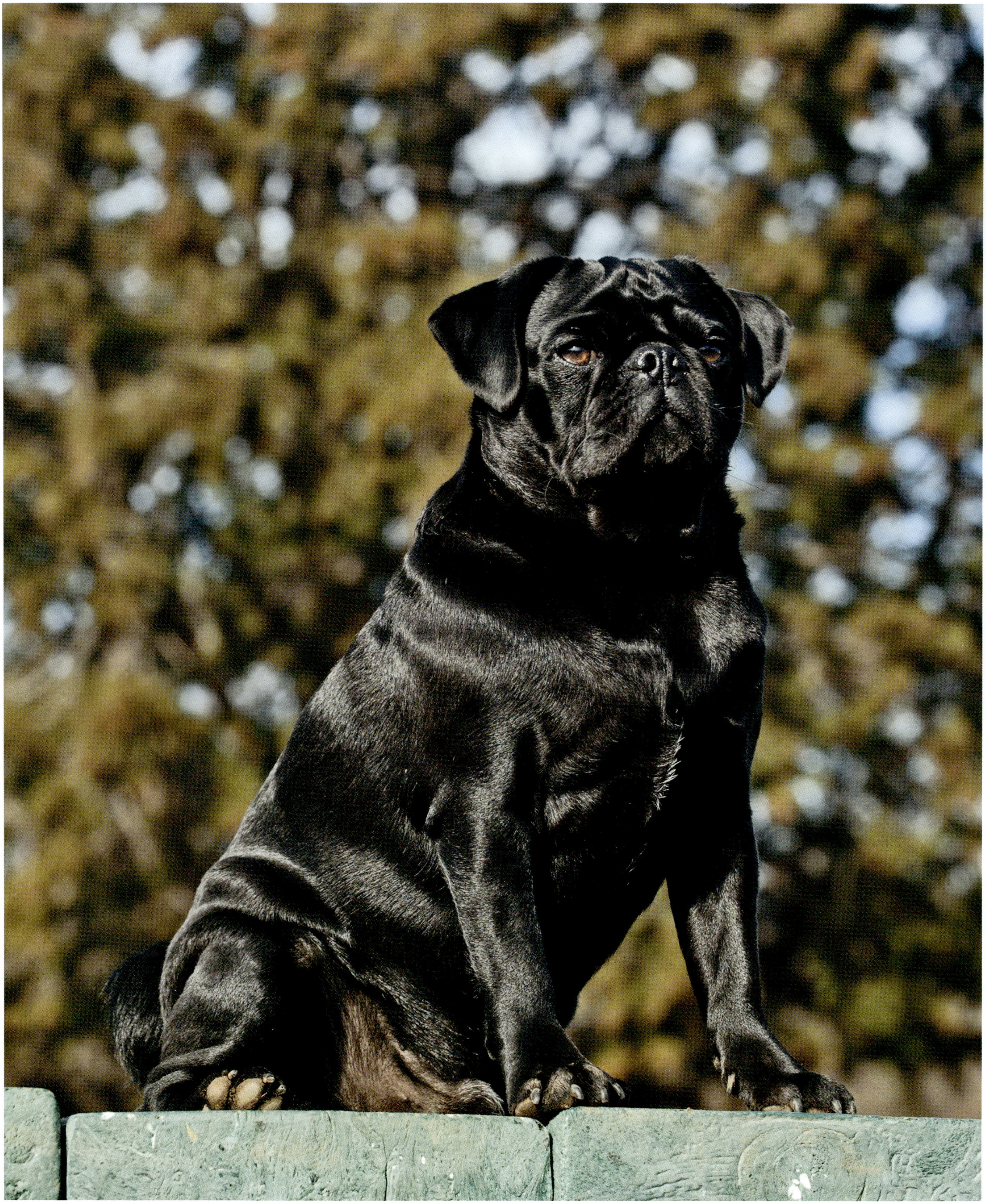

PUG
パグ

近世以前 – 中国 – 一般的

SIZE | 大きさ
雄雌とも　6.3〜8.1kg

APPEARANCE | 外見
体長と体高がほぼ等しい短胴な犬だが、知的な雰囲気と威厳が漂う。頭部は丸く、比較的大きい。マズルは短めの四角形で、下あごがやや突き出している。額にはっきりとした皺がある。大きな丸い目は黒っぽい色で生き生きと輝き、興奮するとさらに表情が豊かになる。小さく薄い耳はローズ・イヤーかボタン耳（後者のほうが望ましい）。力強い首はわずかにアーチを描き、ボディはがっしりしている。背は水平で、胸は幅広い。前肢は力強くまっすぐに伸び、後肢もたくましい。尾付きは高く、尻の上で強くカールする（二重に巻いたダブル・カールが望ましい）。

COLOR | 毛色
シルバー、アプリコット、フォーンまたはブラック。それぞれの色が明瞭で、トレース（後頭部から尾にかけて伸びるブラックのライン）やマスクとのコントラストがはっきりとし、マーキングも明瞭。マズルや耳、頰のほくろ、サム・マーク（前頭部の斑）、ダイヤモンド（額の皺に囲まれたひし形の部分）、トレースのブラックが濃いほど好ましい。被毛は細くやわらかいスムース・コートで、つやつやとした輝きがある。

APTITUDE | 適性
ショードッグ、家庭犬として。

パグは「小さい体に個性がつまった犬（multum in parvo）」としばしば形容される。小さな体から大きな存在感を放つパグにぴったりの表現と言えるだろう。チャーミングでカリスマ性があり、生き生きと快活な性格と生まれ持った知性により、パグはペット犬として広く愛されている。

パグも古代犬の1種で、その起源は紀元前400年の東洋にあると考えられている。草創期の歩みについてははっきりとしていないが、一般には中国が発祥の地とされ、儒教の祖である孔子（紀元前551〜同479年）が「短吻犬」と言及したのも、ロ・チャン・ツェと呼ばれる古代のパグだったと思われる。一方で古い巻物からは、ペキニーズやラサ・アプソ、シー・ズー、狆といった種々の小型愛玩犬が東洋に存在していたことがうかがえる。これらの犬との関係も、パグの発展過程もわかっていないが、古代中国の皇帝が小型犬を好み、愛玩犬として宮廷内で特別に繁殖していたことは確かだ。こうした犬たちにはぜいたくな暮らしがあてがわれ、専属の世話人がつき、豪華な食事が与えられていた。

パグの大きな特徴の1つが額の皺だ。3本の平行線が1本の縦線に貫かれているため、漢字の「王」のように見える。昔は、この"しるし"を出現させることが繁殖の重要な目標だった。そんなパグの人気はチベットにまで広がり、仏教の僧侶たちもその魅力に心を奪われた。日本にも渡り、天皇の膝を温める役割を与えられていたという。また、漢の時代（紀元前206〜西暦220年）に開かれたシルクロードのおかげで諸国間の交易が盛んになると、この犬も中央アジアから西へと広まることになった。16世紀にはポルトガルとスペインにも持ち込まれたが、西洋におけるパグの発展に最も貢献したのはオランダである。

これにはオランダ東インド会社の事業展開と、1570年に日本がオランダに長崎の出島を開港したことが深く関わっている。オランダ東インド会社は多岐にわたる商品を扱っていたが、そこには犬も含まれていたのだ。英国の歴史家で作家のジェームズ・ハウエル（1594〜1666年）によると、オランダのアムステルダムでは犬の市場が1619年に誕生し、たちまち活況を呈したという。その様子は、オランダ人画家のアブラハム・ホンディウス（1625〜91年）の絵画にも描かれている。なかでもパグは爆発的な人気を呼んだ。そのきっかけを作ったのは、オランダのオラニエ公ウィレム1世（1533〜84年）であった。

ウィレムはたいへんな愛犬家で、さまざまな種類の犬を所有していたが、特にパグを愛した。彼はスペインとの戦争に赴くときにもパグを伴い、この犬に命を救われたことでも知られる。1572年のある夜のことだ。スペイン軍がウィレムの野営地に攻撃を仕掛け、衛兵を倒してウィレムを暗殺しようと近づいた。だが、彼とともに寝床に入っていたパグが異変に気づき、すぐに主人に知らせた。そのおかげでウィレムは、すんでのところで逃れることができたのだった。それ以来、ウィレムはパグをオラニエ家公認のペットとし、常にそばに置くようになったという。現在も、オランダ南西部の都市デルフトの新教会にあるウィレムの墓に、このパグの彫刻を見ることができる。

ウィレム1世が亡くなっても、オランダではパグの人気が衰えることがなかった。したがって、ウィレム3世（1650〜1702年）が1689年にウィリアム3世としてイングランドの王位につく前年、イングランド南西部のトーベイに上陸した際にパグを伴っていたのも特段驚くべきことではない。ウィリアム3世がお気に入りのパグを何頭も連れて入国したことにより、パグはイングランドの貴族たちのあいだでもファッショナブルなペットとしてもてはやされるようになった。その人気は、国王の寵愛を受ける犬として19世紀終盤まで続いた。たとえばヴィクトリア女王（1819〜1901年）は、在位中に通算で36頭ものパグを所有していたという。後年には、9頭のパグを所有するウィンザー公爵夫妻［訳注：ウィンザー公爵は離婚歴のある女性と結婚する

ために英国王の座を降りたエドワード8世（1894〜1972年）の退位後の称号］のおかげで世間の注目を集めた。ウィンザー公爵夫妻は、元気いっぱいのパグを題材とした芸術作品の収集家でもあった。

18世紀を迎えるまでに、パグはロシアにも渡っていた。記録は残されていないが、ロシア皇帝ピョートル1世（1672〜1725年）が清の康熙帝（1654〜1722年）の宮廷に大使節団を送った際、ロシアが贈った犬のお返しとして清から贈られた犬のなかに、パグも含まれていたものと思われる。その後このパグを繁殖して、ロシアはヨーロッパ中に売りさばいたと言われている。当時、パグはすでにヨーロッパで大人気の犬になっていたのだ。特にイタリアやフランス、スペイン、ドイツでは人気が高く、多くの芸術作品にもこの犬が描かれている。

パグは1790年代までに、フランスでもファッショナブルな犬として人気を博していた（と言っても、やはり富裕層や名士たちのあいだに限ってのことだったが）。ナポレオン・ボナパルトの最初の妻、ジョゼフィーヌ・ド・ボアルネ（1763〜1814年）もパグに心奪われた1人だ。一番のお気に入りはフォーチュンという名のパグで、最初の夫であるアレクサンドル・ド・ボアルネ子爵とまだ婚姻関係にあった頃、夫とともにフランス革命で投獄されていた際にも、この犬がなぐさめとなっただけでなく、重要な役割も果たしていた。ジョゼフィーヌは毎日面会に来ることが許されていたフォーチュンの首輪のなかに、刑の執行延期を求める嘆願書を潜ませ、政府要人に送り届けさせていたというのだ。それが功を奏したのか、夫アレクサンドルは1794年にギロチンにかけられたが、ジョゼフィーヌは処刑を免れ、のちにナポレオンと結婚することになった。

しかしナポレオンはあまり犬を好まず、特にジョゼフィーヌのベッドで眠るフォーチュンを毛嫌いしていた。記録によると、フォーチュンは結婚初夜に事に及んでいる最中のナポレオンに咬みついたのだという。結局、ほかの犬たちとともにフォーチュンも夫婦の寝室から閉め出されることになったが、それでも隣に専用の部屋をあてがわれ、さらには専用馬車と世話係まで与えられたそうだ。

このようにヨーロッパで大人気のパグだったが、19世紀初頭の英国では、ブルドッグとの交配のせいで身体的な劣化が生じていた。また短期間ではあったが、断耳も行われていた。しかし19世紀半ばになると、パグの運命は再び上向きになる。これは、ウィロビー卿が所有するソルト＆ペッパーの毛色のモップスとネル、そしてロンドンのフラムでパブを経営していたチャス・モリソンが所有するゴールデン・フォーンの毛色のパンチとテティという2組のつがいに負うところが大きい。英国における新たなパグの血統の基礎は、この4頭によって築かれたと言っていい。そうして1873年にKCが設立されたときには犬籍原簿に60頭のパグが登録され、83年には英国パグ・クラブが創設されるとともに、犬種標準も作成されるに至った。

また、19世紀後半の英国では、黒いパグが一躍脚光を浴びるようにもなった。それまでも黒いパグは一腹の子のなかに何頭かは交じっていたはずだが、どうやら望ましくないとして処分されていたようだ。しかし初代ブラッシー伯夫人（1839〜87年）がブラックのパグを紹介したことで、その傾向が一変する。ファッショナブルな犬として人々の注目を集めるようになったのだ。彼女の尽力により、1886年開催のメードストン・ドッグ・ショーではブラック・パグだけのクラスが設けられるまでになった。

英国で大きな役割を果たした犬としては、19世紀末にウェルズリー侯が中国の宮廷から直接入手したラフ・コートの2頭も挙げないわけにはいかない。ウェルズリー侯はのちにその2頭をセント・ジョン夫人に譲るが、彼女のもとで2頭のあいだにクリックという名の理想的な子が生まれる。このクリックが、英国と米国のショー系パグの基礎犬として長らく繁殖に貢献することになったのだ。

米国に最初に渡ったパグの記録は残っていないが、1860年代半ばのことだったと思われる。1879年に開催されたウェストミンスター展では、24頭のパグがエントリーしている。だが、米国では爆発的に人気が沸騰したわけではなかった。AKCの犬籍原簿を見ても、繁殖したパグの子を登録したブリーダーが1920年まではごくわずかであったことがわかる。しかし米国パグ・ドッグ・クラブが1931年に創設され、同年にAKCの会員クラブとなると、人気は徐々に上がっていった。現在では人気犬種のトップ25に常にランクインするまでになっている。英国でもトップ20の常連である。パグの魅力を知ってしまえば、ほかの犬種では満足できなくなるとも言われるほどだ。長い激動の歴史を経て発展した、愛情深く快活なこの犬は、いつの時代も人を魅了してやまない。

253

PUG｜パグ

CHINESE CRESTED DOG
チャイニーズ・クレステッド・ドッグ
近世以前－中国－一般的

SIZE｜大きさ
体高：雄 28～33cm／雌 23～30cm
体重：雄雌とも 5.4kg以下

APPEARANCE｜外見
骨量が中程度から軽量のエレガントな犬。スカルはわずかに丸を帯びて長く、マズルに向かって細くなる。マズルも先細りだが、尖っているわけではない。濃い色調の目は中ぐらいの大きさのアーモンド型で、左右のあいだが広く離れている。耳は大きな直立耳で、低い位置に付く。ただし、被毛の多いパウダー・パフのタイプでは垂れていることもある。傾斜した長い首は優雅な印象を与える。ボディは中ぐらいから長めで、胸はわりと幅が広くて深い。腹はほどよく巻き上がり、尻はじゅうぶんな丸みがある。後肢の間隔が広く、足は細く長い。やはり長く先細りの尾は高い位置に付き、高々と掲げられる。プルームと呼ばれる羽根飾り状の毛が長く流れるように生えている尾が理想。

COLOR｜毛色
あらゆる色、あらゆる色の組み合わせが認められる。被毛はヘアレスとパウダー・パフの2つのタイプがある。ヘアレスのタイプは頭部（クレスト）、耳（フリンジ）、尾の3分の2にのみ毛が生え、露出した皮膚はやわらかくなめらかで温かい。パウダー・パフのタイプはダブル・コートで、シルクのような長い上毛が特徴的。

APTITUDE｜適性
アジリティ、オビディエンス競技に。ショードッグ、家庭犬、セラピードッグとしても。

　チャイニーズ・クレステッド・ドッグには、被毛の少ないヘアレスと豊富な被毛を持つパウダー・パフの2つのタイプがある。どちらも外見が独特だ。ヘアレスは、頭部にクレストと呼ばれるたてがみ、耳にはフリンジ、尾の先から3分の2にはプルームと呼ばれる飾り毛が生え、足には靴下をはいたような形状の毛がある。一方、パウダー・パフはボディ全体がシルクのような長毛で覆われている。一腹で両方のタイプが生まれることもある。

　チャイニーズ・クレステッド・ドッグは陽気で知性あふれる犬だが、きわめて感受性が高く、孤独を嫌い、飼い主やその家族との絆を強く求める。そのため放っておくと激しいストレスにさらされる傾向にあり、感情移入のできる思いやりのある飼い主を必要とする。

　無毛犬の起源は、先史時代のメキシコ及び南米にある。現在でも無毛犬が多く見られるこれらの地域では、この犬にまつわる多くの迷信や霊的な風習も生まれ、生け贄や食用にされたりすることも多かった。16世紀に中南米を探検・征服したスペインのコンキスタドールも、無毛犬について記述を残している。当時、無毛犬は中南米だけでなく、アフリカやトルコ、エジプト、アジアなど世界各地に存在していた。

　チャイニーズ・クレステッド・ドッグが、これらのどの地域で誕生したのかは明らかでないが、メキシコの無毛犬から派生したという説が最も一般的である。いずれにせよ、16世紀以前から中国に存在し、船乗りたちのあいだでネズミ駆除犬として重宝されていたことがわかっている。そして港に着けば、物珍しいみやげものとして取引に利用された。それによって、この犬は世界各地に広まることとなる。

　しかし英国では、1860年代に数頭のチャイニーズ・クレステッド・ドッグが動物ショーのために持ち込まれたものの、登録数は81年までゼロであった。この国では、その地位を確立するまでに長い年月を要し、チャイニーズ・クレステッド・ドッグ・クラブが設立されたのは1969年のことだ。しかし、その会員数は1971年まではわずか26人に留まり、KCによる犬種認定を得たのはようやく95年になってからだった。だが、現在では新規登録数が毎年500頭以上と、多くの支持を集めるようになっている。

　一方、米国では、ニューヨークのアイダ・ギャレットが1880年にこの犬種に出会って以来、熱心に普及活動を続けた。彼女はヘアレス・タイプのチャイニーズ・クレステッド・ドッグの繁殖を開始し、1920年代になるとデブラ・ウッズと2人で犬種確立に向けた取り組みを始めた。そのためにウッズは、1930年代にクレストヘイブン・ケネルを設立する。そうして1950年代までに、2人は米国ヘアレス・ドッグ・クラブの設立を後押しするのにじゅうぶんな犬籍原簿を作り上げた。ただし会員はたった2人だけ。つまり、ギャレットとウッズの2人でそれだけのデータを集めてしまったのだ。そして、その後4年のうちにチャイニーズ・クレステッド・ドッグ160頭、メキシカン・ヘアレス・ドッグ200頭が登録された。

　米国における犬種普及には、ストリップ・ダンサーであり女優でもあったジプシー・ローズ・リー（1911～70年）も重要な役割を果たした。妹がコネティカット州にある動物保護施設から引き取ったチャイニーズ・クレステッド・ドッグを譲り受けたリーは、舞台でその犬と共演したのをきっかけに、やがて熱心なブリーダーとなり、犬種普及のために力を注いだ。こうした人々の尽力により、1978年に米国チャイニーズ・クレステッド・クラブが創設され、86年のAKCの「その他の犬」グループへの登録を経て、91年にトイ・グループの犬種として正式に認定された。

　現在、チャイニーズ・クレステッド・ドッグはアジリティやオビディエンス競技で優秀な成績を収め、すぐれたセラピードッグとしても活躍している。もちろん、陽気で賢いこの犬はペットとしても広く愛されている。

255

DEVOTED AND LOYAL | 献身と忠誠

CHIHUAHUA
チワワ

近世以前 — メキシコ — 一般的

SIZE｜大きさ
体高：雄雌とも　15〜23cm
体重：雄雌とも　2.7kg

APPEARANCE｜外見
小さくコンパクトにまとまった体つきだが、元気あふれる。スカルはアップルヘッド（リンゴのように丸みを帯びた頭）で、マズルはほどよく短く、やや先細り。大きく丸い目は離れて付き、生き生きとして知的な表情を浮かべる。目の色は黒っぽいが、被毛がルビーの場合は濃い色調で、薄い色の場合は明るい色調。耳も大きく、斜め上方に広がるように付いている。首は細く、わずかにアーチを描く。体長は体高よりもやや長い。胸は深く、肋骨がよく張っている。足は小さく華奢。尾は中ぐらいの長さで高い位置に付き、背の上に高々と掲げられる。

COLOR｜毛色
マール以外のあらゆる色が認められる。被毛はロング・コートとスムース・コートの2つのタイプがある。ロング・コートのタイプはダブル・コートで、わずかにウェーブしたやわらかい上毛が皮膚に沿うように平らに生えている。耳、足、四肢、後肢の後部、尾には飾り毛が、首にはふさ毛があり、尾はプルームを形成する。スムース・コートのタイプは、やわらかく光沢のある短毛がボディに密生している。

APTITUDE｜適性
もともとは儀式的な役割を担っていた。現在はショードッグ、家庭犬として。

チワワは数ある犬種のなかでも最小の種だが、その小さい身体にあふれんばかりの個性とカリスマ性がつまった、とても賢い犬だ。過去数十年のあいだに『キューティ・ブロンド』（2001年）や『ビバリーヒルズ・チワワ』（2008年）といったハリウッド映画や広告に起用され、一躍人気犬種となった。そんなチワワは感受性が鋭く、愛情をいっぱいに注いでくれる家族を求める傾向にあり、放任されることをひどく嫌う。その分、飼い主に忠実で、愛する者と強い絆を築く。また、人見知りをする性格ゆえに見知らぬ人には激しく吠えたてるため、優秀な番犬にもなってくれる。

チワワの起源については諸説あり、いまだに議論が続いているが、古代の犬種であるのは確かなようだ。最も有力なのは、メキシコ中東部で繁栄したトルテカ文明の時代（800〜1000年頃）に、古代犬のテチチから派生したという説である。実際、その頃に作られた彫刻や焼き物には、現代のスムース・コートのチワワに似た特徴を示す犬の姿が描かれている。古くから中南米の人々の生活のなかで犬は重要な役割を果たし、記録のなかにもテチチやメキシカン・ヘアレス・ドッグを指すショロイッツクゥイントリ（ショロ）の名が頻繁に登場する。後者の起源は3000年前にまでさかのぼると言われている。ちなみに、ロング・コートのチワワが登場したのは1900年代前半のことである。

メキシコの人々はその昔、犬を食用として飼育していたほか、宗教儀式にも用いていた。それは、犬があの世とこの世の境を流れる川を渡って死者の魂を運ぶと信じられていたためで、犬の焼き物を死者の墓に埋めたり、儀式の一環として犬を殺し、主人の亡骸とともに埋葬したりすることもあった。この地の墓の遺跡から発見された犬の骨を調べた結果、現在のチワワと多くの共通点を持っていたことがわかっている。犬はまた、神への貢ぎ物として生け贄にされることもあり、そのために寺院では多数のテチチを飼育していた。トルテカ文明が滅びたあと興ったアステカ文明でも、そうした慣習は続けられた。

それらの小型犬は、15世紀にスペインからコンキスタドールたちが到来し、先住民の文化を破壊し始めたときに逃げ出して野生化したと考えられている。なかにはスペイン人に連れられてヨーロッパに渡った犬もいたようだ。当時のメキシコの小型犬たちの運命については、記録が何も残っていないため詳細は明らかでないが、300年後に再び"発見"されるまで、野犬としてなんとか生き延びたのだろう。また、これらの小型犬はアジア、さらにはヨーロッパから渡ってきたという説もある。ヨーロッパから到来したという説は、15世紀の芸術作品に描かれた犬の容姿を根拠にしている。真実のほどはわからないが、いずれにせよ、この犬種がメキシコと関係の深い犬であることは間違いない。

西洋人がこの犬種を再び"発見"したのは、1850年代のメキシコのチワワ州でのことだった。そのため、米国や英国で「チワワ」と呼ばれるようになったのだ。その頃渡英したうちの1頭が、1897年にリージェンツ・パークで開催されたドッグショーに出陳されたときの様子を、ブリーダーのローデン・ブリッグス・リーが同年に出版された『A History and Description of the Modern Dogs of Great Britain and Ireland（英国及びアイルランドにおける現代犬の歴史と犬種）』のなかで触れている。だが、その内容はあまり好意的とは言えず、20世紀初頭になってもチワワへの支持は英国であまり集まらなかった。

そうした状況のなか、チワワのブリーダーとして尽力した1人が、パウエル夫人だ。彼女は1930年からチワワをドッグショーに出陳し始め、37年までに6頭のチワワを輸入した。しかも英国内だけでなく、米国のウェストミンスター展でもこの犬を披露している。しかし、そんなさなかに第二次世界大戦が勃発し、不運にもパウエル夫人の自宅は爆弾の直撃を受

け、飼っていた犬たちも残らず死んでしまう。それでもほかのブリーダーたちが犬種保存のための活動を続けたおかげで、1949年には英国チワワ・クラブが設立されるに至った。

　一方、米国では、この犬は渡米初期から人気が爆発した。その先鞭をつけたのは、ドッグショーの審査員も務めた作家のジェームズ・ワトソンである。ワトソンは1888年にテキサス州エル・パソでチワワを入手した。スムース・コートのチワワがフィラデルフィアのドッグ・ショーで初めて出陳されてから4年後のことである。彼はその後数年のうちに、エル・パソ及びアリゾナ州ツーソンから、何頭ものチワワを取り寄せている。しかし当時、メキシコから輸入された犬たちのなかには、スムースとロングの両タイプのチワワがおり、それらが果たして同じ犬種の犬なのかどうかという論争が巻き起こった。

　そうしたなか、オーウェン・ウィスターが友人のチャールズ・スチュワートとともに、ロング・コートのチワワの系統を確立すべく乗り出す。そして2人が入手したカランサという名のレッドのロング・コート・チワワが産んだ子どもたちから、メロン、ペリート、ラ・レックス・ドールという系統が確立した。メロンとペリートは、ロング・コートの優性遺伝子を持つ系統であった。さらに1920〜30年代には、作家でブリーダーのアイダ・ガレットも、スムース・コート・チワワとポメラニアン及びパピヨンとの異系交配を行い、ロング・コートの犬を誕生させた。

　こうした流れを受けて、AKCも1952年からスムースとロングを区別して登録するようになった。なお、AKCが初めてチワワを登録したのは1904年のことで、23年には米国チワワ・クラブが創設されると同時に、犬種標準も作成されている。米国でこの犬の人気が沸騰したのは、スペイン出身の音楽家、ザビア・クガート（1900〜1990年）の影響が大きい。「ルンバの王様」と呼ばれ、米国で活躍したクガートはたいへんチワワ愛好家で、毎週放送されるテレビ番組でも自分のチワワとたびたび共演した。クガートのトレードマークともなったこの犬は一躍人気者になり、それに伴いチワワの人気も急騰して、1960年代までに米国人気犬種ランキングで3位を獲得するまでになった。現在でもチワワは米国をはじめ、世界中で高い人気を誇っている。

DEVOTED AND LOYAL | 献身と忠誠

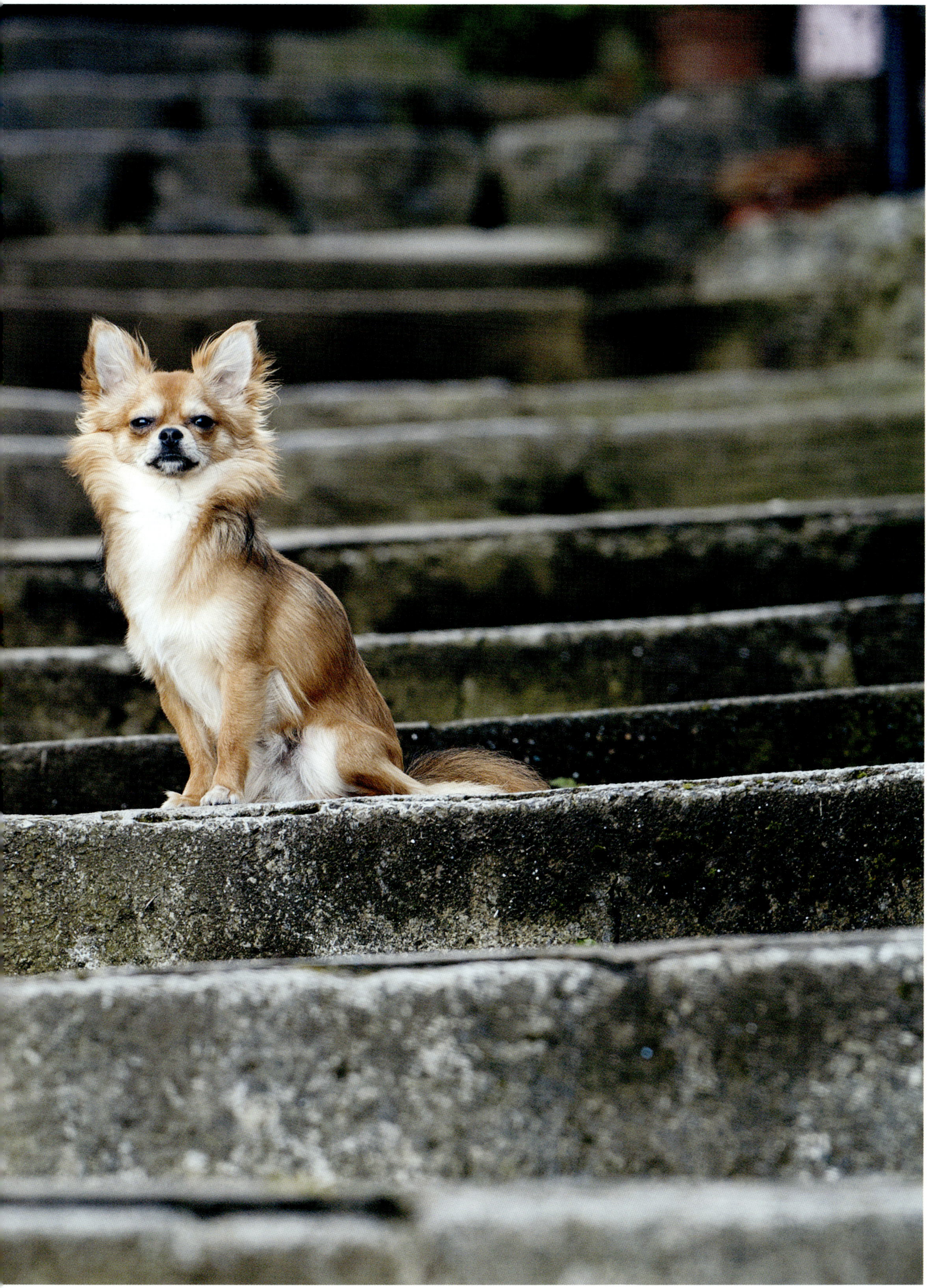

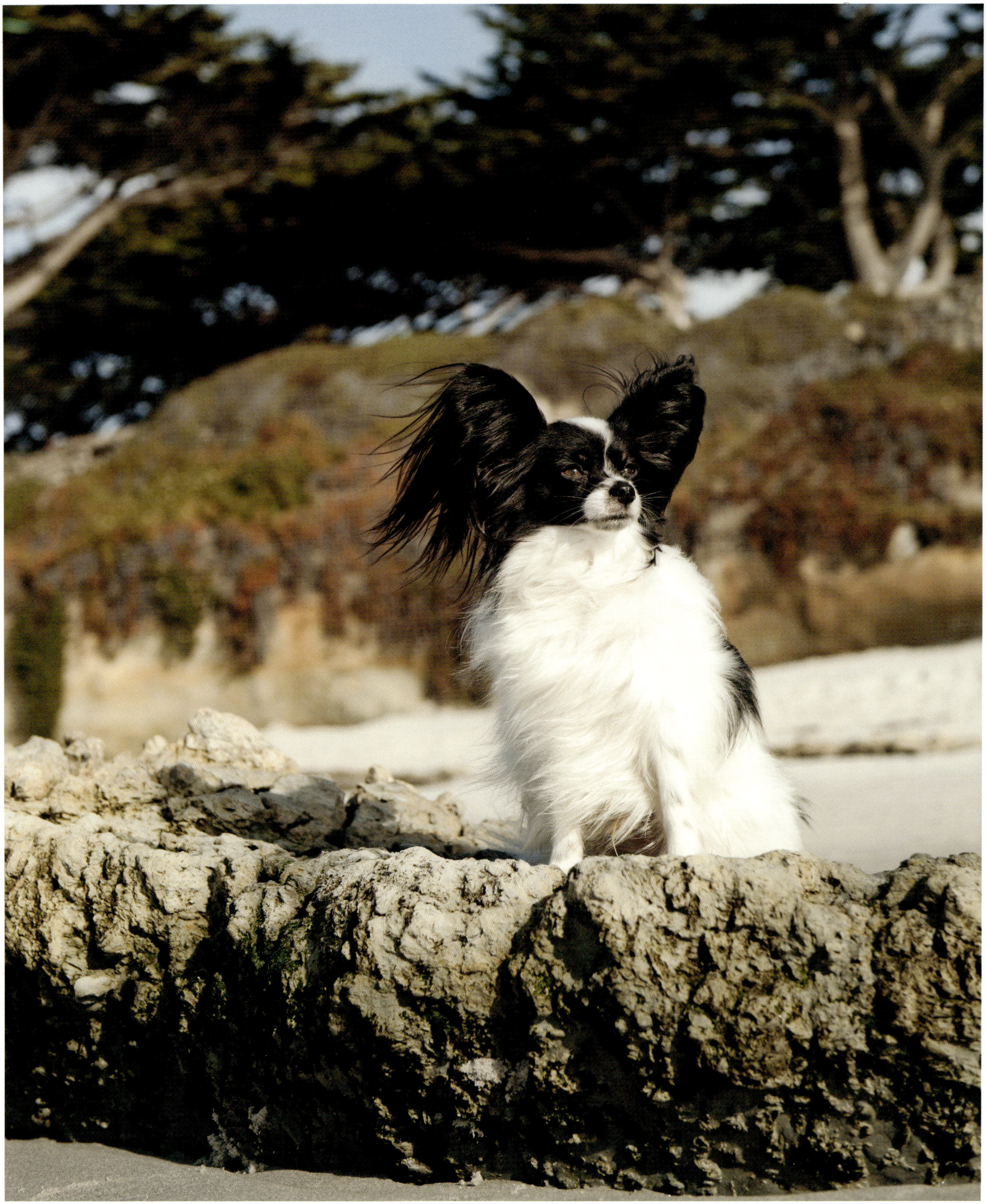

PAPILLON
パピヨン

近世以前－フランス－一般的

SIZE | 大きさ
雄雌とも 20～28cm

APPEARANCE | 外見
優美でエレガントな容姿。スカルは両耳のあいだでわずかに丸みを帯び、尖ったマズルは鼻先にかけて細くなる。先端が丸く、非常に大きな耳はスカルに対して45°の角度をなす立ち耳で、頭部のやや後方に付く。ただし、垂れ耳のファレーヌと呼ばれるタイプもある。いずれも豊かな飾り毛があり、よく動く。首はほどよい長さ。ボディは長めでトップラインが平ら。肋骨がよく張り、腹部はわずかに巻き上がっている。腰部は力強い。四肢はスレンダーだが、骨格がしっかりとしている。足はやや長めの兎足。豊かな飾り毛に覆われた長い尾は高い位置に付き、カーブしながら背のラインより高く掲げられる。

COLOR | 毛色
ホワイトを基本とし、レバーを除くあらゆる色の斑が認められる。被毛はシングル・コートで、豊かで艶があり、ウェービー。細くて長いシルクのような毛が背と脇腹に沿うように平らに生え、胸にはたっぷりとフリルがある。スカル、マズル、四肢の前方の毛は短く、前肢の後方、指のあいだ、尾、大腿の毛は長い。

APTITUDE | 適性
もともとはコンフォーター（癒しの犬）として。現在はショードッグ、家庭犬、セラピードッグとして。アジリティにも。

パピヨンは優美な容姿を持つ快活なトイ・ドッグ（愛玩用の小型犬）の1種で、ペットとして申し分のない性質を備えている。頭がよく、飼い主に対して献身的かつ誠実なこの犬は、服従訓練が身につくのも非常に速く、アジリティなどの競技にも秀でているほか、セラピードッグとしても才能を発揮してきた。そのためパピヨンは、古くから「コンフォーター（癒しの犬）」として人々に愛されてきた。特に、中世ヨーロッパでは犬を抱いて手足を温めると病が和らぐと信じられていたため、人間の膝の上に乗るのが大好きなこの犬は、宮廷や富裕層の女性たちに人気だった。

パピヨンという犬種名はフランス語で「蝶」を意味し、豊かな飾り毛がある大きな立ち耳が蝶が羽を広げたように見えることと、そのエレガントな顔立ちから名づけられた。なかには垂れ耳のものもいるが、このタイプはファレーヌと呼ばれている。ファレーヌとはフランス語で「蛾」を意味するが、長く垂れた耳もシルクのような美しさがあり、こちらのタイプも人気が高い。また、顔に入る左右対称の模様も人気の理由である。ファレーヌは英国と米国では珍しいが、ヨーロッパ大陸では今でもよく見かける。そもそも、19世紀後半まではファレーヌが主流だった。立ち耳タイプの人気が高まり、定着して「蝶」という犬種名が定まったのは、19世紀末以降のことである。

立ち耳のパピヨンと垂れ耳のファレーヌはヨーロッパの王族と関係が深く、現在はフランスが原産地とされているが、実はヨーロッパ各地、特にスペイン、ベルギー、イタリアで発展した犬である。コンチネンタル・トイ・スパニエル、ドワーフ・スパニエル、トイ・スパニエル、さらにはティティアン・スパニエルなどの小型のスパニエルから派生したと言われ、なかでもティティアン・スパニエルはパピヨンと似たタイプの犬で、起源も共通している。こうして生まれたパピヨンは、海洋貿易を行っていた商人たちが商品として売りさばいたため、ヨーロッパ中に広まっていった。特に富裕層に人気が高く、諸外国の要人への貢ぎ物として献上されることも多かった。

16世紀以降、パピヨンの祖先となった犬は、芸術作品にも頻繁に現れるようになる。最も初期のもののうち代表的なのが、盛期ルネサンスに活躍したイタリア人画家、ティツィアーノ・ヴェチェッリオ（1488～1576年）が描いた絵画である。ティツィアーノはこの犬の絵を数多く残したが、彼の作品以外にも、ルネサンス時代の著名な画家の作品にたびたび登場している。そのなかで最も多い構図が、貴族の女性のかたわらにこの犬を描くというものだ。小さく女性的な美しい容姿ゆえに、愛や貞節の象徴としてパピヨンが描かれたのだ。特に17世紀のオランダの絵画に多く見られる構図だが、18世紀のフランスでも、このような絵が数多く描かれている。

その頃のフランスでは、多くのパピヨンが宮廷でも飼育されるようになっていた。たとえばルイ14世（1638～1715年）や、ルイ15世（1710～74年）の公妾ポンパドゥール夫人などの寵愛を受けている。フランス革命の嵐に巻き込まれたルイ16世（1754～93年）の妻マリー・アントワネットも、ギロチンの置かれた処刑場へ向かう際に、愛犬のパピヨンを伴っていたと言われている。

英国に最初に輸入されたパピヨンは、ベルギーやオランダの犬だった。これらの犬は渡英するとすぐに注目を集め、1923年にはパピヨン（バタフライ・ドッグ）クラブが設立された。その2年後に最初の犬種チャンピオンに輝いたのは、ギャマン・ド・フランドルという名の犬だった。パピヨン・クラブは1930年に犬種ハンドブックを発行し、34年にはジャパニーズ・チン・アンド・グリフォン・クラブと共同で第1回のショーも開催した。英国ではその後、さらに4つの犬種クラブが設立されている。

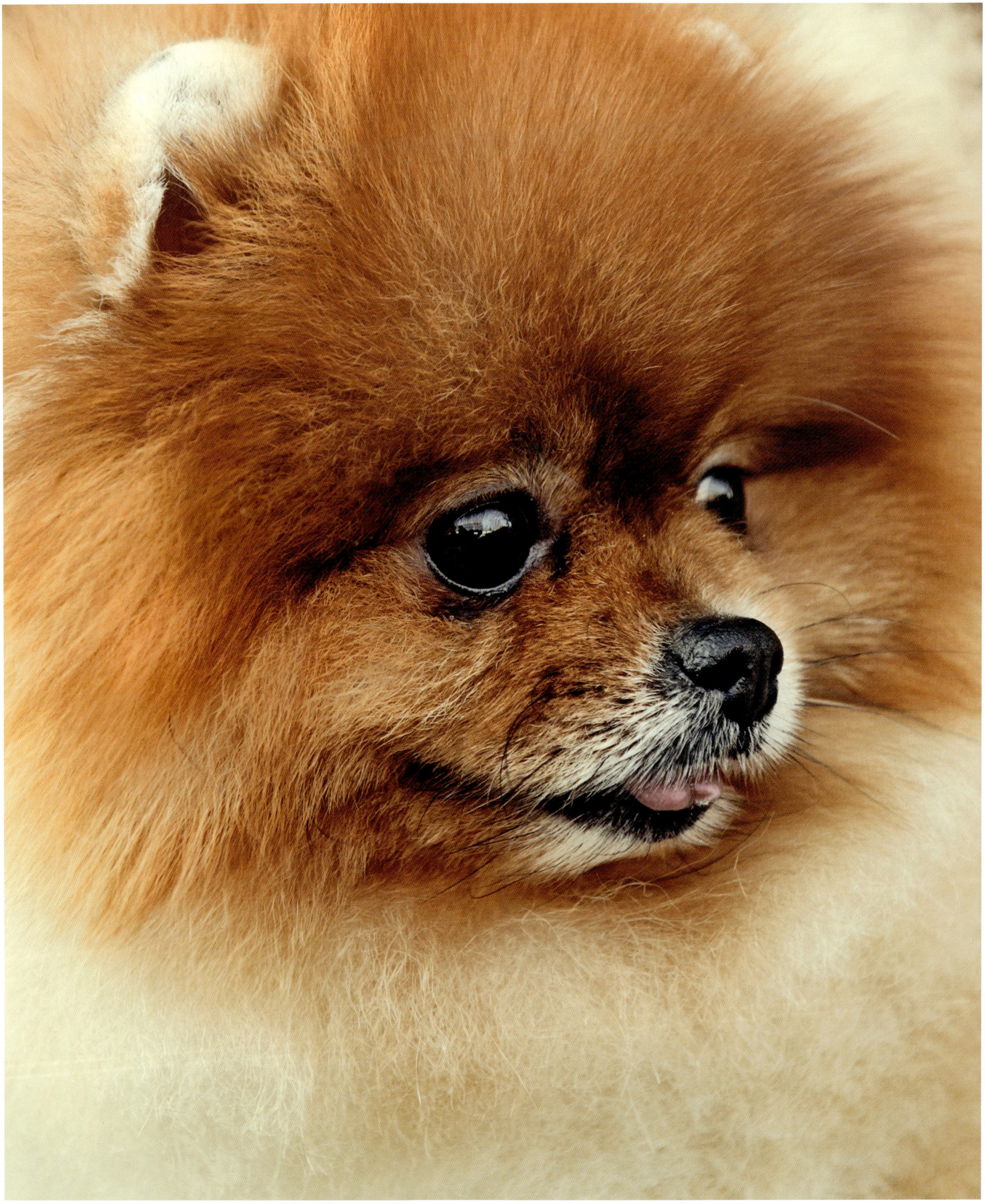

POMERANIAN
ポメラニアン
近世以前―ドイツ/英国―一般的

SIZE｜大きさ

雄 1.8〜2kg／雌 2〜2.5kg

APPEARANCE｜外見

コンパクトなサイズながら活動的で自信にあふれる。フォクシー・ヘッド（キツネのような頭部）のスカルはやや平らで、マズルに対してやや大きい。先細りのマズルは長すぎず、形よく収まっている。中ぐらいの大きさの目は卵形で、輝きをたたえた濃い色調。耳は立ち耳で、比較的小さい。首も背も短く、胸は深く適度な幅がある。四肢の骨は頑丈で、足は猫足。まっすぐな長毛が豊富に生えた尾は高い位置に付き、水平に掲げられる。

COLOR｜毛色

あらゆる色が認められるが、ブラックとホワイトの濃淡が入るシェーディングは認められない。被毛は非常に厚いダブル・コート。上毛は長くまっすぐで、ごわごわとして硬い。下毛はやわらかく、短い毛が密生している。首回りから顔回りにラフが見られ、前肢にも豊かな飾り毛がある。大腿と後肢の飛節までの部分も飾り毛が豊富。

APTITUDE｜適性

ショードッグ、家庭犬として。

頭がよく快活なポメラニアンは忠実で陽気な犬で、膝に乗る小型のペットとして愛されている。そんなポメラニアンにも、驚きに満ちた長い歴史がある。今では想像できないが、その祖先は北極圏でそり引きやトナカイ番などの仕事を与えられた犬だった。シベリアン・ハスキー、サモエド、マラミュートなどと同じく、極寒の地で発展したスピッツ系の犬だとされているのだ。言われてみれば確かに現在のポメラニアンも、それらの犬と同様、厚くて長い被毛や尖った耳とマズル、背のラインより高く掲げられる尾などの特徴を持っている。

スピッツ系の犬は、16世紀までドイツで特に人気があった。「スピッツ」とはドイツ語で「尖っている」という意味で、先細りのマズルの形からつけられた名前だと言われている。彼らはドイツでは一般的に「ウルフスピッツ」または「ウルフスピッツェン」などと呼ばれ、羊の番やそり引きなどに用いられていた。雨風に強い厚い被毛のおかげでどんな悪天候下でも仕事ができ、また従順な性格から作業犬として非常に有能であった。ウルフスピッツェンはドイツでの繁殖を経て、異なる5つのタイプに発展する。そのうち最小の犬がポメラニアンという犬種として発展したのである。

ポメラニアンという犬種名は何百年か前に、ドイツとポーランドに属するバルト海南岸のポメラニア地方にちなんでつけられたと考えられている。選択的な繁殖により、最小のウルフスピッツェンが作出されたのがその地方だったのだ。残念ながら、ポメラニア地方は古くから政情不安や戦争に悩まされていたため、この犬種に関する記録は残されていないが、ブリーダーたちが苦心を重ねたにもかかわらず、当初は個体によって外見に大きなばらつきがあったようだ。また、当時のポメラニアンは現代のポメラニアンよりもかなり大きかったことが、その頃の絵画や写真からうかがえる。

ポメラニアンが発展し、現在の外見を犬種の基準としたのは英国であった。特に国王ジョージ3世の王妃であるシャーロット（1744〜1818年）と、熱心な愛好家であったヴィクトリア女王（1819〜1901年）の庇護によるところが大きい。また、物理学者のアイザック・ニュートン（1642〜1727年）にも、愛犬のポメラニアンにまつわるエピソードが残っている。ニュートンはダイヤモンドという名のポメラニアンをたいそうかわいがっていた。ダイヤモンドは体重11kgほどで、現代のポメラニアンと比べるとずいぶん大きかったようだ。

ニュートンは1通の手紙に、「万有引力の法則」の論文が仕上がろうかというある日の様子をつづっている。夕暮れ時、書斎の机の上に画期的な論文の原稿を広げたニュートンは、そのかたわらに火を灯したろうそくを置いた。ダイヤモンドはそのすぐそばで眠っていた。そのとき来客があり、ニュートンはダイヤモンドを書斎に閉じ込めて応対に出た。目を覚ましたダイヤモンドは、隣室から響く聞きなれない声に気づく。そして、主人を守らなければという使命感に駆られて興奮状態に陥り、書斎のなかを走り回って机に体当たりし、ろうそくを倒してしまう。すると火は原稿にすぐに燃え移り、ニュートンの努力の結晶はほとんど灰になってしまったのだった。ニュートンはすっかりふさぎ込み、ダイヤモンドに付き添われて数週間も寝込んだという。ニュートンが「万有引力の法則」の原稿を復活させるまでには、丸1年を要したそうだ。

英国でポメラニアンが一般の人々の注目を集めるようになったのは、ニュートンが論文を発表してから約100年後のことで、1767年にシャーロット王妃がポメラニア地方からホワイトのポメラニアン2頭を取り寄せたことがその契機となった。この2頭は王室の犬として一躍脚光を浴び、著名な画家のトマス・ゲーンズバラ（1727〜88年）もモチーフにしている。ゲーンズバラはほかにも、『ポメラニアン種の雌犬と子犬』（1777年）、『メアリー・ロビンソンとポメラニアン』（1781〜82年）など、数点の作品にポメラニアン

を描いている。前者は友人であったチェリストのカール・フリードリヒ・アーベルが所有する犬を、後者は作品名の通り、王太子時代のジョージ4世と浮名を流した女優メアリー・ロビンソン（通称パーディタ）とポメラニアンを描いたものだ。犬は当時、絵画の世界では「愛」と「献身」の象徴でもあった。その10年後には、やはり著名な画家だったジョージ・スタッブス（1724〜1806年）が、『フィーノとタイニー』（1791年）という作品で自身の愛犬と思われるポメラニアンを描いている。これらの絵画に登場する犬たちは、現代のポメラニアンよりも大きく、異なる特徴を示しているが、「ポメラニアン」と総称されていた。

シャーロット王妃の孫に当たるヴィクトリア女王も、この犬種の普及に大きく貢献し、犬舎を用意して自ら繁殖を行った。きっかけは、1880年代末にイタリアを訪れた際に手に入れた、マルコという名の雄のポメラニアンだった。女王は、国内で飼育されていたポメラニアンのなかでも特に身体が小さいこの犬を寵愛した。マルコに魅せられた女王は、その後もイタリアから多くのポメラニアンを取り寄せるが、いずれの犬たちもやはり小さくかわいらしかった。そこで女王は、これらのポメラニアンを用いて、同じように小さな犬種を固定化させるべく取り組み始める。ポメラニアンが現在の犬種標準に求められる大きさに近づいたのは、女王のこのような努力によるものだ。

そうして1891年に初開催されたクラフツ展には、女王の犬を含めて14頭のポメラニアンが出陳された。大衆はチャーミングな小型犬にすっかり心を奪われ、この犬種が流行するまでにそう時間はかからなかった。同年にはポメラニアン・ブリード・クラブも創設され、併せて犬種標準も作成された。なお、この犬種の普及に尽力した女王は1901年、晩年をともにした犬の1頭であるトゥーリに看取られてこの世を去ったという。

英国で人気に火がついた頃、米国でもポメラニアンに注目が集まりつつあった。AKCが初めてポメラニアンを登録したのは1888年。ただし、分類されたのは「その他の犬」グループであった。ポメラニアンという犬種としてショーデビューを果たしたのは1894年のことで、出陳されたのはトゥーンとトーマスの両氏が共同で所有するシェフィールズ・ラッドという名の犬だった。シェフィールズ・ラッドはこのショーで同点2位を獲得したが、その後の受賞歴はない。実は、その18年前のスプリングフィールド・ドッグショーで優勝したチャップという犬もポメラニアンだったようだが、チャップはスピッツ部門でエントリーしていた。犬種が確立する前後の頃は、スピッツとポメラニアンが混同されがちだったのだ。

その後しばらくは、ポメラニアンは時折ドッグショーに姿を見せる程度であったが、1899年にフィラデルフィアで開催された米国ペット・ドッグ・サンクスギビング・ショーにおいてポメラニアン・クラスが設けられたことが、犬種としての大きな転機となった。そのショーには少なくとも18頭のポメラニアンが出陳されたという。翌1900年には、ウィリアムソン夫人とスマイス夫人がAPC（American Pomeranian Club＝米国ポメラニアン・クラブ）を設立し、スマイス夫人が英国から輸入したポメラニアン、ヌビアン・レベルが、権威あるウェストミンスター展のポメラニアン・クラスにおいてチャンピオンの称号を獲得する。AKCがポメラニアンを犬種として認定したのも、この年のことだ。

1909年になると、APCはAKCの会員クラブとして認められた。そして1911年、ポメラニアン専門のショーを開催する。このショーは上流社会のイベントとして、ニューヨークにある高級ホテル、ウォルドルフ＝アストリア最上階のサンルームで開かれ、138頭のポメラニアンが出陳された。しかしこのときの審査は難航し、ジャッジを務めたウェールズ出身のL・ダイヤー夫人は、ショーとしての質があまりにも低いため、そのなかからチャンピオンを決定するのは難しいと判断する。その原因について、犬自体の質が問題なのではなく、外観の整え方とトリミングに問題がある、とダイヤー夫人はコメントを残している。

しかしその後、米国ではポメラニアンへの関心が飛躍的に高まり、ドッグショーへの出陳頭数も増え続けた。なかには英国やイタリアからわざわざ駆けつけた参加者もいたほどだ。そんなポメラニアンは長年にわたり、米国で人気犬種トップ20にランクインし続けている。

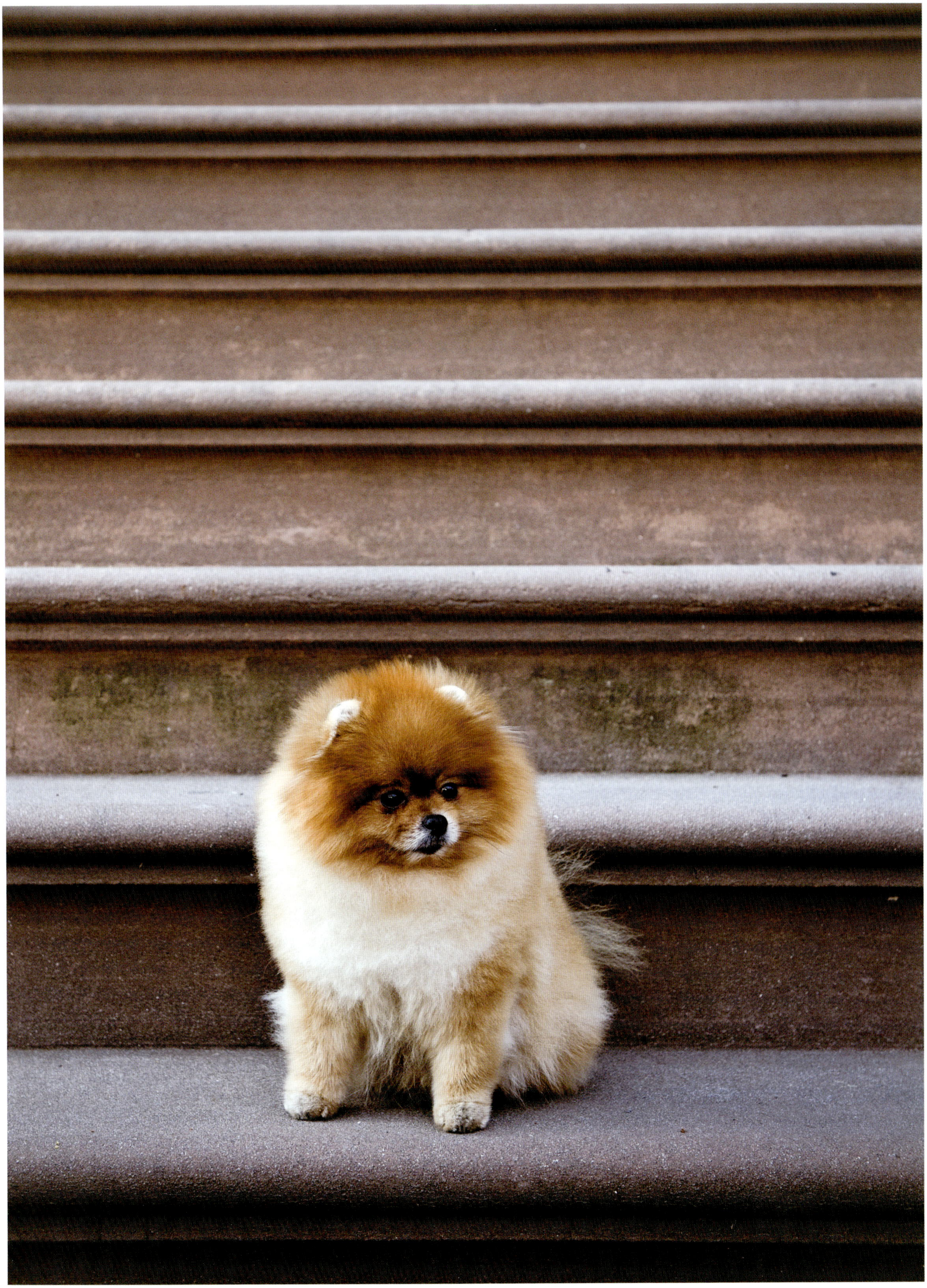

子の背もたれの上でバトンをくわえてバランスをとっている写真が残されている。サミーは王女が特にかわいがっていた犬で、ロイヤル・コレクションにはその愛らしい姿をとらえた作品が数多く存在する。だがサミーは不幸にも、殺鼠剤を誤って口にして死んでしまったという。

　17世紀の記録に、プードルに関する興味深い記述が残っている。イングランドのチャールズ1世の甥であるカンバーランド公ルパート（1619〜1682年）にまつわるものだ。ルパートは、三十年戦争［訳注：1618〜48年にドイツ（神聖ローマ帝国）を中心に行われた宗教的・政治的戦争］に参戦した際に敵方に捕らえられ、1638年からオーストリアで捕虜生活を送っていた。そうしたなか、彼はボーイという名のホワイトのスタンダード・プードルを贈られ、たいそうかわいがった。

　3年後に解放されたルパートは、ボーイを伴ってイングランドに帰国する。そしてチャールズ王に仕えて騎士党（王党派）の中心となり、1642年に始まったイングランド内戦で国王軍を率いて戦った。ルパートは戦（いくさ）にボーイを伴うこともあり、チャールズ王もまたボーイに目をかけた。王は玉座に似せた立派な椅子をあつらえて、作戦会議の場でもボーイを隣に座らせたと言われている。こうしてボーイは王党派の兵士たちにとってマスコット的存在、守り神的存在となり、かたや敵対する円頂党（議会派）の兵士たちには忌み嫌われ、恐れられた。しかしボーイは1644年、マーストン・ムーアの戦いで命を落とす。そしてルパートの軍も形勢不利となって撤退し、国王軍は最終的に惨敗を喫したのだった。

　20世紀の著名人のなかでは、英国の元首相ウィンストン・チャーチル（1874〜1965年）がプードル愛好家として知られ、ルーファス1世及び2世という名の2頭を飼っていた。米国でこの犬種を浸透させたのは、1962年に出版された『チャーリーとの旅』（ポプラ社）のなかでその姿を描いた作家のジョン・スタインベック（1902〜68年）である。20世紀には世界中でプードルの人気が上昇したが、特に第二次世界大戦後はその傾向が顕著で、米国では1960年から22年間にわたりAKCの登録数トップに君臨し続けた（AKCに初めて登録されたのは1887年）。この記録は今も破られていない。現在はやや人気が落ち着いたものの、それでもAKCの登録数では常にトップ10にランクインし続けている。英国でもその人気は健在である。

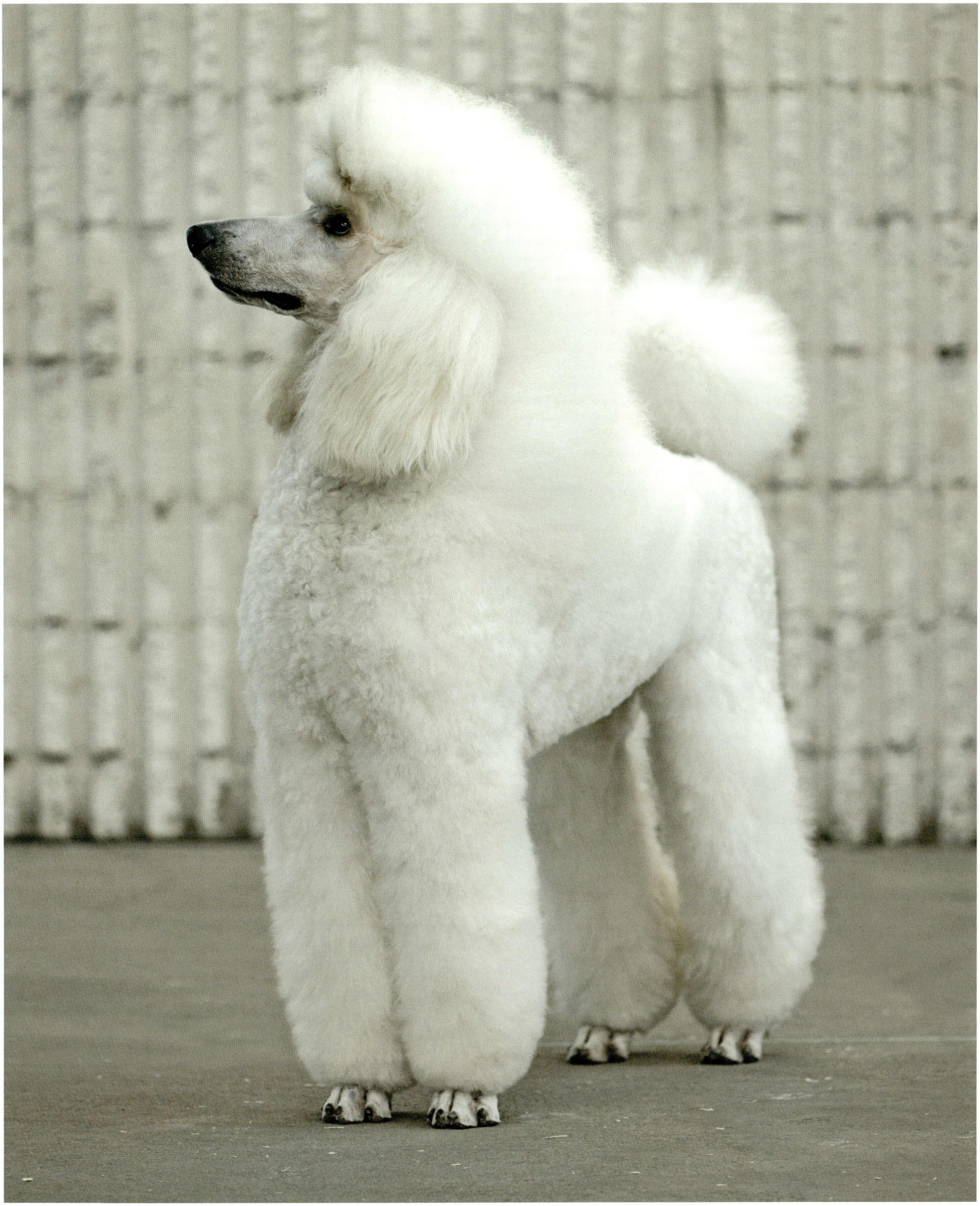

FRENCH BULLDOG
フレンチ・ブルドッグ
近現代 — フランス — 一般的

SIZE｜大きさ

雄 12.5kg／雌 11kg

APPEARANCE｜外見

コンパクトだが力強いボディを持つ。直立耳が特徴的。頭部は四角く、スカルは両耳のあいだが平ら。前頭部はドーム状で、警戒したときなどには皮膚に皺が入る。マズルは幅広で、輪郭がはっきりとしている。下あごは広くて深く、上向きにカーブしながらやや突き出ている。中ぐらいの大きさの丸い目は黒っぽく、比較的離れて付く。耳は中ぐらいの大きさのバット・イヤー（根元が広く先端が丸い直立耳）で、左右のあいだが離れている。首は太く、しっかりとアーチを描く。ボディはコビーで筋肉が発達し、肩のところが広く、あばらでやや狭まる。前胸は深くて広く、肋骨がよく張っている。力強い背はゆるやかにカーブし、腹ははっきりと巻き上がっている。腰は短く幅広で、やはり筋肉質。短い尾は低い位置に付き、付け根が太く先細り。まっすぐ伸びているのが好ましく、背のラインより上に巻いて保持されることはない。

COLOR｜毛色

ブリンドル、パイドあるいはフォーン。被毛はやわらかくなめらかな短毛で、光沢がある。

APTITUDE｜適性

ショードッグ、家庭犬として。

コンパクトなボディのフレンチ・ブルドッグは、思わず甘やかしたくなるほど愛らしく愉快な犬だ。体高は低いがたくましい筋肉をまとったこの犬は、そのユニークな性格から「犬界のピエロ」と呼ばれることもある。しかしとても賢い犬で、愛犬をしつけているつもりの飼い主が、いつの間にか犬にしつけられていたということもある。時おり頑固さを露呈するが、総合的にはほがらかで、周囲の者を楽しませることに喜びを感じる。また、人との関わりと刺激を求めるが、長時間の運動を必要としないため、都会での飼育にも向いている。

フレンチ・ブルドッグのルーツは、ブレンバイサーとブリティッシュ・ブルドッグにあると考えられている。ブレンバイサーは、マスティフ・タイプの犬種の祖先である古代のモロシアンから派生した犬で、もともと闘犬ショーやブル・ベイティングに用いられていた。英国のブルドッグも同じ目的で作出された犬である。

しかし、それらのショーが英国で1835年に動物虐待防止法によって禁止されると、競技用の犬たちには別の役割が必要となった。そうして小型のブルドッグがペットとして流行し始め、小型タイプの固定化を図った繁殖も行われるようになる。時は産業革命の時代で、多くの英国の職人がフランスへ渡った。そのなかには小型のブルドッグを連れていた人たちもいた。まもなく、それらの英国の小型犬の血がフランスのブレンバイサーの繁殖に導入され、生まれた子はフランスの犬の特性を備えた小型犬「ブルドッグ (Bouledogue)」として広まり、上流階級の女性や職人たちがアクセサリー感覚でこぞって所有するようになった。

その頃発行された『The History of the French Bulldog（フレンチ・ブルドッグの歴史）』(1903年)という小冊子なかで、著者のW・J・スタッブスは、フレンチ・ブルドッグの基礎を築いたのはミニチュア・タイプのブリティッシュ・ブルドッグであると述べている。これに対してフランスとドイツの人々は異議を唱え、英国のブルドッグはフランスのブルドッグを改良して誕生したものだと主張した。ほかにも、アラーノ・エスパニョール（スパニッシュ・ブルドッグ）が祖先犬だと唱える説もあった。フレンチ・ブルドッグの性質は、テリアとパグとの交配によって強化されたとも考えられているが、それを裏付ける記録も残されていない。

一方、英国では、1893年に何頭かのフレンチ・ブルドッグが渡ってきたが、高評価を得たとは言えなかった。そこで熱心な愛好家たちによって、1902年にフレンチ・ブルドッグ・クラブ・オブ・イングランドが設立された。そして1905年、KCが「ブルドッグ・フランセ」という犬種名で公認する。フレンチ・ブルドッグと改められたのは、1912年のことである。

その頃米国では、フレンチ・ブルドッグはすでに確固たる地位を築き、特に上流階級のあいだで人気の犬種となっていた。1885年までに繁殖のための犬舎が設立され、96年には19頭のフレンチ・ブルドッグがウェストミンスター展でデビューを果たしている。この犬種の耳について議論が巻き起こったのは、その翌年のことであった。当時は、すべてのフレンチ・ブルドッグが現在のような根元が広く、先端が丸い直立耳（バット・イヤー）を持っていたわけではなく、折れ耳のローズ・イヤーも散見された。また、ドッグショーで優秀な成績を収めたのはすべてローズ・イヤーの犬であった。そこで米国のブリーダー・グループは、1897年に米国フレンチ・ブルドッグ・クラブを創設し、バット・イヤーを基準とする犬種標準を作成した。現在では、バット・イヤーがフレンチ・ブルドッグの代名詞ともなっている。

米国フレンチ・ブルドッグ・クラブ設立後まもなく、AKCが公認すると、この犬の人気は急騰し、1906年の人気犬種ランキングでは5位に入るまでになった。現在は当時に比べると人気は少し落ちたものの、それでもAKCの登録犬数で常にトップ20に入る健闘を見せている。

DEVOTED AND LOYAL｜献身と忠誠

FRENCH BULLDOG │ フレンチ・ブルドッグ

BOSTON TERRIER
ボストン・テリア

近現代―米国―一般的

SIZE｜大きさ
雄雌とも　11.5kg以下

APPEARANCE｜外見
頭部が比較的短く、ボディもコンパクトで、尾も短い。スカルは四角く、両耳のあいだが平ら。短いマズルも四角形で、深く、幅が広い。あごもやはり四角い。ほどよい大きさの丸い目は濃い色調で、左右のあいだが広く、知的で優しい表情をしている。耳は小さな立ち耳で、首はわずかにアーチを描く。ボディはコンパクトだが力強い。胸は幅広で、肋骨がよく張り、ひばらがほんのわずか巻き上がっている。短い腰は筋肉が発達し、臀部は尾の付け根に向かってわずかに弧を描いている。短くて先細りの尾は低い位置に付き、まっすぐ伸びるかカールしているが、水平位置より上に掲げられることはない。

COLOR｜毛色
ブリンドルにホワイトの斑が入る。ブリンドルはボディ全体にはっきりと入っていなければならない。また、ブラックにホワイトの斑も認められるが、ブリンドルにホワイトの斑のほうが好ましい。ホワイトのマズルに、よりはっきりとしたホワイトのブレーズと、頭部や首回り、胸、前肢全体あるいは一部、後肢の飛節より下部にホワイトが入るのが理想的。被毛はシングル・コートで、光沢のある細くてなめらかな短毛が全身を覆う。

APTITUDE｜適性
アジリティに。ショードッグ、家庭犬、さらにはセラピードッグとしても。

ボストン・テリアは「小さな米国の紳士」とも呼ばれている。性格がとてもおおらかで、タキシードを着たような美しい外見をしていることがその由来だ。チャーミングなこの小型犬は遊び好きな一方で、飼い主に対して忠実で思いやりがあり、深い関わりを求める。また知的かつエネルギッシュで、アジリティやオビディエンス競技に長け、セラピードッグとしても秀でている。

ボストン・テリアは、1890年代にマサチューセッツ州ボストンで作出された米国原産の犬である。ただしルーツは、ブリティッシュ・ブルドッグとホワイト・イングリッシュ・テリアにあるとされ、それらを掛け合わせたフーパーズ・ジャッジという名の犬が始祖犬になったと言われている。ジャッジは1860年代半ばにボストン在住のロバート・フーパーがイングランドから輸入した雄犬で、濃い色調のブリンドルにホワイトのブレーズが入ったボディと、ブラックの短い頭を持つ犬だったと記録されている。

ジャッジは、フーパーと同じ地域に住むエドワード・バーネットが所有するバーネッツ・ジップと交配された。ジップは体高が低いずんぐりとした力強い雌犬で、ジャッジと同じくブラックの短い頭を持っていた。バーネットはジップと似たような外見を持つ犬をほかにも何頭か所有していたが、それらは皆、ネズミ捕りの名手だったという。ジャッジとジップのあいだに生まれた子のなかで最も犬種確立に貢献したのが、ウェルズ・エフという名の雄だ。母犬と同じく体高が低い力強い犬で、濃い色調のブリンドルにホワイトのマーキングが入り、マズルは平らであった。

ウェルズ・エフは1877年、ゴールデン・ブリンドルのトビンズ・ケイトという名の雌と交配された。そのときに生まれたバーナーズ・トムという名の雄犬が、最初のボストン・テリアだと言われている。トムはレッド・ブリンドルにホワイトのマーキングが入った被毛をまとい、尾はらせん状に巻いたスクリュー・テイルであった。トムはジョン・バーナードのもとに渡り、その後ケリーズ・ネルという雌と交配された。2頭のあいだに生まれた子の一部は、ネルの飼い主から礼金代わりとしてバーナードに贈られることになっていた。バーナードが選んだのはマイクという名の雄で、現在のボストン・テリアと同様、くりくりと丸い目をしていた。

バーナーズ・トムのほかにも、雄のホールズ・マックスやビクスビーズ・トニー・ボーイ、そして雌のレイノルズ・フェイマスやサウンダーズ・ケイト、ノランズ・モリーといった犬たちが、この犬種の確立に貢献した。初期の繁殖には、犬種のタイプと大きさを定着させるためにフレンチ・ブルドッグも用いられた。

ボストンでは、1878年に初めてドッグショーが開催された。そのときには「ブル・テリア」のクラスが設けられ、1888年になると「ラウンドヘッド（丸頭）・ブル・テリア」というクラスも開設された。するとこの犬は、「ラウンド・ヘッド」「ボストン・ラウンド・ヘッド」、あるいは「ボストン・ブル」などと呼ばれるようになった。作出地名が犬種名に含まれるようになったのは、ブリーダーのグループが米国ボストン・テリア・クラブを設立した1891年のことだ。このクラブは犬種標準も作成し、翌1892年にAKCがこれを認めた。

こうしてボストン・テリアは、米国原産種のうち初めて独立した犬種として認められた犬となった。米国原産の犬として国の誇りとなったボストン・テリアは、宣伝や広告に引っぱりだことなり、1935年まで米国人気犬種のトップ10にランクインし続けた。それ以降はやや人気に陰りが見え始めたが、それでも米国には熱心なファンが絶えることなく、現在まで安定してトップ25に入り続けている。ボストン・テリアは英国でも人気があり、今や世界中で愛される犬となっている。

DEVOTED AND LOYAL｜献身と忠誠

BOSTON TERRIER｜ボストン・テリア

CAVALIER KING CHARLES SPANIEL
キャバリア・キング・チャールズ・スパニエル

近世以前／近現代 — 英国 — 一般的

SIZE ｜ 大きさ

雄雌とも　5.4〜8.2kg

APPEARANCE ｜ 外見

エレガントで活動的だが、性格は穏やか。スカルは両耳のあいだが平らで、マズルは3.8cmほどの長さで先細り。ダークな色調の大きな丸い目は離れて付き、優しく愛らしい表情を見せる。長い耳は頭部の高い位置に付き、飾り毛が豊富。首はほどよい長さで、わずかにアーチを描く。ボディはショートカプルドで、肋骨はよく張り、背は水平。尾は飾り毛が豊かで陽気に掲げられるが、背のラインより高く上げることはない。

COLOR ｜ 毛色

ブラック＆タン、ルビー、ブレナム（チェスナット＆ホワイト）、トライ・カラー（ブラック＆ホワイトにタンの斑）。被毛はシルクのような長毛で、飾り毛が豊富。わずかにカールしていることもある。

APTITUDE ｜ 適性

鳥猟に。ショードッグ、家庭犬としても。

　美しい外見のキャバリア・キング・チャールズ・スパニエルは、愛情深く陽気で穏やかな犬で、飼い主に無上の喜びを与えてくれる。また誠実でとても賢いため、しつけをするのも容易で、激しく吠えたてることもめったにない。戸外で走り回るのも好きで、本能的に下生えに潜む鳥をおどかして飛び立たせるフラッシングを行う。そのため、古くからペットとして飼われる一方で、鳥猟にも用いられてきた。そんなキャバリアが独立犬種として認定を受けたのは20世紀に入ってからだが、起源は何世紀も前にさかのぼり、英国ではキング・チャールズ・スパニエル、ほかの国ではイングリッシュ・トイ・スパニエルと呼ばれている近縁種と初期の歴史を共有している。

　トイ・グループに分類されるアジア発祥の小型犬は何世紀も前から存在していたことがわかっている。アジアからヨーロッパ大陸へと渡った狆（チン）やチベタン・スパニエルなどが、スパニエル種の発展に影響を与え、新種のトイ・ドッグが誕生したものと考えられている。こうして生まれた小型犬は「コンフォーター・スパニエル（癒しのスパニエル）」と呼ばれ、ヨーロッパの上流階級の人々から、ぬくもりと癒しを与えるペットとして愛されるようになった。

　当時、それらの小型犬は痛みを和らげ、病を治し、人間をノミから守ってくれると信じられており、特にヨーロッパの宮廷や富裕層の女性からの需要が高かった。16世紀以降のイタリアやドイツ、スペイン、オランダ、フランスの絵画に多く描かれていることからも、飼育率が非常に高かったことがうかがえる。17〜18世紀にかけての英国スチュアート朝の時代には、キャバリア・キング・チャールズ・スパニエルとキング・チャールズ・スパニエル（イングリッシュ・トイ・スパニエル）が流行した。

　小型のトイ・スパニエルの運命を導いたのは、イングランド王室だと言っても過言ではない。チャールズ1世（1600〜49年）は、たいへんなスパニエル愛好家だった。彼が処刑されたときには、イングランド中のスパニエルがその死を悼み涙したという伝説が伝わるほどだ。アンソニー・ヴァン・ダイク（1599年〜1641）の宮廷絵画のなかにも、小型のスパニエルが多く登場する。たとえば『チャールズ1世の5人の子どもたち』（1637年）には、巨体のマスティフの横に小さなレッド＆ホワイトのスパニエルが描かれている。

　特にチャールズ1世の寵愛を受けたのは、ブラック＆ホワイトのローグという名の犬で、彼が処刑される際には最後まで付き添ったと言われている。チャールズを処刑した革命指導者のオリヴァー・クロムウェル（1599〜1658年）は、主人を亡くした不幸なこの犬を、勝利のしるしとして市中引き回しに処したと言われている。

　イングランド王チャールズ2世（1630〜85年）も父と同様、小型のスパニエルと深い関わりがあった。彼は行く先々に数頭の小型犬を伴って出かけた。記録は残っていないが、スパニエルへの思いがあまりにも強く、国会議事堂からパブに至るまで、あらゆる公共の場に犬が立ち入ることを許可するよう命じたという。そんなチャールズ2世が愛したスパニエルは、やがてキング・チャールズ・スパニエルと呼ばれるようになった。チャールズ2世の後に王位を継承した弟のジェームズ2世（1633〜1701年）もまた、王宮でキング・チャールズ・スパニエルの飼育を続けた。しかし、次に戴冠したオランダのオラニエ家出身のウィリアム3世（1650〜1702年）がパグを好んだことから、王宮でのキング・チャールズ・スパニエルの人気は急激に衰えた。

　それでも貴族のあいだでは相変わらず広く飼われ、繁殖を続ける者もいた。ブレナム宮殿を居城とした初代マールバラ公爵ジョン・チャーチル（1650〜1722年）も、その1人だ。マールバラ公爵については、この犬にまつわる有名な逸話がある。1704年、公爵がブレンハイム（ブレナム）の戦いに出ているさなかに、彼が所有するレッド＆ホワイトのスパニエルが産気づいた。そこで公爵夫人が母犬の額をなでて励ましたところ、夫からフランス軍相手に大勝利を収めたという知らせが入ると同時に、母

DEVOTED AND LOYAL ｜ 献身と忠誠

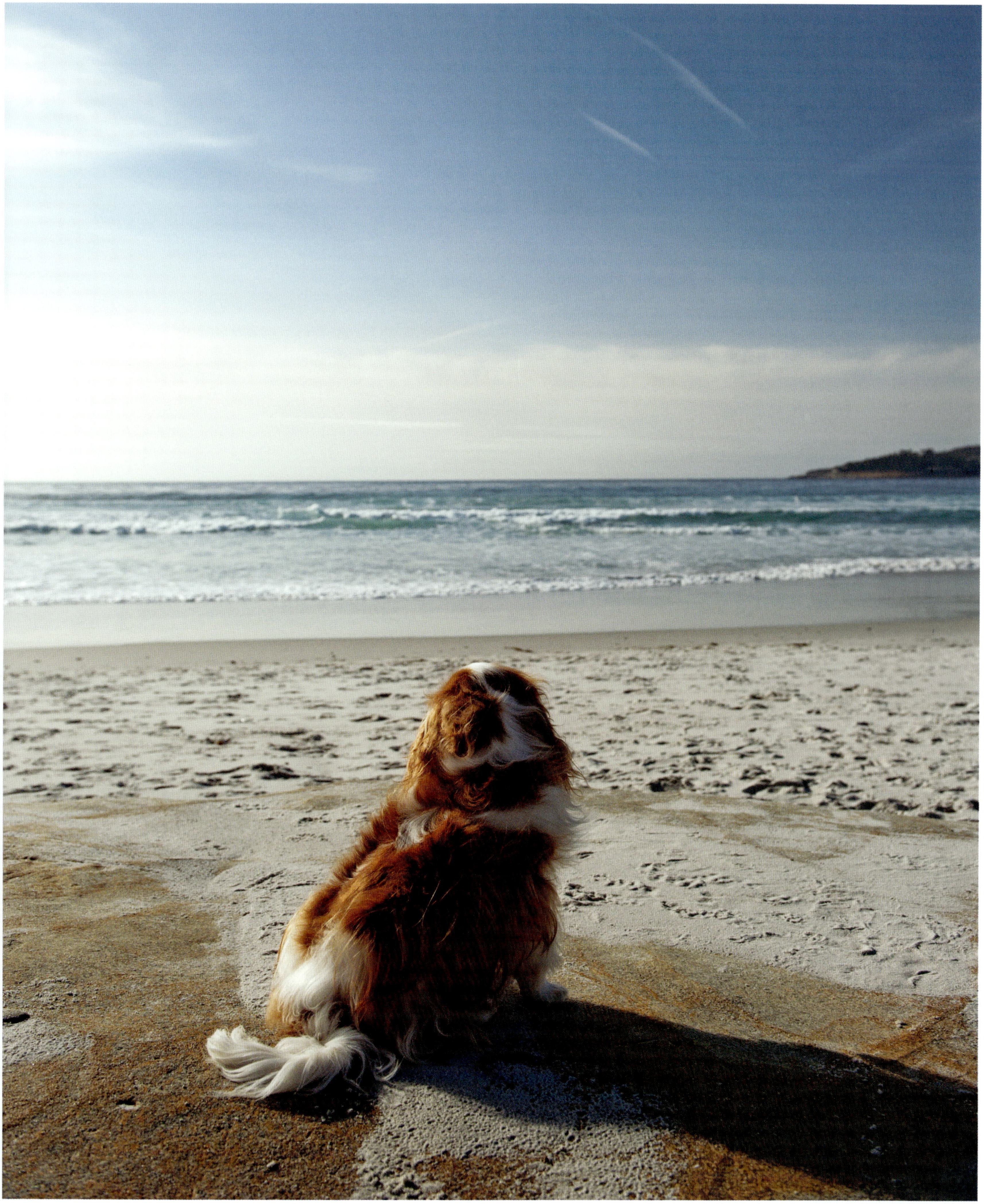

DEVOTED AND LOYAL｜献身と忠誠

親そっくりの子犬が生まれたというのだ。ただし、どの子犬も額に美しい赤い斑が輝いていた。これが現在ブレナム・スポットと呼ばれる斑で、このタイプのキャバリアは今でもブレンハイムと呼ばれている。

キング・チャールズ・スパニエルの外見が少しずつ変化していくのは、この頃からだ。パグなどの顔の短い犬が宮廷で流行していたことに影響を受けたのだろう。異系交配によりスカルがドーム状で顔がずいぶん短く、耳が低い位置に付いた犬へと徐々に変化していった。スカルが平らでマズルが長く、耳が高い位置に付く昔ながらのキング・チャールズ・スパニエルとは対極をなす外見である。この古典的なタイプが、のちにキャバリア・キング・チャールズ・スパニエルとして知られるようになる犬だ。

ヴィクトリア女王（1819～1901年）が流行にとらわれず最も深く愛し続けたのも、ダッシュという名の古典タイプの（キャバリア・）キング・チャールズ・スパニエルであった。ダッシュは、ヴィクトリアが王位を継承する4年前の1833年に彼女に贈られたトライ・カラーの犬で、動物画家エドウィン・ランドシーアが初めて描いたヴィクトリア所有の犬でもある。1840年に死んだダッシュはウィンザー城に埋葬され、墓碑銘にはこう刻まれた──「彼の愛情はわがままとは無縁で、彼の戯れは邪心を知らず、彼の忠誠には偽りがない。この碑を読みし汝がもしも敬愛されし者であれば、死してもなお深く悼まれることであろう。このダッシュのように」

19世紀末にかけては、短い顔にドーム状の頭を持つ新しいタイプのキング・チャールズ・スパニエルが流行した。折しもドッグショーが盛んに開催され、犬種標準が作成されるようになった頃である。キング・チャールズ・スパニエルの犬種標準では、短い顔とドーム状のスカルがスタンダードとされたため、鼻の長い古典タイプは廃れていくかと思われたが、幸運にも米国人のロズウェル・エルドリッジにより救われることになる。

1920年代にエルドリッジは、ヨーロッパの古典絵画に見られる尖った鼻を持つスパニエルを求めてイングランドを訪れた。しかし、犬種のふるさとである英国のドッグショーでも古典タイプのスパニエルを見かけないことに愕然とし、彼は強硬手段に打って出る。クラフツ展において、チャールズ2世の時代に流行したタイプに最も近い雄と雌を連れてくれば25ポンドの賞金を支払うと、提示したのだ。その当時、英国のブリーダーたちはドーム状のスカルと短い顔を発現させることに専念しており、エルドリッジが求めるタイプの犬はいわば失敗作であった。そのため残念ながらエルドリッジの願いが叶うことはなく、彼は古典タイプのキング・チャールズ・スパニエルに出会う前に亡くなってしまった。だが、彼の情熱に突き動かされた人物がいた。ブリーダーのヒューイット・ピットである。彼は古来の小型スパニエルの復元に着手し、見事にそれを成し遂げる。

ピットのもとで先祖帰りを果たした犬には、チャールズ1世を支持する貴族たちを指した「騎士派（キャバリア）」にちなんでキャバリア・キング・チャールズ・スパニエルという犬種名が改めて与えられた。そして1928年には犬種クラブが誕生し、犬種標準も作成される。スタンダードはそれ以来、ほとんど修正が加えられていない。こうしてようやく復活を遂げたキャバリア・キング・チャールズ・スパニエルであったが、その後は頭数が伸び悩み、KCの認定を得るまでには至らなかった。

しかしドッグショーに登場する回数が徐々に増え始めると、一般市民の関心を引くようになり、ついに1945年、KCの認定を受けるとともに、CCの資格も与えられた。最初にチャンピオンに輝いたのはデイウェル・ロジャーという名の犬で、その後の犬種の発展に大きく貢献した。そうして1960年には、登録数が4桁に届くまでに成長した。さらに、1973年のクラフツ展でアランスミア・アクエリアスがBISに選ばれたことが大きな転機となり、英国をはじめとする世界の国々でこの犬種に注目が集まることとなった。

だが、米国ではなかなか日の目を見なかった。初期のキャバリア・キング・チャールズ・スパニエルは入植者とともに北米大陸に渡ったとされているが、1950年代以前の犬の輸入に関する記録は残っていないため、実際のところはわからない。1956年には、熱心なブリーダーと愛好家たちによってCKCSC (Cavalier King Charles Spaniel Club = キャバリア・キング・チャールズ・スパニエル・クラブ) が設立されたが、頭数が少なかったためAKCは認定を保留し、「その他の犬」グループに登録するにとどまった。

そこでCKCSCは独自のチャンピオンシップ・ショーを立ち上げるとともに、すべての血統を残らず記録していった。それを受けてAKCは1996年、ついに犬種として認定する。こうしてキャバリア・キング・チャールズ・スパニエルは、AKCが170番目に認めた犬種となった。その後、犬種のペアレント・クラブとして、米国キャバリア・キング・チャールズ・スパニエル・クラブが新たに発足している。このチャーミングな犬は米国や英国だけでなく、今や世界中の人々に愛される存在となっている。

YORKSHIRE TERRIER
ヨークシャー・テリア

近現代−英国−一般的

SIZE｜大きさ
雄雌とも　3.2kg

APPEARANCE｜外見
コンパクトな身体から、長くまっすぐな被毛が左右均等に垂れているのが特徴的。頭部も小さく、頭頂部は平ら。中ぐらいの大きさの目は黒っぽく、知的で生き生きとした表情を浮かべる。耳はV字形の立ち耳。背は短く、トップラインが水平。かつては慣習的に断尾されていたが、自然のままの尾は背のラインよりもやや高く掲げられ、豊富な被毛に覆われている。断尾されない場合は、まっすぐであることが望ましい。

COLOR｜毛色
濃いスチール・ブルー（暗青灰色。シルバー・ブルーではない）が後頭部から尾の付け根まで広がる。フォーンやブロンズ、ダークと混ざることはない。胸は明るいタンで、この部分の毛色は根元が濃く、真ん中あたりでやや明るくなり、先端でさらに明るい色になる。被毛はシルクのような長くて細い直毛で、光沢がある。

APTITUDE｜適性
ネズミ駆除犬として。ショードッグ、家庭犬としても。

　ヨークシャー・テリアはテリア種のなかで最小種ながら、自尊心は非常に高い犬である。ヨーキーという愛称で親しまれるこの犬は、コンパクトな身体にあふれんばかりの個性を秘め、小型犬のなかでも特に人気の高い犬種となった。そんなヨーキーはカリスマ性も抜群で、自信に満ち、リスペクトされ注目されることを求める。だが、どれだけちやほやされても身体にはやはりテリアとしての血が脈々と流れていて、本能的に走り回ったり、ネズミ捕りに興じたりと、犬としての自由を思い切り楽しむ一面もある。また、被毛がとてもゴージャスで、ショー用に容姿を整えたヨーキーは息をのむほど美しいが、美しく保つにはかなり手間がかかり、日々の手入れが欠かせない。

　この犬種は、19世紀半ばにイングランド北部のヨークシャー及びランカシャー地方で作出され、製粉工や織工などの職人たちがネズミ対策のために飼育と繁殖を行っていたと言われている。そうした労働者の多くはスコットランド出身で、テリアを伴ってイングランドにやってきた。ヨーキーのルーツは、19世紀の労働者が飼育していたそれらのテリアにあり、なかでもクライズデール・テリア、ウォーターサイド・テリア（オッター・テリア）、オールド・イングリッシュ・トイ・テリア（ラフ＆ブロークン・コート）など、すでに絶滅品種となってしまったテリアが祖先犬だったのではないかと考えられている。

　このなかで特にヨーキーに近い種だったと言われるクライズデール・テリアは、スコットランドの北西岸沖に位置するスカイ島原産のスカイ・テリアから派生したブルー＆タンの犬であった。スカイ・テリアからはブルーの単色のペイズリー・テリア（絶滅品種）も派生し、この犬もヨーキーの誕生に影響を与えたのではないかと考えられている。また、オールド・イングリッシュ・トイ・テリアはブラック＆タンまたはブルー＆タンで、やはりヨーキーの誕生に大きく関わっていたと思われる。19世紀半ばにヨークシャー・テリアという犬種名が与えられる前、ブリーダーたちはこの犬を「トイ・テリア」という名称で登録していた。

　ヨーキーの礎を築いたのは、1850年頃に誕生した3頭、すなわちアスウィフツ・オールド・クラブ、カーショーズ・キティ、そしてJ・ウィッタムが所有していた雌のオールド・イングリッシュ・テリアである。キティはその生涯で、80頭ほども子をもうけたと言われている。その後、ハダーズフィールド・ベンという名の犬が、犬種発展に重要な役割を果たす。ベンはドッグショーで多くの受賞歴があり、ネズミ捕り競技でも好成績を残した優秀な犬で、10頭の雄と1頭の雌の子を残した。こうした犬たちが基礎となって誕生したヨークシャー・テリアは、1886年にKCに犬種として正式に認定された。その3年後の1898年には、犬種の保護と普及を目的としてヨークシャー・テリア・クラブも創設されている。

　この頃までに、この小型犬はすでに富裕層の女性たちのあいだで人気の犬種となり、その人気は大西洋を越えて北米へと広がっていた。初期のドッグショーの出陳者でありブリーダーでもあったニューヨーク在住のキステマン夫妻は、1877年の第1回ウェストミンスター展にヨーキーを出陳し、98年までその繁殖を続けた。

　ほかにも多くのブリーダーが繁殖に着手したが、なかでもニューヨークのファーディナンド・センとその夫人の貢献が大きい。セン夫妻は米国におけるこの犬種の血統を最初に確立した人物である。彼らがヨーキーをショーに出陳したのは1877年。そして1916年まで繁殖を続けた。セン夫妻はイングランドから優秀な血統のヨークシャー・テリアを輸入したが、所有する犬のうち1905年に初めてチャンピオンを獲得したのは、米国国内で誕生したクイーン・オブ・ザ・フェアリーズという名の犬だった。フェアリーズの父犬は米国において血統の基礎を作った最古の種牡犬、リトル・ジェムである。

DEVOTED AND LOYAL｜献身と忠誠

YORKSHIRE TERRIER | ヨークシャー・テリア

DALMATIAN
ダルメシアン

近世以前 – ユーゴスラビア – 一般的

SIZE｜大きさ

雄 58〜61cm／雌 56〜58cm

APPEARANCE｜外見

水玉模様の斑点が特徴的な、筋肉質で活動的な犬。頭部は長く、スカルは平らで両耳のあいだが広く、マズルは力強い。鼻の色は、斑がブラックであれば同じくブラック、斑がレバーであればブラウン。中ぐらいの大きさの目は卵形で、左右のあいだが適度に離れ、知的な印象を与える。目の色は、ブラックの斑であればダーク・ブラウン、レバーの斑であればアンバー。耳は頭部の高い位置に付き、付け根が広く先細りで、先端は丸く、頭部に沿って垂れている。首は非常に長く、美しいアーチを描く。ボディは深く、体高よりも体長のほうがわずかに長い。胸は深く、ほどよい広さで、肋骨がよく張っている。背は力強く、腰部はわずかに弧を描き、がっしりとしている。前肢はまっすぐで、後肢は丸みを帯びて筋肉がよく発達している。尾は飛節に届くほどの長さで、上方にわずかにカーブしながら掲げられる。

COLOR｜毛色

ホワイトの地色にブラックの斑点、あるいはレバーの斑点が入る。斑は直径2〜3cmほどのはっきりとした丸形で、ボディ全体に分布する。四肢の斑はボディの斑よりも小さい。被毛は硬い短毛が密生し、なめらかで光沢がある。

APTITUDE｜適性

過去には四輪馬車の伴走犬、消防犬として。現在では猟犬、軍用犬として用いられるほか、ショードッグ、家庭犬としても。またアジリティに。

ダルメシアンの特徴は、何と言っても息をのむほどに美しい水玉模様である。生まれたときは真っ白で、生後2週間ほどで徐々にこの斑点が現れ始める。その時点まで、斑の色がブラックになるかレバーになるかはわからない。魅力的な容姿とすばらしい性格が高く評価され、映画や広告にもたびたび起用されているが、最も有名なのは、1961年に公開されたドディ・スミス原作のディズニー映画『101匹わんちゃん』だろう。しかし、メディアへの露出が多くなったことによる弊害もある。飼育環境が整っていないのに、安易にこの犬を買い求める無責任な人が続出したのだ。ダルメシアンは非常にエネルギッシュな犬なので、じゅうぶんに運動をさせてやらなければならない。

この犬は、困難な状況も打開できるだけの知性と高い運動能力を持っているため、猟犬、ネズミ駆除犬、軍用犬、農場の作業犬、番犬、サーカス犬、消防犬、馬車犬など、実にさまざまな役割を果たしてきた。特に英国と米国では、消防犬と馬車の伴走犬としてよく使われてきた。ダルメシアンは生来、馬と相性がよく、邪魔をしたりおどかしたりすることもなく、しっかりと伴走することができる。馬のほうも、他犬種ではそうはいかないが、ダルメシアンならばすんなりと仲間として受け入れる。

英国では16世紀に4頭立ての大型の四輪馬車や2頭立ての四輪馬車が登場し、19世紀には「馬車の黄金時代」を迎えた。ダルメシアンはこの新しい交通手段に欠かせない存在となり、走る馬車の横にぴたりとつき、野良犬が馬を襲わないよう目を光らせ、馬車が停まれば車体の下にもぐり込んで護衛にあたった。夜になると馬とともに眠り、ほかの動物や盗賊から馬を守った。資産家の自家用馬車の御者たちにとっては、ダルメシアンのそういった能力はもちろんのこと、馬車に花を添えてくれるその優雅で美しい外観もまた大きな魅力であった。そんなダルメシアンは、19世紀の英国では「イングリッシュ・コーチ・ドッグ（馬車犬）」「キャリッジ・ドッグ（伴走犬）」「プラムプディング・ドッグ」[訳注：プラムプディングは干しブドウやプラムなどを具材に使った英国の伝統的なクリスマスケーキ]などと呼ばれていた。

一方、19世紀の米国では、消防署の犬として広く知られるようになった。馬が引く消防車が登場したのは19世紀半ばのことで、ダルメシアンはその伴走役を務めた。英国の馬車と同じく、この犬は消防車の横について吠えながら先導して道を確保し、消防車が停まると車と馬の警護にあたった。消防犬として知られるようになったダルメシアンは、今でもマスコットあるいはペットとして米国の消防署では飼育されている。1951年には米国消防協会（NFPA）がダルメシアンのスパーキーというマスコットキャラクターを考案し、現在も親しまれている。

ダルメシアンの現代史については詳しい文献が残っているが、もっと古い時代の、その起源についてははっきりとしたことはわかっていない。旧ユーゴスラビアの西部に位置するダルマチア地方が発祥の地だとするのが通説となっているが、それを裏付ける確かな証拠はない。実際のところ、この地方にダルメシアンが到来したのは1930年のことだったようだ。モロッコ総領事であり英国ダルメシアン・クラブのメンバーであったヴァーネ・イヴァノヴィッチが、継父であるボゾ・バナッツのたっての希望をかなえるべく、2頭のダルメシアンを贈ったと言われている。

だが、芸術作品や文学作品のなかには、斑の入った犬がずいぶん昔に登場している。古代エジプトの墓の装飾や古代ギリシャのフレスコ画にも、水玉模様の犬の姿を見ることができる。その1つが、アテネ国立考古学博物館に展示されている。古代ギリシアのミケーネ文明の遺跡ティリンスから発掘されたフレスコ画だ。そこに描かれているブラックとレ

DEVOTED AND LOYAL｜献身と忠誠

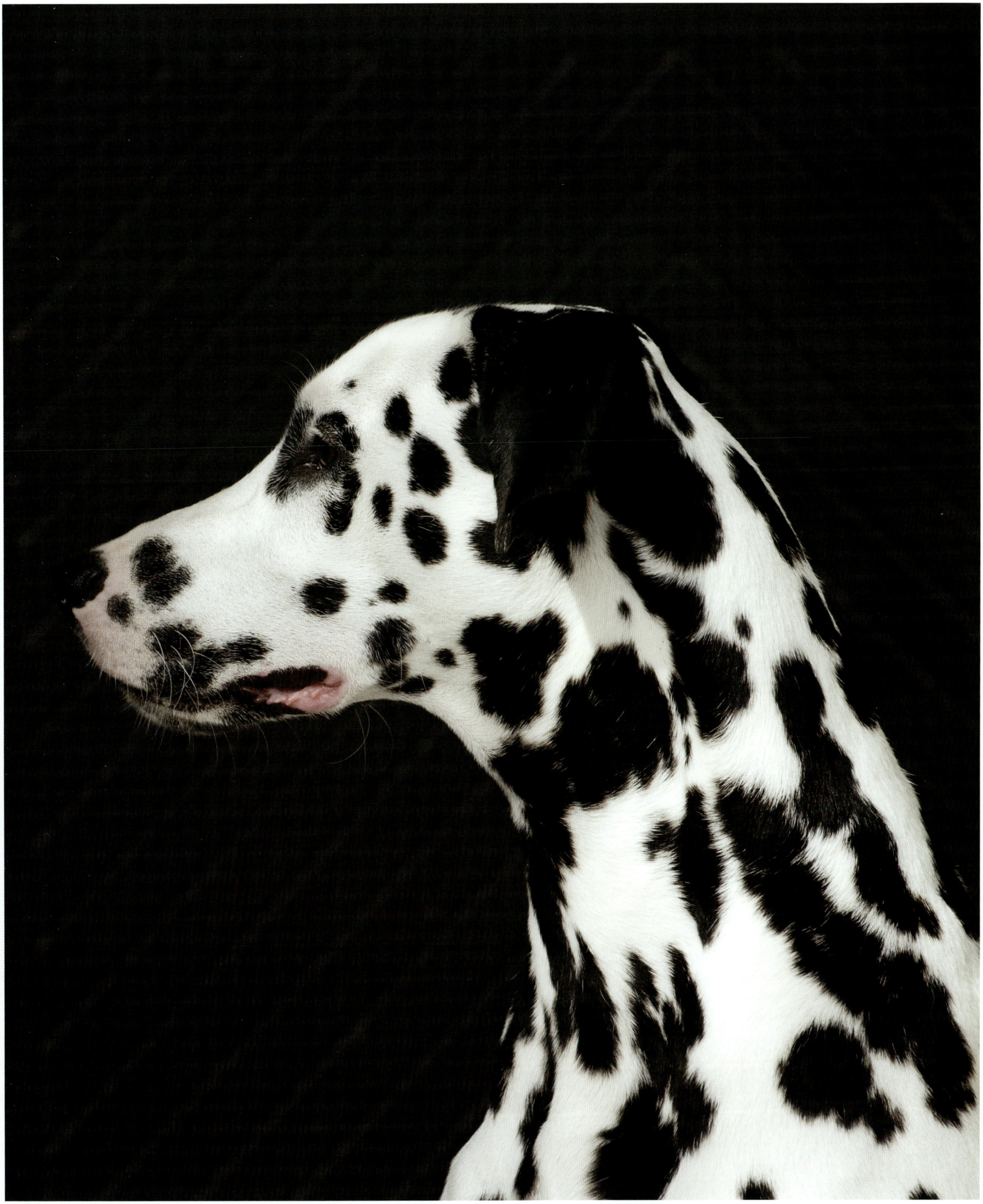

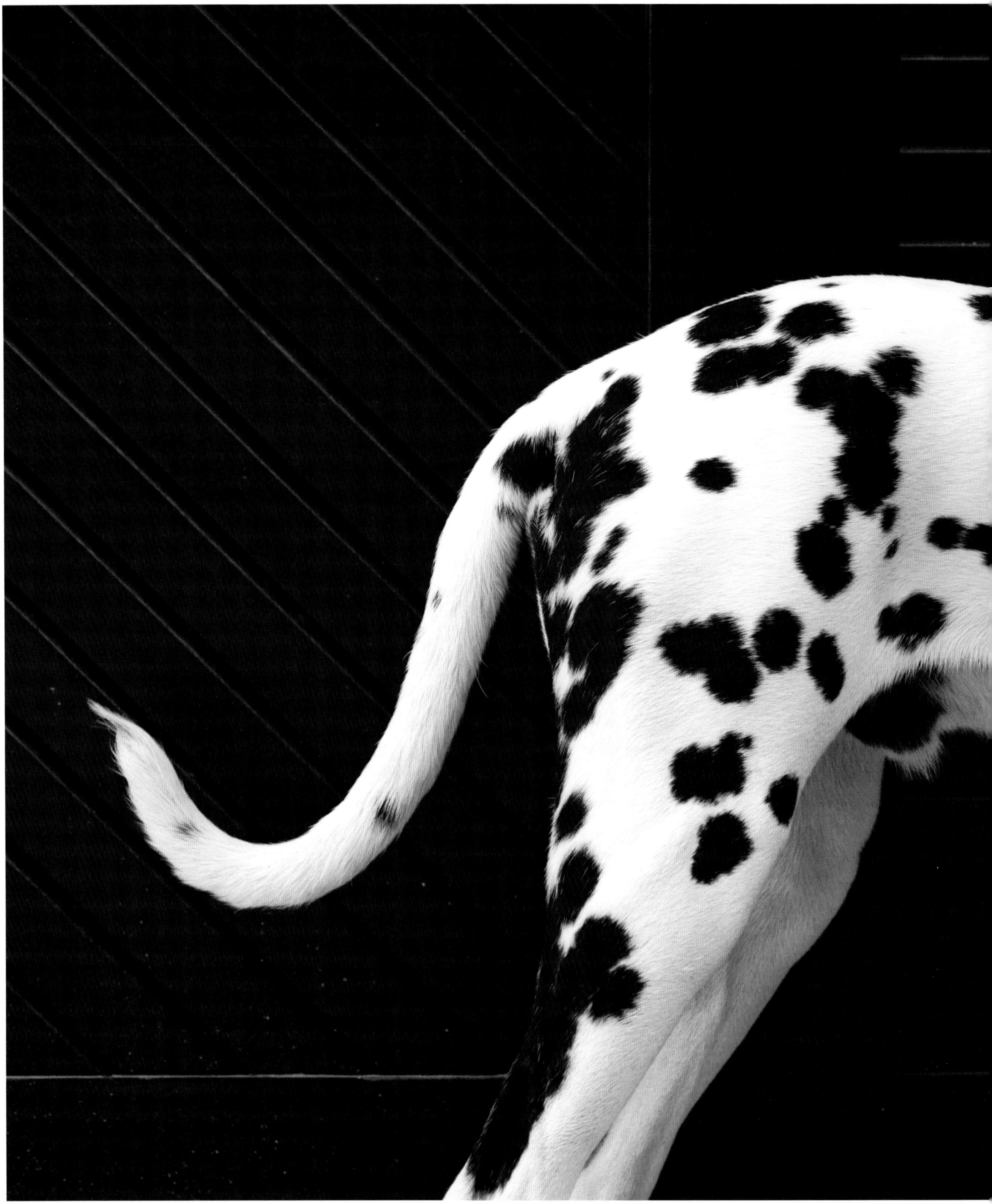

バーの斑が入ったイノシシ狩り用の猟犬は、バルカン半島から交易路を渡り、地中海沿岸に伝わったとする説がある。イタリアのフィレンツェにあるサンタ・マリア・ノヴェッラ教会にある14世紀のフレスコ画のなかにも、ダルメシアンのような斑のある犬が描かれている。サンタ・マリア・ノヴェッラは、カトリック最古のドミニコ修道会の教会だ。この教会のフレスコ画に描かれている白黒斑の犬は、白のガウンに黒のケープをまとうドミニコ会の修道僧の姿を象徴的に表している。このことからも、ドミニコの修道会とダルメシアンの祖先犬とのあいだに深い関係があったことがうかがえる。

犬の起源と犬種名については、16世紀のセルビアの詩人、ユーリィ・ダルマティン（1547～89年頃）と関係しているとする説がある。ダルマティンがボヘミアの公爵夫人に宛てた手紙のなかに、1573年に公爵夫人から贈られた2頭のトルコ原産の犬についての記述があるのだが、彼がその犬を用いて繁殖した犬がダルメシアンの起源だというのだ。だが、この犬種の発祥地がどこであるのか、また、その水玉模様が古代犬から受け継がれたものなのか、現在も確かなことはわかっていない。確かにFCIはダルメシアンの起源をダルマチア地方としているが、実際のところ、近現代のダルメシアンの歩みは英国や米国と関係が深い。

その英国で初めての犬種クラブ、サザン・ダルメシアン・クラブが創設されたのは1925年のこと。同クラブは、この犬種が英国でたいへんな人気を集めるようになった1930年に英国ダルメシアン・クラブと改称し、現在も活動を続けている。同年にはダルメシアンのショーも初めて開催され、143頭がエントリーした。英国ダルメシアン・クラブは1933年にCCが交付できるチャンピオンシップ・ステータスを獲得して以来、第二次世界大戦中を除いて毎年のようにチャンピオンシップ・ショーを開催している。チャンピオン犬のなかでも特筆すべきはファンヒル・フォーンという名の犬で、1968年のクラフツ展においてダルメシアンとしてはこれまで唯一のシュープリームドッグ（一定のドッグショーで次席以上の成績を5回以上取った犬）となった。

一方、米国では、少数派だが熱心な愛好家たちにより1905年に米国ダルメシアン・クラブが設立された。1901年に生まれたスポッテッド・ダイヤモンドは、AKCのショーでは雌として初めてチャンピオン犬となっている。

DALMATIAN｜ダルメシアン

索引

【あ】
アイディタロッド・レース▶44, 50
アイリッシュ・ウォーター・スパニエル▶
　180-1, 194, 267
アイリッシュ・ウルフハウンド▶
　29, 34-7, 38, 92
アイリッシュ・ソフト・コーテッド・ウィートン・
　テリア▶228-9
アイリッシュ・テリア▶214, 226-7, 228
秋田▶13, 44, 45, 56-9
アッペンゼラー・マウンテン・ドッグ▶134
アフガン・ハウンド▶13, 24-7, 29
アフリカン・ブッシュ・ドッグ▶75
アメリカン・アキタ▶57, 58
アメリカン・エスキモー・ドッグ▶45, 72-3
アメリカン・スタッフォードシャー・テリア▶
　77, 86-7
アメリカン・ピット・ブル・テリア▶77, 86
アメリカン・フォックスハウンド▶
　142, 143, 156-9
アラーノ・エスパニョール▶88, 91, 270
アラスカン・マラミュート▶
　13, 44, 46-7, 70
アラビアン・グレーハウンド▶
　「スルーギ」の項参照
アルザシアン▶141
イエイヌ▶12, 13, 14, 67, 104, 175
イタリアン・グレーハウンド▶205
イビザン・ハウンド▶32-33
イングリッシュ・クーンハウンド▶162
イングリッシュ・コッカー・スパニエル▶
　178-9
イングリッシュ・スプリンガー・スパニエル▶
　174-7
イングリッシュ・セター▶
　173, 176, 182-3, 184
イングリッシュ・トイ・テリア▶205, 278
イングリッシュ・フォックスハウンド▶
　142, 143, 157, 162, 186
イングリッシュ・ホワイト・テリア▶86
ウィペット▶14, 40-3, 205, 208
ウェービーコーテッド・レトリーバー▶201
ウエスト・ハイランド・ホワイト・テリア▶
　219, 222-5
ウェストミンスター展▶
　26, 32, 39, 85, 146, 151, 154, 181,
　224, 231, 252, 257, 264, 270, 278
ウェルシュ・コーギー・ペンブローク▶
　132-3
ウェルシュ・シープドッグ▶109
ウェルシュ・スパニエル▶176
ウェルシュ・テリア▶214
ウェルシュ・ヒルマン▶109
ウルフスピッツ▶45, 128, 263
エアデール・テリア▶171, 202, 214-7
エントレブッチャー▶134
オーストラリアン・キャトル・ドッグ▶
　104, 116-9
オール・アラスカ・スウィープステークス▶
　44, 49
オールド・イングリッシュ・シープドッグ▶
　109, 112-3
オオカミ▶11, 12, 13, 14, 22, 25, 35,
　36, 39, 44, 53, 61, 75, 76, 78, 81,
　120, 125, 126, 138, 141, 143, 152,
　161, 190, 244
オッターハウンド▶
　142, 143, 152-3, 207, 208, 214

【か】
カーディガン・コーギー▶132
カーリーコーテッド・レトリーバー▶100
ガズニー▶26
カタフーラ・レパード・ドッグ▶143, 160-1
カナーン・ドッグ▶105, 122-3
カナダケネルクラブ▶72
キースホンド▶45, 61, 70-1
キャバリア・キング・チャールズ・スパニエ
　ル▶13, 274-7
クライズデール・テリア▶278

クラフツ展▶
　22, 58, 75, 94, 131, 141, 179, 201,
　224, 232, 244, 264, 277, 283
クランバー・スパニエル▶176
クリスタル・パレス・ショー▶25, 62, 114
グリフォン・ド・ブレス▶152
グリフォン・ニヴェルネ▶152
グリフォン・バンデーン▶148, 152
グレーター・スイス・マウンテン・ドッグ▶
　134
グレート・デーン▶
　36, 57, 76, 88, 92-5, 103, 137, 168
グレート・ピレニーズ▶114-5
グレーハウンド▶14, 15, 28-31, 35, 38,
　39, 41, 42, 92, 111, 137, 143, 161,
　168, 171, 231
グレン・オブ・イマール・テリア▶228
ケアーン・テリア▶219, 223, 224
ケリー・ブルー・テリア▶228
ケルピー▶118
ゴードン・セター▶173, 182, 184-5, 220
ゴールデン・レトリーバー▶172, 200-1
コモンドール▶104, 124-7
コンゴ・テリア▶75

【さ】
サザン・ハウンド▶142, 144
サセックス・スパニエル▶176
サモエド▶44, 52-5, 61, 70, 263
サルーキ▶13, 14, 16-7, 18, 22, 29
サン・テュベール犬▶
　142, 143, 144, 146, 148, 190
シー・ズー▶96, 238, 240-3, 251
シープドッグ・トライアル▶104, 107, 109
シールハム・テリア▶223
シェットランド・シープドッグ▶109, 111
シェパード秋田▶58
柴▶13
シベリアン・ハスキー▶13, 44, 48-51, 263
シャー・ペイ▶13, 76, 96-9
ジャーマン・シェパード・ドッグ▶138-41
ジャーマン・ショートヘアード・ポインター▶
　137, 172, 173, 186-7, 190
ジャーマン・スピッツ▶45, 70, 72
ジャーマン・ピンシャー▶137, 167
ジャーマン・マスティフ▶92
ジャイアント・シュナウザー▶
　104, 128, 131
ジャパンケネルクラブ▶57, 58, 94
シュナウザー▶105, 128-31
ショートヘアード・ハンガリアン・ビズラ▶
　172, 173, 188-9
スイスケネルクラブ▶103
スウェーディッシュ・ヴァルフント▶132
スウェーディッシュ・エルクハウンド▶67
スカイ・テリア▶203, 219, 223, 278
スコッチ・コリー▶109
スコッチ・シープドッグ▶107
スコティッシュ・ディアハウンド▶36
スコティッシュ・テリア▶218-21, 224
スタッフォードシャー・ブル・テリア▶77, 86
スタンダード・プードル▶
　239及び「プードル」の項参照
スパニッシュ・ポインター▶173, 176
スピノーネ・イタリアーノ▶173, 192-3
スムース・フォックス・テリア▶235及び「ワイ
　アー・フォックス・テリア」の項参照
スルーギ▶14, 18-21
セグージョ・イタリアーノ▶193
セター▶
　172, 173, 182, 184, 186, 193, 194
セント・ジョンズ・ウォーター・ドッグ▶194
セント・ジョンズ・ドッグ▶100, 196
セント・バーナード▶46, 77, 100, 102-3

【た】
タイガン▶25
ダックスフンド▶
　132, 143, 166-7, 205, 207
タルボット▶142, 144

ダルメシアン▶117, 239, 280-3
ダンディ・ディンモント・テリア▶
　202, 206-7, 208, 210
チェサピーク・ベイ・レトリーバー▶
　172, 194-5
チベタン・スパニエル▶274
チベタン・テリア▶238, 244
チベタン・マスティフ▶
　61, 76, 96, 240, 244
チャイニーズ・クレステッド・ドッグ▶254-5
中国ケネルクラブ▶240
チュクチ犬▶49
チワワ▶256-9
狆（チン）▶249, 251, 274
ツウィード・ウォーター・スパニエル▶
　181, 201
ディアハウンド▶
　15, 35, 38-9, 88, 92, 111
ティティアン・スパニエル▶261
ディンゴ▶117, 118
ドーベルマン▶104, 136-7
トイ・スパニエル▶176, 238, 261, 274
ドイツケネルクラブ▶88, 128, 137, 186
トイ・プードル▶「プードル」の項参照
土佐犬▶57
トロヴェモセフンデン▶67

【な】
ナポリタン・マスティフ▶91
ニューファンドランド▶
　77, 100-1, 114, 194, 196
ノーフォーク・スパニエル▶176
ノルウェーケネルクラブ▶64
ノルウェジアン・エルクハウンド▶
　45, 61, 66-7
ノルウェジアン・ブーフント▶132
ノルウェジアン・ルンデフンド▶45, 64-5

【は】
バーニーズ・マウンテン・ドッグ▶77, 134
ハイランド・コリー▶107, 117
パグ▶82, 120, 238, 240, 250-3, 270,
　274, 277
バセー・アルティジャン・ノルマン▶
　148, 151
バセット・ハウンド▶143, 148-51, 167
バセンジー▶13, 44, 45, 74-5
パピヨン▶258, 260-1
パリ・ドッグショー▶148
バルクジ・ハウンド▶25
バルビー▶267
ビーグル▶142, 151, 154-5, 231
ヒーラー▶104及び「オーストラリアン・キャト
　ル・ドッグ」の項参照
ビアデッド・コリー▶106-7, 109, 112
ピェルキエール▶「サモエド」の項参照
ピット▶77, 86
ピット・ブル・テリア▶77, 86
プードル▶128, 181, 239, 266-9
プーリー▶126
ブールドグ・ドゥ・ミダ▶88
ファレーヌ▶「パピヨン」の項参照
フィニッシュ・スピッツ▶45, 68-9
フィンランドケネルクラブ▶68
フォックス・テリア▶
　86, 202, 203, 231, 232, 235
ブラック・アンド・タン・テリア▶
　86, 142, 202, 203, 205, 231
フラットコーテッド・レトリーバー▶
　100, 201
ブラッドハウンド▶142, 143, 144-7, 148,
　152, 168, 184, 190, 201
フランスケネルクラブ▶91
ブリアード▶104, 105, 112, 120-1
ブルーティック・クーンハウンド▶
　143, 162-3
ブル・テリア▶203, 214, 231, 272
ブルドッグ▶76, 77, 82-5, 86, 88, 91,
　171, 231, 252, 270, 272

ブルマスティフ▶81, 91
フレンチ・ブルドッグ▶239, 270-1, 272
ブレンバイザー▶88, 92, 270
プロット・ハウンド▶143, 164-5
ベイティング▶76, 77, 78, 81, 82, 85, 86,
　88, 92, 202, 203, 270
ペキニーズ▶238, 240, 243, 246-9, 251
ベドウィン・グレーハウンド▶
　「スルーギ」の項参照
ベドリントン・テリア▶208-9, 210
ベルガマスコ・シェパード・ドッグ▶126
ペルシャ・グレーハウンド▶
　「アフガン・ハウンド」の項参照
ベルジャン・タービュレン▶29
ボースロン▶137, 161
ボーダー・コリー▶104, 108-9, 210
ボーダー・テリア▶210-3
ポインター▶
　171, 172, 173, 186, 190, 193, 194
ボクサー▶76, 88-9
ポケット・ビーグル▶154
ボストン・テリア▶272-3
ポチュギーズ・ウォーター・ドッグ▶267
ポメラニアン▶
　45, 61, 70, 132, 258, 262-5
ボルゾイ▶15, 22-3, 29, 36, 38, 111
ボルドー・マスティフ▶76, 88, 90-1
香港ケネルクラブ▶96

【ま】
マウンテン・コリー▶107
マウンテン・ドッグ▶
　77, 100, 103, 114, 134, 238
マタギ犬▶57, 58
マルチーズ▶238, 246
マンチェスター・テリア▶137, 202, 204-5
南アフリカ・ケネルユニオン▶171
ミニチュア・シュナウザー▶
　「シュナウザー」の項参照
ミニチュア・プードル▶「プードル」の項参照
メキシカン・ヘアレス・ドッグ▶254, 257
モロシアン▶76, 77, 88, 91, 270

【や】
ヨークシャー・テリア▶239, 278-9

【ら】
ラサ・アプソ▶238, 240, 243, 244-5, 251
ラフ・コーテッド・スコッチ・テリア▶208
ラフ・コリー▶29, 110-1, 117, 171
ラブラドール・レトリーバー▶
　100, 172, 196-9
ランドシア▶「ニューファンドランド」の項参照
レオンベルガー▶100
レッド・セター▶201
レパード・スポッテド・ベア・ドッグ▶164
ローデシアン・リッジバック▶168-71
ロシアン・ウルフハウンド▶
　「ボルゾイ」の項参照
ロシアン・オフチャルカ▶112, 125
ロットワイラー▶104, 134-5, 137

【わ】
ワイアー・フォックス・テリア▶
　26, 230-3, 235
ワイアーヘアード・ピンシャー▶128
ワイマラナー▶137, 172, 173, 190-1

【欧文】
AKC（アメリカンケネルクラブ）▶
　13, 172, 203及び各犬種を参照
FCI（国際畜犬連盟）▶
　13, 21, 57, 70, 100, 267, 283
KC（ザ・ケネルクラブ）▶
　13, 172及び各犬種を参照
UKC（ユナイテッドケネルクラブ）▶
　72, 86, 161, 162, 164

クレジット

見返し *Savannah* (Saluki)
Al Zorbair Arabian Horse Stud, Sharjah
Owners: J. Wickham & S. Jones
jacidw@hotmail.com
sara@bespokegcc.com

2 *Maisie* (Vizsla)
Willowhunt Daisy
Owners: Mr. & Mrs. D. Hill
jsmith7@its.jnj.com

5 *Lady* (Pembroke Welsh Corgi)
Lady Foxway
Owner: Miss R. Crosby
Rcc2123@Sbcglobal.Net
Max (Pembroke Welsh Corgi)
Llandian's Max
Breeder: D Connolly
Owner: Mrs N Esdorn
Nickiesdorn@Mac.Com

6–7 *Jasper* (Labrador Retriever)
Adula Jade
Owners: Mr. O. & Mrs. F. Morley
ollycooper@btinternet.com

8–9 *Puppies* (Chinese Shar Pei)
Abbey Pontshannon Aint I Smart
Owner: Mr. C. & Mrs. L. Walker
ll.walker@live.co.uk
www.pontshannonshar-pei.com

10 *Molly* (English Cocker Spaniel)
Folderslane Gold Bangle
Owner: Ms. L. Bruce
lynn.bruce@cwgsy.net

14–15 *DayDay* (Borzoi)
GCH Go Lightly's Big Day
Breeders: Mr. & Mrs. P. Zobel, Go Lightly Borzois
Owners: M. Zobel & R. Stachon
golightlyborzoi@sbcglobal.net

16 *Minnie* (Saluki)
Plas Yr Wregin Minnie HaHa The Amazonian Queen
Owner: Miss T. Charles-Jones
tilericj@aol.com

19 & 20 *Seren* (Sloughi)
Moulay El-Mehdi Al Tisha of Falconite
Owner: Mrs. J. Harris
julia@falconite.co.uk
www.falconite.co.uk

23 *DayDay* (Borzoi)
GCH Go Lightly's Big Day
Breeder: Mr. & Mrs. P. Zobel, Go Lightly Borzois
Owners: M. Zobel & R. Stachon
golightlyborzoi@sbcglobal.net

24, 26 & 27 *Leo* (Afghan Hound)
GCH Kassan Windwalker of Skyview
In loving memory of June Boone
Owners: M. & D. Suess, J. Boone
doc@afghan-hound.com
www.afghan-hound.com

28 & 31 *Foxy & Wease* (Greyhound)
Marry Late & Flying Weasel

33 *Zipper* (Ibizan Hound)
BIS MBISS CH Harehill's Love On The Run
Breeders: W. & K. Anderson
Owners: K. & D. Gindler, W. & K. Anderson & L. Mattson
kikigin@me.com
www.harehillhounds.com

33 *Jackie* (Ibizan Hound)
GCH Harehill's Ace In The Hole
Breeders: W. & K. Anderson
Owners: K. & D. Gindler & W. & K. Anderson
kikigin@me.com
www.harehillhounds.com

34 & 37 *Glanton* (Irish Wolfhound)
Madiamoy Glanton Gilbert
Owner: Mrs. S. More-Molyneux
m1521562@googlemail.com
www.loseleypark.co.uk

39 *Whisper* (Scottish Deerhound)
Ehlaradawn Whispers
Owner: Master L. Rae
suzi@goldenoakeventing.com

40 *Poppy* (Whippet)
Derohan Attraction
Owner: Diana Webber
diana@whippets.plus.com

43 *Ditto* (Whippet)
Dittander Lilac Moon
Breeder: Miss P. Rose
Owner: Miss N. Cardale

44–45 *Stoney* (Siberian Husky)
Khovaki's Elfstone of Kascaram
Owners: C. & K. Doss
conker20630@mypacks.net

47 *Nik & Cain* (Alaskan Malamute)
Shomont Rasin Hell & Showmont Rasin Cain
Shomont Malamutes
Owners: S. P. Thompson & K. Givens
sue@shomont.fsnet.co.uk
www.shomontmalamutes.webeden.co.uk

48 *Wyatt* (Siberian Husky)
CH Sno-Magic's Gunslinger
Behind is *Seeley* (Sno-Magic's Devil in a Black Dress CGC, RN),
Sarah (CH Sno-Magic's Northern Serenade, SD),
& *Spicy* (Khovaki's Red, Hot 'n Spicy)
Sno-Magic Siberians
Owners: Mr. & Mrs. M. Lavin
susan@snomagic.com
www.snomagic.com

50 & 51 *Musher: Mike Lavin* (Siberian Husky)
Teton (Sno-Magic's Teton) (*right lead*),
Stormy (Sno-Magic's Dark N Stormy) (*left lead*).
Behind is *Seeley* (Sno-Magic's Devil in a Black Dress CGC, RN),
Wyatt (CH Sno-Magic's Gunslinger),
& *Sarah* (CH Sno-Magic's Northern Serenade, SD)
Sno-Magic Siberians
Owners: Mr. & Mrs. M. Lavin
susan@snomagic.com
www.snomagic.com

52 *Maggie* (Samoyed)
CH Sunfire's Amethyst Stardust, WSX, Th.D, CGC, HCT-II, TDI
Sunfire Samoyeds
Breeders/owners: Mr. & Mrs. M. Emmett
sunfiresamoyeds@sbcglobal.net
www.sunfiresamoyeds.com

55 *Kasey & Misty* (Samoyed)
CH Lhotse's Sunfire On Kara Sea, WS, CGC, TDI (*Kasey*)
CH Mystiwind's Sunfire 'N Ice, WS, CGC HCT-II, TDI (*Misty*)
Sunfire Samoyeds
Breeders: Mr. & Mrs. L. Tusoni & J. & J. Ritter
Owners: Mr. & Mrs. M. Emmett
sunfiresamoyeds@sbcglobal.net
www.sunfiresamoyeds.com

56 *Blu* (Akita)
CH Snow Crests Rhythm N Blus
Snowcrested Akitas
Owner: Miss T. Liles
snowcrestedakitas@yahoo.com
www.snowcrestedakitas.com

59 *Glacier* (Akita)
GCH Snow Crest's Blu Ice
Snowcrested Akitas
Owner: Miss T. Liles
snowcrestedakitas@yahoo.com
www.snowcrestedakitas.com

60, 62 & 63 *Poh* (Chow Chow)
Jamarhys Chow Chow
Owner: Mrs. J. Powis
janepowis@btinternet.com

65 *Koru* (Norwegian Lundehund)
C'Ciqala Casey Lonewolf
Sakari Kennels
Owners: Mr. & Mrs. P. Rousseau
sakarikennel@yahoo.com
www.sakarikennels.com

66 *Leif* (Norwegian Elkhound)
Arctic Ridge's Leif Worfson
Owners: B. Oxley & Mr. & Mrs. Wagner
wagnerrl@earthlink.net

69 *Meri* (Finnish Spitz)
Sukinimi Meri
Owners: Mr. S. D. & Mrs. A. M. Piearce
sukunimi@aol.com
www.finnishspitzonline.com

71 *Snoopy* (Keeshond)
Brykin Big Chief
Owner: Mrs. J. Waller
brykin.kees@btinternet.com

73 *Zeno* (American Eskimo Dog)
Snodreams Zeno of Peyton
Owner: Mrs. K. Conrad
ekconrad@msn.com

73 *Abel & Kiya* (Basenji)
Annandael's Land of Nod (*Abel*)
White Wind Anpu's Lil Secret (*Kiya*)
Breeder/owner: Miss D. J. Johnston
Haus Annandael Basenjis
annandael@gmail.com
www.annandael.com

76–77 *Lullah* (Great Dane)
Owner: Mr. D. Coughlan
dean@deancoughlan.com

79 *Boris* (Mastiff)
Sle-P-Holo's White Russian At Gavin
Breeders: T. Hyland & D. Golden
Owners: P. & J. Brown & T. Hyland
tonihyland@sbcglobal.net
dbpb@sbcglobal.net

80 *Wally* (Mastiff)
Owners: Mrs. A. Barroll Brown & family
absbarrollbrown@hotmail.com

83 & 84 *Bertie* (Bulldog)
Owner: Mr. D. Roderick
davidroderick1949@btinternet.com

87 *Sonny* (American Staffordshire Terrier)
CH Bergstaff's Bet On Cabin Creek
Breeders: S. & L. Cabral
Owners: Mr. & Mrs. M. Davi
cabincreek63@gmail.com
www.cabincreekamstaff.com

89 *Rio* (Boxer)
Zeus In Possession Of Power
Owners: Mr. C. Jones & Mrs. S. Rew-Jones
stevierew@hotmail.co.uk

90 *Roman* (Dogue de Bordeaux)
Holgaryn Major Achievement
Owners: Mr. G. & Mrs. H. McKeon
holgarynddb@yahoo.co.uk
www.holgaryn.com
www.welshandwestddbclub.co.uk

93 & 95 *Lullah* (Great Dane)
Owner: Mr. D. Coughlan
dean@deancoughlan.com

96, 97 & 98 *Abbey & puppies* (Chinese Shar Pei)
Abbey Pontshannon Aint I Smart
Owner: Mr. C. & Mrs. L. Walker
ll.walker@live.co.uk
www.pontshannonshar-pei.com

101 *Yogi* (Newfoundland)
Inkomo Harare
Breeders: Inkomo Stud
Owner: Mr. G. Antoniazzi
guy.antoniazzi@btinternet.com

102 *Merlin* (St Bernard)
Mtn Home Merlin The Great
Owners: B. McCarthy & M. Snow
mbmccarthy1@comcast.net

104–105 *Rupert* (Briard)
Crackerbie Crackerjack
Owner: Mrs. C. Cox
caroline_cox1@hotmail.com

106 *Twiga* (Bearded Collie)
Highglade Rags to Riches (AH4)

108 *Boo* (Border Collie)
Owner: Mr. D. Wilson
noblehalf@yahoo.com

109 *Oscar* (Rough Collie)
Cotswoldway Inca Gold
Owners: Mr. J. & Mrs. H. Owens
helendenisesorrento@hotmail.co.uk

113 *Cooper* (Old English Sheepdog)
Llandeilo Prince
Owners: Mr. & Mrs. David
advd11@aol.com

115 *Cassie* (Great Pyrenees)
CH SuePyr's Wild Surprise
SuePyr Great Pyrenees
Owner: Mrs. S. Cole
sue3cole@gmail.com
www.suepyrgreatpyrenees.com

116, 118 & 119 *Bindi, Lash, Shiloh, Belle, & Dozer*
(Australian Cattle Dog)
CH Castle Butte Bindi CD RE HSAdsc HIAsc
HXAc NA OAJ OAP AJP NFP (*Bindi*)
Bar H I'm A Cover Girl HSAs (*Lash*)
CH Castle Cutte Shiloh HSAs (*Shiloh*)
Bar H Tinkerbelle Trail PT (*Belle*)
CH Bar H Blue Bulldozer PT (*Dozer*)
Breeders: Mr. & Mrs. P. Myers
Owners: Mr. & Mrs. J. Hampton
barhcattledogs1@verizon.net
www.barhcattledogs.com

121 *Rupert* (Briard)
Crackerbie Crackerjack
Owner: Mrs. C. Cox
caroline_cox1@hotmail.com

123 *Rosie* (Canaan Dog)
Anacan Shoshannah For Amicita
Breeder: Mrs. E. M. Minto
Owners: Mr. P. & Mrs. B. Gould
amicitia9.rosie@ntlworld.com

124, 126 & 127 *Quincy & Murray* (Komondor)
BIS BISS World, Int, Americas, American, Canadian,
Mexican CH Gillian's Quintessential Quincy (*Quincy*)
GCH Quintessential Curious George M. (*Murray*)
Owners: Mrs. J. Cupolo & Mr. J. D. Landis
janrdc@aol.com

CREDITS | クレジット

129 & 130 *Boz* (Standard Schnauzer)
Owner: Mrs. S. Stone
sharonstone@elpasotel.net

133 *Max* (Pembroke Welsh Corgi)
Llandian's Max
Breeder: D. Connolly
Owner: Mrs. N. Esdorn
nickiesdorn@mac.com

133 *Lady* (Pembroke Welsh Corgi)
Lady Foxway
Owner: Miss R. Crosby
rcc2123@sbcglobal.net

134 *Zeus* (Rottweiler)
Fantasa Free N Easy
Jamado Rottweilers
Breeder: L. Dunhill
Owner: M. Docherty
docherty658@btinternet.com

136 *Kramer* (Doberman Pinscher)
Cosmo Kramer
Owner: K. Fox

139 *Sadie* (German Shepherd)
Sadie Von Defenbaugh
Owners: Mr. & Mrs. G. Gates
hollisgates@aol.com

140 *Mason* (German Shepherd)
Owner: Mrs. S. Vaughan
sian_vaughan13@hotmail.com

142–3 *Onza & Skedaddle* (Bluetick Coonhound)
CH PR NA DEM Koyo Blue Onza Leegend (*Onza*)
CH PR NA DEM Koyo Skedaddle Sundown (*Skedaddle*)
Owner: L. Bolin
indianoutlaw25@hotmail.com

145 & 147 (Bloodhound)
Southern Shires Bloodhounds
By kind permission of the Masters of the Southern Shires
www.southernshiresbloodhounds.co.uk

149 & 150 *Cooper* (Bassett Hound)
Malrich Bryn
Breeder: D. Elrich
Owner: Miss H. Anderson
helen.anderson16@gmail.com

153 *Chaucer* (Otterhound)
Teckelgarth Chorister
Owners: Miss M. Lerego, Mr G. Usher, & Mr. M. Branch
maria.lerego@sky.com
www.teckelgarth.org

155 *Bumble* (Beagle)
Blackthorne King of Spellcatcher
Owner: Mrs. K. Denton-Drage
keely-drage@idexx.com

156, 158 & 159 (American Foxhound)
Smithtown Hunt
By kind permission of the Masters of the Smithtown Hunt
www.smithtownhunt.org

160 *Jeter* (Catahoula Leopard Dog)
Owner: J. McCulloch
jen@olivesveryvintage.com

163 *Skedaddle, Tule, & Fiddler* (Bluetick Coonhound)
CH PR NA-DEM-KOYO Skedaddle Sundown (*Skedaddle*)
CH PR NA-DEM-KOYO Blue Tule Jewel (*Tule*)
PR NA-DEM-KOYO Blue Grass Fiddler (*Fiddler*)
Owner: L. Bolin
indianoutlaw25@hotmail.com

165 *Jade* (Plott Hound)
PR Fisher's Bearstopping precious Jade
Owner: Mrs. D. Culley-Fisher
culley-fisherd@saccounty.net

166 *Sylvie & Rockin'* (Dachshund)
Dikerdachs Rapunzel (*Sylvie*)
Dikerdachs Rockin' At Midnight From Doxieville (*Rockin*)
Breeder: V. Diker
Owners: N. Shawriyeh & V. Diker
vtdiker@gmail.com
http://dikerdachs.com

169 & 170 *Shisha* (Rhodesian Ridgeback)
Shisha Tofathin
Breeder: Francine Van Rensburg, Pleasant View Ridgeback Kennel, SA
Owner: Mr. M. Ammirati
marco.ammirati@gmail.com

172–173 *Molly* (English Cocker Spaniel)
Folderslane Gold Bangle
Owner: Ms. L. Bruce
lynn.bruce@cwgsy.net

174 *Jazmine* (English Springer Spaniel)
Shackleton Bonnie
Breeders: Holloway
Owners: The Plummers
plummers@cprp.demon.co.uk

177 *Bob* (English Springer Spaniel)
Tawney Hill Ted
Owner: Miss S. Ellis
famelliss@aol.com

178 *Molly* (English Cocker Spaniel)
Folderslane Gold Bangle
Owner: Ms. L. Bruce
lynn.bruce@cwgsy.net

180 *Sariyel* (Irish Water Spaniel)
CH Chantico's Light of Land and Sea
Owner: M. Garbarino
mgarbarino1@optonline.net

183 *F.J., Lucille, Winnie, May, & Moody* (English Setter)
Kert-Jo's Black Label On The Rocks (*F.J.*)
CH Kert-Jo's Wild 'N Unfaithful Lucille (*Lucille*)
CH Kert-Jo's Da Winnie Pooh (*Winnie*)
GCH CH Kert-Jo's Maybellene Y-Can't-U-B-True (*May*)
Kert-Jo's In The Mood (*Moody*)
Kert-Jo Setters & All Setter Rescue
Owners: Mr. R. Atteson & Ms. M. Mengel
http://allsetterrescue.blogspot.com

185 *Lacey* (Gordon Setter)
Laurelhach Legacy
Laurelhach Gordon Setters
Owner: Mr. F. Boxall
frances@laurelhach.co.uk

187 *Zulu & Mally* (German Shorthaired Pointer)
Owner: Mr. E. Jenkins

188 *Maisie* (Vizsla)
Willowhunt Daisy
Owners: Mr. & Mrs. D. Hill
jsmith7@its.jnj.com

191 *Kizzie* (Weimeraner)
Parhelis Minuet (*Kizzie*)
Owners: Mr. B. & Mrs. A. Hargreaves
bill@larkhillfarm.co.uk

192 *Dino* (Spinone Italiano)
GCH CH Brier Creeks Dynoche Know Gunsmoke
Breeders: K. & J. Mann
Owner: H. Key
fieldnfeathers@ymail.com

195 *Zeus* (Chesapeake Bay Retriever)
Zoe's Classic Zeus
Owners: Mr. & Mrs. Prodromakis
alypro42@yahoo.com

197 *Jasper* (Labrador Retriever)
Adula Jade
Owners: Mr. O. & Mrs. F. Morley
ollycooper@btinternet.com

198 *Popcorn* (Labrador Retriever)
Ken Millix Honeybear
Owner: Miss A. Seel
bella@bellaseel.com

200 *Rosie* (Golden Retriever)
Tenfield Coral Sea
www.tenfield.co.uk

202–203 *Bo* (Scottish Terrier)
Rwffys Rockerfeller
Owner: Mrs. C. Adams

204 *Amber* (Manchester Terrier)
Twisel Gregory's Girl
Owners: Mr. B. & Mrs. A. Hargreaves
bill@larkhillfarm.co.uk

206 *Robbie* (Dandie Dinmont)
CH King's Mtn Robert The Bruce
Breeders: Mrs. S. Pretari Hickson & B. A. Stenmark & V. Wilson
Owners: Mrs. S. Pretari Hickson & D. Chambers Bau & V. Wilson
sandra.pretarihickson@gmail.com
www.kingsmtndandies.com

209 *Krystal* (Bedlington Terrier)
GCH WmShire's Krystal Blue Jewel
Breeder: N. Peterson
Owner: N. Peterson & R. Lundin
nadinepet@gmail.com

211 & 212 *Jemima & Bumble* (Border Terrier)
Pourciaux Raz (*Bumble*)
Pourciaux Roselle (*Jemima*)
Owners: Miss S. Wethey & Miss B. Wethey
bellawethey@gmail.com

215 & 216 *Suzi* (Airedale Terrier)
Moonlight Mist
Owner: Mrs. K. Protheroe
kath.protheroe@swansea.gov.uk

218 & 221 *Bo* (Scottish Terrier)
Rwffys Rockerfeller
Owner: Mrs. C. Adams
chuff.wake@tiscali.com

222 & 225 *Zhara, Spencer, & Lady Alice* (West Highland White Terrier)
Rwffys Rockerfeller
Owner: C. Botha
celeste.botha@telkomsa.net

227 *Bear* (Irish Terrier)
Bearnard
Owner: Miss G. Freydl
gabf2000@yahoo.com

229 *Gladys* (Soft-Coated Wheaten Terrier)
CH Heirloom To Infinity & Beyond OA OAP
Heirloom Wheatens
Owners: P. Chevalier & R. Bergman
pjcheval@yahoo.com
www.heirloomwheatens.com

230 & 233 *Karma, Smooch, & Moxie* (Wire Fox Terrier)
GCH Dalriada's Instant Karma (*Karma*)
Rockinfox Sincerely Hugs & Kisses (*Smooch*)
Rushinons Outfoxed Me Once Too (*Moxie*)
Owners: K. Read & S. Loudenburg
read@rmi.net
rockinfox@gobrainstorm.net

234 & 237 *Bentley* (Parson Russell Terrier/Jack Russell)
Bentley Blower
Owner: Mr. Z. Helm
zebhelm@gmail.com
www.zebedeehelm.com

238–239 *Javier* (Pug)
Owner: M. Taylor
mariasdogs@optonline.net

241 & 242 *Rainbow* (Shih Tzu)
Chodeas Eastern Star
Owners: Miss S. & Mrs. M. Dean
cherriedean@sky.com

245 *Bruno* (Lhasa Apso)
Valeview My Cheeky Fella
Owners: The Lees
steve.lee.2@hotmail.co.uk

247 & 248 *Marcus & Finlay* (Pekingese)
Jidorian The Apprentice For Delwin (*Marcus*)
CH Dreamtines Odds On For Delwin (*Finlay*)
Owner: Mrs. G. A. Godwin
toydom@aol.com

250 & 253 *Javier* (Pug)
Owner: M. Taylor
mariasdogs@optonline.net

255 *Sparky* (Chinese Crested)
Hitmonchan Angel Secret
Owner: J. Jones
hitmonchan@btinternet.com
www.freewebs.com/hitmonchancresteds

256 & 259 *Pablo* (Chihuahua)
Owner: Miss R. Jones
rachel.annjones@hotmail.co.uk

260 *Pablo* (Papillon)
Owner: Miss R. Jones

263 & 265 *Tito* (Pomeranian)
CH Velocity's King of Mambo
Mr. J. Bendersky
www.planetjorge.com

266, 268 & 269 *Justin & Patsy* (Poodle)
Donnchada Just Right (*Justin*)
Multiple BIS, BISS CH Donnchada Sweet (*Patsy*)
Donnchada Poodles
Owner: E. Brown
donnchada@yahoo.com
http://www.donnchadapoodles.com

271 *Dotty* (French Bulldog)
My Favourite Domino
Owner: Miss K. C. Evans
k155_kim@hotmail.com

273 *Bowie & Patience* (Boston Terrier)
CH Constellation's Ziggy Stardust (*Bowie*)
Constellation's Patience Is A Virtue (*Patience*)
Owners: Mr. & Mrs. Kaesemacher
timvalk@comcast.net
www.constellationbostons.com

275 & 276 *Charles* (Cavalier King Charles Spaniel)
Owners: Mr. & Mrs. E. Mill
millmob2@comcast.net

279 *Lola* (Yorkshire Terrier)
Owner: L. Hughes
lolajanehughes@gmail.com

281 & 282 *Fleckie* (Dalmatian)
Owner: Mrs. D. Honl

CREDITS | クレジット

謝　辞

　ザ・ケネルクラブ（www.the-kennel-club.org.uk）、アメリカンケネルクラブ（www.akc.org）、ユナイテッドケネルクラブ（www.ukcdogs.com）に感謝の気持ちを表したい。これらのクラブのホームページから、公式な犬種標準のほか、さまざまな犬に関して広範囲にわたる貴重な情報を得ることができた。また、時間を惜しむことなくご助力いただいた、英国及び米国のそれぞれの犬種クラブや専門家、歴史家の皆さんにもお礼を申し上げたい。

　さらに、辛抱強く私たちを支え、専門知識を授けてくださったマーク・フレッチャー、ジェーン・レイン、ディーン・マーティン、エルスペス・ベイダスをはじめとするQuarto社の出版担当チームの皆さんにも感謝したい。それ以外にも、私たちのために時間をとり、アドバイスを下さった以下の皆さんにもお礼を申し上げる。

アデル・ニコルソン	アイリーン・ジーソン	マルチナ・ゲイツ
エイドリアン・ビックネル	エレン・ミント	メアリー・ロウ
アンジェラ・ダンヴァース＝スミス	エルスペス・ケリー	メアリー・スウォッシュ
アン・テイラー	アーミン・モロー＝サピエール	マックス・ジョーンズ
アン・デランマー	アーニー・ヒル	マイケル・ハリソン
アン・ロズリン＝ウィリアムズ	ゲア・フリクト	ミランダ・ブレース
バーバラ・ピース	ジル・テイラー	モニカ・ダヴィ
バリー・ブル	ジリアン・バーゴン	ニック・クランシー
バリー・オフィラー	グレアム・フット	ノーマ・アームストロング
ベリル・ケイ	グレアム・ロジャーズ	ノーマ・バーンズ
ベティ・アン・ステンマーク	グウェン・エディ	英国バセンジー・クラブの役員、
ベティ・スミス	ヘレン・パーク	委員の皆さん
ボブ・プロット	イアン・シース	パット・リーチ
ボブ・トーマス	ジャッキー・ジョーンズ	パット・マグルトン
ボニー・ダルゼル	ジャッキー・ショア	パット・マン
ブレンダ・ウィリアムズ	ジェームズ・パウンド	ポール・リヴジー
キャロライン・リッグズ	ジャン・ウェイカリー	ポーリン・バーンズ
カール・ゴームズ	ジル・カウパー	ペギー・ドーソン
カール・ヨクム	ジム・グリーブ	ピーター・ルーソー
キャロル・クーパー	ジム・トッド	ピーター・ヤードリー
チャーラ・ヒル	ジョーン・シルヴァー	レベッカ・ベラ
ショーン・サンタナ	ジョン・フレンチ	ローダ・ペイシェンス
クリストファー・アダムズ	ジョン・スティール	リチャード・エドワーズ
クリス・カーベリー	ホルヘ・ベンデルスキ	リチャード・ニューマン
クリス・ヘイゼル	ジュディス・アシュワース	リタ・バーレット
コリン・バウカー	ジュディ・クレスウィック	ロブ・ヒル
ダリーン・A・ブリッジ	ジュリア・ハリス	ロイ・エサコー
デイヴィッド・クロスリー	ケヴィン・ムーア	サリー・サットン
デイヴィッド・ウェブスター	レスリー・バウマン	サンドラ・アレン
デボラ・ハーパー	リンダ・カーナビー	シャヒーン・シャハニ
デクスター・ホックリー	リサ・カウリー	スティーヴ・ティロットソン
ダイアナ・アレン	リズ・イーガン	スティーヴン・ルー
ダイアナ・フィリップス	ロレイン・ハーヴェイ	スー・ニコルス＝ウォード
ドン・アブニー	デニス・フォスター中尉	スー・トンプソン
ドロシー・グレイソン・ウッド	リン・ランドール	トニ・ハイランド
ダグ・コリアー	リン・ラフ	ヴァレリー・フォス
ルイーズ・コリアー	マーガレット・ハウス	ヴァイオレット・ブルース
エド・トマソン	マリオン・ヒプキン	

　なお、完全版の犬種標準をはじめとする、各犬種のより詳しい情報については、犬種ごとの愛犬家団体に直接問い合わせることをお勧めする。

　最後に、本書は、非常に人気が高いにもかかわらずあまり詳しいことが知られていない犬種の歴史的・文化的背景について考察したものであり、掲載した犬の姿形やサイズについても現実に存在するすべての犬を網羅したものなので、ドッグショーの出陳条件に適合していない場合もある。文章も写真も、その犬の魂や本質、歴史、ほかの犬種との違いをうまく伝えることを意図しているため、犬種標準通りであるとは限らず、その犬種のあらゆる階層の個体が含まれたものとなっていることをお断りしておく。

【著 者】

タムシン・ピッケラル（Tamsin Pickeral）

美術史家であり、動物研究家。獣医師の娘としてイングランドの片田舎に生まれ、常にいろいろな動物たちに囲まれて幼少期を過ごす。そのなかには犬や猫、フェレット、馬のほか、怪我をして保護された野生のリスもいた。犬は、生まれたときからずっと愛し、飼い続けてきた動物である。のちに研究のテーマとなったのは、動物の進化と、動物と人との関わりの歴史。ヨーロッパと北米で長年動物看護師として働いたあと、その経験を生かして作家活動に専念。動物をテーマにした著作の多くは、さまざまな国で翻訳されている。主な著書に『世界で一番美しい猫の図鑑』『世界で一番美しい馬の図鑑』（ともにエクスナレッジ）、『The Dog: 5,000 Years of the Dog in Art（犬――その5000年の芸術史）』（未邦訳）などがある。

【写真家】

アストリッド・ハリソン（Astrid Harrisson）

写真家。2008年初めにアルゼンチン北西部の高地にある牧場で働きながら動物の写真を撮り始める。このときの経験は、エスタンシア（アルゼンチンの広大な牛の放牧場）の歴史に関する1冊の本の形で結実した。以後、米国やアンデス山麓、キューバ、スイス、モザンビーク、アイスランド、地中海に浮かぶミノルカ島など、世界各地で動物写真を撮り続けている。

【訳者】

岩井木綿子（いわい・ゆうこ）

英語ほんやく工房たてよこ屋幹事。筑波大学比較文化学類卒。第21回BABEL翻訳奨励賞英日部門（1）フィクション最優秀賞受賞。主な訳書に『ドラゴンハンター ロイ・チャップマン・アンドリューズの恐竜発掘記』（技術評論社）、『オオカミたちの隠された生活』『世界の不思議な毒をもつ生き物』（ともにエクスナレッジ）、『スポーツ大図鑑』（ゆまに書房）など。

世界で一番美しい犬の図鑑

2016年3月1日　初版第1刷発行
2021年6月15日　　第4刷発行

著　者　　タムシン・ピッケラル
写真家　　アストリッド・ハリソン
訳　者　　岩井木綿子
発行者　　澤井聖一
発行所　　株式会社エクスナレッジ
　　　　　〒106-0032 東京都港区六本木 7-2-26
　　　　　https://www.xknowledge.co.jp/

編　集　Tel：03-3403-1381／Fax：03-3403-1345
　　　　mail：info@xknowledge.co.jp
販　売　Tel：03-3403-1321／Fax：03-3403-1829

無断転載の禁止
本書の内容（本文、図表、イラストなど）を当社および著作権者の承諾なしに無断で転載（翻訳、複写、データベースへの入力、インターネットでの掲載など）することを禁じます。

FSC ミックス 責任ある木質資源を使用した紙 FSC™ C007207